LOVE and BEAUTY -- SARTJEE the HOTTENTOT VENUS.

## . . . w serii ukazały się . . .

Wojciech Albiński *Achtung! Banditen!*
Lidia Amejko *Żywoty świętych osiedlowych*
Andrzej Bart *Rewers*
Joanna Bator *Piaskowa Góra*
Dawid Bieńkowski *Nic*
Dawid Bieńkowski *Biało-czerwony*
Szymon Bogacz *Koło kwintowe*
Jacek Dehnel *Lala*
Jacek Dehnel *Rynek w Smyrnie*
Jacek Dehnel *Balzakiana*
Jacek Dehnel *Fotoplastikon*
Agnieszka Drotkiewicz *Teraz*
Manuela Gretkowska *My zdies' emigranty*
Manuela Gretkowska *Kabaret metafizyczny*
Manuela Gretkowska *Tarot paryski*
Manuela Gretkowska *Podręcznik do ludzi*
Manuela Gretkowska *Namiętnik*
Henryk Grynberg *Drohobycz, Drohobycz*
Marek Kochan *Plac zabaw*
Włodzimierz Kowalewski *Excentrycy*
Wojciech Kuczok *Gnój*
Wojciech Kuczok *Widmokrąg*
Wojciech Kuczok *Opowieści przebrane*
Wojciech Kuczok *Senność*
Jarosław Maślanek *Haszyszopenki*
Daniel Odija *Kronika umarłych*
Tomasz Piątek *Pałac Ostrogskich*
Janusz Rudnicki *Chodźcie, idziemy*
Janusz Rudnicki *Śmierć czeskiego psa*
Sławomir Shuty *Zwał*
Sławomir Shuty *Cukier w normie z ekstrabonusem*
Sławomir Shuty *Ruchy*
Mariusz Sieniewicz *Czwarte niebo*
Mariusz Sieniewicz *Żydówek nie obsługujemy*
Mariusz Sieniewicz *Rebelia*
Marek Soból *Mojry*
Wojciech Stamm *Czarna Matka*
Magdalena Tulli *W czerwieni*
Magdalena Tulli *Sny i kamienie*
Magdalena Tulli *Tryby*
Magdalena Tulli *Skaza*

...archipelagi...

# Chmurdalia

Joanna Bator

Wydanie I
Warszawa 2010

*Coś srebrnego dzieje się w chmur dali.*

Bolesław Leśmian, *Szczęście*

*– Nie można, Joasiu, wszystkiemu wierzyć co ludzie gadają.*
*– Tak, mamo, wiem o tym, ale można to samo dalej opowiadać.*

„Ilustrowany Kurier Polski", Kraków, 20 grudnia 1942

## Historia musi mieć początek...

Pod mym oknem Cyganka stojała cała zbroczona w krwi, śpiewa córce Jadzia Chmura. Matka wydobywa z siebie głos, kusi śpiewem syrenim i krąży jak nakręcona. Córka jest nieruchoma i cicha, jak zasnęła, tak śpi. Obudź się, śpiąca królewno! Dominika nie słyszy słów Jadzi, tylko puste dźwięki, opadają jak wirujące w wodzie strzępki materii. Najgorsze, że w jej śnie niczego nie można policzyć. Zaczyna od jeden, ale już dwa wymyka się i rozpływa, a na jego miejsce nadciągają białe ławice, chmary, roje, chmury. Czasem Dominika czuje zapach i chwyta się go jak nici Ariadny; korzenny zapach sklepów kolonialnych, egzotycznych bazarów, o których kiedyś czytała, i zapach spalonego mięsa, splecione.

Epicentrum białych wybuchów jest głowa Dominiki, a dokładnie jej prawa strona. Stąd rozchodzą się fale bólu i łagodnieją, gasnąc na opuszkach jej palców, które drżą leciutko w rytm wewnętrznych eksplozji. Odkąd ranną Dominikę znaleziono obok płonącego samochodu, nie otworzyła oczu ani nie powiedziała słowa. Spała w wałbrzyskim szpitalu i spała podczas podróży do niemieckiej kliniki, gdzie przywieziono ją dzięki Grażynce i jej niemieckiemu mężowi. Spała nawet podczas podróży helikopterem! Tu też śpi; śpiączka, mówią lekarze, i to słowo przeraża Jadzię, bo przyzwyczaiła się przez osiemnaście lat do dziecka fiksum-dyrdum, niesfornego i ruchliwego jak bąk. Obudź się, prosi więc w rozpaczy, i obudź się, śpiewa. Od jakiegoś czasu, którego tu, gdzie jest Dominika, nie da się policzyć, z bieli wyłaniają się rzeczy nie rzeczy pozbawione koloru, niepoliczalne i rozedrgane. Być może dostają się do snu Dominiki za sprawą ruchliwej i pełnej słów matki, która czuwa nad jej łóżkiem. Te okruchy świata są białe jak stopy Matki Boskiej w niedzielę, jak mąka z młyna pradziadka Adama, jej drobiny tańczące w świetle wpadającym przez szpary; Dominika pragnie unieść ku nim rękę ciężką jak z kamienia. Są białe jak kwiaty pomarańczy z wałbrzyskiej palmiarni, jak bezy pieczone córce przez Jadzię w kuchni na Piaskowej Górze, na języku Dominika prawie czuje ich smak i przełyka ślinę. Białe bezy i cukier puder, w którym obtoczone są kostki rachatłukum, słodycz chleba ze śmietaną; Dominika pamięta rękę babci Kolomotywy, która ją tym chlebem karmiła przy białym stole. Białe zęby greckiego chłopca, który wgryza się w słodką galaretkę, uśmiecha i biegnie, biegnie z tornistrem podskakującym na plecach. Dominika próbuje odpowiedzieć mu uśmiechem, ale tuż obok są popioły, białe kości, i jej uśmiech ścina lód. Dominika widzi białe schody prowadzące ku morzu i zaczyna po nich zbiegać coraz szybciej i szybciej, byle dalej od śmierci i zniszczenia, jednak obraz pęka jak mydlana bańka, zanim uda jej się dotrzeć do wody. Zamiast niego pojawiają się białe warkoczyki zaginionej przed laty wujenki Basieńki, nucącej o dziewczynce malince słodkiej jak szynka i miód; zapach spalonego mięsa. Dominika widzi nagle popioły zaleskiego domu babci Zofii, pada na nie śnieg, na wietrze porusza-ją się prześcieradła sztywne od mrozu, stukają o siebie jak kości. Dominika czuje nowy piękny zapach i straszny zapach znajomy, ktoś śpiewa, pod mym oknem Cyganka stojała, ktoś woła jej imię tak, jakby z całej siły krzyczał w głąb studni: Dominika!

Prąd niesie ją ku górze, skąd płynie głos, Dominika czuje coś, co prawie jest ruchem i życiem; jeden, szepcze albo śni swój szept. Tuż nad nią jest teraz tylko cienka warstwa lodu albo lustra i wystarczy ją rozbić, by przekonać się, do kogo głos należy, a wtedy po jeden nastąpi dwa, trzy, świat. Dominika cały wysiłek wkłada w to jeden, które powinno być pierwszą kostką domina, dokładnie na początku, bo przecież nie ma nic piękniejszego niż porządek liczb. Głos ciągle ją kusi i przyzywa; teraz już wie, że jest piękny, i chce wyciągnąć w jego kierunku ramiona, ale słabnie i już czuje, że nie da rady, nie tym razem; opada w ciemność, bezruch i ciszę. Przez opuszki jej palców znów przebiega dreszcz, który widzi tylko matka, Jadzia, ale jej nikt nie uwierzy, tym bardziej że ruch zaraz mija, a palce, które już, już nabierały koloru, są znów białe.

Nie przewidziałam się, samą siebie umacnia w cudzie Jadzia i krzyczy po polsku do pielęgniarki. Każde jej słowo jest precyzyjnie oddzielone, wyraźne, jakby miało to pomóc, jakby dzięki temu słowa różnych języków upodabniały się do siebie. Ruszyła! Ręką! Co do tego Jadzia jest przekonana, więc tupie nogą i wrzeszczy. Ruszyła! Ręką! Jak można nie rozumieć po polsku?! Jak można nie rozumieć, gdy człowiek wyraźnie i powoli mówi, że ruszyła! Ręką! Moja córka! Trzęsie przed twarzą ciemnoskórej pielęgniarki dłonią, demonstrując w przesadny sposób ten drobniutki ruch, którego była świadkiem. O, tak ruszyła, jakby złapać coś chciała, mogę się na Matkę Boską przysiąc!

Co się Jadzia nadziwiła, gdy pierwszy raz zobaczyła Sarę w niemieckiej klinice pod Monachium. Matko Boska! Co za szok. Grażynka przekonywała ją, że Sara Jackson jest godną zaufania i doświadczoną pielęgniarką, której spokojnie może powierzyć śpiącą córkę. Ale, Matko Boska! Jadzia długo przekonana nie była. No bo jak to tak? Dlaczego akurat ona ma się opiekować Dominiką? Innych nie było? Może komuś trzeba tu w łapę dać? Od ust sobie odejmie, zaskórniaczki ukryte pod podszewką żakietu wygrzebie i da, byle tylko Dominika miała to, co najlepsze, a nie byle co. Sfiksować można z nerwów, wszystko się może normalnemu człowiekowi pokićkać w tym Enerefie. Jadzia bała się, że Dominika obudzi się podczas matczynej nieobecności i przestraszy czarnej Sary, ale jeszcze bardziej się bała, że jej córka się nie obudzi w ogóle. Grażynka od początku była pewna, że Dominika wyjdzie ze śpiączki; obudzi się, mówiła, spokojna głowa, i Jadzia bardzo chciała jej wierzyć, ale z drugiej strony irytowała ją ta spokojna pewność wobec jej niepokoju i niepewności. Jasnowidzka jedna! sarkała; ledwo igłę już może nawlec, ślepa jak kret, a przyszłość niby widzi! A gdy zobaczyła Sarę, mało się z Grażynką nie poprztykała; mało się z nią nie poprztykałam, będzie Jadzia opowiadać, gdy szpitalny koszmar stanie się historią. Czarna taka ma coś wiedzieć na temat tych wszystkich maszyn podłączonych do Dominiki, kiedy to dla niej, Jadzi, czarna magia? Ma wiedzieć i nie pokićkać tylu przycisków, przełączników, pokręteł i rurek? Czarna, a włosy na żółto ufarbowane, przy skórze obcięte, fiu-bździu jakieś. Widział kto czarnych Niemców? Sturczałych to jeszcze, to się zdarza w dzisiejszym świecie, ale całkowicie czarnych? Jak świnta zimia, z żółtymi włosami? Jadzi to się niezbyt podoba, bo od zawsze nie przepada za fiksum-dyrdum i fiu-bździu. Gdy dowiaduje się, że Sara jest Amerykanką, humor wcale jej się nie poprawia, Eneref, Ameryka i śpiączka to naprawdę za wiele. Ruszyła! Ręką! Sara Jackson sprawdza dane na monitorze, na którym ruch widziany przez matkę jest nie do zauważenia albo znaczy coś mniej ważnego, pyknięcie zderzających się elektronów, łagodne spotkanie mózgowych fal, i uspokaja tę, która od dawna jest nie do uspokojenia, a poza tym nie rozumie ani po angielsku, ani po niemiecku.

Gdy pielęgniarka wychodzi, Jadzia Chmura wzdycha tak, jak tylko ona potrafi. Napełnia się powoli jak dmuchana piłka plażowa, powietrze wypełnia stopniowo jej łydki, uda, pośladki i okrągły brzuszek, rozpiera się w piersiach, toczonych ramionach, a potem jakby ktoś na niej usiadł, powietrze schodzi i schodzi; dziwne, że nie zostaje z Jadzi pomarszczony flaczek skóry na podłodze. Ona wie, że córka ruszyła ręką, i jeszcze to czarne fiksum-dyrdum z żółtymi włosami przekona się, że miała rację. Po spuszczeniu powietrza Jadzia zaczyna chodzić i mówić, nic innego nie robi od paru tygodni. Kazali jej mówić do śpiącej córki, ale nie wiedziała, jak zacząć, bo jak to tak, mówić do kogoś, kto nie odpowie, nie uśmiechnie się, nie odpyskuje, wystają z niego rurki i ma całą głowę poowijaną bandażem? Zaczynała więc i urywała w pół zdania, prosiła, obudź się, córeczko, zaklinała, obudź się, a pójdę na kolanach na Jasną Górę Matce Boskiej podziękować, i przeklinała, wstawaj, kurtka na wacie mać, bo strzelę tu w kalendarz, czy ty zawsze musisz wydziwiać? Ile można spać? Na złość mi tak śpisz?! Matce na złość! Matko Boska! Jadzia nie mogła znaleźć słów na takie mówienie w śpiącą ciszę, na takie niesłuchanie. Aż jej Grażynka poradziła, mów tak, jakbyś pisała list. Wyobraź sobie, że Dominika jest daleko, może pojechała na kolonie albo na studia do Warszawy, za granicą jest, a ty do niej piszesz spokojnie przy stole. W swojej kuchni na Piaskowej Górze siedzisz i piszesz o tym, co robiłaś, i o niezrobionym, o tym, co chcesz pamiętać, i o zapomnianym, o dobrym i złym, które jeszcze na dobre nie wyszło. A jak już zabraknie ci słów, jak zostaną ci same okruchy – ulep z nich coś i jak się do mówienia nie będzie nadawało, śpiewaj, Jadzia, śpiewaj.

I nagle Jadzia zobaczyła początek tego, co chce powiedzieć, westchnęła i zaczęła: córeczko. Zaczyna, córeczko, i nie może usiedzieć w miejscu ani przestać mówić, jakby jej słowa i spacery wokół łóżka mogły zrównoważyć bezruch córki i ciszę. Mówi Jadzia o tym, co robiła, i o niezrobionym, o tym, co zapamiętała, i o przeznaczonym do zapomnienia, o dobrym i złym, które jeszcze na dobre nie wyszło. Mówi o rosnących cenach i ciśnieniu, o padającym deszczu i ciśnieniu, co spada, o żylakach i nadziejach na przyszłość, która byłaby cudowna, gdyby na ten przykład wygrała w totolotka. Ale by sobie pokupowały! Mogłyby wtedy w Szczawnie Zdroju się pobudować, gdzie wałbrzyskie burżuje sobie pałacyki postawiały, cztery pokoje i tylko dla nas, córcia, z ogrodem, z tarasem. A latem do Sopotu by na cały lipiec wyjeżdżały jodu się nawdychać. Mówi Jadzia o duchu swojego męża Stefana, który czasem przychodzi na Babel w odwiedziny i siada w swoim gnieździe przed telewizorem; przychodzi tylko wtedy, gdy jest sama, i oprócz Dominiki i księdza na spowiedzi nikomu o tym nie mówiła. Oglądają sobie razem losowanie totolotka i znów nie wygrywają, bo jak komuś wiatr za życia wiał w oczy, to wieje tak samo na tamtym świecie. Potem jest zwykle program przyrodniczy i Jadzia sama by nie mogła, ale ze Stefanem to owszem, popatrzeć może. Tak się kiedyś Jadzia zlękła, gdy razem o waranach z Komodo program oglądali, że spać nie mogła. Córcia, jak ja się zlękłam! Matko Boska, te warany! O waranach więc mówi śpiącej córce Jadzia Chmura, że wielkie jak smoki, pyski mają plugawe, na wyspach żyją egzotycznych i są zupełnie przedpotopowe. Przedpotopowe, wyobraź sobie. Smakuje Jadzia na języku słowa, które jej się podobają, a przedtem nie miała okazji ich używać, jakby tatara świeżutkiego popróbowała: warany z Komodo, córeczko, przedpotopowe. Mięso żrą tylko, jak twój świętej pamięci ojciec, chociaż on to z ziemniaczkami. Pamiętasz? Tylko ziemniaczków, Dziunia, i ziemniaczków prosił. A jakie mordy mają, Matko Boska, córeczko, te warany! Podobno z pysków im strasznie jedzie, tym przedpotopowym waranom z Komodo. A plują, charkają jak Józek Sztygar, gdy się brzozówką uchla pod Babelem. Córcia, taki waran tylko mordą kłap-kłap i cielę pożarte, świnia czy Murzyn z wioski na wyspie Komodo. Bo one tam czarne są jak ta pielęgniarka, gdybyś ty ją, córcia, zobaczyła! Matko Boska! Murzynek Bambo w Afryce mieszka, czarną ma skórę ten nasz koleżka. Córcia, jak ty ją zobaczysz! Już po to warto się obudzić. Tyle jest dziwnych rzeczy na świecie, warany, śpiące od tygodni córki, czarne pielęgniarki, Jadzi Chmurze kręci się w głowie. Czarne fiksum-dyrdum ma dupę dwa razy taką jak Jadzia, i jeszcze córka, co matkę od grubasów wyzywała, na własne oczy zobaczy, jak grubas wygląda. Córcia, matka przybliża twarz do ucha śpiącej Dominiki i szeptem przenikliwym próbuje wkłuć się w jej sen, córcia, ona dupę ma jak szafa trzydrzwiowa, a oczyskami strzela, aż strach, choć wydaje się, że czysta z niej dziewczyna.

Gdy już naprawdę nie ma nic do powiedzenia, Jadzia zaczyna śpiewać o Cygance, co pod oknem stojała cała zbroczona w krwi, bo tak śpiewała jej matka Zofia w rzadkich chwilach, gdy miała nastrój do śpiewania. Jadzia widziała ostatnie cygańskie tabory w Zalesiu, zza krzaków dzikich malin patrzyła na lśniące końskie brzuchy i długie spódnice kobiet, które dzisiaj mogły być tu, a jutro zupełnie gdzie indziej, i do tej pory być może dają sobie radę bez własnej kuchni pełnej fajansowych ozdób z Włocławka, bez wyszorowanego na glanc pecefału. Ta możliwość niemożliwa napełnia Jadzię niezrozumiałym uczuciem tęsknoty. Śpiewa Jadzia, oczy mówiły mi, że nadejszła godzina rozstania, a wienc poszłam ja z niom w noc posempnom i złom. Nie płacz, mamo, ach nie, nie pomogom twe łzy, nie uleczysz głembokiej mej rany. On najdroższy mi był, który serce me skradł. Oszukanom żyć bym ja nie chciała.

Niektóre z tych słów przebijają się, Dominika widzi je od spodu jak podbrzusza liści, które opadły na lód. Są żyłkowane precyzyjnie jak witraże, mają kształt mówiący, że jest przedtem i potem, jest zapach; jeden, liczy. Coś zaczyna się dziać i Dominika czuje, jakby przedostawała się przez tunel tak ciasny, że brakuje jej tchu i zaraz się udusi, krzyczy więc z całej siły, ale z jej ust nie wydobywa się żaden dźwięk. Wtedy miejsce, w którym zrasta się jej czaszka, boli tak, jakby głowa znów rozłupywała się, ukazując pokryte błoną wnętrze, białe kości. Dominika widzi wirujące kręgi bieli rozpalonej jak rozgrzane żelazo i wraca tam, gdzie nie ma liczb ani słów. Mózg jest bardzo delikatny, tłumaczą lekarze zrozpaczonej Jadzi, jak budyń w puszce; wystarczy lekko potrząsnąć i nieszczęście gotowe, a pani córka miała pękniętą czaszkę. To cud, że przeżyła. Musimy czekać, powtarzają. Lekarze widzą zakłócenie w aktywności mózgu Dominiki Chmury, lat osiemnaście, drobną usterkę, której znaczenie wyjaśni się, kiedy dziewczyna się obudzi. Jeden, myśli Dominika, ale jeden to ostry kawałek metalu, który wbija się w bolące mięso i nie może poruszyć świata zatrzymanego ponad dwa miesiące temu. Po każdej próbie przebicia się przez twardą lśniącą powierzchnię opada tam, gdzie docierają tylko wypłukane, półprzejrzyste cienie, białe.

Im bardziej milczy Dominika, tym więcej mówi Jadzia, i im bardziej nieruchoma jest córka, tym więcej ruchu w matce krążącej po szpitalnym pokoju jak liliowy bąk. Wpada tu co rano, przywożona przez Grażynkę, i trzeba siłą wyciągać ją wieczorem, gdy wyczerpana opowieściami, ale niezmordowana nuci, pod mym oknem Cyganka stojała cała zbroczona w krwi, oczy mówiły mi, że nadejszła godzina rozstania. Jadzia nie zauważa drogi do domu państwa Kalthöfferów i nigdy nie uświadomi sobie, że spędziła prawie dwa miesiące w Enerefie, o którym kiedyś marzyła, oglądając katalogi mody „Otto". Pobyt minął jej przy łóżku córki, pogrzebie go w pamięci i będzie się upierała, że co za życie, nigdy nie ruszyła się z Piaskowej dalej niż do Świnoujścia czy Karpacza. A jak raz się wyrwała do Warszawy Izaurę i Leoncia zobaczyć, to w drodze powrotnej w Warsie się zatruła, paprzą paparuchy, a coś ją podkusiło, by flaczków sobie zjeść.

Jadzia wciąż jest przy łóżku Dominiki, gdy zaczyna się jesień i zapach dymu znad pól dobiega do szpitala. Jadzia po raz nie wiadomo który śpiewa, nie płacz, mamo, ach nie, nie pomogom twe łzy, nie uleczysz głembokiej mej rany. Wiatr zamyka okno pokoju, a wtedy Dominika Chmura otwiera oczy.

# I

Grażynka kilka razy w miesiącu chodzi do lasu, który zaczyna się za pasmem pól; widać go z okien jej domu, ciemnogranatowa poszarpana linia drzew na wzgórzu. W całej wiosce Mehrholtz nikt oprócz niej tego nie robi, bo nie wiadomo do końca, czyj ten las jest, i swego czasu toczył się o to nierozwiązany do tej pory spór. Z każdej strony otaczają las pola uprawne, porządne pola, które mają właścicieli, a on jest bezpański i prowadzi do niego tylko jedna ścieżka z domu Grażynki i Hansa Kalthöfferów.

W Mehrholtz jeździ się samochodem do supermarketu, jak trzeba, a na piechotę to najwyżej do kościoła albo do piekarni. Jak już spacerować, to świątecznie po parku, czy po centrum handlowym się przejść, a nie tam do lasu. Takie rzeczy są niedopuszczalne, niedopuszczalna jest sama Grażynka Kalthöffer, z domu Rozpuch, pochodzenia polskiego i mocno podejrzanego; jest w Mehrholtz wielu takich, co by jej tu nie wpuścili, gdyby mieli coś do powiedzenia. Do powiedzenia właściwie mają dużo i mówią, licząc na to, że waga nagromadzonych słów zaważy na losie obcej. Patrzy Frau Korn zza firanki i powtarza potem innym zainteresowanym życiem żony ich Hansa, a takich jest wiele, że ta Polka jak głupia po dworze lata, do lasu się zapuszcza, jak ona bezczelnie do lasu zapuszcza się, ciekawe po co tak się zapuszczać w las? Frau Zorn, która ma stanowisko obserwacyjne w sąsiednim domu, zna odpowiedź, bo ma gotową odpowiedź na wszystko, pewnie się puszcza! Puszcza się, a jak, zgadza się Frau Korn. Gdy ten fakt podstawowy zostaje ustalony, wyobraźnia Frau Korn i Frau Zorn może puścić się w ślad za Grażynką, która w lesie puszcza się na stojąco, drzewa się trzymając, w trawie leśnej w poziomie, dziko, zwierzęco, i kto wie, na jakie inne cudzoziemskie sposoby, wywłoka, eine Schlampe, oto kim jest. Nie popuszczają sąsiadki polskiej żonie Hansa. Bo mało ma roboty w domu? W domu jest robota, kto wie, co w lesie być może bezpańskim. A co Grażynka wraca z lasu, to z jakimś przybłędą jak ona. Kot, pies, Murzynka. Murzynka, czarna jak diabeł, z lubością powtarza raz Frau Korn, raz Frau Zorn. Czarną kobietę z lasu przyprowadziła, z żółtymi włosami, to nie jest normalne, rzeczy normalne od nienormalnych tu, w Mehrholtz, potrafi się odróżnić na pierwszy rzut oka, i tak powinno być. Wzdycha Frau Zorn, wzdycha Frau Korn, ożeniłby się Hans z tutejszą kobietą, to posprzątane miałby dokładniej, ugotowane jak należy, pożywnie i oszczędnie, a tak, nie dość, że cudze bachory karmi i ubiera, to jeszcze ta latawica, zamiast usiąść na tyłku, po lesie lata. Cieka się jakby nie żona, tylko jakaś zwierzyna rodzaju żeńskiego, czy pani, droga Frau Korn, ostatnio widziała? Widziałam, droga Frau Zorn, potwierdza Frau Korn. Kto wie, kogo znowu do domu sprowadzi? Frau Korn i Frau Zorn mają nadzieję, że one wiedzieć będą jako pierwsze, jeśli tylko pozostaną wystarczająco czujne na posterunkach za firanką. Zgadzają się, że wszystkiego się można po Grażynce, żonie ich Hansa, spodziewać, oczy ma dzikie, nietutejsze, włos długi farbowany. Frau Korn i Frau Zorn uważają, że kobieta w pewnym wieku powinna strzyc się krótko, ubierać przyzwoicie, a w obejściu psa porządnego trzymać, co na obcego szczeka, zanim jeszcze go zobaczy. A u Grażynki? Wzdycha Frau Korn, wzdycha Frau Zorn. U żony ich Hansa znajdy się plączą, skundlone pokraki łaszą się do każdego. Psa trzeba wytresować! A kotów ile, nie policzysz. Frau Korn i Frau Zorn zgadzają się, że kota wytresować się nie da, ale jak nie da mu się jeść, polować będzie, by nie zdechnąć z głodu. Sąsiadki Grażynki liczyć lubią i liczyły na to, że związek ich Hansa z Polką nie przetrwa zimy, nie dociągnie do jesieni. Nie dogadają się, droga Frau Korn. Pogoni ją, droga Frau Zorn, na wschód razem z bachorami i kusymi kieckami. Kto to widział? One dotąd nie widziały, ani Frau Korn, ani Frau Zorn nie, i przed samymi sobą udają, że wcale przyjemności im nie sprawia oglądanie czegoś, do czego nie przywykły; przyklejają się do szyb jak glonojady, gdyby mogły, przykleiłyby się tak bezpośrednio do Grażynki. O proszę! Rano na przykład Grażynka do chlewni idzie ubrana jak na festyn, falbanki, groszki, pół tyłka na wierzchu.

Frau Korn na własne oczy widziała, przysiąc może, gdy pod fałszywym pretekstem pożyczenia kosiarki odwiedziła sąsiada krótko po tym, jak przywiózł sobie z Polski tę irytującą żonę, co na żonę nie wyglądała i nie wygląda, a więc przysiąc może, że widziała. Frau Korn ma duże doświadczenie w rzucaniu szybkich spojrzeń, które niczym piłeczki do golfa wpadają w odpowiednie miejsce, precyzyjne i prawie bezgłośne, pyk, pyk. Potem z Frau Zorn omawiają i porównują celne rzuty. Gdy nie mają nic nowego, przypominają sobie dawniejsze trafienia i dodają im nowych smaczków, obracają triumfy językiem i wysysają z nich słodycz. Cisnęła więc Frau Zorn okiem w kierunku chlewni Hansa Kalthöffera, a takiej nowoczesnej nikt w okolicy nie miał, i zobaczyła w prostokącie światła ruch jakby taneczny, którego nie powinno tam być, bo chlewnia to nie miejsce na tańce, zum Teufel! Rzadko się Frau Korn zdarzało, żeby pierwszy rzut wymagał poprawki, a jednak dopiero za drugim razem zobaczyła, że Grażynka naprawdę tańczy. Nie do wiary! Nie słyszała muzyki, tylko chrumkanie świń, które też wydało jej się jakieś wariackie, bo w rytmie ruchów tyłka tej Polki obciągniętego czerwonym materiałem w białe groszki chrumkały na melodię *Makareny*. Grażynka przeginała biodra i okręcała wokół siebie zielony szlauch, którym myła podłogę, a może to był wąż, bo tylko siły piekielne mogły wprawić w ruch taneczny Frau Korn, i omal na miejscu szlag jej nie trafił, gdy zdała sobie sprawę, że zamiast się ze zgrozy wzdrygać, podryguje.

Tłumaczyła Hansowi żona roztańczona, że od muzyki świnie lepiej rosną i są szczęśliwsze, niech no tylko spojrzy na ich ryje uśmiechnięte, uszy radośnie sterczące, a ważne, by być szczęśliwym, nawet jeśli wkrótce pójdzie się pod nóż. W końcu życie świńskie nie różni się tak bardzo od ludzkiego, a każdemu życiu potrzeba tańca i muzyki, nawet kwiatom, którym Grażynka zawsze nuci przy podlewaniu. Na początku dręczyło Hansa, że przez to tańczenie i rozgardiasz wie bei Hempels unterm Sofa, co miało być zrobione na czas, odwlecze się, zaplanowane przepadnie i przetańczą tak w diabły obowiązki i terminy. Jednak świnie, mimo braku porządku i nieregularnych pór karmienia, rosły lepiej niż u sąsiadów, a to znaczyło pieniądze, a pieniądze z kolei oznaczały rzeczy, które Hans pragnął wymieniać na szczęście Grażynki. Kupował więc jej na początku to, czego, jak sądził, potrzebują kobiety do szczęścia: apaszki, perfumy, wisiorki, kolczyki, moherowe sweterki, szkatułki, ozdobne ramki na zdjęcia, komplety jedwabnej bielizny zapakowane w pudełka z elegancką kokardą. Kupował sprzęty domowe i ciężkie meble dębowe, im więcej mebli, tym lepiej: stoliki kawowe i szafki nocne, półki na bibeloty, drapowane zasłony i elektryczne roboty wieloczynnościowe, gipsowe kolumny złocone, jak prawdziwe, pod kwiat, pod wieżę stereo, pod zgrabną replikę *Wenus z Milo*, która, zdaniem Hansa, urodą nie dorównywała Grażynce. I jeszcze piękne lampy migające trzema kolorami w rytm muzyki, na które Grażynka mówiła fonobłyski, bo tak się mówiło w Wałbrzychu i zazdrościło tym, którzy mieli fonobłyski z Enerefu, więc proszę bardzo, w każdym pokoju fonobłyski, bo dlaczegóż by nie, skoro w każdym był jakiś sprzęt grający. Grażynka tak lubiła muzykę, że nieraz nie mogła się zdecydować, od czego zacząć dzień, dlatego w każdym pokoju grało coś innego, a ona pląsała z kolorową miotełką do kurzu i w każdym pokoju tańczyła inaczej, wzbijając w powietrze drobinki pyłu. Grażynka nie wydawała się kochać Hansa ani bardziej, ani mniej po każdym z prezentów, i po jakimś czasie hojny mąż zaczął podejrzewać w zdumieniu, które nie opuści go aż do śmierci, że ta kobieta łakoma na jego ciało i muzykę nie potrzebowała do szczęścia rzeczy, bo jej szczęściu niczego nie brakowało.

Wypróbowywała miksery i szatkownice, by zrobić przyjemność mężowi, ale potem porzucała je w swojej wielkiej kuchni, gdzie porastały kurzem, podczas gdy ona rękoma miesiła ciasto i uplaskiwała krokiety, a gdy piekła ciasteczka ze swoimi bezojcowymi córkami i Hansowym synem, ściany, sufit i podłoga pokryte były warstwą cukru, cynamonu i kakao. Hans siedział w kącie kuchni z miską po słodkiej masie, którą pozwolono mu wylizać, patrzył na dziewczyny niepodobne ani do swojej matki, ani do siebie nawzajem, na syna, który mógłby być jego odmłodzonym lustrzanym odbiciem, i myślał, że tak wygląda szczęście: roztańczona żona, dobrze odkarmione dzieci i miska z esami-floresami słodkiej masy. Gdy kochał się potem z Grażynką i szeptał jej, Graschynka ich liebe dich, w małżeńskim łożu pod baldachimem, które sam wybrał, bo tylko tak królewskie posłanie wydawało mu się godne ukochanej, znajdował pod językiem słodycz ciasteczek, wiórki kokosowe, ocukrzoną skórkę pomarańczową i rodzynki sułtanki.

Grażynce ze wszystkich podarunków Hansa najbardziej spodobał się walkman, bo dzięki niemu mogła mieć muzykę cały czas przy sobie, gdy pracowała albo szła do piekarni. Potrafiła tańczyć do wszystkiego i gdy jechali z Hansem do marketu, kupowała kasety z piosenkami Abby i argentyńskimi tangami, niemieckimi szlagierami i amerykańskim popem, rockiem i przebojami operowymi, w których jej ciało odnajdywało rytm, jakiego nie dosłuchałby się żaden z trzech tenorów, a jednak jej ramiona ruszały, by jak huśtawka rozkołysać piersi, a potem biodra nawet przy kawałkach tak mało tanecznych, jak aria Penelopy z *Powrotu Ulissesa do ojczyzny*. Zatańcz dla mnie, prosił Hans, i Grażynka tańczyła, i choć tańczyła tak pięknie, z zamkniętymi oczami, z różowymi ustami, w legginsach w panterkę, w sukience w groszki, jej męża ogarniała melancholia, jakby już ją utracił, bo wiedział, że tańczyłaby tak samo, tak samo piękna i szczęśliwa, gdyby go tu nie było, gdyby nie było go wcale.

Gdy córki Grażynki były małe, chodziły za nią krok w krok, zapatrzone w ciało, które wydawało im się ogromne i piękne w swej żywotności, ciało jak karuzela, która wiruje coraz szybciej i szybciej, aż brakuje tchu, a jednak nie można przestać się kręcić, zachłystywać pędem powietrza pachnącego matczynym potem. Tańczymy! wołała do nich i niezależnie od tego, czy były w domu biednym, czy bogatym, zaczynały podskakiwać, wirować i wycinać hołubce aż do zatracenia, czkawki, konwulsyjnego śmiechu na łóżku albo rzuconym na podłogę materacu, który akurat był ich posłaniem. Grażynka przypuszczała, kto jest ojcem jej najstarszej córki, wysokiej, szczupłej Róży, której twarz zawsze jej coś przypominała, jakieś wydarzenia z miasteczka o nazwie Radomsko, a może to już był Piotrków Trybunalski, bo raczej nie Częstochowa. Nawet prosiła nieraz, stań profilem albo pochyl głowę, wpatrując się w miłą, lecz pozbawioną wyrazistości buzię, aż dziecko w wieku lat siedmiu zaczęło eksperymentować z makijażem, by domalowując niebieskość oka i czerwień ust, naprowadzić w końcu matkę na jakiś trop. Co do młodszej, Anieli, która była niska, pulchna i ciemna, Grażynka nie miała podejrzenia bardziej konkretnego, niż że to musiał być jeden z tych sześciu w Skierniewicach, o ile nie ten chudy z Warszawy, jak wzdychała w rzadkich chwilach, gdy sprawa ojcostwa w ogóle przychodziła jej do głowy. Najmłodsza, Hawa, miała w dokumentach wpisane imię Monika, Monika Rozpuch, ojciec nieznany, bo Hawy nie chcieli Grażynce zarejestrować w wałbrzyskim urzędzie, tłumacząc, że imię to niepolskie i w spisie imion nie figuruje, a może po prostu otyła urzędniczka znała złą sławę Grażynki Rozpuch i wkurzyła ją kolejna ekstrawagancja z jej strony. Jak niepolskie, skoro ona znała je z Polski? tłumaczyła Grażynka, gdzie, jak nie w Polsce, mieszkała Hawa, żona Ludka Borowica, fotografa z Kamieńska, która łatwo się wzruszała, mówiła po polsku dzień dobry i miała piękne oczy? Zgodziła się w końcu na Monikę, bo i tak mało obchodziły ją przepisy i prawne regulacje, co za głupoty, wzruszała ramionami, a Hawa i tak została Hawą. W tym przypadku Grażynka nie zastanawiała się nad kwestią ojcostwa bardziej niż przy starszych córkach, może Januszek z Wałbrzycha, bidota, co miał żonę w wariatkowie, może prawa ręka zastępcy ministra z Warszawy, może kulawy Mirek od pieczarek, co grał na akordeonie, i za każdym razem, gdy patrzyła na najmłodszą córkę, mówiła, hej, Hawa, Hawa, tu mama, by jakoś rozkojarzoną dziewczynkę zakotwiczyć w zmieniających się okolicznościach dzieciństwa. W domu Hansa Hawa zaczęła zyskiwać na obecności, i dopiero teraz było widać, jaka jest wysoka, potężnie zbudowana i silna; już w piątej klasie zaczęła trenować podnoszenie ciężarów i zapamiętale siłowała się z ojczymem na rękę. Grażynka dawała dzieciom z siebie tyle, by cieszyły się na jej widok, ale nie tyle, by każdy dar musiały odwijać z ozdobnej bibułki matczynego poświęcenia. Co to znaczy, że ty się poświęcasz, Jadzia? dziwiła się. Nie możesz po prostu

Dominiki kochać? Nie tresowała psów przybłędów i nie karała półdzikich kotów, które łaziły jej po stołach i kanapach, zalegały w atłasach łóżka z baldachimem, a dzieci nie chciała urabiać na niczyj obraz i podobieństwo, bo od początku wydawały jej się osobnymi istotami, które zostały tylko na krótko oddane pod jej opiekę. Mijały lata i córki coraz częściej odrywały się od Grażynki, nie zostawiając ran, znosiło je w miejsca lepsze i gorsze, ale w żadnym z nich nie mogły powiedzieć, to twoja wina, mamo, ani, to wszystko dzięki tobie; i cudem, którego zazdrościła Grażynce niejedna matka, wyrosły na kobiety przekonane, że są tam, gdzie powinny, że ich ciała i myśli należą do nich. Ona sama chwilami zapominała, że przez tyle lat była matką trzech dziewczynek niepodobnych ani do niej, ani do siebie nawzajem, bo macierzyństwo zajmowało tylko jeden z zakamarków jej serca. Nie krytykowała ich wyborów, a to, co trafiło się jej dzieciom, przyjmowała bez zdumienia, jakby zawsze wiedziała, że będzie właśnie tak, a nie inaczej. Najstarsza, Róża, od dziecka zainteresowana cieniami do powiek i szminkami, którymi z upodobaniem podkreślała rysy swojej twarzy, została kosmetyczką w Monachium, Aniela, kolekcjonerka przepisów na słodycze, otworzyła cukiernię w Gelnhausen, starym miasteczku w Hesji, jej przyjęcia ogrodowe zasłynęły w całej okolicy z najlepszego Apfelkuchen i tłustej bitej śmietany, a Hawa poszła do liceum sportowego i odnosiła pierwsze sukcesy w podnoszeniu ciężarów na zawodach międzynarodowych. Raz nawet pokazano ją w telewizji i cała wioska Mehrholtz o tym mówiła, patrzcie, patrzcie, córka tej polskiej przybłędy karierę sportową robi, ciekawe, ile ma z tych występów na rękę. Najmłodsze dziecko Grażynki, Daniel, syn Hansa, co do czego wątpliwości nikt mieć nie mógł z powodu niezaprzeczalnego podobieństwa, był chłopcem spokojnym, poważnym i cichym; w wieku, gdy jego rówieśnicy chcieli zostać policjantami, bandytami, strażakami, on mówił, że zostanie hodowcą jak ojciec. Z powagą powtarzał, że będzie mieszkać w Mehrholtz i hodować zwierzęta, i co dziwniejsze, słowa dotrzymał.

Gdy córki wyprowadziły się, Grażynka nie zaniechała swoich wieczornych spacerów do lasu, a Hans dawno przestał już pytać, po co tam chodzi, bo najważniejsze, że Grażynka wraca taka sama, a może nawet jeszcze wspanialsza, z włosami lśniącymi od rosy i oczami tak czarnymi, jakby wsączyła się w nie ciemność. Czasem towarzyszy jej nowy kot lub pies przybłęda, czasem ma w ręce kiść jarzębiny albo bukiet ziół, w który raz po raz zanurza twarz. Każdy, kto ją wtedy widzi, nawet Frau Korn i Frau Zorn ukryte za firankami, nagle przypomina sobie nieużywane na co dzień słowa, takie jak morskie fale, przepaści, syreny, odmęty; albo obrazy z jakiejś książki, a może ze szkolnej wycieczki do muzeum, gdzie na ścianach wisiały wizerunki kobiet o perłowych ciałach, które, bezwstydnice jedne, kąpały się w leśnych jeziorkach albo jadły nago śniadanie na trawie. Gdy przychodzi czas spaceru Grażynki, Hansa ogarnia niepokój, bo choć jego żona zawsze wraca do domowych pieleszy, czuje on, że jej wyprawy są czymś zupełnie odrębnym od niego, ich domu pełnego rzeczy, ich wspólnego życia. W takie wieczory powietrze gęstnieje, jakby ich dom wypełniała mgła, która zaciera kontury sprzętów i gromadzi się w kątach; Hans Kalthöffer patrzy więc, jak Grażynka zakłada gumiaki, oplątuje szyję szalem, odwraca się do niego w drzwiach. Macha jej wtedy ręką i robi zabawną minę, że to nic takiego, przecież tylko spacer, a ona odpowiada uśmiechem, który ani nie potwierdza, ani nie zaprzecza. Hans Kalthöffer, hodowca świń spod Monachium, czuje, że w tym momencie kobieta, w której zakochał się w sali dansingowej sanatorium w Szczawnie Zdroju, matka jego syna, należy do niego jeszcze mniej niż na co dzień. Co moje, to twoje, powtarzał Grażynce, od kiedy się poznali, choć na początku, zanim nauczyła się niemieckiego, po prostu przykładał jej dłoń do kolejnych rzeczy, domu, powietrza nad polem, linii horyzontu, swojej różowej klatki piersiowej porośniętej jasnymi włoskami. Ona nigdy nie powtórzyła gestu swojego niemieckiego męża, ale nigdy go też nie okłamała. Hans obserwuje Grażynkę przez okno do momentu, gdy wchłania ją ciemność lasu, a potem stoi i czeka; dopiero gdy zobaczy powracającą, odetchnie, usiądzie na kanapie i włączy telewizor, udając, że spokojnie oglądał mecz albo program rolniczy.

Grażynka idzie najpierw koło chlewni, które należą do niej, potem przez swoje pole wspina się na wzgórze, gdzie wchodzi w las, który nie należy do nikogo; niezależnie od pory dnia panuje tu mrok, ani światła, ani głosy wsi nie docierają między drzewa rosnące tak gęsto, jakby strzegły jakiejś tajemnicy. Grażynka posuwa się do przodu, dotykając pni, mimo doskonałego zdrowia, zawsze miała słaby wzrok, co zresztą jej specjalnie nie przeszkadza. Jej szal w groszki powiewa na wietrze i czasem Hans z okna dostrzega błysk czerwieni między drzewami, który znika zaraz jak zduszony płomień. Na szczycie wzgórza, pośrodku bezpańskiego lasu, Grażynka siada na kamieniu tak gładkim, jakby wyrzuciło go morze, i patrzy na dom, który z tej odległości przypomina domek dla lalek, kwadrat ciemności z wykrojonymi okienkami światła. Las wokół niej szumi jak fale, powietrze jest ożywcze i czyste; Grażynka widzi stąd swoje życie i jest to jedyne miejsce, gdzie przeszłość ma dla niej znaczenie, ale nawet teraz nie jest ona ciągiem wynikających z siebie wydarzeń, ale kalejdoskopem, w którym za każdym razem pojawia się inny wzór. Są tu rzeczy, które zdarzyły się, a których nie ma, oraz takie, które nie zdarzyły się, ale są, jest wiele rzeczy, które dopiero się przydarzą; są Róża i Aniela, jest Hawa, trzy kobiety, po których jej córki dostały imiona, są one same, raz małe, raz dorosłe, uśmiechnięte, z buziami umazanymi czekoladą. Grażynka na co dzień nie myśli o wcześniej i później, bo musiałaby przypomnieć sobie, ile ma lat, co uczyniłoby ją jedną z najstarszych matek odnotowanych przez światową medycynę. Jej życie to ciągłe teraz, którego centrum jest ten brzydki i bogaty dom na niemieckiej wsi, jej mąż, który zna się na hodowli świń i nieraz płacze nocami, oglądając rodzinne fotografie, jej syn Daniel, który wygląda jak ojciec, bo to on naprawdę go pragnął. Grażynka sama nie pragnęła żadnego ze swoich dzieci, bo niczego jej nie brakowało nawet wtedy, gdy nie miała nic własnego prócz odkopanego gramofonu, a Halina Chmura szyła jej spódnice z farbowanych na czerwono pieluszek w zapyziałej wałbrzyskiej kamienicy. Z tego miejsca w bezpańskim lesie Grażynka widzi przeszłość i przyszłość, które jak mgliste planety krążą wokół jej niemieckiego domu, ale to centrum wszechświata jest przypadkowe i nietrwałe.

Oprócz Wałbrzycha jest więc miasteczko Kamieńsk, między Kleszczową a Gorzkowicami, plamka na mapie centralnej Polski tak mała, że zwrócić na nią uwagę może tylko ktoś, komu naprawdę zależy i czyjej uwagi nie odciągną dwa pobliskie miasta, też zresztą niewielkie i niepiękne, Radomsko i Piotrków Trybunalski. Kamieńsk leży na glebie piaszczystej i lichej, a dzieci przychodzą tu na świat z umiejętnością zbierania kamieni z pól, które co roku rodzą ich więcej, jakby ziemia wiosną wypychała twarde płody ze swoich trzewi. Dobrze tu rosną sosny, brzozy i wrzosy, a ludzie są niewielcy, susi i ziemni, ich ciała mają kolor ziemniaczanej skórki. Gdy wojna czy inny kaprys losu rzuci ich gdzieś daleko, rozglądają się dookoła, ale tak, by ogarnąć wzrokiem tylko to, co w zasięgu rąk; zaczynają przykrawać, łatać, sklejać, mościć, wędzić i kisić, by po krótkim czasie czuć się u siebie na jakiejś Piaskowej Górze, Greenpoincie czy Hammersmisie. Przesadzeni w inne miejsce nie zmieniają się wiele, a gdy zmienić się muszą, wyrodnieją i wymierają; się porobiło, mówią, wyrolowali nas, narzekają, odkujemy się, grożą, gdy ich tak los przyciśnie, że ledwo mogą złapać oddech. Niepodobnych do siebie trą tak długo, aż się dotrą i upodobnią, a wtedy nazywają ich jakoś po swojemu, mówią na przykład, te dwie to Ciocie Herbatki, i zaraz czują się pewniej, bo najgorsze dla nich jest nienazwane. Gdy wojna zmiecie żydowskich krawców, cieśli, nosiwodów, sklepikarzy, handlarki i fotografów, kowali i piekarzy, bez sentymentu zajmą ich miejsce w domach wzdłuż brukowanych uliczek Kamieńska. Czasem tylko Marianna Gwóźdź westchnie, ach, jak te Żydówki umiały takie coś słodkie ugotować z rodzynkami, z marchewką, cymes czy jakoś, że jadłby człowiek i jadł, a jakoś samej mi zrobić nie wychodzi. Trzeba się zapytać było, zanim przepadło na amen. A gdyby pomęczyć trochę Mariannę Gwóźdź i dać jej następny kieliszeczek nalewki morelowej, wypiłaby go, wylizała resztę z odchyloną do tyłu głową i być może przypomniała sobie, że jeszcze takie coś na drzwiach Żydzi mieli, jakby drewniane pudełeczko, do modlitwy służące, przyglądała mu się, gdy w szabas żona aptekarza wołała ją, Marianka! Marianka! by zapaliła im ogień. Tylko jak to się nazywało? Marianna Gwóźdź, jedna z najstarszych mieszkanek Kamieńska, czasem śni, że wszystko jest tu znów tak, jak było przed wojną, ale ona jest teraz kimś innym, siedzi na werandzie dworu Fabrykanta, gdzie była służącą, i nikt jej nie goni do roboty. Pije sobie nalewkę morelową Cioć Herbatek i pogryza ciasteczka, zamiast czekać jak na zmiłowanie na panią z opieki społecznej.

Być może nie mają ludzie w Kamieńsku wielkich marzeń, ale często pamiętają wielką przeszłość, to jest marzenie mające tę przewagę nad skierowanym w przyszłość, że nieustannie się spełnia. Dla jednego to dziadek, który ziemi miał więcej niż inni, hen aż po las, a jak huknął, to zaraz słuchali, i bić nawet nie musiał. Mała Grażynka lubiła dróżnika Barnabę Midziaka z Kamieńska, który o dziadku opowiadał tak, jakby jego w ziemię zasobny przodek był jednocześnie blisko, na wyciągnięcie dłoni, i bardzo daleko, jakby za każdym razem odjeżdżał na zawsze jednym z pociągów przemykających koło dróżniczej budki, nie większej od kurnika. Zatrzymywała się tam, gdy wracała ze szkoły, a Barnaba Midziak machał do niej z ławeczki, na której w wolnej chwili palił skręcane własnoręcznie papierosy; siadali i patrzyli na tory. Mój dziadek, opowiadał Grażynie dróżnik, miał ziemi tyle, że jak ruszył z pługiem rano w jedną stronę, to dopiero koło południa wracał, a my z bratem patrzyli, patrzyli tylko w stronę Kleszczowej, czy już go widać, i bawili się, który pierwszy zobaczy. A jak huknął, gdy coś było nie po jego myśli! Jak huknął, to aż w uszach dzwoniło. Jak zegarek śmy wszyscy chodzili i nawet bić nie musiał. Dla tych, którym w przeciwieństwie do dróżnika Barnaby nie dane było umrzeć w Kamieńsku, nadal tu bije źródło opowieści. Dla Antoniego Mopsińskiego, przed wojną zwanego w Kamieńsku Fabrykantem, opowieść wypływa stąd, bąbelkując jak szampan w sylwestrową noc w klubie Biały Orzeł na Greenpoincie. Właśnie tak, z niesłabnącą siłą, mimo iż od czasu, gdy Fabrykant opuścił Kamieńsk, minęło tyle lat. Moja szanowna prababka, mówił Antoni Mopsiński, a mała Grażynka patrzyła z podziwem na lśniące guziki jego surduta; moja prababka z miasteczka Kamieńsk, mówi ciągle Antoni Mopsiński po wielu latach, a jego własne amerykańskie wnuczki, Lilia Rose i Violet Rose, szczypią się pod stołem porozumiewawczo. Co za pierdoła z tego polskiego dziadka, co je obchodzi prababka z Kamieńska, prapraprababka, a nawet jeszcze starsza, prapraprapraprababka z ery prapradinozaurów; dziewczynki nabierają powietrza i sprawdzają, ile razy uda im się powiedzieć pra na jednym wydechu. Taka prababka mogłaby zamieszkać co najwyżej w muzeum, a nie w ich three-bedroom semi. Poza tym one naprawdę nie mają chęci mówić po polsku, to im do niczego nie jest potrzebne, już wystarczy, że nazwisko mają nie do wymówienia, Mopsinsky, a do tego ich tata, Napoleon, ożenił się z pół-Hinduską i wnusie dziadka Mopsińskiego są w związku z tym trochę polskie, trochę amerykańskie, a trochę półhinduskie, nie licząc tego, co mogło wdać się po drodze. Moja szanowna prababka z Kamieńska zapisała mi w testamencie nocnik Napoleona, ciągnie niezrażony dziadek Mopsiński, a Lilia Rose i Violet Rose wbijają sobie paznokietki w skórę tak mocno, aż zostają ślady, jeszcze chwila i posikają się z tłumionego śmiechu, który dostał im się do młodziutkich pęcherzyków moczowych i rozsadza je od środka. Nocnik Napoleona! Co za pierdoła z tego dziadka. Nocnik i prapraprababka. Tata każe im z dziadkiem posiedzieć, bo niedługo dziadzia nie będzie, pójdzie do nieba, ale dziewczynkom trudno znieść zapach starego człowieka i potem opowiadają sobie, chichocząc, że cuchnie skarpetami wełnianymi suszonymi na kaloryferze, nieświeżą gąbką do mycia naczyń, skajową torbą na zakupy, w której rogach pełno okruszków, paprochów, materacami z sali gimnastycznej, fuj, fuj. Lilia Rose i Violet Rose mają brata, który odwiedza dziadka osobno, bo poważnego nad wiek chłopca irytują chichoty i piski dziewczynek. Ich zarozumiały brat otrzymał po ojcu imię Napoleon, a siostry mówią do niego Napi-okapi i złośliwie pytają o nocnik. Napi-okapi! wrzeszczą, gdy widzą brata wracającego z kolegami ze szkoły, dzwonił z Francji cesarz Napoleon, mówił, że świsnąłeś mu nocnik! Nocnik Napoleona, dziadek ciągle opowiada im o nocniku Napoleona i właściwie o niczym innym już nie mówi. Nocnik Napoleona, co za szkoda, że go tu nie ma, bo wnusiom by pokazał nocnik złoty, lśniący, w kwiaty malowany, w huzarów na koniach i co tam jeszcze. Byłby im po śmierci zostawił nocnik francuskiego cesarza w spadku. Żeby go pamiętały, żeby dla swoich dzieci nocnik w dobrej kondycji przechowały. Niestety, mówi dziadek, nocnik Napoleona przepadł, ale on go wciąż widzi przed oczami i przez całe życie na obczyźnie z oczu duszy go nie spuścił. W domu szanownej prababki w Kamieńsku, ciągnie opowieść dziadek Mopsiński, praprapraprababki, podpowiadają wnusie, tłumiąc chichot, a tak, praprapraprababki, Napoleon zatrzymał się, wracając z Rosji. Napoleon? dziwią się wnusie przesadnie i szczypią ukradkiem, bo słyszą tę samą opowieść podczas cotygodniowych odwiedzin w domu starców, tak samo jak kilkadziesiąt lat temu słyszała ją już Grażynka. Gdyby to chociaż był naszyjnik, kuferek, pierścionki, ale nocnik, co komu w Nowym Jorku po nocniku, i to starym, używanym przez jakiegoś Napoleona. Na-po-leon? pytają dziadka Mopsińskiego jak co tydzień; jak ciastko z polskiej cukierni na Greenpoincie? A tak, odpowiada dziadek, bo Napoleon lubił polskie ciastka, nic, tylko polskie napoleonki by jadł, bo, mówił, najlepsze, nawet od francuskich smaczniejsze. A najbardziej smakowały mu w Kamieńsku, w cukierni Mateusza Suligi, zajadał się nimi, aż mu miętę trzeba było potem parzyć, bo żołądek miał słaby. Lepsze były napoleonki od batoników Mars? pyta Lilia Rose. Lepsze, potakuje dziadek, pewnie, że lepsze. A od Snickersa? pyta Violet Rose, bo skoro siostra spytała, ona nie może pozostać w tyle. Lepsze! Wielki cesarz Francuzów, przyjaciel Polaków wielki, Napoleon Bonaparte mówił, że najlepsze polskie ciastka i żołnierze polscy. O, żołnierzy to on innych nie chciał, tylko naszych. Zamierzała go szanowna prababka we dworze ulokować, w pokoju gościnnym, a on że nie, że w chacie, którą z okien widać, przenocuje, by koło żołnierzy pozostać blisko. W trymiga mu wszystko tam przygotowali, bo babka służby miała, że ho ho, dywany mu tam zanieśli, łóżko wielkie, że czterech chłopa dźwigać musiało, kobierce, żeby na ścianach raz-dwa porozwieszać. I nocnik, nocnik babka sama zaniosła i jeszcze pod drodze brzegiem sukienki polerowała do połysku. A chatę, w której wódz nocował, od tej pory nazywano w Kamieńsku Napoleonówką. Dał nam przykład Bonaparte, jak zwyciężać mamy, nuci senior rodu Mopsińskich, i to już jest dla wnuczek za wiele, parskają śmiechem, który rozsypuje się jak szklane koraliki, odbija od podłogi, kuleczki śmiechu wskakują na fotel, na którym owinięty pledem pradziadek zastyga z uśmiechem, zamyka oczy i pogrąża się w jednej z tych drzemek bliższych śmierci niż snu, gdzie Napoleon wracający z Rosji, Kamieńsk, nocnik, prababka, wnuczki Lilia Rose i Violet Rose dzieją się jednocześnie, wodospad obrazów układających się inaczej przy każdym oddechu, nie do zatrzymania.

Antoni Mopsiński jak relikwię przechowywał w Kamieńsku nocnik Napoleona, z którego wielki wódz skorzystał, gdy go przypiliło w czasie odwrotu z Rosji. Nocnik wodza za szybą gabloty we dworku kamieńskim stał zawsze świeżo wypolerowany, lśniący, a klucz od kłódki leżał na klucz zamknięty w szufladzie biurka, w szkatułce też zakluczonej. Własnoręcznie wyjmował go pan Mopsiński i dawał służącej, młodziutkiej Mariannie Gwóźdź, ale niechże ostrożna będzie i łapy naprzód umyje. Gdy miał ważniejszych gości, wyjmował nocnik zza szkła i pokazywał, dawał dotknąć, choć drżał przy tym, by kto nie upuścił, nie uszkodził tej cennej pamiątki rodzinnej. Dwór w Kamieńsku, ziemię, las i Napoleonówkę Antoni Mopsiński kupił kilkanaście lat przed wojną od dziedzica bankruta, ale to drobiazg, który nie był w stanie umniejszyć siły jego napoleońskich marzeń i piękna wspomnień. Gdy usłyszał, że dziedzic Eugeniusz Borowiecki z Kamieńska jest w posiadaniu nocnika, spać nie mógł, a od kiedy relikwię zobaczył, wiedział, że to zrządzenie losu, na niego nocnik czekał i wszystko, łącznie z dziedzica skłonnością do dalekich podróży, kart i wyścigów, złożyło się na ciąg wydarzeń prowadzących do spotkania Antoniego Mopsińskiego, fabrykanta z Łodzi, z nocnikiem Napoleona.

Antoni Mopsiński zawsze fascynował się Napoleonem i już jako chłopiec przeczytał na jego temat wszystko, co mógł znaleźć w łódzkich bibliotekach. Młody Napoleon z rozwianym włosem w epoce Dyrektoriatu, zwycięski wódz pod Austerlitz, władca świata przemawiający pod piramidami, dostojny cesarz z obrazów Davida. Młody Antoni Mopsiński przyjmował pozy napoleońskie przed lustrem, głowę zadzierał, bo podobnie jak cesarz Francuzów wzrostu był mizernego, ramię jedno za plecy zakładał, dłoń po napoleońsku lokował na brzuchu i mówił, żołnierze, pamiętajcie, że ze szczytów tych piramid czterdzieści wieków patrzy na was, albo, od wzniosłości do śmieszności jeden tylko krok. Stary Mopsiński, ukryty za winklem, na migi wołał wtedy małżonkę Mopsińską, by zobaczyła, co ich syn wyprawia i czy na to wariactwo nie trzeba by mu puścić krwi albo zwiększyć dawki tranu, bo on jako ojciec czuje się poważnie zaniepokojony. Mały Mopsiński marzył, by zostać historykiem, skoro nie było już szans na zostanie gwardzistą Napoleona, ale dla jedynego syna właściciela fabryki guzików z Łodzi inna przyszłość była zaplanowana i ojciec tłumaczył jedynakowi, że książki będzie sobie czytał wieczorami, jeśli już musi, czy na letnisku, jak do wód pojedzie, bo z książek to żyją ci, którzy do żadnej porządnej roboty się nie nadają albo z biednych żydowskich rodzin pochodzą. Okazało się, że otumaniony napoleońskimi fantazjami Antoni Mopsiński miał zadziwiający talent do interesów guzikowych, bo wszystkie podejmowane przez siebie decyzje analizował z punktu widzenia strategii bitewnej wielkiego wodza Francuzów; układał armie z guzików na perskim dywanie, dumał, palił i dochodził do wniosku, że najlepiej będzie nabyć kość na guziki kościane i masę perłową na perłowe od ormiańskiego kupca, którego w mieście jeszcze nikt nie znał, a który miał okazyjne ceny. Antoni Mopsiński szybko potroił majątek ojca, ożenił się z kobietą imieniem Józefina, bo jakże mógł wybrać Krystynę czy Genowefę w obliczu najprawdziwszej Józefiny, mimo iż tamte większy miały posag, żywszy temperament i urodę wyraźniejszą, kupił dwór w Kamieńsku, a synowi, co mu się rok po ślubie urodził, dał na imię Napoleon.

Dziedzic sprzedał Antoniemu Mopsińskiemu wszystko łącznie z portretami i meblami, rzeźbami afrykańskimi i dwiema suszonymi główkami od ludożerców z Nowej Gwinei, zastawami porcelanowymi i srebrami rodowymi, a tę piękną napoleońską historię i nocnik dorzucił na dokładkę. Dziedzic Borowiecki pozbawiony funduszy, bo wszystko poszło na spłatę długów, i zamiarujący popełnić honorowe samobójstwo, w zamian za zrzeczenie się praw do nocnika Napoleona wymusił na Antonim Mopsińskim umowę dżentelmeńską. A mianowicie przyjmie on do siebie w Kamieńsku, zapewni dach nad głową i wyposaży w wypadku zamążpójścia dwie siostry rodziny pozbawione, a właściwie kuzynki, sieroty, Różę i Anielę Rozpuchówny z Częstochowy, których dotąd on, Eugeniusz Borowiecki, był prawnym i nieudanym opiekunem. Wstydu nie przyniosą; ukończyły kurs gospodarstwa domowego, na suchoty nie chorują, pracowite są i silne. Nic nie wydawało się fabrykantowi z Łodzi ceną zbyt wysoką za nocnik Napoleona, panowie dobili targu.

Eugeniusz Borowiecki znikł z Kamieńska i nigdy już o nim nie słyszano, a we dworze pojawiły się wkrótce dwie dziewczyny o trudnym do określenia wyglądzie i wieku. Antoni Mopsiński przywitał je tak, jakby był odwiecznym panem tego miejsca, pokazał im nocnik Napoleona przez szybkę, bo nie uznał dwóch panien za osoby godne bezpośredniej prezentacji, po czym już nigdy nie poświęcił siostrom więcej uwagi i nigdy nie nauczył się, która z nich jest Anielą, a która Różą. Jego żona, Józefina, ucieszyła się z niespodziewanego towarzystwa, bo nie udało jej się w Kamieńsku z nikim zaprzyjaźnić. W przeciwieństwie do swej imienniczki, ukochanej francuskiego cesarza, była osobą spokojną i niesklonną do flirtu, nieco niezdarną; cierpiała na niezidentyfikowaną przypadłość maciczną, wymagającą długich nasiadówek w misce z gorącym wywarem ziołowym, i często popadała w apatię. Ulubioną rozrywką pani Mopsińskiej było robienie na drutach, sztrykowanie, jak mówiła, sądząc, że jest to słowo francuskie, i jej małżonek oraz syn, Napoleon, zwany w domu Napciem, przy każdej okazji dostawali w prezencie swetry, skarpety i szale. Rzadko przy tym zdarzało się, by rozmiar był właściwy czy rękawy jednakowej długości, a bywało, że przez zbyt mały otwór obdarowany nie mógł przepchać głowy i stał jak głupia pałuba, bliski uduszenia. Pani Mopsińska patrzyła wtedy ze smutkiem na swoją kolejną klęskę i obiecywała, że zaraz to poprawi i będzie jak ulał, ale zapominała, co miała poprawić i jak, a kolejny nieudany efekt sztrykowania wkrótce dziurawiły mole. Roztargnienie Józefiny nieraz doprowadzało do większych domowych katastrof niż podduszenie pana domu lub jego potomka w swetrze o zbyt małym wycięciu na głowę. Raz na przykład zatrzasnęła w kufrze z wełną francuskiego pieska i dopiero gdy rozłożył się na dobre, służącą Mariannę Gwóźdź doprowadziła do zguby gruba jak powróz nić smrodu, innym razem Józefina tak się zagapiła przy kąpieli małego Napoleonka, że się mało dzieciak nie utopił i musiano głową w dół wodę z niego wytrząsnąć, a co przy tym wrzasku było, bo wisząc w tej nieprzyjemnej pozycji, ugryzł w łydkę biedną Mariannę. Jeszcze kiedy indziej zapomniała Józefina Mopsińska sztrykująca, że na bieliznę przymierzyła robiony dla małżonka pulower, i wyszła do ogrodu naciąć róż, a kamizelka pruła się stopniowo i pani zdziwiona, czemu tak się na nią gapią ludzie z drogi, zorientowała się w końcu, że stoi w pantalonach, haleczce i reszcie czegoś szarego wełnianego przy szyi. Józefina nie martwiła się koniecznością przyjęcia pod swój dach dwóch rezydentek, a nawet ucieszyła się, że może ich towarzystwo ją rozrusza. Rozruszałabyś się trochę, mawiał jej mąż z pretensją w głosie, gdy sam fakt, iż ma na imię Józefina, nie wystarczał mu do szczęścia; kupił jej pieska, jakiego miała cesarzowa, to zwierzaka udusiła, chciał potańczyć, skręciła kostkę, na polowanie ją zabrał, postrzeliła rejenta z Radomska. Siedzi tylko i sztrykuje; to ma być żona? Rozruszałabyś się trochę, Józefino! Antoni Mopsiński coraz częściej zamykał się w swoim gabinecie i w samotności podziwiał nocnik Napoleona.

Antoni Mopsiński nazywany był w Kamieńsku Fabrykantem i nikt nie mówił o nim inaczej jak Fabrykant. Wiedziano, że Żyd z Łodzi, przechrzta z żoną gojką, bo takie rzeczy ludzie tu umieli zwęszyć z wiatrem i pod wiatr co najmniej do trzech pokoleń. Zaraz na początku Fabrykant ufundował nawet nowe figury Drogi Krzyżowej do kościoła, ale poza tym żył na uboczu i wiele czasu spędzał w Łodzi, bo musiał doglądać interesów. Jeszcze jakiś czas po wojnie na zaśniedziałej tablicy w kamieńskim kościele można było przeczytać nazwisko hojnych darczyńców, Antoniego Mopsińskiego i Józefiny Mopsińskiej z domu Kloc, ale którejś nocy ktoś włamał się i odkręcił tablicę, kradnąc przy okazji dwa kielichy srebrne i dywanik spod ołtarza. Gdy więc po wielu latach prawnuk Antoniego Mopsińskiego, Andrew, student Uniwersytetu Columbia w Nowym Jorku, przyjedzie do Kamieńska szukać śladów przodka, nikt już nie przypomni sobie Fabrykanta, choć po ukradzionej tablicy w kościele wciąż będzie jaśniejszy ślad. Ksiądz pomógłby, bo sam się trochę historią interesował, zwłaszcza średniowieczem, ale niestety archiwum kościelne z czasów mniej odległych poszło z dymem razem z połową plebanii, gdy w drugi dzień wojny Niemcy zrzucili na Kamieńsk bomby. Zaprosił jednak gościa z Ameryki na lampkę wina domowej roboty i tak im się dobrze rozmawiało, że opróżnili trzy butelki. Nazajutrz Andrew Mopsinsky, skacowany, z językiem jak piętka chleba pokryta pleśnią, miejsce po tablicy obfotografuje ku zdumieniu wikarego, który zachęcać go będzie, by zrobił też zdjęcie całemu kościołowi albo obrazom miejscowego artysty, który właśnie namalował piękny portret polskiego papieża ze zdjęcia, proszę, jaki podobny, jakie kolory, lepsze niż w naturze. Niechże zrobi papieżowi, bo potem za granicą pokaże komuś zdjęcie szarej plamy i co sobie ludzie o kamieńskim kościele pomyślą? Młody człowiek na koniec wizyty w Kamieńsku sfotografował jeszcze ruiny dworu oraz Napoleonówkę opuszczoną i do połowy ścian zarośniętą łopianami; przez płot przelazł i pewnie w gówno jakieś wdepnął, bo potem go Marianna Gwóźdź widziała, jak buty o trawę czyścił.

Napoleonówka, obszerna chata kryta strzechą, która opadała na niewielkie okna jak futrzana czapka, stała w wilgotnym ogrodzie, zbiegającym aż do rzeki Kamionki. Grażynka potrafi odtworzyć w pamięci każdy szczegół tego domu z czasów, gdy toczyło się w nim życie; okiennice malowane na zielono, fakturę szorstkich ścian, które nagrzane słońcem wydawały się żywe jak skóra bardzo starego zwierzęcia, zapach zsiadłego mleka, suszonych grzybów i lawendy, który był pierwszym, jaki czuli w sieni goście zaproszeni na herbatkę. Grażynka nie musi zamykać oczu jak dziadek Mopsiński, wystarczy, że wyjdzie z domu i zanurzy się w las, by znów widzieć, jak przy ciężkim drewnianym stole siedzą w Napoleonówce dwie kobiety i dziewczynka w blasku naftowej lampki; ta dziewczynka to ona, kobiety to Ciocie Herbatki.

Ostatnimi lokatorkami Napoleonówki były podopieczne dziedzica hazardzisty, które zgodnie z umową przygarnął Antoni Mopsiński, Róża i Aniela Rozpuchówny. Najpierw mieszkały razem z rodziną Antoniego Mopsińskiego, grzecznie witały się z Fabrykantem, który za każdym razem sprawiał wrażenie, jakby musiał sobie przypomnieć, kim one, do diabła, są; cieszyły się, wydając ciche okrzyki och i ach, ze swetrów, szali i lizesek, jakie wysztrykowała dla nich Józefina Mopsińska, zajmowały się małym Napciem. Były łagodne w obejściu, niewymagające i ciche, obie miały ciemnoblond warkocze, szare oczy i przerwę między górnymi jedynkami, ale podczas gdy Aniela, szybka i zamaszysta, trajkotała, łącząc ze sobą słowa, szafując przymiotnikami i łykając w pośpiechu samogłoski, Róża przed każdym słowem zastanawiała się i wzdychała, jakby użycie go wiązało się z wydatkiem. Owo niepodobieństwo w podobieństwie wydawało się wręcz niewłaściwe i niektórzy mieszkańcy Kamieńska podejrzewali, że wcale nie są siostrami, nawet nie kuzynkami. Mimo zwykłości wyglądu Róży i Anieli, który ani nie raził, ani nie zachwycał, jakiś drobny, trudny do zdefiniowania szczegół sprawiał, że nigdy do końca nie wydawały się swoje. W hierarchii domowej siostry lub nie siostry zajmowały pozycję niedookreśloną, trochę niżej niż znająca podstawy francuskiego guwernantka z Piotrkowa Trybunalskiego, zatrudniona dla Napcia, wyżej jednak bez wątpienia niż Marianna Gwóźdź i dwie służące z Kleszczowej, dlatego mniej uprzywilejowani konkurenci sądzili, że za wysokie progi, a wyżej postawieni uważali, że nie wypada. Miały niewiele ponad trzydzieści lat, gdy spisano je na straty, uznając za zbyt stare na zamążpójście, a nigdy właściwie nie stały się przedmiotem plotek i romansowych spekulacji. Róża i Aniela przedkładały własne towarzystwo nad spotkania z mężczyznami i nawet wówczas, gdy bracia Soplicowie z Gorzkowic zaprosili je do Radomska do kina, o czym niejedna panna na wydaniu marzyła, wydawały się zainteresowane przede wszystkim sobą nawzajem. W pełnym przeciągów i nieużywanych pokoi kamieńskim dworze siostry nie siostry zajmowały się malowaniem akwarelek, suszeniem ziół i kwiatów na potpourri, z talentem przyrządzały lecznicze nalewki i mikstury; wszędzie zostawał po nich ziołowo-apteczny zapach czegoś, co zbyt długo leżało w szafie i nie zepsuło się wprawdzie, ale straciło świeżość. Ich blade i niewyraźne obrazki nieodmienne przedstawiały zaaranżowane na stole martwe natury albo morze, obie marzyły, by pojechać kiedyś nad Bałtyk, jak wspominały przy lada okazji. Róża i Aniela Rozpuchówny herbatę nalewały z wdziękiem, ubierały się ponad wiek poważnie, na stole stawiały świeże ciasteczka i owoce ułożone na liściach winorośli w sposób, który wydawał się elegancki. Na koniec wizyty obdarowywały wszystkich gościńcami w postaci słoika kiszonej kapusty, ogórków w miodzie lub konfitury i namawiały, by ponownie, może w następny czwartek, przyszli na herbatkę. Potrafiły prowadzić lekkie, niezobowiązujące rozmowy, ograniczając się do zadawania dokładnie takich pytań, na jakie rozmówca pragnął odpowiedzieć, bo dotyczyły jego ogrodu, ołtarza, dziecka, sukni albo wrzodów na żołądku; stłumione okrzyki zachwytu lub zdziwienia, jakie wydawały z siebie Róża i Aniela, były pełne zrozumienia i doskonale wyważone. Podejmowały herbatą księdza, lekarza, właścicieli sklepu z towarami kolonialnymi, dyrektora poczty i aptekarzową, a robiły to z łagodną przyjemnością, odciążając roztargnioną i wiecznie sztrykującą panią domu. Gdy Antoni Mopsiński uznał wydanie Róży i Anieli za sprawę beznadziejną, bez szemrania przeniosły się do Napoleonówki i tam kontynuowały herbaciane ceremonie przy domowych konfiturach i ciasteczkach, jakby nie zauważyły, że standard ich życia obniżył się z dworu pod strzechę. Zaczęły robić przetwory i w ich spiżarni zawsze stały trzy beczki kiszonek, do kapusty dodawały z fantazją raz całe jabłka, raz paprykę i kminek, a ci, którzy spróbowali, mówili, że inne te ich kiszonki niż normalnie, ale, o dziwo, smaczne. Wierzono, że likiery, mikstury i nalewki ich produkcji pomagają na wiele schorzeń i często, zanim wybrano się do lekarza, radzono się mieszkanek Napoleonówki, co najlepsze na pieczenie w żołądku, uporczywe skrofuły czy dzwonienie w uchu.

Róża i Aniela Rozpuchówny miały zdolność niezwracania na siebie zbytniej uwagi; ich istnienie tak naprawdę dostrzeżono dopiero wówczas, gdy oddzieliły się od Narodziny Fabrykanta Mopsińskiego i zamieszkały w Napoleonówce. Wystawione na zewnątrz rodzinnego układu wydały się jakoś drażniące i niedopasowane, no coś takiego, mówili mieszkańcy Kamieńska. Znano tu stare panny rezydentki, w każdym okolicznym dworze była taka ciotka-pociotka, kuzynka bez posagu, lekko uszkodzona stryjenka czy wujenka w drucianych okularach, ale dwie niezamężne kobiety zamieszkujące osobny dom? Może gdzieś w mieście, w Piotrkowie czy Radomsku, ale nie w Kamieńsku, chyba żeby współlokatorki były stare i wyraźniej spokrewnione. To wówczas nazwano je Ciociami Herbatkami i to wspólne imię wszystkim zainteresowanym odpowiadało, a niewypowiedziane podejrzenia pozostały nienazwane, tym bardziej że nazw brakowało na takie rzeczy w Kamieńsku. Ciocie Herbatki wydawały się zadowolone z nowego przydomku i zdecydowanie były zadowolone z własnego domu, powiesiły w oknach Napoleonówki świeże firanki i zasłony, pobieliły ściany i wyplewiły ogród, a wszystko to robiły na cztery ręce. W ciepłe dni siadały na ławeczce i łuskały groch albo obierały jabłka; niektórzy trochę się irytowali na ten widok, bo nie dość, że takie podwójne i niezamężne, to jeszcze nie wiadomo, pańskie czy chłopskie, bo jak popatrzysz, to na dwoje babka wróżyła, raz wystrojone jak ze dworu, a raz rozmamłane jak byle baba groch sobie łuskają w chustkach na głowie. Czasem Ciocie Herbatki po prostu siedziały bezczynnie, patrząc na drogę, jakby na coś czekały, jedna obok drugiej, takie do siebie podobne w gęstniejącym zmierzchu, nieruchome. I doczekały się.

W Napoleonówce przyszła na świat Grażynka, a właściwie została nań przyniesiona marcowym przedświtem, gdy pierwsza fala szarego światła dobiegała do rogatek Kamieńska od strony Kleszczowej. Co najmniej trzy osoby ją na świat przyniosły, nie licząc nieznanej matki, która ją nosiła, i trudno dociec, dlaczego światem w tym wypadku był akurat Kamieńsk, spośród sąsiednich wiosek wyróżniający się jedynie Górą Kamieńską, dziwnym wzniesieniem, które na płaskim krajobrazie centralnej Polski wygląda jak grudka pod wyprasowanym obrusem. To mikroskopijne miasteczko, łatwe do pomylenia z wsią, leżało jak kurza kupka na skrzyżowaniu dróg wiodących do miejsc o wiele ważniejszych; przez Kamieńsk prowadziła droga z Katowic do Gdańska i z Warszawy aż do Wiednia, który z perspektywy Kamieńska wydawał się tak daleki, że aż nieprawdziwy, choć tutejsza nauczycielka muzyki, Aurelia Borowiecka, katowała swoich uczniów wiedeńskimi walczykami, na raz, dwa, trzy. Twarzy pierwszej osoby, która przyniosła na świat Grażynkę, nikt nie widział; cierpiący na bezsenność fotograf Ludek Borowic i Marianna Gwóźdź, która ze służącej Fabrykanta awansowała wówczas na gospodynię proboszcza Wenancjusza Pielasy, dostrzegli co prawda obcą postać w Kamieńsku, ale mieli sprzeczne zdania na temat jej płci, wieku i ubioru. Ludek pewny był, że kobieta, wysoka, rudowłosa, biegła drogą w stronę rzeki, jakby ją gonili, a gospodyni zapierała się, że gówno tam widział, patrzcie go, fotograf, a ślepy jak kret, przecież to chłop był, mały, lecz w sobie, przy kości, w kapeluszu jak Cygan, i nie pędził, lecz jakby lisio się przemykał, a takie lisie przemykanie w kapeluszu cygańskim jest oczywistą oznaką nieczystego sumienia. Stan sumienia mężczyzny przy kości i w kapeluszu, o ile nie był wysoką rudowłosą kobietą, pozostał tajemnicą, bo Ludek Borowic, fotograf z Kamieńska, nie przyznał się, że tak naprawdę widział kobietę średniego wzrostu, i to całkiem z bliska, podeszła bowiem do jego drzwi, by na progu zostawić zapakowane w kokon szmat niemowlę. Gdyby to żona Ludka, piękna Hawa, otworzyła drzwi, dziewczynka prawdopodobnie zostałaby pod numerem siódmym na ulicy Prostej, między piątką, gdzie mieściła się cukiernia Mateusza Suligi, a dziewiątką, gdzie zakład fryzjerski prowadził Tadeusz Kruk. Jednak fotograf nie chciał mieć dzieci i z pewnością uznano by go w Kamieńsku za odmieńca, gdyby się do tego przyznał, dawał więc do zrozumienia, że w kwestii rozmnażania to z żoną coś jest nie tak. Użył tchórzliwego wybiegu, choć nie był tchórzem i gdy wzdychał, wymieniając imię żony, Hawa, w oczach zbierały mu się łzy. Mówiono w miasteczku, że bardzo ją musi kochać, skoro nie rozwiódł się, mimo iż bezpłodna. Ludek nie miał nic przeciw dzieciom jako takim i fascynowały go miniaturowe ludziki, którym robił zdjęcia z okazji chrztu, bar micwy czy komunii, a jego niechęć do posiadania dzieci związana była ze straszną tajemnicą, z którą musiał żyć i z którą umrze, nie pisnąwszy nikomu słowa.

Biedny Ludek Borowic, na którego próg przyniesiono Grażynkę, miał dar przepowiadania nagłej śmierci, widział ją nie na twarzach fotografowanych, ale na ich podobiznach. Wizerunek człowieka mającego umrzeć nagle i nie z choroby, na zdjęciu zrobionym przez Ludka był zamazany, jakby drżący, a twarz niewyraźna i zatarta. Krzyczał na niego ojciec, u którego w tym samym zakładzie uczył się fotografii, że rękę ma do łopaty, a nie sztuki tak wysublimowanej jak zdejmowanie wizerunków. Ja się pytam, grzmiał na syna, czy tak wygląda Marek Słowik? Ja się pytam, czy Marek Słowik ma gębę bladą i oczy trupie? To dybuk jakiś, nie Słowik! Stary Borowic umarł, zanim związek między prześwietlonym zdjęciem a nieszczęśliwym wypadkiem modela stał się oczywisty. Szedł właśnie ojciec Ludka na pocztę z listem do kuzyna z Grodna za pazuchą, gdy na ławce pod kamieńskim kościołem zobaczył śmierć; siedziała tam i skubała słonecznik wielki jak młyńskie koło. Nie miał wątpliwości, że to ona, więc pokazał tylko na list, że chciałby go jeszcze wysłać, jeśli można, a ona lekko wzruszyła ramionami: proszę bardzo, niech wysyła, ona może poczekać, aż tak jej się nie spieszy. Umarł ojciec Ludka, zanim zdążył spełnić swoje marzenie o podróży do Grodna, gdzie żyło wielu jego kuzynów i kuzynek, a jeden krewny do tego miał na imię Ludek, jak on i jego syn, i też był fotografem, co za zbieg okoliczności. A ciekaw jestem, wzdychał Ludek, ojciec Ludka, czy tamten Ludek z Grodna taki sam jak ja, czy inny? ale nie miał swej ciekawości zaspokoić, bo śmierć splunęła ostatnią łupiną słonecznika, pasiastą jak skrzydełka stonki, podeszła do niego i wzięła go pod ramię.

Pierwsza śmierć przepowiedziana przez Ludka Borowica, wówczas dwunastoletniego, dotknęła Marka Słowika, hodowcę z Kleszczowej, którego pod okiem ojca sfotografował z okazji sukcesu w dorocznej wystawie bydła. Krowa mleczna Marka Słowika zajęła pierwsze miejsce i na fotografii wyszła jak trzeba, wyraźna, połyskliwa, aż chciało się dotknąć, podczas gdy właściciel stojący przy niej w pozie dumnej i sztywnej wyglądał jak wymoczony w wybielaczu. Dostał Ludek przez łeb i aż się popłakał, a jego ojciec pomstował, retuszując fotografię, że tylko taka niezguła jak jego syn może spaprać pół zdjęcia, bo jeszcze jakby całe, toby jakoś człowiek zrozumiał, a tu pół jak się patrzy, a drugie pół spaprane. Po tygodniu Marek Słowik zginął pod kołami pociągu do Wiednia, gdy po pijanemu przechodził przez tory, podczas gdy krowa pozostała w dobrym zdrowiu i rok później znowu zdobyła medal na wystawie. Mógł Ludek wybrać inny zawód, tak czasem podpowiadał mu głos rozsądku, ale wewnętrzne przekonanie, silniejsze niż rozsądek, mówiło z kolei, że to los wybiera nas i nie ma co się silić, by zrozumieć, dlaczego jest tak, a nie siak, weźmy na przykład jego naród wybrany przez Boga, który niekiedy wyraźnie nie wie, po co to zrobił, ale jest już za późno, by wszystko odwołać. Boże, wzdychał więc Ludek, a każde wywoływane zdjęcie sprawiało, że jego serce waliło jak pociąg, który przejechał po Marku Słowiku, hodowcy krów mlecznych z Kleszczowej, bo jeśli śmierć pojawiła się na odbitce, nie było odwrotu. Śmierć na fotografiach Ludka Borowica mogła być młoda, ledwie opierzona, a wtedy potrzebowała trzech do czterech lat, by dojrzeć, albo już wyrośnięta, gotowa i lśniąca jak lukier na wielkanocnym mazurku z cukierni Mateusza Suligi, a wówczas zabierała się do roboty w ciągu miesiąca. Władysława Przetak, zdjęta z powodu ślubu z Wojciechem Przetakiem, spadła z drabiny tak nieszczęśliwie, że już nie wstała, Ludwika Poznańskiego, weterynarza, sfotografowanego z okazji narodzin syna, koń kopnął w czoło, a mała Ada Witz wpadła do starej studni, zwabiona swoim dalekim zielonkawym odbiciem, wyłowiono ją dopiero po dwóch tygodniach poszukiwań, i to tylko dlatego, że nocą cembrowina studni zaczęła świecić na seledynowo, bo obsiadały ja całe chmary robaczków świętojańskich. Ludek opanował do perfekcji sztukę retuszu i ci, których śmierć dopadła na jego fotografiach, niczego się nie domyślali, zabierając do domu zdjęcie przy greckiej kolumnie albo na tle morza, a Ludek powoli godził się z tym, że jego ostrzeżenia rzucane jakby nigdy nic – a na wodę uważajcie, Macieju – na nic też się nie zdają, bo śmierć znajduje tych, których naznaczyła. Najgorsze miało jednak dopiero przyjść i wtedy Ludek, tuż po ślubie z piękną Hawą, zdecydował, że nie będzie miał dzieci.

Na początku Ludek Borowic, fotograf z Kamieńska, nie wierzył w to, co widzi, bo na ślubnej fotografii starszej siostry Ady Witz, Aliny, wszystkich trzydzieścioro dwoje gości, włączając państwa młodych, nosiło biały cień śmierci. Śmiercią jak szronem pokryci byli od stóp do głów Ida i Mosze Lipszycowie, szronem – ich nowo narodzona córka Ida, młodzi Dalia i Eli z córeczkami bliźniaczkami, Gołda i Herszel Kac, właściciele sklepu żelaznego, oraz ich dzieci, oprócz jednego, nieobecnego na zdjęciu Icka, a także syn zegarmistrza Feliksa, Janek, który przyszedł sfotografować się w czapce studenckiej, by dumny ojciec mógł chwalić się klientom, to mój syn student z Łodzi; śmierć jak celofan owijała się wokół Mordki, rzezaka, i jego żony, rudej Salomei, dotknięty był śmiercią wuj Ludka, też Ludek, i rzeźnik Kowalski o ogromnym brzuchu, a także siostra rzeźnika, stara panna Wala, przyjaciółki Ajla i Bajla, oraz ośmioro z dwunastu uczniów polskich i żydowskich na szkolnej wycieczce nad rzeczką Fryszerką; śmierć otulała Adi, szwaczkę, która pozowała przy kolumnie z tajemniczym uśmiechem, bo fotografia miała zostać wysłana do Ameryki, gdzie w ślad za nią planowała udać się i Adi, by dołączyć do narzeczonego. Retuszował Ludek i płakał nad uróżowanymi ustami Adi, które były już martwe i nie otworzą się w zachwycie na widok Statui Wolności, płakał nad martwym brzuchem rzeźnika i piersiami Salomei, płakał nad Aurelią Borowiecką i jej kasztanowym kokiem. Płakał też tego dnia, gdy Hawa poprosiła, Ludku, zrób mi zdjęcie w tej pięknej nowej sukience, bo wokół jej postaci połyskiwał nieomylny znak śmierci, dopiero dojrzewającej, ale pewnej jak w przypadku wielu innych mieszkańców Kamieńska, Kleszczowej i Gorzkowic, których fotografował. Nie musiał Ludek już żałować, że sam sobie nie może zrobić zdjęcia, by dowiedzieć się, co go czeka, bo wiedział, że bez żony nie może być mowy o żadnym życiu. Dlatego właśnie Ludek Borowic, fotograf z Kamieńska, nie mógł zatrzymać tego dziecka, które podrzucono pod jego drzwi.

Pochylił się i zobaczył oczy, spojrzały na niego dziwnie dorośle i z powagą o wiele większą niż to ciałko, które niezdarnie wziął w ramiona; nie miał najmniejszych wątpliwości, że to dziewczynka. Rozejrzał się Ludek, ulica Prosta była pusta i szara, na jej końcu majaczyła sylwetka kościoła. Nie miał wiele czasu na myślenie i pognał tam z duszą na ramieniu, by zostawić pakunek na schodach plebanii. Księdza Wenancjusza Pielasę akurat ostatnio zdejmował, wyszedł mu cały i zdrowy, wyraźny; wiedział poza tym, że to ktoś, komu może zaufać, bo niejedną nalewkę Cioć Herbatek razem wypili, dyskutując na temat Boga. Ukryty za węgłem najbliższego domu, gryząc paznokcie zniszczone przez chemikalia, Ludek Borowic czekał, aż pojawi się nowa księża gospodyni. W Kamieńsku ludzie znali nawzajem swoje zwyczaje, a Marianna Gwóźdź znana była z tego, że przychodzi na plebanię jeszcze przed świtem. Żartowano, że na księżą gospodynię za młoda, ale brak urody ratował ją przed podejrzeniami, musiała żyć z piętnem najbrzydszej dziewczyny w okolicy, ale do gorszych rzeczy się człowiek przyzwyczaja. Pięciominutowe spóźnienie Marianny Gwóźdź omal nie przyprawiło Ludka o zawał, spocił się cały, główkując, czy zabrać małą i gdzie indziej podrzucić, czy może jeszcze poczekać, i już, już trzecia możliwość zaczynała kiełkować w jego głowie, niezwykła i sprzeczna z pierwotnym postanowieniem, gdy gospodyni wytoczyła się z bocznej uliczki. Ludek widział, jak Marianna Gwóźdź podniosła kokon i zajrzała do wnętrza, tak jakby podnosiła pokrywkę żeliwnej brytfanny, sprawdzając, czy dobrze upiekł jej się kurczak nadziewany wątróbką i kaszą; widział, jak rozejrzała się wokół i z szybkością, której nie spodziewał się po jej obfitym ciele, ruszyła ulicą Prostą z dzieckiem w ramionach. Ludek odczekał chwilę i wynurzył się z cienia, by podążyć za Marianną Gwóźdź, gospodynią księdza Wenancjusza Pielasy. Biegli tak przez uśpione miasteczko ulicą Prostą, a potem Poprzeczną i Krótką, biegli pod oknami, za którymi ludzie kończyli śnić ostatnie sny, aż oczom Ludka Borowca ukazała się rzeka Kamionka z pierwszym promieniem słońca, który przeciął ją jak nożem, i w głowie fotografa zakiełkowało straszne podejrzenie. Gospodyni zatrzymała się porażona nagłą jasnością, wstającą z nadrzecznych zarośli młodego łopianu, i skręciła na ścieżkę do jedynego domu, który stał w tej okolicy. Zaczajony w wiosennej zieleni Ludek widział, jak kobieta kładzie zawiniątko na progu Napoleonówki i rzuca się do ucieczki na przełaj, omal nie nokautując go biodrem. Zanim ścieżkami nad Kamionką znanymi tylko wędkarzom i pływakom sam przemknął do domu, od strony ogrodu białego od przebiśniegów widział jeszcze otwierające się drzwi Napoleonówki i jedną z Cioć Herbatek, która zawołała, o Matko Boska! Ludek Borowic miał nadzieję, że jeśli nie dobre serce, to świt odwiedzie mieszkanki domu od podrzucenia dziecka w inne miejsce, i odetchnąłby z ulgą, gdyby zobaczył, jak jedna Ciocia Herbatka delikatnie kładzie zawiniątko na kanapie, na której oparciach akurat suszą się cienkie makaronowe placki na niedzielny rosół, a druga wznosi ręce do twarzy w geście łączącym przerażenie i zachwyt.

Od tej chwili fotograf Ludek Borowic czekał, aż Ciocie Herbatki przyjdą do niego z dzieckiem, by zrobić sobie zdjęcie, a on będzie mógł przekonać się, co znajdzie przeznaczone. Myślano w Kamieńsku, że skończą się zaproszenia na herbatkę, gdy ku zgrozie Fabrykanta i wbrew jego radom, żeby oddać bachora do przytułku, Ciocie Herbatki przygarnęły podrzuconą dziewczynkę. Ale nie, nadal zapraszały a to księdza Wenancjusza Pielasę, a to aptekarza i aptekarzową, a to fotografa Ludka Borowica z jego piękną smutną żoną, dziecko zaś pokazywały wszystkim z matczyną dumą, jakby było oczywiste, że dwie stare panny, przy tym nie wiadomo, siostry czy kuzynki, mogą stać się matkami. Fabrykant Antoni Mopsiński nie był z tego zadowolony, coś takiego, fukał po domu, coś takiego, a jego żona, Józefina, zupełnie nie wiedziała, jak wobec mężowskiej dezaprobaty poradzić sobie z własną ciekawością i zadowoleniem, więc zabrała się do sztrykowania niebieskich ubranek, uważanych w owym czasie za właściwe dla dziewczynki. Wysyłała do Napoleonówki swojego syna Napcia i chciwie wysłuchiwała relacji kilkulatka, który wkrótce sam zaczął wymykać się do Cioć Herbatek kierowany jakąś dziwną tęsknotą; mógł ją zaspokoić tylko widok malutkiej dziewczynki o włosach w kolorze karmelu i błyszczących oczach. Grażynka! powiedział matce Napcio, chciałbym mieć taką siostrę albo żonę, bo jest najpiękniejsza na świecie! I wkrótce potem Józefina przemknęła do Napoleonówki z naręczem wysztrykowanych ubranek. To nasza Grażynka! obwieściły Ciocie Herbatki Józefinie, tak jak obwieszczały wszystkim.

Rozpieszczały swoją znajdę, jakby w tym jednym przypadku ich zdolność do mimikry i odgadywania cudzych życzeń przerodziła się w coś o wiele większego i lepszego niż uprzejmość. Zachwycone, z rumieńcem na policzkach stały nad kołyską i patrzyły na małą buzię, doskonałość muszelek uszu, miękkość loków. Dziecko uspokajała muzyka, więc mu Ciocie Herbatki śpiewały wszystkie znane sobie piosenki, chociaż uważały, że żadna nie ma ani dobrego głosu, ani słuchu; Grażynka jednak uwielbiała, jak fałszowały na dwa głosy miłość ci wszystko wybaczy, przybieżeli do Betlejem i pije Kuba. Ludzie stawali pod płotem Napoleonówki i zdumieni słuchali kolęd w maju, a było w tym śpiewaniu tyle radości, że sami zaczynali nucić, a potem długo jeszcze słyszeli głos Cioć Herbatek w głowie. Gdy Ciocie Herbatki usłyszały kataryniarza, chudego Moszkę Witza, wołały go do ogrodu, gdzie stawał pod starym orzechem i grał, a one pytały gulgoczące ze szczęścia dziecko, a to ci się podoba? a to? Kataryniarz grał tanga milongi i mazurki, melodie hiszpańskie i żydowskie, włoskie i polskie, raz panna Mania gra na mandolinie, potem marsza, walczyka, o sole mio jakieś na gondoli, a Grażynka klaskała tak długo, aż słońce zachodziło za Kamionką, grajek żegnał się, uchylając kapelusza, i odchodził z ręką zdrętwiałą od kręcenia. Mówiły Ciocie Herbatki, nasza Grażynka, i większość mieszkańców Kamieńska powtarzała, ta ich Grażynka, nie mogąc się zdecydować, czy silniej odczuwają podziw dla aktu miłosierdzia, czy niechęć wobec nowego dziwactwa mieszkanek Napoleonówki. Nieraz widziano Różę i Anielę w Kamieńsku, jak prowadziły między sobą za ręce pulchną dziewczynkę, która czasem biegła przed siebie na coraz szybszych nóżkach i wołała do nich, zawsze w liczbie mnogiej: Ciocie Hierbatki!

Ludek Borowic obserwował dziewczynkę z daleka i czekał, wiedział, że nastąpi nieuniknione, każdy prędzej czy później do niego trafia. Gdy po kilku tygodniach sporów i awantur dziecku wypisano papiery na nazwisko Rozpuch, jak nazywały się siostry, o ile były siostrami, i ochrzczono je, Ciocie Herbatki zjawiły się w jego zakładzie odstrojone, z małą Grażynką całą na biało, w towarzystwie rodziców chrzestnych, na których poprosiły Aurelię Borowiecką, nauczycielkę muzyki, i Mateusza Suligę, cukiernika. Chwilę zajęło Ludkowi ustawienie do zdjęcia tej nietypowej rodziny, drżały mu ręce, a siostry, zwykle tak zgodne, nie mogły dojść do porozumienia, która ma trzymać dziecko, aż w końcu nieco nadąsane ustaliły, że weźmie je matka chrzestna, usiądzie obok ojca chrzestnego, a one staną sobie skromnie z tyłu i będzie sprawiedliwie. Ciocie Herbatki zamarły bez kokieterii, bo nigdy jej w sobie nie miały, patrząc w obiektyw tak, jak patrzyły w lustro, by zetrzeć sadzę z policzka albo wyjąć rzęsę z oka. Aurelia przechyliła lekko głowę w lewo, bo kiedyś, jeszcze w konserwatorium, ktoś jej powiedział, że tak wygląda po prostu prześlicznie, Mateusz Suliga w ogóle się nie poruszył, żona tak mu wykrochmaliła na tę okazję koszulę, że brzeg sztywnego kołnierzyka omal nie poderżnął mu gardła, a Grażynka spojrzała na Ludka Borowica ze spokojem i powagą. Błysnęła magnezja i chrzestna, Aurelia Borowiecka, przyzwyczajona przecież do corocznych fotografii z uczniami, przestraszyła się i zamknęła powieki, pod którymi, ku swojemu zdumieniu, zobaczyła nagle długą kolejkę ludzi z walizkami na kolejowym nasypie, pod niebem czerwonym i pulsującym jak membrana. Gdy tego wieczoru Ludek robił odbitki, po jednej dla każdej Cioci Herbatki, dwie dla chrzestnych i jedną zapasową, czuł taką potrzebę chronienia tego dziecka, które kiedyś musiał odrzucić, że gotów był w razie czego wyretuszować jego wizerunek tak, że najbardziej przebiegła śmierć dałaby się nabrać na zdrowy rumieniec i błękit oczu. W gniewie mamrotał Ludek, że niech się nawet śmierć nie waży, i obiecywał wszystko, co niezamożny fotograf z Kamieńska może dać w zamian, ale nie było takiej potrzeby, bo na wywołanym zdjęciu twarz dziewczynki była samym życiem. Jej usta wyszły różowe, a oczy niebieskie, prawdziwy cud na czarno-białej fotografii, a uroda dziecka była tym wyraźniejsza, że trzymającą je w ramionach Aurelię Borowiecką spowijał srebrny obłok śmierci, jakby dmuchnął jej ktoś w twarz papierosowym dymem, i rozlewał się, obejmując ojca chrzestnego, Mateusza Suligę, w koszuli wykrochmalonej na sztywno, aż w końcu dosięgał Cioć Herbatek, na których wizerunku wprawne oko fotografa dostrzegło złowieszczy cień nieopierzonej jeszcze śmierci. Odtąd Ludek Borowic fotografował Grażynkę, kiedy tylko była ku temu okazja, a potrafił tak zagadnąć Ciocie Herbatki, tak pochwalić wygląd dziewczynki, że splendor spływał na siostry po równo i kraśniały jak po likierze morelowym z goździkami, który wydzielały sobie po naparstku codziennie wieczorem. Zrobił więc Ludek Borowic Grażynce, gdy miała rok, zdjęcie z piłką plażową w kolory domalowane przez niego precyzyjnie i z miłością, na tle morza z falą zatrzymaną tuż przy jej bosych stopach o doskonałych paznokciach jak bałtyckie muszelki, a potem w futerku baranim i czapce pilotce przy sankach, na letnio w sukience w kwiatki, i na jesiennie z tornistrem skórzanym, z którym poszła do szkoły w Kamieńsku. Za każdym razem podziwiał Ludek doskonałość jej podobizny, a ona wyostrzała się i piękniała pod jego wzrokiem, jakby Grażynka miała umiejętność wchłaniania marzeń fotografa. Na ostatnim wizerunku zdjętym przez Ludka Borowica, żydowskiego fotografa z Kamieńska, Grażynka ma około dziesięciu lat i nadal nie trzeba nic retuszować, bo wychodzi wyraźna, niemal trójwymiarowa i z oczami dla odmiany piwnymi, lśniącymi jak świeże kasztany. Gdy wychodziła z zakładu Ludka Borowica, czekało na nią kilku chłopców przyklejonych do szyby, był tam jak zawsze melancholijny Icek Kac i Napcio Mopsiński w eleganckim ubranku, i był ktoś jeszcze, obecny, choć niewidoczny mężczyzna, którego spojrzenie zza firanki zakładu fryzjerskiego Ludek poczuł wraz z falą chłodu, uświadomił sobie wtedy, że Tadeusz Kruk nigdy jeszcze nie przyszedł, by zrobić sobie zdjęcie.

Sytuacja Cioć Herbatek i ich córki uległa kolejnej zmianie, gdy parę lat przed wojną Fabrykant wyemigrował z Polski z żoną i synem Napciem. Ciocie Herbatki zostawił w Napoleonówce z Grażynką, bo nie zamierzał zabierać ani dalekich krewnych, ani tym bardziej podrzutka, choć trzeba mu oddać, że słowa dotrzymał i zostawił im środki na skromne utrzymanie. Studiowanie historycznych książek z epoki napoleońskiej oraz doświadczenie wyniesione z fabryki guzików sprawiły, iż Antoni Mopsiński miał rzadką umiejętność przewidywania wydarzeń politycznych w skali lokalnej i międzynarodowej. Podczas gdy inni mieszkańcy Kamieńska na groźbę wojny mówili, iiiitam, bokiem przejdzie, panie, on patrzył w niebo i wzdychał, niedobrze, aj niedobrze się dzieje, aż w końcu zarządził: pakujemy się, Józefino. I zaczęło się we dworze wielkie pakowanie, ale Antoniego Mopsińskiego interesowało jedynie, by w całości za morze dotarł nocnik Napoleona, osobiście nadzorował owijanie go pakułami, trzema metrami jedwabiu w kolorze purpurowym, który Józefina zamówiła nie wiadomo po co i trzymała w kufrze, aż nadżarły go mole. Prawie dobrze, uznał, ale dla pewności kazał jeszcze pakunek z nocnikiem, który zamierzał w drodze trzymać przy sobie, owinąć dwoma swetrami wysztrykowanymi przez niestrudzoną małżonkę.

W bagażu podręcznym Józefiny Mopsińskiej były druty różnej grubości, motki wełny i zapas guzików, reszta jej nie obchodziła i Józefina nie zauważyła nawet, że Napcio, który z pędraka szybko stał się podrostkiem, snuje się markotny i nieswój. Powodowana wdzięcznością za dotrzymywanie jej towarzystwa, bo jak w skrytości ducha podejrzewała, dla nikogo nie była zbyt interesująca, chciała zostawić coś Ciociom Herbatkom i Grażynce, jedynym osobom, które z własnej woli nosiły jej swetry, lizeski i szale. Może do wdzięczności domieszane było parę kropel poczucia winy, Józefina Mopsińska wiedziała przecież, że jej wola jest zbyt słaba, głos zbyt cichy, by mąż wysłuchał prośby i pozwolił Ciociom Herbatkom i Grażynce zabrać się z nimi do Ameryki. Co by im tu, myślała, podarować na pożegnanie? Gdyby chociaż sztrykowały, ale do sztrykowania Ciocie Herbatki drygu nie miały, a do czego mieć będzie Grażynka, trudno było jeszcze przewidzieć. Za to pitrasić lubiły, gości podejmować, tak, wzrok Józefiny Mopsińskiej padł na kryształową ponczówkę, którą opakowała porządnie i położyła na stole obok innych przygotowanych do drogi rzeczy. Elegancko w niej poncz gościom podadzą i może wspomną wtedy ją, Józefinę Mopsińską z Kamieńska. Gdy Ciocie Herbatki przyszły z Grażynką, by się pożegnać, pani Mopsińska dała im w prezencie ponczówkę, dwie ciepłe kamizelki i sukienkę dla małej, które mimo ogólnego rozgardiaszu udało jej się wysztrykować. Gdy Józefina Mopsińska zobaczyła, jak jej syn czerwieni się na widok kilkuletniej Grażynki, przyjrzała się dziecku o pięknych oczach i zdziwiła ją własna myśl, że oto od tego momentu będzie tęsknić za Kamieńskiem i wszystkim, co mogłoby się jej tu przydarzyć, ale się już nie przydarzy. Ciocie Herbatki odeszły z prezentami i Grażynką, a Józefina Mopsińska patrzyła za nimi w gęstniejącą ciszę ostatniego wieczoru i nie myliła się, sądząc, że ta chwila przesycona smutkiem zapowiada w końcu coś więcej, coś lepszego w jej życiu kobiety, która zawsze wszystkich zawodziła.

Dopiero na miejscu, w ponurym nowojorskim hotelu, Antoni Mopsiński zorientował się, że zaszła straszna pomyłka. Przydźwigał w bagażu podręcznym i strzegł przez całą podróż jak oka w głowie nie nocnik Napoleona, lecz zwykłą kryształową ponczówkę; jego roztargniona żona Józefina pomyliła paczki. Antoni Mopsiński padł na miejscu rażony wylewem, który na długo pozbawił go mowy, czucia w lewej stronie ciała i połowy świadomości; ponczówkę też szlag trafił, bo wyrżnęła o podłogę i rozprysła się na tysiąc kawałków. Cały bałagan musiała posprzątać Józefina, a gdy Antoni Mopsiński doszedł do siebie, a miał do przejścia kawałek i to nie prostą drogą, okazało się, że nic już nie jest takie, jak było. Mieszkali nie w domu, jaki sobie wymarzył, lecz w dwupokojowym mieszkaniu na Lower East Side, bo pieniądze rozpłynęły się niezwykle łatwo w tym mieście otoczonym przez dwie rzeki i ocean. Józefina już nie sztrykowała, tylko zarabiała na chleb w wytwórni parasoli należącej do sąsiadki, Polki Władzi, i jej męża Węgra o tak trudnym do wymówienia imieniu, że wszyscy, łącznie z małżonką, wołali nań Wacek. No, dzięki Bogu, jak nie umrze, to żyć będzie! powiedziała Władzia i razem z Józefiną postawiły uszkodzonego, lecz zdrowiejącego Antoniego Mopsińskiego do pionu. Fabrykant, który nie był już fabrykantem, lecz inwalidą, patrzył w zdumieniu na przysadzistą kobietę o agrestowych oczach, która nie była jego żoną, i na żonę Józefinę, która też wydawała mu się kimś obcym. Po raz pierwszy w życiu to, co robiła Józefina, inni uznawali za udane i pożyteczne, jej aktywność przynosiła rezultaty i pani Mopsińska, urobiona po pachy składaniem parasoli, wychowywaniem na ludzi syna Napcia oraz myciem, karmieniem i przewijaniem męża, czuła nagłe przypływy satysfakcji, ale myliła je z uderzeniami gorąca. Gdy po kilku ładnych latach żona Mopsińska wyprowadziła kulejącego i nie do końca jeszcze przytomnego małżonka Mopsińskiego na pierwszy spacer, akurat zaczęło padać; Józefina otworzyła parasol, jeden z tych, które produkowano w zakładzie Władzi i Wacka. Złota czasza, która nagle rozpięła się nad głową Antoniego Mopsińskiego, przypomniała mu utracony nocnik Napoleona i zrozumiał wtedy, że jest to strata bezpowrotna i że zdarzyła się z jakiegoś powodu, na którego zgłębienie będzie miał wszystkie bezsenne noce, jakie mu w życiu zostały. Płakał tak, jak nie płakał od czasu, gdy jako mały chłopiec przeczytał o ostatnich chwilach Napoleona, podtruwanego systematycznie na Świętej Helenie, tamte dziecinne łzy wróciły falą słonej powodzi i zalały małżonków Mopsińskich na rogu Czwartej Ulicy i Pierwszej Alei. Po powrocie do domu i zdjęciu przemoczonych ubrań były fabrykant napisał długi list do Cioć Herbatek, w którym tłumaczył im szczegółowo zasady przechowywania nocnika i wyłuszczał jego wartość, ale list przepadł w powojennej zawierusze i nigdy nie dotarł do Kamieńska. Nawet jeśliby trafił w ręce Cioć Herbatek, byłoby za późno.

Ciocie Herbatki przypuszczały, że niespodziewany prezent musiał być wynikiem jakiegoś nieporozumienia, więc po długiej dyskusji spakowały go ponownie i ukryły w beczce z podwójnym dnem; na wierzchu była kapusta, w drugiej komorze bezpieczny przed złym okiem nocnik cesarza. Ciocie Herbatki nie tylko złego oka się obawiały, lecz także niefrasobliwości Grażynki, która od najmłodszych lat wykazywała kompletny brak zainteresowania dobrami materialnymi i trzeba było pilnować, by nie rozdała wszystkiego wykorzystującym jej słabość dzieciakom z Kamieńska. Gdyby ktoś zobaczył nocnik i poprosił o niego, dałaby go tak samo bez wahania, jak wstążki, które z uśmiechem darowywała innym dziewczynkom, prawie nowe buciki, które odjechały którejś wiosny z cygańskim taborem, bo spodobały się starej Cygance, co to, trzeba jej przyznać, odwzajemniła się dziecku porządną patelnią. Ale zanim Grażynka doniosła ją do domu, trafiła na Mariannę Gwóźdź; co za zbieg okoliczności, że ta akurat takiej patelni potrzebowała. Ciocie Herbatki łapały się za głowę i nieraz musiały lecieć za Grażynką, by powstrzymać jej hojność, uratować wyniesiony przez nią domowy sprzęt, niedzielną halkę albo złoty zegarek; utrapienie z tym dzieckiem, wzdychały i ze szczęścia jaśniały im twarze. Ukryły więc nocnik i czekały na list z Ameryki, minął jednak kolejny rok, a instrukcje w sprawie nocnika nie nadeszły; wtedy Ciocie Herbatki podobnie jak Antoni Mopsiński zaczęły podejrzewać, że rzecz dostała się w ich posiadanie nie przypadkiem. Ano zobaczymy, wzdychały podczas corocznych oględzin nocnika, do których dochodziło zwykle na przednówku, gdy zjadały resztę kapusty z beczki o podwójnym dnie. Ani bombardowanie Kamieńska, w wyniku którego zginęło sto pięćdziesiąt osób i w perzynę obróciło się kilkanaście domów przy ulicy Prostej, a także zamknięty na głucho dwór Fabrykanta, ani wojenna bieda nie wytrąciły Cioć Herbatek z rutyny życia towarzyskiego, nadal napełniały gościom filiżanki i zadawały pytania dokładnie takie, jakich oczekiwano, z tym że zamiast herbaty indyjskiej czy chińskiej serwowały ziołowe napary, a ciasteczka, jak zawsze podane na paterach ozdobionych a to kwiatem, a to paroma świeżymi liśćmi, słodzone były melasą. Mieszkańcy Kamieńska mówili, że gdy skończą się herbatki u Cioć Herbatek, nastąpi koniec świata, i mieszkanki Napoleonówki czuły na swych barkach ciężar odpowiedzialności. Od czasu do czasu jechały na targ do Radomska albo do Gorzkowic, ale przyszła chwila, że wszystko, co miało jakąś wartość, zostało sprzedane, a zapasy wyczerpane do ostatniej grudki kaszy. Tylko bezcenny nocnik tkwił w beczce i poprzez warstwy materiału, pakuł i drewna świecił blaskiem, który sprawiał, że nawet w najgłębszej nocy nie trzeba było zapalać świeczki w spiżarni. Ostatnio jakby wzmógł się jego blask; dziwne, kręciły głowami Ciocie Herbatki i cicho zamykały za sobą drzwi na klucz. Zresztą na ogół nie bardzo było po co wchodzić do spiżarni, bo Ciociom Herbatkom i Grażynce naprawdę głód zajrzał w oczy i trochę się przestraszyły jego spojrzenia, które było białawe jak oszukane wodą mleko. Wkrótce liczba gości zapraszanych do Napoleonówki na skromną herbatkę mocno się zmniejszyła, bo na początku wojny założono w Radomsku getto, do którego trafili kamieńscy Żydzi, i nie było już ani aptekarza, ani państwa Kac, ani Ludka Borowica i jego pięknej żony Hawy; część z nich wywieziono do Treblinki, inni znaleźli się pośród tysiąca pięciuset zastrzelonych na radomszczańskim cmentarzu. W trzecim roku wojny Grażynka zachorowała, co Ciocie Herbatki przeraziło nie na żarty; dziewczynka nigdy przedtem nie miała nawet kataru, chociaż już od marca brodziła w Kamionce i całą zimę latała bez czapki. Mówiła zawsze, jak mi gorąco, wcale nie czuję zimna, a teraz straciła zdrowe rumieńce i cała energia jakby z niej wyparowała, jej stopy i dłonie były wciąż zimne i nie pomagały butelki z wrzątkiem, którymi Ciocie Herbatki obkładały ją na noc. Z promiennego dziecka, które nieustannie śmiało się, tańczyło lub śpiewało, o ile nie robiło tych trzech rzeczy naraz, został blady pokrowiec w kształcie dziewczynki o brązowych oczach i kręconych włosach w kolorze laskowego orzecha. Mówiła, że śnią jej się zabici sąsiedzi z Kamieńska i całe noce mówią do niej w języku, którego nie rozumie, że proszą ją o coś, ale nie wie, o co. Nie przynosiły pożądanego rezultatu ani nalewki, ani ziołowe mikstury na wzmocnienie, z których wyrobu słynęły Ciocie Herbatki w Kamieńsku i okolicach. Grażynka nagle wpadała w taki stupor, jakby wewnątrz zatrzaskiwała jej się jakaś brama odcinająca ją od światła i powietrza. Trwała nieruchoma, z otwartymi oczami, które poruszały się tak, jakby śledziła coś widocznego tylko dla niej. Temperatura spadała jej do trzydziestu pięciu stopni, włosy strzelały iskrami, dłonie bielały, a pod paznokciami widać było świecące błękitne punkciki.

Którejś nocy Ciocie Herbatki obudziły się jednocześnie tak gwałtownie, jakby ktoś wrzasnął im do ucha; od razu wiedziały, że Grażynki nie ma w domu. Wybiegły do ogrodu i wydało im się, że całą zieleń i życie przykrywa szary całun śmierci, nie zaszczekał żaden pies, nie krzyknął ptak, ciche były wiejskie koty. Rozejrzały się w tej szarości i ciszy, zobaczyły uchyloną drewnianą furtkę na końcu ścieżki prowadzącej ku rzece Kamionce. Tylko nie do wody! Pobiegły przez zeschłe łopiany i dziki koper, z ich ust wydobywały się obłoczki pary. Stanęły na skarpie, rzeka u ich stóp płynęła szara jak rtęć, księżyc rozlewał się po niej. Grażynka była tam.

Stała tyłem do Cioć Herbatek na zanurzonym w wodzie pniu drzewa, naga i jasna; śpiewała. Co to był za śpiew! Słowa piosenek, które wszyscy znali, pod mym oknem Cyganka stojała, żydowskie śpiewy z synagogi, panna Mania i wierzby płaczące, ale tak śpiewała, że wydawały się czymś innym, nie z tego świata. Grażynka śpiewała i wykonywała takie ruchy ramionami, jakby płynęła albo unosiła się w powietrzu; na wschodzie niebo zaczynało się różowić. Matko Boska, przestraszyły się Ciocie Herbatki, jeszcze kto zobaczy, że ich znajda goła tu po nocy wyśpiewuje, i będzie klops. Zsunęły się ze skarpy, zamoczyły po kolana nogi, wzięły Grażynkę pod ręce z dwóch stron i zaprowadziły do domu. Gdy staremu Słowikowi dwa razy z rzędu urodziło się dwugłowe cielę, ktoś mu podpalił stodołę; lepiej się z dziwactwem takim w wojnę ludziom nie narażać, bo są już wystarczająco zdenerwowani. Coś trzeba było zrobić.

W Radomsku był aptekarz, Maurycy Mak, biegły w sztuce lekarskiej bardziej od lekarzy, których recepty poprawiał po swojemu ku pożytkowi pacjentów, a w wolnej chwili sporządzał napoje miłosne, maści na trądzik, porost włosów i biustów, a także odtrutki. Konkurować z nim mógł tylko Berek Mintz, ale Berka Mintza wywieźli razem z rodziną do Treblinki, a wtedy Maurycy Mak stał się monopolistą w branży aptecznej i znacznie podwyższył ceny swoich usług. Tak, nie jest tani Maurycy Mak, westchnęły na myśl o aptekarzu z Radomska Ciocie Herbatki. A i choroba Grażynki z pewnością nie należy do przypadłości, na które wystarczy parę zwykłych ziółek czy tanie tabletki na przeczyszczenie; liczyły więc, co mogą sprzedać, i za ile, na targu w Radomsku. Wszystko na nic, za mało. Popatrzyły na siebie, westchnęły, pokiwały zgodnie głowami, bo nie potrzebowały wielu słów, by się porozumieć. Nocnik Napoleona, trudna sprawa, ale trzeba będzie go zaproponować aptekarzowi jako zapłatę za wyleczenie Grażynki; może, jak poproszą, w zastaw weźmie, a będą pieniądze miały, wykupią? Tak czy inaczej, sprawa jest poważna i trzeba jechać. Gdy zapadła decyzja o wymianie nocnika Napoleona na miksturę leczącą Grażynkę z nocnych śpiewów nad rzeką, Ciocie Herbatki, kobiety praktyczne i zaradne, postanowiły przy okazji sprzedać parę rzeczy na targu w Radomsku. Dwa pęta kiełbasy zrobionej z podejrzanego mięsa przez melancholijnego nauczyciela, cztery kilo nielegalnej wieprzowiny oraz parę słoików kapusty rozmieściły zmyślnie pod płaszczami, upchały po kieszeniach, a na szyjach zawiesiły naszyjniki z suszonych grzybów. Naszyły też majtek miesiączkowych ze starego prześcieradła; wojna nie wojna, kobiety i tak krwawią. Podobno we Francji wymyślono jednorazowe majtki miesiączkowe, ale czy to prawda? zastanawiały się Ciocie Herbatki, które były kobietami ciekawymi świata, choć nie dane im było go wiele zobaczyć. Po ile je liczyć, żeby nie zdzierać, ale i wyjść na swoje, kalkulowały i na koniec spakowały do plecaka nocnik Napoleona, założyły go Grażynce na plecy; były gotowe do drogi. Na dworcu w Radomsku wpadły w tłum, podobno z drugiego peronu miał odjechać pociąg do Piotrkowa, i Grażynka nagle znikła im z oczu. Przez straszną chwilę Ciocie Herbatki stały, krzycząc imię swojego dziecka, i zdumiał je strach ich tak wielki, że utonęłyby w nim, gdyby nie trzymały się za ręce. Gdy pojawiła się w końcu, oddzielona od swoich opiekunek parą otyłych, dziwnie podobnych do siebie mężczyzn, nie mogły już wyjść z dworca ani do miasta, ani na perony, bo oba wejścia zastawili Niemcy. Jakaś starsza zakonnica koło nich potknęła się i przewróciła; Grażynka pomogła jej wstać. Łapanka! krzyknął ktoś, ale było za późno na ostrzeżenie. Zepchnięto ich kolbami w jeden kąt, a młody mężczyzna, który rzucił się do ucieczki, poległ pod kasą biletową i jedna z Cioć Herbatek, chyba Aniela, pomyślała, że to dziwne, ale inaczej wyobrażała sobie odgłos strzału. Gdy Niemiec podniósł broń i strzelił, oczekiwała nieświadomie, że usłyszy pif-paf, którym Fabrykant Antoni Mopsiński straszył przygarnięte pod swój dach krewne dziedzica, wyśmiewając ich niechęć do polowań na zające. Przychodził z kiścią martwych ciałek, a gdy Róża i Aniela uciekały, zasłaniając oczy, wołał za nimi, pif-paf, pif-paf. Ta śmierć była tak samo prawdziwa jak śmierć zajęcy i Ciocie Herbatki pomyślały, że ludzki język nadal nie umie oddać dźwięku zabijania, choć z samym zabijaniem ludzie radzą sobie przecież bardzo dobrze. Stały obok siebie, trzymając Grażynkę pośrodku, i można było już tylko czekać. Nie mają szans, dwie kobiety z nielegalnym mięsem na handel, przepadły. Ciocie Herbatki popatrzyły na siebie z rozpaczą, bo ogarnęło je jedno z tych przeczuć, które zawsze się sprawdzają. Obok stała zakonnica i modliła się szeptem. Może to Róża, a może Aniela pierwsza wdarła się szeptem w jej szept, niech siostra ją weźmie. Z siostrą dziewczynka ma szansę. Niech ją siostra weźmie, zaszeptały Ciocie Herbatki unisono, a Grażynka mocniej ścisnęła je za ręce w proteście. Niech ją siostra weźmie, nazywa się Grażynka Rozpuch, nasza Grażynka, lat jedenaście, katoliczka, dobre papiery. Siostra, zawahała się i zrobiła pół kroku w tył, wezmę, powiedziała. Wraca do Częstochowy, pracuje w sierocińcu, zna niemiecki, wystarczy, że mała też zrobi pół kroku do tyłu. Jak ją znajdą? Ma na imię Bernadeta, siostra Bernadeta ze Zgromadzenia Sióstr Adoratorek Krwi Chrystusa, tak się nazywa, znajdą ją, jak wrócą; jak wrócą, to ją znajdą. Ciocie Herbatki, religijne umiarkowanie i żyjące bez porywów mistycznych, przeraziła nagle ta krew Chrystusa i perspektywa jej grupowej adoracji, ale z zakonnicą Grażynka miała szansę większą niż z dwiema kobietami trzymającymi pod pazuchą nielegalne mięso. Powoli, ale zdecydowanie uwolniły więc ze swoich dłoni dłonie Grażynki, odklejając jej oporne palce, i zrobiły pół kroku do przodu; bez Grażynki między sobą chwyciły się za ręce. Ukryta za nimi dziewczynka podniosła oczy na twarz obramowaną kornetem tak ciasno, że ślad na policzku był głęboki jak szrama, a sucha i gorąca dłoń chwyciła ją mocno za rękę. Po selekcji z dwudziestu osób przypartych do muru na stacji Radomsko wypuszczono tylko zakonnicę z Grażynką i chudą zabiedzoną kobietę, której prawdopodobnie nie spotkało dotąd nic dobrego, bo szła, oglądając się za siebie, jakby nie wierzyła, że to jej darowano życie. Ciocie Herbatki widziały, jak Grażynka znika w drzwiach dworca ciągnięta przez siostrę Bernadetę, i powtarzały w myśli, siostra Bernadeta, adoratorka, krew Chrystusa, Częstochowa. Te słowa stały się zaklęciem, które szeptały w obozie, gdy traciły nadzieję; Róża cichutko zaczynała, siostra Bernadeta, adoratorka; krew Chrystusa, Częstochowa, kończyła Aniela, i wracała im chęć, by przeżyć.

Ostatni raz widziano Ciocie Herbatki w Kamieńsku, jak bladym świtem szły na dworzec objuczone koszykami i pakunkami, z Grażynką pośrodku. Marianna Gwóźdź opowiadała zaraz potem w piekarni, że dziewczynka niosła na ramionach plecaczek skórzany, który świecił tak, jakby w nim miała słońce, ale wiedziano, że księża gospodyni ma skłonność do zmyślania, i na początku nikt się jej opowieścią nie przejął. Dopiero gdy okazało się, że Ciocie Herbatki i Grażynka znikły podczas wyprawy na targ, przypomniano sobie opowieść Marianny Gwóźdź i dopytywać się ludzie zaczęli, a jak świeciło Grażynce w plecaku, złoto czy raczej srebrno? Słonecznie czy księżycowo? Jak świetlik zielonkawo czy bardziej jak ognik bagienny niebiesko? A smutne były Ciocie Herbatki? Czy jakoś były odrobinę niecodzienne, odmienione perspektywą zniknięcia? Czy coś po nich było znać? To, że tego dnia w Radomsku ślad po Ciociach Herbatkach i Grażynce zaginął, nikogo nie dziwiło, bo w tym czasie raczej pozostawione ślady były czymś wyjątkowym i zdarzało się, że ludzie, chodząc po śniegu, żegnali się krzyżem co parę kroków, bo odciski ich stóp znikały, jakby nigdy nie zanurzyli nóg w białym puchu. Nie były Ciocie Herbatki jedynymi, które znikły, bo najpierw ten los spotkał Żydów z Kamieńska, a potem ślad zaginął po fryzjerze Tadeuszu Kruku, cukierniku Mateuszu Sulidze i jego żonie Beacie, przepadła Franciszka Pyłek z poczty, jej rodzice i bracia, i tylu innych. Niezwykłość Cioć Herbatek dawała jednak nadzieję, że ich zniknięcie będzie równie niezwykłe i pozwoli poznać samą istotę znikania, a wtedy ci, którzy pozostali w Kamieńsku, uchronią się przed złym losem. Czekano więc, że wrócą i powiedzą, ach, wcale nie było tak źle, już po wszystkim, nie było się czego bać, znikłyśmy i wróciły, i zaczną znów zapraszać na herbatkę.

Wojna dobiegała końca i ludzie w Kamieńsku zaczynali się niecierpliwić, bo fryzjer Tadeusz Kruk wrócił, a inni powrócili przynajmniej wieścią, mniej lub bardziej precyzyjną, o śmierci w łapance, ucieczce z wagonu, o tym, że widziano tego czy tamtą w Piotrkowie czy Radomsku, i na pewno to był on, z całą pewnością ona, choć nieco odmienieni, z blizną, bez nogi, ręki, z twarzą jakby nie swoją, po chorobie. Tymczasem o Ciociach Herbatkach i Grażynce nie wiedziano nic. Pewnie nie wrócą, westchnęła raz i drugi Marianna Gwóźdź, pewnie nie wrócą, odbiło się echem po pustych żydowskich domach przy ulicy Prostej. Powoli zaczęto robić podchody do tego, co zostało, bo wydawało się oczywiste, że nie wróci ani ich Fabrykant, ani fabrykanci w ogóle, podobnie jak nie wrócą Żydzi i to, co im przepadło, przypadnie temu, kto pierwszy położy łapę, bo takie jest życie. Niewiele jednak było już do zabrania i nie wiadomo, kto pierwszy westchnął, że ach, gdyby tak mieć nocnik Napoleona, gdyby tak mieć ten nocnik cały ze złota, kamieniami wysadzany. Ach, proszę pana, proszę panią, nagle wszyscy w Kamieńsku coś tam słyszeli o nocniku Napoleona we dworze przechowywanym. Jak przyjemnie było myśl zaczepić o takie cacko pośród chaosu, głodu, biedy i śmierci, ach, taki nocnik w rajskie ptaki malowany, smoki i bógwico można by sprzedać, na pierścionki, obrączki ślubne przetopić, na dobra wszelakie zamienić, albo po prostu mieć, zatrzymać w rozpustnym akcie posiadania. Marianna Gwóźdź szybko skojarzyła blask w plecaku Grażynki z zaginionym nocnikiem Napoleona, znalazły skarb ukryty przez Fabrykanta i wywiozły gdzieś tego dnia, co znikły, przekonywała wszystkich. Ale czy nie mógł powrócić samopas? Mógł! Marianna Gwóźdź była tego pewna i wielu udało jej się przekonać. Dziwniejsze rzeczy się w wojnę zdarzały. Po jakimś czasie wszyscy w Kamieńsku szukali nocnika Napoleona i każdy miał jakąś teorię na temat miejsca jego ukrycia i wyglądu, z każdym dniem pięknia ł i stawał się cenniejszy. Cały ze złota, z wygrawerowaną inskrypcją i herbem, a ukryty w skrzyni zakopanej w dworskim sadzie pod jabłonią, którą? A tą, co papierówki rodzi tak lśniące i gładkie jak pozłacane, co za pech, że od dwóch lat papierówki owoców nie dają i znaleźć jej nie można. A gdzie tam złoty, malowany, malowany w huzarów na koniach, z porcelany chińskiej cienkiej jak papier, cenniejszej od złota, złoto przy tym to nic; i w ścianie dworu zamurowany. Plotka, rozpuszczając się, bąbelkowała jak tabletka musująca o smaku truskawkowym, które produkował nowy aptekarz z ulicy Prostej i sprzedawał jako antidotum najlepsze na melancholię, kaca i zgagę. Taki nocnik to majątek! Przetopić na biżuterię albo lepiej trzymać, jaki jest, jako lokatę kapitału, bo papierowy pieniądz dziś jest, jutro go nie ma, a złoto to zawsze złoto, czy w ostateczności chińska porcelana. Tak czy inaczej tropy opowieści o nocniku Napoleona zbiegały się na Ciociach Herbatkach i Grażynce. Zaglądano więc przez okna Napoleonówki i powoli wynoszono z obejścia to, co dało się wynieść bez włamywania się, bo w końcu Ciocie Herbatki były swoje, nawet jeśli nie do końca, więc czekano jeszcze z tłuczeniem okien i wyważaniem zamków. Znikły tylko grabie oparte o drzwi komórki, drewniana łopata do chlebowego pieca, cebulki tulipanów i kłącza hortensji rozkrzewionej bujnie w podmokłej części ogrodu. Dopiero dzień czy dwa przed powrotem Cioć Herbatek ktoś nie wytrzymał i włamał się do spiżarki, skąd zabrał metalową wagę z kompletem odważników i beczkę z podwójnym dnem, która jednak okazała się wypełniona tylko nieświeżym zapachem kiszonej kapusty.

Ciocie Herbatki i Grażynka wróciły późną jesienią, w któryś sobotni wieczór, tak niepostrzeżenie, że dopiero po świetle w oknach Napoleonówki sąsiedzi poznali, że dom znowu ożył. Czekano niecierpliwie, aż wyjdą, zastanawiano się, kogo pierwszego zaproszą na herbatkę, ale nie pokazały się na niedzielnej mszy ani nikt nie widział ich w sklepie czy w ogródku. Czy to na pewno one? Zdarzało się, że po wojnie wracały tylko duchy, jak na przykład duch zabitego podczas bombardowania dróżnika Barnaby Midziaka, mieszkający w zarośniętej trawą budce przy torach, ale wiadomo, że duchy nie zapalają światła. Pierwsza odważyła się Marianna Gwóźdź, która z racji faktu, iż zanim została księżą gospodynią, służyła u Fabrykanta i widziała nocnik Napoleona na własne oczy, czuła się do zaspokojenia ciekawości szczególnie uprawniona. O podrzuceniu Ciociom Herbatkom Grażynki nie powiedziała nikomu i Bóg jeden wie, ile ją, kobietę lubiącą mówić i smakującą każde słowo, tak jakby to były czekoladki nadziewane, to milczenie kosztowało. Zastukała do drzwi Napoleonówki, ale mimo palącego się światła nikt jej nie odpowiedział i tylko pionowy cień przemknął wewnątrz, jakby ktoś ukucnął, kryjąc się poniżej okna. Marianna Gwóźdź nie zrażała się łatwo, więc zastukała drugi raz, zawołała, jest tam kto?! a gdy i to nie dało rezultatu, zajrzała przez okno i w szparze między zasłonami w kolorze nasturcji zobaczyła czyjąś łysą głowę. Co to była za głowa! Gdy Marianna Gwóźdź była dziewczynką i dopiero zaczynała pracę tej, która dla innych sprząta, pierze i gotuje, dziedzic Borowiecki pokazał jej małą rzecz, jakby ulepioną z popiołu, a gdy obracała ją w dłoniach zakłopotana tym nadmiarem uwagi, jaki jej poświęcono, powiedział, że to głowa ludzka z dzikich wysp, takie miał poczucie humoru. Marianna Gwóźdź opowiadała później o tym u rzeźnika i pod kościołem, ale porównanie na nic jednak się nie zdało, bo oprócz niej nikt w Kamieńsku nie widział suszonych główek z dzikich wysp. Jezu i wszyscy święci, co to była za głowa, powtarzała więc, aż w końcu poszła do spowiedzi, to było dobre lekarstwo na wszystko o działaniu porównywalnym tylko z nalewką morelową, którą częstowały ją Ciocie Herbatki przed wojną. Obie te rzeczy, spowiedź i nalewkę, Marianna Gwóźdź lubiła z powodu ilości słów, do których wypowiedzenia dawały jej okazję.

Gdy w końcu Ciocie Herbatki zaczęły wychodzić, wszyscy odgadli, że były w obozie; a ci, którzy wracali stamtąd, dzielili się na mówiących i milczących, o tym też wiedziano, bo parę miesięcy wcześniej wrócili fryzjer Tadeusz Kruk i telegrafistka z poczty Franciszka Pyłek. Ten pierwszy mówił, ta druga milczała jak kamień. Mieszkańcy Kamieńska czekali więc cierpliwie, licząc w duchu na to, że Ciocie Herbatki, tak zawsze rozmowne i miłe, zaliczą się do mówiących, bo tego, kto mówił, łatwiej było z powrotem umieścić pośród swoich, nawet jeśli to, co mówił, nie chciało pomieścić się w głowie.

Tadeusz Kruk każdemu klientowi pokazywał numer na chudym przedramieniu i wywijając nożycami albo brzytwą, mówił; za każdym razem, gdy wokół czyjejś szyi zawijał białe prześcieradło, mówił, nawet jeśli klient słyszał tę jego historię po wielokroć, jak Marianna Gwóźdź albo nowy dyrektor szkoły. Obozem odpowiadał fryzjer na niewinną uwagę o pogodzie, bo co prawda to prawda, proszę szanownej pani Marianny, pada, ale co to za deszcz, jak byłem w obozie, to tak padało, że spaliśmy w błocie, jedli błoto, proszę panią, i żuli smołę z głodu; obozem odpowiadał na niewinną uwagę dotyczącą zbiorów cebuli, bo cebula, szanowny panie derektorze, warzywo samo w sobie prymitywne i rzadko występujące solo, w obozie może uratować życie; a o jabłkach, panie derektorze, o pierwszych letnich papierówkach pełnych kwaskowego soku, to śniło się w obozie tak wyraźnie, że, nie uwierzy pan, panie derektorze, tuż po przebudzeniu jeszcze czuć było ich zapach. Tadeusz Kruk mówił i przełykał ślinę, a każdy, kto go słuchał, nabierał ochoty na cebulę w zgrabnych talarkach ułożoną na kromce chleba ze smalcem, posypaną solą, albo na jabłko prosto z drzewa, wilgotne od rosy. A to pan przeżył, mówili goleni i podcinani mężczyźni, a kobiety nakręcane i farbowane prosiły, Matko Boska, panie Tadziu, i fryzjer nigdy nie był pewny, czy proszą, by przestał, czy przeciwnie, domagają się więcej strasznych opowieści o odmrożonych palcach, uszach i nosach, które odpadały więźniom tak, że rano trzeba było je zamiatać z podłogi baraku. Mówił więc o paznokciach, które robiły się miękkie jak ciasto, i o zębach – można je było tak po prostu wyjmować z krwawiących dziąseł, a rany puchły i robaczywiały. Sprawiał mu przyjemność fakt, że go słuchają, i korzystał z tego, wiedząc, że tym, którzy stamtąd wrócili, nie wypada przerywać opowieści. Nikt nie mógł też podważyć jego bohaterstwa, jabłek, cebul i kawałków chleba, które oddawał w obozie słabszym, bo nawet jeśli części naocznych świadków już nie ma, ci, którzy przeżyli, musieli zapamiętać to tak samo jak on; Tadeusz Kruk, fryzjer z Kamieńska uważał, że prawda to coś, co rodzi się, gdy powtarzamy swoją opowieść. Powtarzał więc opowieści o jabłkach i cebulach, o głodnych kobietach, które obdarowywał, odejmując sobie od ust. Mówił i łykał ślinę, a lustra powtarzały ruch jabłka Adama na szyi fryzjera, który patrzył na swoje odbicie z gładko zabrylantynowanymi włosami.

Tadeusz Kruk należał do tego smutnego rodzaju mężczyzn, którym na pozór nic nie brakuje, mają zwykłą twarz, ani ładną, ani brzydką, średni wzrost i przyzwoity zawód, a jednak wszystkie dziewczyny z Kamieńska i okolic zamiast niego wybierały w końcu alkoholika, co to na żadnym stanowisku nie wytrzymał dłużej niż miesiąc, albo jechały do Łodzi, dostawały robotę w tkalni, i tyle je widział. Nie miał przyjaciół, tylko Mateusz Suliga, znany z miękkiego serca, dawał się czasem namówić na bokserski trening na szkolnym boisku, podczas którego łagodny cukiernik, wbrew swojej woli świadomej i łagodnej, a zgodnie z naglącym wewnętrznym nakazem, przywalał fryzjerowi w szczękę lub brzuch. Nawet ciężarna nieślubnie Elwira Strąk z Kleszczowej, dla której szybkie zamążpójście było jedynym wyjściem, co powtarzali jej wszyscy wtajemniczeni, jakby sama nie wiedziała, zdecydowanie odsunęła fryzjera na bok; tak zrobiłoby z trującym chwastem głodne zwierzę węszące w poszukiwaniu jagód. Gdy pobiegł za nią na stację, właśnie podjechał pociąg do Radomska, ale Tadeusz Kruk zdążył chwycić ramię w szarej bluzce i zacisnął na nim palce mocniej, niż zamierzał, w poczuciu, że wymyka mu się ostatnia szansa na to, co nazywano w Kamieńsku normalnym życiem. Gdy Elwira, już na schodach wagonu, odwróciła się w jego stronę, zdumiony zobaczył w jej oczach przerażenie i wstręt, wyraźne jak krew na śniegu. Cofnął rękę i pozwolił jej odjechać; stał na stacji jak skamieniały, bo nagle to, co dostrzegł w szarych tęczówkach kobiety, wezbrało jak fala gdzieś w środku jego ciała o średnim wzroście i średniej urodzie. Tadeusz Kruk nagle zrozumiał, że ma wewnątrz coś strasznego – silnego i lepkiego jak smoła. Tadeusz Kruk zgiął się wpół, jakby dostał cios w splot słoneczny od Mateusza Suligi, i poczuł, że wszystkie sny o władzy i przemocy, o strachu kobiet, który go cieszy i podnieca, były prawdziwsze od jawy. Na stacji kolejowej w Kamieńsku zrozumiał nagle z przerażającą jasnością, że to gwałciciel i oprawca śnił sen o przyzwoitym fryzjerze z małego miasteczka, a nie odwrotnie, i jego serce odnalazło spokój. Nadal przychodził punktualnie do pracy i otwierał swój zakład, trzaskając drewnianymi okiennicami, nadal prasował białe płachty zakładane klientom pod szyję, układał wałki potrzebne do trwałej tak, by je mieć pod ręką, ale ten świat nie był już dla niego realny. Golił i z wprawą wycinał dzikie włosy z nosa rzeźnika czy uszu zegarmistrza, spryskiwał męskie twarze wodą kolońską o zapachu geranium i cytryny, a kobietom robił modne krótkie fryzury, wypomadowane na sztywno, bo jego niezamożne klientki wymagały przede wszystkim, by trzymało się co najmniej tydzień, dwa po weselu, pogrzebie czy chrzcinach. Jednak tak naprawdę nie było Tadeusza Kruka w zakładzie przy ulicy Prostej w Kamieńsku; krzątał się tam jego dzienny duch w czystym fartuchu i tylko czasem, gdy widział kobiecy kark, ciepły i bezbronny, przez jego umysł przelatywała myśl o przemocy, do której nie trzeba zaciskania palców i ciosów w brzuch, wystarczy wzbudzić strach. Zamierał na chwilę bliską ekstazy, a wtedy klientka nakręcana na wałki do trwałej, lokowana albo fryzowana pod włos wzdrygała się i prosiła, by przymknąć okno, bo przeciąg. Fryzjer budził się rano tak, jakby zasypiał, a kolacja, którą zjadał samotnie, dokładnie przeżuwając każdy kęs żółtawymi ząbkami, pozwalała mu nabrać sił na życie senne, i wtedy stawał się sobą. Pożywki jego fantazjom dostarczały kobiety przychodzące do zakładu, a jeszcze bardziej te, których stopa, jak w przypadku Cioć Herbatek czy Hawy Borowic, żony fotografa, nigdy tam nie postała, bo fascynował go opór, który trzeba złamać. Fryzjer wymyślał zagrożenia z dużą dbałością o szczegóły: w jego snach rzeczka Kamionka zamieniała się w oszalały jakiś Jenisej, wylewała gwałtownie i z nagła tak, że na mizernej tratwie tylko on uratować się zdołał, on i kobieta w mokrym ubraniu przylegającym do ciała. A jeśli nie powódź, to pożar, pożar trawił Kamieńsk, pękały od gorąca szyby, płonęły drzewa i dachy domów, płonęły włosy, które wcześniej uczesał, a on znajdował się sam na sam z kobietą, której krzyków nikt nie słyszał prócz niego. Czasem była to Hawa, czasem nauczycielka Aurelia Borowiecka, częściej niż czasem były to Ciocie Herbatki, zawsze w duecie, bo podobnie jak wszyscy Tadeusz Kruk traktował je jako jeden byt, coś w rodzaju syjamskich sióstr połączonych w niewidzialny wprawdzie, lecz oczywisty sposób. Ciocie Herbatki, niezamężne, ale z dzieckiem, i to podrzutkiem, niby dwie matki, które matkami prawa być nie miały, posiadały w jego oczach irytujący rodzaj wolności. Zapach zwietrzałego potpourri, brak kokieterii i daleko idąca obojętność Cioć Herbatek wobec mężczyzn, nie będąca ani wystudiowaną przynętą, ani rezygnacją, ale samą prawdą ich istnienia, pociągała go bardziej niż młodość i uroda. Coraz mniej wystarczały fryzjerowi sny, bo pozbawione były zapachów, tej delikatnej woni tłuszczu i piżma, zjedzonych obiadów i perfum, unoszącej się z kobiecych włosów przed myciem. Przestał je wyrzucać, każdego dnia zbierał z podłogi obcięte kosmyki, puch przypalonych trwałych ondulacji i, zdobycz to była najcenniejsza, całe warkocze, śliskie i zimne jak węże. Gromadził je w parcianym worku pod łóżkiem i tak się zapamiętał w tym kolekcjonowaniu, że niezadowolone klientki sykały, a co mnie pan tak wyhebłał do gołej skóry, gdzie pan ma oczy, panie Tadziu. Ciął i patrzył łakomie na włosy, których obciąć nie mógł, komunijne anglezy dziewczynek, ciasne warkoczyki uczennic, kok Aurelii Borowieckiej, wijące się loki małej Grażynki Rozpuch, ciął włosy kobiet, aż uzbierał ich tyle, że mógł wypchać sobie materac i poduszkę. Na posłaniu z kobiecych włosów, które nocami ożywały w cieple jego ciała, Tadeusz Kruk, fryzjer z Kamieńska, śnił najpiękniejsze sny i zauważył, że wybuchła wojna, dopiero wtedy, gdy z horyzontu jego życia znikły Hawa Borowic, Aurelia Borowiecka, Ciocie Herbatki i Grażynka wraz ze swoimi włosami. Gdy wybrał się do Radomska po peruki zamówione przez wciąż wypłacalną żonę rzeźnika z Kleszczowej, trafił na łapankę i się nie wywinął. Przez areszt w Radomsku i Częstochowie, zawszony, pobity i wygłodzony trafił do obozu, bo mimo twarzy zupełnie niesemickiej wzbudził tyle podejrzeń z powodu peruk i pomady, że na wszelki wypadek uznano go za Żyda i homoseksualistę.

Już po dwóch tygodniach, które spędził w baraku z pięćdziesięcioma obcymi mężczyznami, Tadeusz Kruk zauważył, że jest coś, co go od nich różni. W przeciwieństwie na przykład do Wojciecha Popioła z pryczy górnej, który bał się tak, że przez sen wołał mamomamo, czy Janusza Kukułki śpiącego po lewej, który przestał wołać i mówić w ogóle, a potem umarł skurczony do wielkości noworodka, on czuł tylko cudzy strach, a najbardziej ten dolatujący ze strony kobiecych baraków. Omijały go najgorsze szykany i rzadko trafiał w niego wzrok kapo o poczciwej twarzy i rumianej skórze, Martin Kalthöffer sam dziwił się swojej łagodności wobec tego więźnia, który w jego oczach nigdy nie zasługiwał na żadną specjalną karę, i nie miał nawet ochoty jego kosztem zabawić się w lizanie podłogi albo zjadanie gówna. Być może czuł jakąś częścią swojej istoty, że fryzjer, wykonujący wszystkie polecenia z automatyczną skrupulatnością i spuszczonymi oczami, znajdował się po tej samej stronie strachu, co oprawcy, nie było w nim miejsca na banie się. Strach się nie boi! Strach o wiele większy niż ten, który można wyśnić na materacu z kobiecych włosów, przerażenie, które sprawia, że ptaki umierają w locie, a krew ścina się jak mleko, fryzjer z Kamieńska czuł to swoim małym, zaokrąglonym na końcu nosem i doszedł do wniosku, że nie zginie w miejscu, gdzie strach panuje. Zjadał wodę z nadgniłymi liśćmi kapusty, żuł swoimi małymi zębami chleb twardy jak kora, a gdy szukano fryzjerów do pracy przy transportach więźniów, zgłosił się bez zastanowienia, bo wiedział, na czym będzie polegać jego zajęcie.

Było ich dwunastu, ale tylko Tadeusz Kruk szedł do pracy z radością w sercu; było ich dwunastu i dwanaście stołków, na których stawały nagie kobiety tak, by fryzjerzy nie musieli schylać się przy goleniu ich włosów łonowych. Wybrane do przeżycia po wstępnej selekcji, miały wkrótce stracić miesiączkę, zęby i często życie, ale przedtem musiały stracić włosy. Najpierw opadały z głowy, jasne, ciemne, rude, siwe, krótkie i zaplecione w wiejskie warkocze, które nigdy fryzjera nie widziały. Kręcone i podkręcane, falowane i kędzierzawe, gładkie i splątane, dla niepoznaki utlenione na żółto i niepasujące do czarnych oczu i brwi, płukane w korze dębu i w rumianku, z już niepotrzebnymi wstążkami, spinkami, pachnące ziołami, z krwią zaschniętą i resztkami różanej pomady, pachnące strachem, pachnące śmiercią. Liczyła się szybkość, najszybszy z dwunastki fryzjerów był Tadeusz Kruk, przy czym jeden z nich udawał tylko, że zna się na tym zawodzie, zwabiony większymi racjami żywności i pracą pod dachem, bo naprawdę był hodowcą owiec i tylko owce golił do tej pory. Liczyła się szybkość, ale to nie sztuka ciąć szybko i byle jak – Tadeusz Kruk ciął, nie raniąc skóry, i golił bez zacinania, jednak kobiety stojące na jego stołku drżały najbardziej, bo o ile pozostałych jedenastu cięło, by przeżyć, fryzjer z Kamieńska żył, by ciąć. Po włosach z głowy była kolej na włosy łonowe i gdy kobieta z ogoloną głową wchodziła na stołek, jej strach przybierał formę czystego destylatu, bo przekraczała granicę wstydu i upokorzenia, a fryzjer z wyraźną przyjemnością delikatnie rozsuwał jej uda i zbliżał dłoń uzbrojoną w brzytwę. Stawały przed nim dorosłe kobiety o miękkich brzuchach, które nosiły dzieci, zadbane i zaniedbane, z delikatnym jasnym puchem i bujnym gąszczem, który rozrastał się na wewnętrzną stronę ud i wędrował w stronę pępka, stare, ale nie na tyle, by je posłano prosto do gazu, młode, ale nie na tyle, by uznać je za dzieci. Tadeusz Kruk ciął i golił, a kupka włosów koło jego stołka rosła najszybciej i pod koniec dnia stał po kolana w kobiecych włosach, upojony zapachem strachu. Podczas gdy pozostałych jedenastu czekało końca dnia z nadzieją na dodatkową rację chleba czy strzęp mięsa, a każdy starał się w myśli znaleźć jak najdalej od miejsca pracy, fryzjer z Kamieńska kończył jedną kobietę i już marzył o następnej, zastanawiając się, jaki aromat wyczuje w jej przerażeniu. Im bardziej się bały, tym lepiej pracował, a tu nie było małego strachu, tylko subtelne odcienie największego z wielkich. Świeży strach tych, które dopiero przywieziono, podzielony na strach matek o dzieci i dzieci o matki, krzyczący strach rozdzielonych kochanków i strach przed głodem, strach przed gwałtem i ogólniejszy strach przed bólem, strach przed niewytrzymaniem i strach, że się wytrzyma, podszyty na czerwono strach tych, którym już kogoś najdroższego odebrano, i strach kobiet, którym udało się ukryć ciążę. Był też strach stary i zużyty, stwardniały i niemy, mieszkający we włosach kobiet, które przysłano na golenie po kilku miesiącach w baraku specjalnym. Tym najładniejszym, o pełnych piersiach i krągłych biodrach, pozwalano zachować włosy, dostawały lepsze jedzenie, nawet jakieś witaminy, wodę do mycia, co za hojność w zamian za obowiązek obsługiwania kilkunastu, a czasem kilkudziesięciu mężczyzn dziennie w małych jak szafy celach kopulacyjnych. Dla pewności wybrane kobiety wypróbowywali najpierw esesmani, choć to było verboten, a potem po dwadzieścia minut na mężczyznę, który przychodził do baraku specjalnego z talonem, bo tak zarządził Heinrich Himmler, a porządek musi być, grunt to porządek, dzień po dniu, przez całe miesiące, zawsze na leżąco, pod czujnym okiem strażnika, który obserwował, czy ludzkie uczucia nie poczynają się przy kopulacji, bo z poczętymi dziećmi łatwiej sobie poradzić. Gdy kobieta z baraku specjalnego zużyła się, włosy przestawały jej być potrzebne i trafiała do baraków normalnych, gdzie, jeśli miała szczęście, ale to może nie najwłaściwsze słowo, udawało jej się przeżyć, ale nigdy nie udawało się zapomnieć. Tylko Tadeusz Kruk czuł, jak różne zapachy strachu mieszają się na podłodze, na której rosła góra włosów. Włosy zbierano potem do worków, to był przydatny materiał, bo nie tylko fryzjer z Kamieńska wpadł na pomysł wypychania nimi materacy, i zmiatał teraz skrupulatnie puch, loki, pukle i warkocze, przejęty faktem, że można to robić na skalę przemysłową. Były hodowca owiec myślał, owce, golę owce, z owiec jest wełna, swetry, ciepło, z owiec jest mleko, ser, dom; on nie posiadał mistrzowskiej wprawy Tadeusza Kruka, ale za każdym razem, gdy zaczynał golić kobietę, szeptał, przepraszam, i chociaż robił to po rumuńsku, sam ton jego głosu sprawiał, że na chwilę łagodniał strach i to przepraszam dla wielu kobiet było jak talizman, niespodziewany prezent, którego nikt nie był w stanie im odebrać. Gdy rumuński hodowca owiec dowiedział się, że jego ciężarna żona i dwoje dzieci nie żyją, a raczej gdy pozwolił tej wiedzy przebić się przez obronną warstwę myśli o owcach wełnie mleku serze, ostatni raz powiedział przepraszam i poderżnął sobie gardło brzytwą świeżo naostrzoną, przygotowaną do golenia więźniarek. Zostało ich więc tylko jedenastu, ale Tadeusz Kruk z Kamieńska pracował za dwóch i wkrótce esesmani docenili jego mistrzostwo przewyższające umiejętności wszystkich obozowych fryzjerów, z których usług korzystali dotychczas. Oprócz włosów więźniarek miał odtąd do czynienia również z włosami oprawców i ich jasnowłosych żon, którym własnoręcznie utleniał odrosty. Dostawał więcej jedzenia, dano mu czyste ubranie, a nawet muszkę w czerwone grochy, i cóż to był za zabawny widok, uwijający się fryzjer w muszce i nagie, łyse kobiety. Między gorliwym fryzjerem i kapo, Martinem Kalthöfferem, rolnikiem spod Monachium, wywiązał się rodzaj komitywy, jaka może połączyć tylko osoby głęboko do siebie podobne. Wprawna ręka fryzjera goliła więc połowę głowy kobiety o włosach tak długich i gęstych, że słychać było, jak spadają niczym zsuwająca się suknia, i przez chwilę pozostawiano ją właśnie tak, między pięknem i brzydotą, straszną i śmieszną. Ale ogolić pół głowy to nie sztuka, byle pomoc fryzjerska z Radomska to potrafi, natomiast kilkoma ruchami brzytwy wygolić swastykę w trójkącie między kobiecymi udami to już prawdziwy majstersztyk i sposób, by wywołać naprawdę dobry humor Martina Kalthöffera, das ist ja wirklich ein Prachtstück! Tadeusz Kruk nabrał ciała i wypełniły mu się zapadnięte policzki, zarumienił się jak przypieczony, właściwie nigdy nie wyglądał tak dobrze.

Takiego zobaczyły go Ciocie Herbatki, które po selekcji i przeszukaniu zaklasyfikowano jako zdolne do pracy i warte tymczasem zachowania przy życiu. Gdy tylko weszły, fryzjer poczuł ich strach, wielki spasiony strach o siebie nawzajem, i jeszcze większy o kogoś, kogo nie było przy nich, domyślił się więc, z żalem, że Grażynka nie trafiła do obozu. Nagość Cioć Herbatek odkryła coś, co tylko nieliczni w Kamieńsku podejrzewali, siostry nie siostry z Napoleonówki wcale nie były do siebie podobne, gdzie tam! Pod pozorem podobieństwa, pod długimi ciemnoblond włosami jak pod zasłoną kryła się różnica ciała miękkiego, jasnego jak nadzienie w kremówkach oraz chudego, żylastego. Jedne biodra były szerokie i krągłe, drugie zrównane z talią, z kośćmi wystającymi jak ostrza łopatek. Nagle fakt, że pod wspólnym imieniem kryły się imiona własne, stał się oczywisty. Róża miała piersi gruszkowate, ciężkie, żyłkowane na niebiesko, jakby półprzejrzyste, u Anieli dwie ciemne brodawki zwieńczały niewielkie wzniesienia, rozśmieszając Martina Kalthöffera, sie ist ja flach wie ein Brett! W świetle, które w pokoju golenia było ostre jak na sali operacyjnej, włosy Cioć Herbatek też nie były już identyczne, a warkocz Anieli okazał się do tego sztuczny, przyczepiony do krótkiej fryzury za pomocą wsuwek. Tylko przez mgnienie oka Tadeusz Kruk był dla nich kimś znajomym, zaraz potem dostrzegły w jego twarzy to, czego przecież się spodziewały w głębi serca, omijając jego zakład w Kamieńsku – rozkosz tego, kto żywi się strachem i kto teraz ku uciesze strażnika Kathöffera między nogami Anieli wyciął z włosów napis Fuse.

Ciocie Herbatki wkrótce spotkało to, czego bały się bardziej niż zimna, głodu i nawet śmierci, rozdzielono je. Różę odesłano do baraku specjalnego. Więźniarki, którym włosy odrastały siwe w miejsce zgolonych czarnych, rudych, brązowych czy złotych, smarowały głowy węglem zmieszanym ze śliną, i tak samo zrobiła Róża. Sposób, który kobiety stosowały, by wydawać się młodsze w codziennej selekcji na nadające się i nienadające do życia, w jej przypadku przyniósł skutek daleki od zamierzonego, zaliczono ją do nadających się do użycia. Gdy Różę uznano za zużytą, wróciła do normalnego baraku i razem z Anielą zachorowała na tyfus, a z tyfusu w obozowym szpitalu wychodziło się tylko do pieca – tak sądził Tadeusz Kruk. Gdy po wyzwoleniu obozu wracał do Kamieńska, czuł ulgę, że Cioć Herbatek już tam nie zastanie. Tadeusz Kruk powtarzał sobie, że nie ma czego się wstydzić, była wojna, nie miał wyjścia, inni nie takie rzeczy robili, a w końcu on nikogo nie zabił, przeciwnie, jabłka, cebule rozdawał kobietom, dzieciom. Ucieszył się, gdy zgodnie z jego przewidywaniami zastał Napoleonówkę pustą, i zaczął robić to, co potrafił: marzyć nocami, a za dnia golić, strzyc, kręcić i podcinać w swoim zakładzie przy ulicy Prostej, który cudem ocalał, bo cuda na ogół nie trafiają się tym, którzy na nie zasługują.

A jednak Ciocie Herbatki wróciły, a z nimi Grażynka, która przeżyła całą wojnę w sierocińcu w Częstochowie. Po dwóch czy trzech tygodniach odosobnienia w Napoleonówce, gdzie odwiedzała je tylko Franciszka Pyłek, Ciocie Herbatki zaczęły wychodzić do miasteczka, trzymając się pod ramię. Znikły ich skromne, ale eleganckie suknie i długie włosy; teraz obie nosiły spodnie, wojskowe buty, a ich jakby zmniejszone głowy pokrywał niedbale odrastający jeż: u Róży siwy jak szron na Kamionce, u Anieli zielonkawy jak zgniłe siano. Straciły zęby, a ich policzki zapadły się; Ciocie Herbatki przypominały teraz dwa dziwne wyleniałe ptaki. Grażynka, która przez te lata zmieniła się w piękną kobietę wyglądającą na więcej niż szesnaście lat, nie odstępowała ich na krok, jakby chciała chronić je swoją młodością i zdrowiem; ale ta mała wyrosła, wyładniała, szeptali mieszkańcy Kamieńska. We trzy uprzątnęły ogród i naprawiły dach, a jesienią zabrały się do robienia zapasów z energią tych, którzy znają głód, i takim rozmachem, jakby zima miała trwać dłużej niż ostatnia wojna. Cały Kamieńsk widział dwie wielkie beczki do kiszenia, które jak wyrzuty sumienia wiozły aż z Kleszczowej, bo stare im z komórki ukradziono. Doktor Jedwabny, dentysta z Kamieńska, jeden z kilku tutejszych Żydów, którzy przeżyli Zagładę, zrobił Róży i Anieli nowe sztuczne szczęki i gdy miały ochotę, co nie zdarzało się często, mogły znów śmiać się, nie zasłaniając ust. Gdy trochę podrosły im włosy, pojechały do Radomska i wróciły ze sztywnymi trwałymi ondulacjami ufarbowanymi na kasztanowo, a mieszkańcy Kamieńska odetchnęli z ulgą, bo znów były do siebie podobne, podwójne jak syjamskie siostry, które pamiętali z dawnych lat. Gdy szły z dworca przez miasteczko, każdy przechodzień pozdrawiał je, jakby właśnie wróciły z dalekiej, pięknej podróży, dzień dobry, panno Różo, panno Anielo, ładna dziś pogoda, jak się pani ma, panno Różo, panno Anielo, co u was słychać, wszystkiego dobrego, panno Różo, panno Anielo. Jako pierwszych zaprosiły na herbatkę doktora Jedwabnego i milczącą pracownicę poczty Franciszkę Pyłek, która jakimś cudem przeżyła obóz w Treblince; przez otwarte okna Napoleonówki znów płynął zapach świeżej esencji i ciasta.

Świat Kamieńska wrócił do równowagi i nikt chyba nie zauważył, że Ciocie Herbatki od powrotu ani razu nie przeszły ulicą Prostą, główną ulicą Kamieńska, przy której znajdował się zakład fryzjerski Tadeusza Kruka i gdzie powoli odbudowywano zburzone podczas bombardowania domy. Wstydzą się, wydedukował fryzjer, który w miarę upływu czasu nabierał coraz większej pewności siebie, wstydzą się, bo widziałem je nago. Nie brakowało mu roboty. Kobiety teraz nie chciały mieć długich włosów i przychodziły do niego po trzy, cztery, po sześć, ścinały warkocze, chwytały tekturowe walizeczki i wyjeżdżały do miasta, już nie tylko do Łodzi czy Piotrkowa, ale dalej, na Ziemie Odzyskane. Fryzjer nigdy nie widywał Cioć Herbatek, ale przyglądał się przez szybę Grażynce, i nie był w tym odosobniony, bo gdy szła przez Kamieńsk, dorośli mężczyźni podnosili twarze znad roboty, dziadkowie przecierali oczy, a podrostki gwizdały, pochrząkiwały i poświstywały niezdarnie, wprawiając się dopiero w męskich sposobach zwrócenia na siebie uwagi. Piękna! Co za dupa! Dobrze jej z oczu patrzy! Jakie cyce! Sposoby wyrażenia podziwu każdy miał swoje, a gdyby próbowali użyć do tego większej liczby słów, relacje mężczyzn z Kamieńska różniłyby się od siebie tak bardzo, jakby za każdym razem dotyczyły zupełnie innej osoby. Tych, dla których Grażynka była objawieniem, łączyła zawsze jakaś wada fizyczna lub psychiczna, mniej lub bardziej zawiniona: garb, niemożność utrzymania pieniędzy w kieszeni, chorobliwe poczucie krzywdy, krótsza noga, zupełny brak orientacji w przestrzeni, daltonizm, alkoholizm, melancholia i alergia na słońce, dysleksja, na którą jedynym wówczas sposobem było zostawianie delikwenta rok po roku w tej samej klasie, aż wyrósł z ławki, zrezygnował z marzeń o wyrwaniu się choćby do Radomska i poszedł pracować do tartaku. Piękno Grażynki rosło na niedostatkach mężczyzn z Kamieńska, którzy jakimś półzwierzęcym instynktem wyczuwali jej hojność w dawaniu nie tego, na czym jej zbywa, lecz dokładnie tego, czego pragnie proszący, nawet jeśli sam o tym nie wie. Tadeusz Kruk przysysał się wzrokiem do Grażynki i pił jej widok, aż mu się ruszało jabłko Adama: czerwony beret z antenką, sztukowany powojenny płaszcz, grube rajstopy, zniszczone buciki, czuł nieznaną słodycz i pragnął pochłonąć ją do ostatniej kropli, tak że ciągle miał minę, jakby trzymał w ustach słomkę i wysysał resztki oranżady z dna szklanki. Podobnie jak szewc, który stracił całą rodzinę, włączając ośmioro dzieci, kulawy kierownik poczty, który obraził się na świat z powodu swej chorej nogi, nierozróżniający kolorów stolarz, który uważał, że daleko by zaszedł, gdyby rozróżniał, melancholijny nauczyciel, który czuł się niedoceniony, poeta cierpiący na brak talentu i uporczywe alergie oraz wiecznie pijany zawiadowca stacji Kamieńsk, który pił, irytując się, że pije, chociaż nie ma żadnego powodu – tak jak oni wszyscy fryzjer marzył, że pewnego dnia piękna córka Cioć Herbatek stanie przed nim i zaspokoi jego pragnienie do końca, a brak, który czuł, zasklepi się jak rana.

Gdy któregoś ranka Grażynka po prostu weszła do zakładu fryzjerskiego przy ulicy Prostej, Tadeusz Kruk omal nie stracił głowy, a ona usiadła na fotelu, zanim zdążył poprosić, okręciła się kilka razy, chwyciła warkocz, uniosła go i powiedziała, niech pan tnie na krótko, panie Tadziu. Ciął więc powolutku i drżał na samą myśl, że obcięte włosy będą należały do niego, a ona nie przestawała zadawać pytań, a do czego to? po co te gumki recepturki? czy to ciężko trwałą nakręcić? a co to tak pachnie różami prześlicznie, panie Tadziu? aż w końcu olśniony własną genialnością Tadeusz Kruk zaproponował, by przyszła i mu pomogła, nie spodoba jej się, trudno, spodoba, nauczy się fachu pod jego okiem, a nawet dwoma, które przylegały do jej twarzy, szyi, piersi jak pijawki. Grażynka nie miała wielkiego powołania do fryzjerstwa, tak jak nie pociągał jej żaden inny zawód, ale czuła wobec fryzjera wielką litość, podobnie jak litość budził w niej szewc, który stracił całą rodzinę, włączając ośmioro dzieci, kulawy kierownik poczty, który obraził się na świat z powodu swej chorej nogi, nierozróżniający kolorów stolarz, który sądził, że zaszedłby daleko, gdyby rozróżniał, melancholijny nauczyciel, który czuł się niedoceniony, poeta cierpiący na brak talentu i uporczywe alergie oraz wiecznie pijany zawiadowca stacji Kamieńsk, który pił bez powodu i irytował się, że pije. Jej współczucie dla mężczyzn było najgłębszym uczuciem do niedoskonałości istnienia i gdyby nie fakt, że każda skaza budziła w niej nieprzepartą chęć, by naznaczonego skazą rozebrać do naga i przytulić do piersi, Grażynka Rozpuch z Kamieńska miałaby szansę zostać świętą. Współczuła i wzdychała, a każdy, kto wiedział bądź czuł, że mu czegoś brakuje, miał szansę doczekać się westchnienia skierowanego właśnie do niego; ach, co za bidulek, niezguła, mizerota. A bardziej od szewca, który stracił całą rodzinę, włączając ośmioro dzieci, kulawego kierownika poczty, który obraził się na świat z powodu swej chorej nogi, nierozróżniającego kolorów stolarza, który pewność miał, że daleko by zaszedł, gdyby rozróżniał, melancholijnego nauczyciela, który czuł się niedoceniony, pozbawionego talentu i cierpiącego na alergię poety i wiecznie pijanego zawiadowcy stacji Kamieńsk, który nie miał powodu do picia – budził w niej litość ten fryzjer, bo uważała, że trudno o większe kalectwo niż brak sumienia. Grażynka nie znała w szczegółach wojennej historii Cioć Herbatek, bo zatajenie jej było jedną z tych dobrych intencji matczynych, które obracają się w swoje przeciwieństwo, przynosząc skutki tak niespodziewane jak każda katastrofa.

To prawdziwy cud, że się odnalazłyśmy, wzdychały Ciocie Herbatki, gdy znów we trzy z Grażynką siedziały przy stole w Napoleonówce; to prawdziwy cud, szeptały przed zaśnięciem, pokazując sobie nawzajem złotą smugę światła wypływającą spod drzwi pokoju ich przybranej córki, to prawdziwy cud, powtarzały, gdy budziły się w nocy i przerażone snem pełnym wzburzonej wody, jednocześnie śnionym przez obie, skradały się na palcach i uchylały drzwi, by przekonać się, że Grażynka śpi spokojnie, z włosami rozrzuconymi na poduszce. Uspokajały jedna drugą; nie, nie, na pewno nie, mówiła do Anieli Róża, i ależ skąd, w żadnym razie, do Róży Aniela; ale wydawało im się, że w ciepłym zapachu sypialni czują coś obcego niczym złowieszcze cienie, jakie po wojnie snuły się nocą po ulicach Kamieńska. Miały wrażenie, że Grażynka im się wymyka, i bały się obcości, która pokrywała ich córkę przezroczystą skorupką jak warstwa lodu, bo nie wiedziały, skąd się wzięła i co podczas tych lat w sierocińcu tak ją od nich oddaliło. Nie zapytały nawet o nocnik Napoleona, który przepadł; co tam nocnik! Na pewno komuś dała, chyba że jej zakonnice świsnęły. Nie chciały jej śledzić, bo wiedziały, że nie ma wielu rzeczy gorszych dla miłości niż brak zaufania, i czekały, czekały, aż wróci z zabawy w remizie, od koleżanki z Gorzkowic, spotkania z tym czy owym w Kleszczowej, aż drugiej po wojnie jesieni, w listopadowy wtorek po południu, Grażynka wróciła bez warkocza, z włosami obciętymi niemal przy skórze i oświadczyła, że od jutra uczy się na fryzjerkę w zakładzie Tadeusza Kruka. Mizerota, biedny, sam zupełnie sobie nie radzi! Strasznie jej tego fryzjera szkoda.

Ciocie Herbatki tej nocy nie spały i gdyby ktoś znów zajrzał do Napoleonówki przez szparę między zasłonami w kolorze nasturcji, zobaczyłby płonącą świecę i pochylone ku sobie szepczące głowy w kordonkowych siatkach chroniących fryzurę. Rano Ciocie Herbatki były spokojne i blade, nastawiły wodę, zalały wrzątkiem liście gruzińskiej, westchnęły, że przed wojną to była herbata, a teraz same farfocle i zmiotki sprzedają, wypiły po trzy filiżanki i poszły na ulicę Prostą, by zaprosić fryzjera Tadeusza Kruka na poważną rozmowę. Gdy szły przez Kamieńsk, lód chrupał pod ich butami jak ptasie kostki, bo kałuże po listopadowych deszczach ściął pierwszy mróz.

## II

Jeden, dwa, dwie twarze pochylają się nad Dominiką i obie wydają się jej znajome, tak jak czasem znajome wydają się widoki, które śnimy po raz kolejny. Wciąga powietrze i czuje zapach, który pamięta i o którym wie, że nie znała go, zanim zasnęła, słodko-gorzki, drzewny, trochę podobny do woni potraw, jakich próbowała kiedyś w Domu Spółdzielcy na Piaskowej Górze, gdy gościła tam grupa harekrisznowców. Jeden, dwa, między twarzami biały prostokąt okna, wiatr unosi białą zasłonkę; muślin, muślinowa sukienka, myśli Dominika i wyciąga rękę w kierunku światła. Szaroniebieskie niebo, chmury, topolowe liście, wiatr, ptaki, raz, dwa, trzy, cały klucz ptaków, już je gdzieś kiedyś widziała. Jedna pochylona nad Dominiką twarz jest pociągła i ciemna, ma żółtawe oczy i wysokie kości policzkowe, uśmiecha się i odsłania bardzo białe zęby; druga jest jasna jak ciasto, płacze czarnymi łzami, jej usta noszą ślady pomadki i ruszają się jak u karpia. Dominika przenosi wzrok z twarzy na twarz i widzi, że obie mają obramowanie żółtych włosów, uśmiecha się, jakby znała sens odkrytego właśnie podobieństwa i mówi: mamo? Córeczko! Jesteś! Nareszcie! Jadzia Chmura czuje, jakby rodziła to duże kanciaste dziecko jeszcze raz; najpierw widzi główkę pokrytą gąszczem włosów buszmeńskich, potem twarz z policzkiem przeciętym czerwoną blizną, oczy otwierające się coraz szerzej, usta, które łapią pierwszy ziemski oddech, powtarzają, mamo. W momencie, gdy do pokoju szpitalnego wbiegają dwaj zaalarmowani lekarze, usta powtórnie narodzonego dziecka Jadzi Chmury formułują pierwsze pytanie córczyne: gdzie ja jestem, mamo? Matka na powrót obdarowana córką, przy której łóżku spędziła tyle tygodni, mówiąc, płacząc i śpiewając o Cygance, co pod oknem stojała cała zbroczona w krwi, czuje, że poród dobiegł końca. Nie pozwoli już wynieść dziecka do innej sali, o nie, swoje wie, czytała w kolorowych gazetach, nie jest już taka głupia, jak wtedy gdy przyjechała do Wałbrzycha z Zalesia i spadła ze schodów dworca w ramiona Stefana. Dziecko trzeba matce położyć na brzuchu, musi je przytulić. Jadzia wyciąga ramiona; dziecko jest i jej potrzebuje.

Gdy na drugi dzień po przebudzeniu Dominiki Jadzia Chmura przychodzi wczesnym rankiem do szpitala, jej świeżo umyte i zalakierowane włosy lśnią jak wielkanocny baranek z cukru, a usta pomalowane nową szminką od Grażynki gotowe są udzielić córce wyczerpującej odpowiedzi na pytanie o to, gdzie jest, już układają się w pierwsze słowa matczyne, przygotowane zawczasu na tę wyczekiwaną okazję. Lekarze, których tłumaczy na polski Grażynka, każą Jadzi utrzymywać słowny kontakt z córką, nie wspominać wypadku, mówić o przyszłości najbliższej, i już ona będzie mówić, mogą być spokojni, bo wraz z przebudzeniem Dominiki wróciła przyszłość, a dziś wydaje się piękna jak nigdy. Nic jej tłumaczyć nie muszą, matka wie najlepiej, czego potrzebuje dziecko, które urodziła po raz drugi; człowiek uczy się na błędach. A więc żadnej przeszłości! Jadzia nie miałaby nic przeciwko temu, by Dominika w ogóle zapomniała o przeszłości, szast-prast i nie ma, zaczęłyby wszystko od nowa, byłoby po prostu cudownie. Jak po wielkim sprzątaniu z praniem wykładzin i solidną dezynfekcją łazienki, gdy świat pachnie świeżo i czysto, a bakterie i złe wspomnienia nie istnieją. Liczy się przyszłość! Dopiero w niemieckiej telewizji pokazywali nowego polskiego premiera i Grażynka przetłumaczyła jej najważniejsze słowa wystąpienia: gruba kreska. Co za mądry człowiek! Przyklasnęła Jadzia Chmura, ma rację! Siada Jadzia przy łóżku córki, która wodzi za nią oczami i uśmiecha się niepewnie; mamo? powtarza, jakby ćwiczyła to pierwsze słowo wypowiedziane po przebudzeniu, mamo? Czasem jej wychodzi, a czasem wydobywa się z niej tylko coś jakby chrobot myszy, nieprzyjemny zgrzyt; boli ją ciało i chciałaby się wykąpać, zanurzyć w wodzie, zmyć z siebie zapach spalonego mięsa, który czuła we śnie. Nadal go czuje i boi się, że emanuje z jej ciała, unosi się wokół matki. Mamo? Już nigdy Dominika nie powie, mamo, inaczej niż z małym znakiem zapytania, jakby co do relacji łączącej ją z Jadzią mogły być jakieś wątpliwości; Jadzia żadnych nie ma, bo śpiewaniem wyprowadziła córkę z ciemności. Córcia! Jak ja się modliłam, żebyś ty się obudziła, co ja się naśpiewałam o tej Cygance. Twarz Dominiki jest wychudzona i blada, ta blizna, myśli Jadzia, da się na pewno jakoś zamazać, zapudrować, nic nie będzie widać. A może tu mają na blizny jakieś maści lepsze niż w Polsce? Zapyta Grażynki. W Enerefie powinni takie maści mieć, tu wszystko jest, wystarczy Grażynce do lodówki zajrzeć, do spiżarki. Wszystko, a tyle tego, że nie przejesz, ciuchy nawet pod łóżko poupychane jeszcze z metkami, bo za porządna to ta Grażynka nie jest, o nie. Fleja i bałaganiara, choć dobre ma serce. Dominika czuje wzrok matki i sięga ręką do policzka. Miałam wypadek, mówi, był ogień, samochód, ktoś krzyczał, straszny zapach. Co było dalej? Mamo?

Biedna Jadzia, nie uda jej się mówić o przyszłości z pominięciem tego, co było, a tak bardzo chce opowiedzieć córce o planie, jaki wymyśliła podczas tygodni czuwania – oto wrócą razem na Piaskową Górę i Dominika pójdzie do studium medycznego, znajdzie potem pracę w jakimś prywatnym gabinecie, po co gdzieś wyjeżdżać na studia, jak wszystko jest pod nosem w Wałbrzychu, a potem się zobaczy. Dobrze zdała maturę i egzaminy na studia, do dwuletniego studium na pewno ją przyjmą. Na protetyka dentystycznego niech się przyuczy, z tego jest pieniądz i nigdy nie braknie roboty, bo ludzie na tym komunizmie zęby potracili, oj, potracili, a i na demokracji potracą; biednemu zawsze wieje w twarz. Sama Jadzia niedługo będzie potrzebowała trzeciego kompletu zębów i wie, ile to kosztuje prywatnie. Majątek! Odpocznie sobie Dominika, nabierze ciałka, włoski zapuści, można takie pazurki na policzki wycieniować, jakie ma Trojanowska, ta piosenkarka, co w Sopocie śpiewała. Straszny z niej wyjec, Jadzia takiej muzyki nie rozumie, ale fryzura jej się podoba. Kto wie, może właścicielem gabinetu, w którym znajdzie pracę ostrzyżona na Trojanowską Dominika, będzie dentysta stanu wolnego? Fryzurkę na Trojanowską sobie zrobisz, może cię Iwona u siebie w zakładzie na Piaskowej Górze uczesze, mówi do córki, ale czuje, że to nie jest to, o czym jej cudem ocalone dziecko chce rozmawiać. Co było dalej? pyta Dominika, co było dalej, mamo? Pamiętam ogień, białe schody, białe kości. Gdy spałam, czułam zapachy. Coś pachniało pięknie, ale czułam też zapach spalonego mięsa, ciągle go czuję. Mamo? Matko Boska! Jadzia jest bliska łez. W innych rodzinach z pokolenia na pokolenie przechodzą domy, ziemia, srebra rodowe, a u nich zapach spalonego mięsa. Wnuczka najwyraźniej po babce go dostała; Zofia Maślak, matka Jadzi, czuła go przez całe życie i lała ocet z takim zapamiętaniem, że parę kropel dodawała nawet do wody święconej w pojemniczku na drzwiach. Powiedz mi, mamo, upiera się Dominika. Mamo?

Jadzia ściąga umalowane usta w kurzą dupkę, nie wiedząc, jak opowiedzieć córce tamte dni, przez które, jak już mówiła sąsiadce Krysi Śledź i nieraz jeszcze powie, o mało sama nie strzeliła w kalendarz i nie wyciągnęła kopyt. Chciałaby przeszłość oddzielić grubą linią jak premier Mazowiecki, ale nic z tego. Mało kopyt nie wyciągnęłam jak stara kobyła, wzdycha więc, mało się, córcia, nie przekręciłam, nie strzeliłam w kalendarz na tym bocianim gnieździe. Matko Boska! Tylko modlitwa ją uratowała przed wyciągnięciem, przekręceniem i strzeleniem, dzięki Bogu i Matce Przenajświętszej jakoś przetrwała. Ile ja nerwosoli wypiłam, aż mi się odbijało, ile herbatek z melisy! Mów, mamo, co było dalej; nie wywinie się Jadzia. Choć tak bardzo chciałaby matka Chmura popędzić wprost ku przyszłości świetlanej, gdzie jej odmieniona córka jest technikiem dentystycznym w modnej fryzurze na Trojanowską, to jednak musi wrócić do tamtego dnia, gdy jej Dominika omal nie umarła, a ona klęczała w szpitalnej toalecie, waliła głową o ścianę i obiecywała niebiosom wszystko, co mogłaby dać Jadzia Chmura z domu Maślak, wdowa po nadgórniku z Piaskowej Góry, gdyby niebiosa skłonne były do handlowej wymiany. Matko Boska, do końca życia nie tknie słodyczy, nawet tych nowych niskosłodzonych i niesmacznych, pójdzie na pielgrzymkę do Częstochowy, na kolanach, na brzuchu się czołgając, odłoży i da na kościół czy dzieci w Afryce, choć, widzisz, Panie Boże, że nie ma z czego odkładać, ale z gardła sobie wyrwie, od ust odejmie, flaki sobie wypruje, krwi utoczy, byle tylko jej dziecko przeżyło. Jadzia Chmura po równo ofiarowywała Matce Boskiej i Panu Bogu swoje wyrzeczenia i umartwienia, ale inne miała oczekiwania wobec tych dwóch świętych postaci. Matce Boskiej, w szczególności Czarnej Madonnie z Jasnej Góry, powierzyła opiekę nad ranną córką, czuwaj przy niej, błagała, nie pozwól jej umrzeć, Matko Boska, zachowaj moje jedyne dziecko przy życiu; Panu Bogu, ojcu w niebiesiech, pozostawiła zadanie ukarania winnych zupełnie tak samo, jak zrobiłyby inne matki z Piaskowej Góry, które mówiły do swoich pociech, czekaj no, czekaj, gówniarzu, jak ojciec wróci z pracy, to ci dupę złoi. A więc, Panie Boże, wznosiła Jadzia oczy w pokryty zaciekami sufit szpitalnej toalety cuchnącej lizolem, Panie Boże, tych, co za to odpowiadają, co moją córkę ukrzywdzili, słuchaj, Panie Boże, choć to będzie ci powtórzone jeszcze wiele razy – niech ich co najgorsze spotyka z nawiązką, niech im zęby zmiękną i wypadną, dziąsła zgniją, parchem niech się pokryją, raka niech dostaną złośliwego i hifa śmiertelnego, pieniądze wszystkie niech z bożą twą pomocą stracą, niech stracą nadzieję, domy niech im się popalą, dzieci z dałnem urodzą, telewizory wybuchną, samochody rozwalą, a ziemia ciężką niech im będzie jak kamień, amen.

Dwie osoby niemal równocześnie przybiegły na miejsce wypadku Dominiki i o ile dla jednej z nich bieg był czymś zwyczajnym, to druga nie biegała od lat, więc tym bardziej należy docenić szybkość, jaką osiągnęła, pędząc wzdłuż ulicy Wrocławskiej. Małgosia Lipka pożegnała się z Dominiką dzień wcześniej i było to dobre pożegnanie, bo przecież miały spotkać się po wakacjach w Warszawie, zamieszkać na Chomiczówce, gdzie blok do bólu przypominający Babel z Piaskowej Góry wydawał się jednak zupełnie inny, prawie piękny, tonący wprost w zieleni, w jaśminach i bzach. W wieczór wyjazdu Dominiki Małgosia siedziała w otwartym oknie swojego pokoju i słuchała kłótni rodziców. Powietrze było ciepłe, rozedrgane, widziała stąd światła Piaskowej Góry; czuła, że już nie należy do tego miejsca, że już prawie wyjechała i niech nikt się nie łudzi, że wróci. Ty śmierdząca pijaczko, krzyczał jej ojciec; ty chuju, krzyczała jej matka, a pomiędzy inwektywami padały zdania o życiu zmarnowanym, losie zasranym, które jedyna córka państwa Lipków znała na pamięć. Przez ciebie, piję, ty chuju od skrobanek, oświadczała matka i Małgosia odpowiadała unisono z doktorem Lipką, on wrzaskiem, ona szeptem, wykrzywiając się do swojego odbicia w szybie, nawet przy księciu Monaco byś chlała, bo się do niczego nie nadajesz. Wedle scenariusza powtarzanego od lat, matka powinna teraz powiedzieć, a będę chlała, aż zdechnę, i sobie tu dziwek swoich nasprowadzasz, a ojciec, który zaraz zaczynał pracę i czekały na niego pacjentki, powinien wycofać się rakiem, rzucić ostatni ochłap zgnilizny w rodzaju, a chlej, i tak nikomu do niczego się nigdy nie przydałaś, i trzasnąć drzwiami. Jednak tego wieczoru lipcowego poniosło ich i sięgnęli po cięższą broń, której cały arsenał każde miało w zapasie na wypadek poważniejszej potyczki; wystarczyło otworzyć szufladę w domu państwa Lipków, a tam pistolety, ręczne armatki, granaty powiązane w pęczki jak rzodkiewki, w stojaku na parasole – kałasznikowy. Zanim doktor Lipka zdążył się wycofać, pani doktorowa przyłożyła mu z armaty, tylko uważaj, żebyś znów potwora nie spłodził z jakąś młodą dziwką. Trafiła celnie, mimo że ledwie stała na nogach, co było w zasadzie jej codziennym sposobem stania; doktor Lipka w serce ugodzony zdołał jednak odpowiedzieć strzałem z biodra – może jakbyś ty nie była dziwką zachlaną, byłaby normalna. Dwa strzały rykoszetem poszły przez przedpokój obity wraz z sufitem boazerią, co jeszcze parę lat temu tak czytelnie wskazywała na bogactwo i dobry smak, a dziś jakby straciła na urodzie, poszły wzdłuż galerii obrazów w gipsowych ramach złoconych, aż się pozłota sypnęła – pejzaże tam były wiejskie, słoneczniki van Gogha, konie w galopie. Śmignęły kule nad kredensem dębowym, na pół przecięły bordowe zasłony z lambrekinem, wpadły do pokoju Małgosi, wywalając dwie dziury w solidnych poniemieckich drzwiach, na których od środka przyklejony był portret Virginii Woolf. Trzeba było uciekać, żeby przeżyć.

Małgosia zeskoczyła z parapetu na dach komórki i potem w wilgotną od wieczornej rosy trawę, trzeba było biec i kluczyć, bo każda chwila bezruchu groziła śmiercią od zabłąkanej kuli; dopiero po chwili zauważyła, że jest bosa. Pobiegła w kierunku Piaskowej Góry, pomyślała, że zdąży na przystanek, a jak nie, to na dworzec, nieważne, co powie Dominice, trzeba biec, biec trzeba, bo gdzieś tam są jeszcze czyste rzeki i źródła, z których tryska światło. Były z Dominiką we Wrocławiu na koncercie krakowskiego śpiewaka w sali gimnastycznej jakiejś szkoły, ludzie hałasowali, przeszkadzało dziecko, potem podeszły, by artyście o napuchłej twarzy i bladych rozmytych oczach powiedzieć coś dobrego, a on popatrzył na nie tak, jakby zobaczył dno w butelce, i nie zrozumiał. Poczuły w jego oddechu zapach alkoholu, a Dominika przypomniała sobie ojca, który czasem na jej widok smutniał w podobny sposób i pytając, co w szkole, oddalał się, jakby w jego gnieździe na kanapie otwierała się czarna dziura. Śpiewały więc z Dominiką o czystych rzekach i źródłach, z których tryska światło, niby prześmiewczo, bo były ironiczne i jak ognia unikały egzaltacji, mówiły, egzaltacja oazowa, i przewracały oczami, ale gdy Małgosia biegła boso przez Szczawienko i potem Piaskową Górę, myślała o czystych rzekach, o źródłach, z których tryska światło, o Chmurdalii, którą sobie wymyśliły podczas wagarów na dachu Babela, o śpiewaniu pełną piersią przez otwarte okno nocnego pociągu do Warszawy, gdy pęd powietrza rzuca jej w twarz włosy Dominiki.

W tym czasie proboszcz Postronek zażywał na plebanii krople walerianowe wykończony emocjami, jakich dostarczyła mu awantura z Adasiem, Bożeżtymój. Wykończony jestem, wzdychał, od seminarium im się tłumaczy, jak na spacer na miasto, to nigdy samemu, zawsze po dwóch, trzech, a potem też, niewiast unikać, bronić się, modlić, starych o pomoc prosić, a nie płakać, jęczeć, kiedyś już za późno i skandal na pół miasta. Ale dzięki Bogu! Ulga, jaką czuł, gdy za wikarym i jego matką Leokadią Wawrzyniak zamknęły się drzwi, była wielka, ale jego serce nie chciało się uspokoić. Leokadii Wawrzyniak, matki Adasia, proboszcz bał się zresztą zawsze, a jej obecność, intensywna, emanująca zapachem talku, jakiejś nie do końca zmytej nieświeżości i wilgoci, jak łazienka po sobotniej kąpieli, nasuwała mu na myśl wszystko to, czego tak długo się pozbywał ze swojej ascetycznej codzienności. Nawet wietrzenie nie pomogło i na plebanii zalegał kobiecy zapach Leokadii przyprawiający proboszcza Postronka o zawroty głowy, na które nie zadziałały ani krople walerianowe, ani jeżynowy likier. To by dopiero było, gdyby zaległ tu na zawsze, gdyby woń Leokadii Wawrzyniak zamieszkała w kątach, pod łóżkami, pod, nie daj Boże, sutanną jegoż. Dobra z niej matka, z tej Leokadii, zdecydował w myśli, jakby zamknięcie Leokadii w matce było egzorcyzmem przeciw jej irytującej kobiecości, ale spokój nadal nie wracał. Skupiał się więc na matce jeszcze bardziej, matka jakże synowiż oddana! bo dla proboszcza Postronka macierzyńskość matek stanowiła jedyną formę kobiecości obok świętości męczennic, którą był w stanie znieść na widnokręgu swych myśli. Od czasu, gdy poszedł do seminarium, tylko matkę wolno mu było mieć, bo nawet siostra, nieważne, młodsza czy starsza, chociaż już lepiej starsza niż młodsza, była postacią źle widzianą w życiu celibaty. Kto wie, co diabeł podszepnie, na bezrybiu i rak ryba. Taką siostrę nie swoją albo swoją, ale z koleżankami, rozchichotanymi, w sukienkach cienkich, w pończoszkach, spotkać na mieście i tragedia gotowa, dlatego właśnie powtarzali seminarzystom – dwójkami chodźcie, trójkami, jeden z drugim pilnujcie się, a zwłaszcza na wakacjach, szczególnie wiosną. Ale czy to słuchają? W pokoju Adasia, do którego niespokojny proboszcz Postronek wszedł po raz kolejny w ciągu piętnastu minut, panował bałagan i dopiero teraz stary ksiądz zauważył list oparty o figurę Matki Boskiej z krzywo przyklejoną głową. Pochyłe dziewczęce pismo Adasia przez cztery bite strony mówiło o pragnieniu zostawienia śladu, dzieci, rodziny; ja chciałbym, pisał Adaś, i ja nie chciałbym, pragnę ja i się ja boję, że ja-ja; proboszcz Postronek takie rzeczy słyszał nie raz i zawsze budziły uśpioną przez lata tęsknotę jego serca, bo też kiedyś pragnął i bał się, choć jego ja było o wiele mniej wybujałe. Czytając pożegnalny list, którego treść dzięki matce Leokadii, co syna z paszczy zła wyrwała, była już nieaktualna, proboszcz Postronek czuł, że w całej historii zapomniano o czymś ważnym i że ten list pełen wzniosłych słów i cytatów też o zapomnianym nie wspomina; co to może być? Stary ksiądz oparł czoło o szybę i raz jeszcze pomyślał, czy naprawdę wszystko, co trzeba, zrobiono, a kogo trzeba, ocalono, gdy za tujowym żywopłotem swojego ogrodu zobaczył czerwonego poloneza sąsiadów, państwa Rodnych. Wysiadł z niego stary Rodny, jego matka Rodna, Rodna żona oraz ich czworo dzieci w wieku szkolnym, plus piąte w drodze pod wzdętą sukienką Rodnej, bo Rodni byli rodziną wielodzietną i przykład dobry dającą, mimo że wrzask małych Rodniątek nieco proboszcza denerwował podczas poobiednich drzemek. Dopiero przy trzecim z Rodnych ksiądz zrozumiał, co mu przypomina kolor samochodu, i obraz dziewczyny w czerwonej sukience przemknął mu przed oczami jak kometa; Panienkoż Przenajświętsza! Bożeżtymój! Dziewczyna w czerwonej sukience, dwie inne czające się za nią, niepokój, który wtedy poczuł i porzucił, bo nie lubił niepokoju, dziewczyna, która miała spełnić Adasia potrzebę zostawienia po sobie śladu, i o której na koniec wszyscy zapomnieli. Dominika Chmura, córka wdowy z Piaskowej Góry, krewna Kazimierza Maślaka z grupy obrońców życia poczętego, co ufundował ostatnio pamiątkową tablicę niewiniątkom pomordowanym. Mała Chmura, chudzina taka, półsierota, podobno nadzwyczaj utalentowana matematycznie, z pobożnej rodziny. Bożeżtymój, westchnął proboszcz Postronek i ruszył najszybciej, jak potrafił, drogą przez Krzaki na Piaskową Górę, by niekompletną rodzinę Chmurów po chrześcijańsku pocieszyć. Były lata, gdy potrafił jeździć konno na oklep i przebiec pięć kilometrów leśnej drogi, nie zawsze w świętej sprawie, i gdy teraz zmusił do biegu swoje krótkie nogi, przed oczami stanął mu tamten las, młodnik jodłowy, poczuł tamtą dobrą noc tej złej nocy, zaraz potem brzozy bielejące w mroku, tak było; przypomniało się proboszczowi ze Szczawienka, że był żywy i młody. Chciał wtedy zbawić świat, choć mówili mu, świata nie zbawisz, księżulu, pragnął nakarmić wszystkie głodne dzieci, uratować bite i nawrócić bijących, choć mówili mu, że się nie da, niech się tak nie szasta, niech pomodli się za nich; jakie to było piękne, tak wierzyć i chcieć! Biegł, niosąc przed sobą pokaźny brzuch i siedem krzyżyków na karku, biegł, podwinąwszy sutannę, przeskakiwał śmieci i śpiących pijaków, śmigłonogi był i chyży. Jeszcze moment i proboszcz Postronek wypadł na ulicę Wrocławską; serce waliło mu jak górniczy młot.

Już nie wiedział proboszcz Postronek, dokąd właściwie tak pędzi i po co, gdy koło przystanku zderzył się z dziewczyną, którą wziął za chłopaka. Nie domyślał się, że z dwojga złego – a więcej do wyboru nie było – wolała, by ją za niego właśnie brali, była bosa, miała kolczyk w nosie, niebieskie włosy i złe przeczucia; musi ksiądz ze mną pojechać na dworzec! Zbiegną jeszcze kawałek i spróbują złapać taksówkę na skrzyżowaniu, tu akurat nie widać ani jednej, wiadomo, sobota. Niech się ksiądz pospieszy! Po co na dworzec? zapytał proboszcz Postronek, jednak w odpowiedzi usłyszał tylko, szybciej! chodzi o Dominikę! Małgosia zdążyła dowiedzieć się od pijaczka zbierającego pety na przystanku, że tak, dziewczyna z plecakiem tu była, taka pytłata, wysoka, stała, autobusy przepuszczała, potem wsiadła do malucha, pojechały zygzakiem. Pobiegli więc tą samą drogą, którą kilkanaście minut wcześniej jechał turkusowy mały fiat, i proboszcz Postronek nie mógł się nadziwić, jaką siłę ma ta dziewczyna ciągnąca go za rękę. Doprawdyż! Nie dam już rady, skarżył się, ale nie, ciągnęła i poganiała, szybciej, szybciej, jakby więcej od niego wiedziała o celu tego biegu, szybciej! musimy dogonić Dominikę. Na skrzyżowaniu był jakiś wypadek, stały trzy samochody, kilku mężczyzn kłóciło się o coś; w ogrodzeniu, za którym leżało jeziorko topielicy-pajęczycy, ziała dziura, za nią łuna pożaru. Pochwalony! Turkusowy mały fiat pędził jak głupi! Popiły się, bo żeby tak pędzić, to nie na trzeźwo. One? A kto ich tam wi uni czy une. Jeden świadek widział dziewuchę za kierownicą, drugi nie jest pewny, bo jakby więcej tam było ludzi, ze trzy osoby, ale się nie przysięgnie. Bo przysięgnie się i będą go potem po sądach ciągać, a jak raz zaczną ciągać, to umar w butach. Być może jednak, że baba za kierownicą. Chłop nawet pijany by wyrobił. Powinni tego zabronić! A maluch nie wyrobił, w ogrodzenie wyrżnął, potem w kupę żelastwa. A jak rąbło! Rąbło, proszę księdza, aż się ziemia zatrzęsła. Wybuchło paliwo, gorąc taki, że podejść nie można. Patrzyli, czy da się co uratować, ale gdzie tam. Z tego już nikt żywy nie wyjdzie, proszę księdza. Małgosia jednak ruszyła w stronę pożaru, bosymi stopami po szkle z rozbitej szyby, za nią proboszcz Postronek, który zrozumiał, że to nie niepokój go dręczył, lecz gniew; ten sam, który czuł kiedyś, przed laty, a potem tak stłumił w sobie, że z łatwością mógł go pomylić z niestrawnością i ugasić miętową herbatą.

Wrak samochodu płonął, w jeziorku odbijał się jego ognisty cień, w ogniu czarny szkielet samochodu i rzeczy straszne, rzeczy niewiadome, które mogły, ale nie musiały być ciałem za kierownicą, ciałem obok, ciałem na tylnym siedzeniu. Czy ksiądz rozumie, że ona musi żyć, to nie było pytanie, dziewczyna do złudzenia przypominająca chłopaka patrzyła na niego, a w jej źrenicach płonęły miniaturowe fiaty 126p. Ogień przypalał włosy i rzęsy, piekł skórę, zapach był straszny, bo jednocześnie obcy i znany, zapach czegoś, co kiedyś było żywe, albo użyteczne, a teraz jest przypalonym mięsem, stopionym plastikiem, zwęgloną kością. Dziewczyna do złudzenia przypominająca chłopaka krzyczała, Dominika! i rozgarniała chwasty, szarpała resztki żelastwa, pokazywała, gdzie szukać, brodziła w wodzie, na której powierzchni dopalały się kawałki materii; co to za woda, która płonie, myślał proboszcz Postronek i modlił się, by w tym piekle było jeszcze coś do ocalenia, a jeśli ktoś ma tu umrzeć, niech to będzie on, bo zawiódł na całej linii, skoro nie zrozumiał, że to nie księdza Adasia powinien był ratować, Bożeżtymój. Można ją było pomylić z kawałkiem drewna, kupą szmat. Leżała zanurzona do połowy w wodzie, z twarzą w oleistym błocie jeziorka i rozrzuconymi ramionami, miała na sobie tylko majtki i buty, ściskała coś w lewej dłoni. Ona żyje. Oddycha. Nie wolno jej ruszać, kręgosłup, może mieć uszkodzony kręgosłup. Małgosia już nie krzyczała i proboszcz Postronek pomyślał, że ta dziwna dziewczyna, o której plotkowali, że homoniewiadomo, fiksum-dyrdum i bógwico, o wiele bardziej nadaje się na lekarza niż on na księdza, bo każde zdanie, które odtąd padło z jej ust, ratowało teraz skuteczniej być może niż jego modlitwa uratowała kogokolwiek. Proboszcz Postronek trzymał w dłoniach zaciśniętą w pięść dłoń Dominiki i czuł, jak jego dawny gniew zajmuje się ogniem, rozpala. Jak to dziś młodzież mówi, dałem ciała, jasna cholera, Panienko Przenajświętsza, ale dałem ciała, tę dziewczynę powinienem był ratować, Bożeżtymój, stary głupek. Dupa, nie ksiądz! Stara dupa wołowa. Odtąd będą ludzie z Piaskowej Góry i Szczawienka mówić, że bardzo się zmienił ich proboszcz, kiedyś to tylko trzy zdrowaśki albo ojczenasz, puk, puk i po sprawie, a teraz aż strach do niego do spowiedzi iść, bo jak nieraz wrzaśnie na cały kościół, jak do słuchu przemówi, to można ze wstydu się spalić.

Proboszcz Postronek, mówi Jadzia, co za dobry człowiek, córcia, prawdziwy skarb. To on cię znalazł, on mnie i babcię Halinę zawiadomił, wszystko załatwić pomógł, z plebanii pozwolił dzwonić nawet do Enerefu, a takie międzynarodowe to przecież majątek. O mało w kalendarz nie strzeliłam, gdy mi cię w szpitalu pokazali; przez szybę, wejść mi nie dali, chyba żeby bakterii nie nawnosić, przez szybę na ciebie patrzyłam jak wtedy, gdy się urodziłaś. Cała poowijana, nogi, głowa, pół twarzy pod bandażem, a w każdej ręce kroplówka, w każdą rękę igła wbita wielka jak gwóźdź. A Grażynka z tym swoim Niemcaszkiem za dwa dni byli w Wałbrzychu, wszystko załatwili, papiery, transport, koszty na siebie wzięli. Ta to miała szczęście, że takiego Niemcaszka trafiła, jak człowiek, córcia, pomyśli. Czasem dziewczyna szanuje się, porządna, subtelna i nic, a innej się trafi, chociaż nie pierwszej młodości, z dziećmi nieślubnymi. Ale serce ma dobre, nie można powiedzieć, chociaż, tak między nami, za czysto to u nich w domu nie jest, grzyba znalazłam w brodziku, wyobraź sobie. Nie żebym plotkowała, znasz mnie, córcia, westchnęła Jadzia i otarła łzy. Za to tu w szpitalu masz, że z podłogi można jeść, taka higiena. U nas to nie wiem, czyby cię wyleczyli, operować nie chcieli, jakiejś aparatury nie mieli czy czegoś. A tu od razu. Wiadomo, że nie ma, jak prywatnie, a do tego w Enerefie, na pierwszy rzut oka widać, że żadnych bakterii tu nie uświadczysz. Mówię Grażynce, w ratach im się odda, niech przetłumaczy temu swojemu Hansowi, a ten się tylko śmieje, nein i nein, nic oddawać nie trzeba. Nawet powiedzieć nie chcą, ile ich wyniosło twoje leczenie. Nein i nein, kein Geld, bo Geld to po ichniemu pieniądze; parę słów się, córcia, nauczyłam przez ten czas, co spałaś, ale powiem ci, że nie jest to ludzka mowa. Wiem, jak są pieniądze, chleb, ja, nein, i nazywam się: Ich heiße Jadzia Chmura, i jeszcze Mutter, matka, i meine Tochter, moja córka. No i nic nie chce ten Hans, kein Geld, nein, nein. Chociaż im na koniec jakąś bombonierę porządną trzeba sprezentować, a z Polski wyśle się coś z Cepelii; pójdziemy do Cepelii na Piaskowej Górze i razem wybierzemy.

Dominika patrzy na matkę, na jej niespokojne ręce, usta, z których w miarę mówienia znika perłowa pomadka, oczy żyłkowane jak agrest, które unikają jej wzroku, lecz krążą w pobliżu, czujne. Wszystko, co mówi Jadzia, wydaje się Dominice puste, słucha matki i rozumie słowa, ale nie niosą one żadnych emocji, są jak wydmuszki; gdyby unieść je do światła, prześwietliłoby je na wskroś. Pamięta niemal wszystko oprócz samego wypadku, a z opowieści Jadzi wyławia informacje, które wypełniają luki. Wie już, że oprócz proboszcza Postronka była przy niej Małgosia Lipka, chociaż Jadzia, jak umie, tak pomniejsza jej udział, i to Dominika też widzi. Dobra dziewczyna, ale powiem ci, że jednak nie powinna tak zupełnie jak chłopak się nosić; ta kwestia dręczy Jadzię od lat. Przecież człowiek się może normalnie pomylić. Może też, na ten przykład, jakiegoś chłopaka wprowadzić w błąd albo dziewczynę, co ją weźmie za chłopaka. Może jej coś szepniesz, córcia, jak przyjaciółce, kiedy wrócimy do Polski, jakoś delikatnie, że to dla jej dobra. Co jej szkodzi sukienkę założyć? Ale może ona na tych studiach w Warszawie się zmieni? Może tam na taki wygląd nie będą jej pozwalać? Nie powinni, w końcu ma zostać lekarzem. Dominika myśli, Małgosia moja przyjaciółka; dzieli imię Mał-go-sia na sylaby, ale oprócz obrazów twarzy, miejsc i zdarzeń nie pojawia się nic, myśli, Adaś, A-daś; ale w miejscu dawnej miłości, bo Jadzia mówi, że Dominika zakochała się głupio i stąd to wszystko, więc była jakaś miłość – jest teraz pustka. Czekała na niego, ale nie przyszedł, matka mówi jej teraz, że znikł z Piaskowej Góry, podobno wyjechał do Rzymu, do Watykanu. Rzym, myśli Dominika, i ta nazwa jest równie pusta jak miłość, Adaś, Małgosia, matka; pamięta, że kiedyś rozmawiały o Rzymie z Małgosią, która mówiła, że światło nawet zimą jest tam złote, rzeki złotego światła płyną spokojnie przez ulice, a rano handlarze sprzedają owoce i warzywa na Campo dei Fiori. Na Campo dei Fiori kosze oliwek i cytryn! Takiego światła nigdy nie zobaczy się w Wałbrzychu, tak mówiła Małgosia. Mał-go-sia, Campo dei Fiori, myśli Dominika. I dobrze, że do Rzymu pojechał, ciągnie Jadzia, krzyżyk na drogę, bardzo dobrze, chociaż planowała powiedzieć mu do słuchu, bo żeby tak dziewczynie w głowie zawrócić, a potem nogi za pas, to świnia, nie ksiądz. Świnia, cedzi Jadzia jadowicie, nie ksiądz, gdyby Stefan żył, już on by się z Adasiem policzył, bo kawał chłopa z taty był. Pamiętasz, córcia? Nic, tylko na barana by cię brał i dalej hopsasa, aż mi serce do gardła podchodziło, że cię upuści. Te dwie, tak Jadzia mówi o Jagience i Edycie, same sobie winne, Lepka widziała, jak się na tarasie uchlały, uchlane do samochodu wsiadły. Ona zawsze złe miała zdanie o tej Jagience Pasiak, ona, Jadzia Chmura, nie da się łatwo wyprowadzić w pole, nabrać na miłą buzię, eleganckie sukienki, dzień dobry, do widzenia. Jest sprawiedliwość na świecie, chociaż dla rodziców to jednak straszne nieszczęście. Obie zginęły, Jagienka i Edyta, zbierać co nie było. Jagienka i Edyta, powtarza Dominika, ale ich nieszczęście jest jak nekrolog kogoś obcego na bramie mijanego przypadkiem domu, ich wina ani wybaczona, ani nie. Sama nie czuje nic, jakby część jej nadal spała, ale czyta w Jadzi jak w otwartej księdze i widzi, że matka ukrywa coś ważniejszego. Każdą chwilę ciszy, w której może paść pytanie, zasypuje słowami o pogodzie, westchnieniami na temat cen, żylaków, ciast, które Dominice upiecze, gdy wrócą na Piaskową Górę. Ma nowe przepisy od Grażynki, ale na początek zrobią coś swojskiego, na ten przykład murzynka albo może drożdżowca z kruszonką. A pleśniaka, takiego domowego, byś nie zjadła? pyta córkę matka Chmura. Izaury jakoś się już nie piecze, ale jak Dominika chce, to znajdzie stary przepis, gdzieś go ma, wystarczy po szufladach poszperać. Co byś, córcia, wolała? Murzynek czy pleśniak? Izaura? Gdy tylko otwiera się niejasna możliwość, że rozmowa może zmierzać w kierunku Zalesia, Jadzia rzuca się jak Rejtan na ścieżkę i woła, nie tędy, zamknięte, po moim trupie.

Na szczęście dla niej lekarze nie dają im dużo czasu, bo te pierwsze dni po przebudzeniu poświęcone są prześwietlaniu i opukiwaniu Dominiki, świeceniu jej w oczy i zaglądaniu do wnętrza głowy; zostaje wsunięta w wielką metalową tubę i jej mózg pokrojony światłem na plastry, ciśnienie zmierzone, krew i mocz rozłożone na czynniki pierwsze. Przy wszystkich badaniach towarzyszy jej pielęgniarka Sara, która powtarza polecenia lekarzy po angielsku; Dominika uczyła się tego języka w liceum, chociaż Jadzia była za niemieckim, po co ci ten angielski, córcia, gdzie tam masz do jakichś Anglii jeździć, a brzmi, jakbyś miała kluski w gębie, blebleble. Eneref jest bliżej i niemiecki zawsze się człowiekowi w Polsce przyda, mówiła, i proszę, miała rację, wylądowały w Enerefie. Matka ma zawsze rację! Nie wie Jadzia, że Dominika ku własnemu zdumieniu rozumie więcej z tego, co mówi do niej Sara, niż nauczyła się na lekcjach, podczas których musiała wkuwać czytanki i zasady gramatyczne, tak dalekie od żywej mowy jak przepis od gotowego ciasta. Sara uśmiecha się do niej i grymas, który otrzymuje w odpowiedzi, wygląda tak, jakby Dominika znała tylko teorię uśmiechu – unieść do góry kąciki ust, lekko obnażyć zęby, gotowe. Sara tłumaczy, a Dominika zgina nogi i ręce, dotyka palcem czubka nosa i kopie, jak trzeba, gdy gumowy młoteczek uderza ją w kolano. Wie, że lekarze nie widzą tego, co najważniejsze, nawet jeśli niepokoi ich jej obojętność i zamknięcie w sobie.

Dominika próbuje w myśli potęgować i wyciągać pierwiastki, ale nie udaje jej się wyjść poza tabliczkę mnożenia, przepadło całe piękno. Kiedyś liczby trzycyfrowe zderzały się w jej umyśle i eksplodowały jak małe tęcze, a wynik mnożenia 325 przez powiedzmy 768 pojawiał się w ułamku sekundy i nie było żadnych wątpliwości, że jest poprawny, proszę bardzo, możecie sobie sprawdzić na kalkulatorze, ale przecież to widać na pierwszy rzut oka, że 249600. Dominika potrafiła wyrecytować liczbę $\pi$ do 12678 miejsca po przecinku; teraz potyka się na piętnastym, a wszystkie cyfry są dla niej tylko tym, czym są dla zwykłych ludzi, codziennymi narzędziami, dzięki którym możemy poprosić o dwa jabłka, trzydzieści deka czekoladowych cukierków i policzyć muchy na suficie. Przed wypadkiem każda liczba miała własny kolor i kształt, mogła być lśniąca i twarda jak landrynka, chropowata jak kora drzewa, pulsować seledynowo jak te, których suma cyfr wynosiła 7, albo odznaczać się kryształową przejrzystością, jak liczby pierwsze. Liczby były pejzażami, które otwierały się przed oczami Dominiki jak chińskie szkatułki, potrafiła dzięki temu wyobrazić sobie, jak wyglądał dzień jej narodzin, 24 dzień 12 miesiąca 1972 roku był dla niej szarosrebrny, nakrapiany fioletem i jaskrawą żółcią, jak ścięta przymrozkiem łąka, na której zakwitły pierwsze krokusy. Teraz nie było tam nic, jakby ktoś zatarł jej początek gąbką do tablicy; Dominika nie ma pojęcia, kim będzie bez matematyki.

Dla lekarzy Dominika jest ciekawym przypadkiem, analizują wyniki jej badań i wpatrują się w zdjęcia mózgu, szczególnie interesują ich płaty czołowe, gdzie zderzają się ich palce wskazujące i metalowe wskaźniki. Widzą tam coś, co pragnęliby zmierzyć, zważyć i wytłumaczyć, ale tego nikt nie potrafi, używają więc wielu uczonych słów, a tak naprawdę mówią: zobaczymy, to się okaże, albo tak, albo siak. Nauka zna różne przypadki, a bywa, że wbrew nauce zdarza się nawet cud, za cudami oni jako lekarze nie przepadają, choć w sytuacjach tak skomplikowanych nie można wykluczyć takiej możliwości. Dominika zaczyna powoli rozumieć sens utraty, ale jeszcze nie wierzy do końca, że można ją przeżyć i nadal oddychać, widzieć niebo w białym prostokącie okna, ostatnie topolowe liście, ptaki, matkę w liliowym moherowym sweterku, czarną pielęgniarkę o niesamowicie wybujałych pośladkach. Nie umie już liczyć i nie czuje radości wyzwania, którą czuła kiedyś, gdy marzyła, że odkryje kolejną liczbę pierwszą; w miejscu tamtej Dominiki jest ktoś inny, nieznany. Jej pamięć wypełniają imiona i nazwy rzeczy, ale związki między nimi wydają się przypadkowe, płynne i pozbawione znaczenia. Trzeba to wszystko pozahaczać, przychodzi Dominice do głowy dziwna myśl, zebrać to wszystko i pozahaczać.

Drugiego dnia po przebudzeniu Dominika pyta wprost o babcię Zofię z Zalesia i Jadzia wybucha płaczem tak gwałtownym, że obserwująca je Sara zrywa się gotowa do pomocy, obejmuje plecy Jadzi ramieniem, a ta szlocha jeszcze głośniej, bo dotyk czarnej pielęgniarki uświadamia jej, jak dawno nikt jej nie przytulał. Nieśmiałe marzenie Jadzi, by wszystko zacząć od nowa z dzieckiem pozbawionym pamięci, rozpada się w nicość, Dominika pamięta wszystko, to dziecko zawsze fiksum-dyrdum. Pamięta, że miała poznać w Zalesiu u babci Zofii swojego dziadka, Ignacego Goldbauma z Ameryki, chciała po drodze ze stacji nazbierać malin w lesie i przynieść im na śniadanie. Mówi, maliny, te, które rosną obok krzyża, mówi, Pasadena, tak nazywa się miasto Ignacego, i pyta, co z nimi? Mamo? Gdy Dominika dowiaduje się o pożarze zaleskiego domu, pojawia się coś, co mogłoby wypełnić pustkę, gdyby podrosło, nabrało sił i koloru, ale pęka, zanim przybierze kształt. Dominika znów nie czuje nic, chociaż dom, który spłonął, zapamiętała w najdrobniejszych szczegółach, tak jak pamięta twarz babki Zofii, wątrobowe plamki, mokre oczy, uśmiech, rozpadające się w palcach wianki dla Matki Boskiej Zielnej wetknięte za święte obrazy, królicze skórki w szufladach, mysie gniazda, łyżeczkę postukującą o szklankę musztardówkę w domu pani Gorgólowej, sąsiadki, która zapraszała je na herbatę i tęczowiec, piękne wiejskie ciasto. Janek Kos, płacze Jadzia, od dziecka go znałam, grzyby nam przynosił, zalewajki pojadł pod orzechem, proszę, mówił, dziękuję, kto by pomyślał, że podpalacz, że wariat, a Dominika przypomina sobie prawie czarne georginie i martwą jak kamień twarz sąsiada, którą obserwowała ukryta pośród kwiatów. Nie czuje jednak ani tamtej niechęci i lęku, ani nienawiści, zaczyna rozumieć, że nie czuje też żalu, bo ma w środku swoje własne pogorzelisko. Patrzy na głowę matki, która zsunęła się z krzesła i klęczy oparta o jej łóżko. Widać ciemniejsze korzonki żółtych włosów, skóra między nimi jest szaroróżowa, żyłkowana jak mysi osesek. Zaschnięte krople lakieru posklejały się na kosmykach zbyt mocno podkręconych nad czołem, pachnie czymś czystym, strachliwym i smutnym, spod spodu przebija ledwo uchwytny, ale jednak – zapach spalonego mięsa. Gdyby ten Żyd nie przyjeżdżał, szlocha Jadzia, gdyby nie wyskoczył jak diabeł z pudełka, nic by się nie stało. Widział to kto, żeby tak nagle przyjeżdżać z Ameryki i wszystko wywracać do góry nogami! Zostałoby po staremu, nowe wcale nie musi być lepsze od starego, po co jej, Jadzi Chmurze, nowy ojciec na stare lata; dziękuję bardzo. Jednego miała, bohatera wojennego, zginął kwiatami jabłoni obsypany, gołą ręką esesmana przedtem zadusił i dwa owczarki niemieckie. A ten przyjechał nagle z Ameryki i wariactwo takie obudził w Janku Kosie, że spalił dom Zofii. Nie żyją? Upewnia się Dominika, chociaż właściwie zna odpowiedź. Matka podnosi na nią oczy i płacze jeszcze żałośniej.

Osierocone dzieci Ignacego z Ameryki chciały pomóc Jadzi, gdy dowiedziały się o wypadku Dominiki, ale nikt nikogo dobrze nie zrozumiał. Jadzia potrzebowała winnego i chwilę wahała się między księdzem Adasiem i Jankiem Kosem, ale traf chciał, że obaj byli poza jej zasięgiem; Adaś w Rzymie, z którego nie wrócił już na Piaskową Górę, Janek Kos, jak miała nadzieję, w piekle, bo powiesił się w celi zaraz po aresztowaniu, i niech się smaży na wieki wieków amen. Ignacy! Gdyby Ignacy nie przyjeżdżał, wariat nie spaliłby babki Zofii, bo bez powodu się nikogo nie pali, Polacy to nie żadni hitlerowcy, nawet wariat musi mieć powód, takie jest zdanie Jadzi Chmury. Córka kładzie dłoń na głowie matki, ale to nie wyraz współczucia, tylko mechaniczny gest, który pasuje do sytuacji. Jadzia jest przygotowana na rozpacz córki, ale nie na jej brak, więc płacze za dwie, bo właściwie dopiero teraz, gdy Dominika się obudziła, może opłakać to, co zdarzyło się wcześniej. Gdy matka wychodzi, Dominika podnosi do ust dłoń, najpierw przygląda się jej, długie palce o bladych paznokciach, ślady po igle na nadgarstkach, a potem wbija zęby w miękką część między kciukiem a placem wskazującym. Trwa chwilę, zanim poczuje ból, i dopiero wtedy zaczyna płakać, ale wygląda to tak, jakby płakały tylko jej oczy, jakby zapamiętały, co to łzy i kiedy powinny płynąć.

Pierwszą rzeczą, jakiej chce Dominika, jest ruch, to chcenie nie ma nazwy i jest zbyt słabe, by było pragnieniem życia, kiedy pojawia się wraz z bólem w jej nieruchomym od kilku tygodni ciele. Najpierw jest ugniatana, rozciągana i stawiana do pionu, a gdy okazuje się, że postawiona nie przewraca się, uczy się na nowo pierwszych kroków przy pomocy Sary. Jej ciało jest drżące i miękkie, jakby na ptasich kościach poowijano watę, a nie mięśnie, jednak gdy raz już wstała, nie chce wracać do pozycji horyzontalnej, zaciska zęby, aż jej czerwienieje blizna na policzku, czarna pielęgniarka podtrzymuje ją z wprawą. Dominika najpierw sunie przez korytarze białe jak Antarktyda pod ramię z Sarą, potem oparta na balkoniku – wysoka, chuda postać w szpitalnej koszuli, z głową jak czarna georginia. Podczas wizyt dołącza do niej matka. Już coraz dłuższe masz te włoski, cieszy się Jadzia, tak ładnie ci w dłuższych, dziewczęco, jak Trojanowska. Wszystko, czego dziś chcę, pamiętaj o tym, polecieć chcę, z ramion twych wprost do nieba, nuci Jadzia Chmura, której ta jedna piosenka Trojanowskiej wpadła w ucho. Tam i z powrotem, i jeszcze raz. Odsapnij, córcia, radzi, gdy po kolejnym tygodniu nie nadąża już za córką zaciętą w uporze, co matkę i cieszy, i złości, bo trudno opowiadać o planach na przyszłość, gdy się człowiek tak zasapie i spoci, że ledwo zipie. Gdy któregoś dnia Dominika przesadza i mdleje, w porę łapie ją Sara; nie szalej, spokojnie, take it easy, mówi, i odtąd nie pozwala jej chodzić dłużej niż przez dwie godziny. Wkrótce Dominika idzie już sama przez biel korytarzy i dodając kroki, na próżno szuka w tym mizernym liczeniu dawnej melodii, sens utraty rozlewa się w niej szarą falą. Gdy po dwóch tygodniach przewożą Dominikę do centrum rehabilitacji, potrafi sama przejść spory dystans i wszyscy są zachwyceni jej postępami w powrocie do zdrowia fizycznego; silna dziewczyna, brawo, poklepują ją po łopatkach wystających jak zalążki skrzydeł. Dominika chodzi, lekko powłócząc prawą nogą, która była złamana w dwóch miejscach, ale za to pływa w towarzystwie innych paralityków, jak nazywa ich Jadzia, tak jakby nigdy nie miała żadnego wypadku. Jadzia patrzy na córkę przez szybę oddzielającą ją od basenu i jest nieco zaniepokojona faktem, iż w tej samej wodzie zanurzają bardzo otyłego mężczyznę bez nóg. Czy aby wziął przedtem prysznic i nie nawnosi bakterii, które mogłyby zaatakować jej dziecko? Czy tak bez nóg da się aby samemu porządnie wymyć, co trzeba? Te małe wątpliwości pozwalają Jadzi ukryć większy niepokój. Zdrowie psychiczne Dominiki Chmury to dla lekarzy niewiadoma; jedni mówią o zahamowaniu reakcji emocjonalnych pod wpływem mechanicznego urazu, inni żywią nadzieję, że przyczyną wycofania Dominiki jest bariera językowa, jedni i drudzy liczą na zbawienne działanie czasu. Czas leczy rany, fuka niezadowolona Jadzia, to w Enerefie trzeba się na lekarza wyuczyć, żeby takie gówno wymyślić? Znajdują polskiego psychologa, który zgadza się porozmawiać z Dominiką, choć Jadzia umiera z niepokoju, gdy to słyszy. No tego jeszcze brakowało! Przecież moja córka nie jest jakąś wariatką, żeby wzywać psychiatryka! Wariatem to był Janek Kos, podpalacz, a ona nikogo nie podpaliła, ona nic nie jest winna. Wróci do Wałbrzycha, może z księdzem porozmawia, a nie będzie obcemu się zwierzać, co obcy może wiedzieć. Taki proboszcz Postronek to jest tęga głowa, tak zawsze ładnie w kościele mówi, mądrze, on jej coś poradzi na pewno na ten smutek. Jednak protesty Jadzi zostają zignorowane, na co zapewne ma wpływ również fakt, iż wyraża je po polsku, a gdy rozmówca w sposób oczywisty jej nie rozumie i nie ma w pobliżu Grażynki, Jadzia Chmura mówi po prostu głośno i wyraźnie. Moja córka nie jest wariatką, tyle to chyba każdy normalny człowiek może zrozumieć, Niemiec nie Niemiec. Psycholog jest mężczyzną w średnim wieku, niewielkim, okrągłym i różowym, nosi białą brodę, którą pielęgnuje starannie, bo wie, że bez niej nie wyglądałby na psychologa, jego wschodnioeuropejska twarz nie budziłaby zaufania, a ciężko sobie na nie musiał zapracować. Gdy zaraz po studiach przyszedł na rozmowę kwalifikacyjną, recepcjonistka, zmylona jego akcentem i poliestrowym sweterkiem w serek, myślała w pierwszej chwili, że chodzi mu o pracę hydraulika, którego w klinice akurat też brakowało. Od tej pory pracował nad wyglądem i językiem, teraz nawet Niemcy biorą go za Niemca, a w najgorszym razie za Austriaka. Czyta dużo amerykańskich książek i swobodnie łączy elementy najnowszych metod terapeutycznych z klasyczną psychoanalizą; wydaje mu się, że przy odpowiednim oświetleniu nawet trochę przypomina Freuda. Gdyby jeszcze jego twarz była odrobinę bardziej pociągła, ale trudno, człowiek musi sobie radzić z tym, co ma. Mówi pacjentom, z których większość to kobiety, o konieczności pozostawania w kontakcie ze swoimi emocjami, jakby emocje były krewnymi o dziwnych przyzwyczajeniach i niezdrowych nawykach, których trzeba odwiedzać, mimo iż są irytujący i śmierdzą im nogi. Pan psycholog umie słuchać, ma kilka wypróbowanych sposobów podpierania brody i daje mówiącym kojące poczucie, że zajmie się ich psychiką z taką samą wprawą, z jaką dentysta zajmuje się ich zębami, prawnik finansami, chirurg plastyczny twarzą i piersiami, a masażysta nieużywanymi mięśniami. Jego asystentka parzy ziołowe herbaty, niekiedy zapala kadzidełka, on w tym czasie zaleca pacjentkom odnalezienie i uwolnienie swojego wewnętrznego dziecka, jakby każda nosiła w sobie skamieniały płód powodujący od czasu do czasu bolesne skurcze duszy, a dzieciństwo, co za pomysł, było krainą szczęścia. To potrwa długo, ale poradzimy sobie, zachęca psycholog i przez kolejne lata pozwala pacjentkom o nerwowych twarzach i pokręconych życiorysach, by myliły go z najlepszym przyjacielem i powiernikiem, który ma wytrych do ich duszy. Gnają do niego po każdej kłótni z mężem czy sprzeczce w pracy i czują się coraz bardziej bezradne i uzależnione. Pyta je za każdym razem, i co wtedy czułaś? a gdy już zupełnie nie mogą żyć bez jego pytań, pracuje z nimi nad problemem przeniesienia. Pan psycholog ma pełne ręce roboty! Terapeutę interesują rodzice Dominiki i każe jej ułożyć konstelację rodzinną z miękkich poduszek w kolorze wątroby, a ona myśli o konstelacjach gwiezdnych i układa Wielki Wóz. Pyta ją, co teraz czujesz? a Dominika wylicza nazwy emocji: smutek, radość, podniecenie, rozżalenie, zakłopotanie, zagubienie, zacietrzewienie, euforię, ekstazę, tęsknotę, melancholię, poczucie odrzucenia oraz poczucie akceptacji. Dorzuca swędzenie, bo rzeczywiście swędzi ją biodro, tam gdzie niedawno zrosła się operacyjna blizna, i jest to uczucie najbardziej dojmujące. Na trzecim spotkaniu przestaje odpowiadać na pytania, bo żadne nie zbliża jej do odpowiedzi, których sama szuka. Obserwuje język terapeuty, sinoróżowy, obsceniczny pojawia się w szczelinie wypielęgnowanej brody zawsze, gdy wymawia samogłoski e i ę: e-mocje i języczek, b-ę-dzi-e-my pracować nad e-mocjami, języczek. Jakoś nie mogą się dalej z panem psychologiem posunąć, co Dominice jest obojętne, a jego denerwuje; taki przypadek mógłby opisać i może udałoby mu się to opublikować w prestiżowym amerykańskim periodyku, w którym odrzucono mu poprzedni tekst. Terapeuta mówi Dominice, że terapia potrwa długo, ale sobie poradzą. Poradzą sobie! Dominika ma problem, a jego źródła leżą głęboko w nieświadomości. Powinna najpierw odkryć i uwolnić swoje wewnętrzne dziecko, to im zajmie nie więcej niż dwa, góra trzy lata, raz w tygodniu godzinka, pięćdziesiąt marek. Dominika mówi Grażynce, że nie chce już rozmawiać z psychologiem, i posyłają go do diabła ku uldze Jadzi, która jednak odczuwa ją z innego powodu niż córka. Jak dobrze, że się pozbyłyśmy tego psychiatryka, cieszy się. Po co ma ci kto obcy, psychiatryk fiu-bździu, w głowie grzebać, mącić. Musisz odpocząć i pojeść, oto, czego ci trzeba, już ja cię podtuczę, Tadku Niejadku. Ciało Dominiki wymaga jeszcze specjalnej uwagi, urozmaiconej diety, masaży i ostrożności, bo ma w sobie parę metalowych płytek i śrub, którymi poskładano do kupy roztrzaskane biodro i kość udową. Konsylium orzeka, że pacjentka Chmura może już wrócić do domu, gdzie będzie ćwiczyła pod okiem Sary, doświadczonej rehabilitantki, za którą płaci Grażynka. Grażynka obejmuje ramieniem zmieszaną Jadzię i mówi, nic się nie martw o finanse, będziesz kiedyś miała, to się komuś innemu odwdzięczysz.

Teraz, gdy Dominika jest już prawie zdrowa, Jadzia siedzi w wielkim domu Grażynki jak na szpilkach. Niby taki cudowny ten Eneref, ale jakoś człowiekowi nieswojo, monologuje w bezsenne noce. Na Piaskowej Górze można chociaż na bazarek Manhattan się przelecieć, a w tym Mehrholtz żadnych sklepów, żadnego życia, wszyscy po chałupach swoich siedzą. Jak już pojadą z Grażynką na zakupy, to tyle tego, takie obce wszystko, że można się zupełnie pogubić; zamiast normalnego pedetu całe miasto pod dachem, sklep koło sklepu, wjeżdżasz schodami ruchomymi wyżej, znów sklepy, Matko Boska, głowa pęka. Albo te ich spożywczaki, w ogóle się Jadzi nie podobają. Człowiek chce sera kupić na ten przykład, najlepiej, żeby gouda, ostatecznie morski, a tu w gablocie serów ze sto, a wielkie jak młyńskie koła, na plasterki niekrojone, a sama w domu tak cienko nie ukroisz, żeby na chleb położyć. Zresztą tak po prawdzie, mówi Jadzia Dominice, to ten ich niemiecki chleb, ten ich Brot, do niczego się nie nadaje i nazywa się jakoś nie bardzo; Brot do chleba wcale, zdaniem Jadzi, nie pasuje. To ma być chleb? Polski chleb jaki ma zapach, a tu sama chemia, trociny bez smaku. I wyobraź sobie, że białego sera Niemcaszki w ogóle nie znają; to jak pierogi ruskie zrobić czy leniwe? Albo wędliny. Ta ich szynka, sucha, ciemna, a tak cienko kroją, że Paryż widać przez plaster. Nie to co nasza, różowa, z tłuszczykiem mięciutkim, z soczkiem; dziwi się Jadzia, po co tak cienko szynkę kroić, jak nie trzeba oszczędzać? Ser ma być cienko, szynka grubo! W związku z szynką niepokoi się jeszcze z jednego powodu; jej córka od przebudzenia nie chce wziąć do ust ani kawałka mięsa. Ani szyneczki, ani gotowanego kurczaczka, nie mówiąc już o paróweczkach, które w wersji niemieckiej też mniej odpowiadają Jadzi niż polskie, ale to zawsze mięso, samo zdrowie i siła. Powąchaj, jakie pyszne, podsuwa jej pod nos kęsy, powąchaj, a nabierzesz apetyciku, ale dziecko odwraca się tak samo jak przed osiemnastu laty odwracało się od jej piersi, co gorsze, zaczyna wymiotować. Nie będziesz miała siły, lamentuje Jadzia, przecież siła bierze się z mięsa, ale Dominika jest stanowcza. Jej ciało po prostu zamknęło się na wszystko, co kiedyś było zwierzęciem, i widzi w mięsie to, czym ono jest – martwe ciało, mięśnie, tłuszcz i krew innej istoty, która też miała oczy, język, serce. Przypalone ludzkie mięso, najstraszniejszy z zapachów, którego przecież nie znała przed wypadkiem, ale teraz wie, że pamięć o nim żyła gdzieś w niej, straszna jak płonące jeziorko topielicy-pajęczycy, w którym niemal utonęła. Gdy nikt nie widzi, wącha swoje dłonie, kolana, zagłębienia ramion i najchętniej nie wychodziłaby z basenu lub wanny pełnej aromatycznej piany. Grażynka kupuje Dominice na próbę tofu, a Jadzia dziabie palcem białą masę i pyta, takie wapno będziesz jadła? Będzie, miesza wapno z jakimś ciemnym sosem, który Jadzi przypomina z zapachu maggi, posypuje szczypiorkiem i nie kłóci się z matką jak kiedyś, chociaż ta próbuje ją sprowokować w nieświadomym przekonaniu, że dopiero porządna awantura z trzaskaniem drzwiami pozwoli jej naprawdę odzyskać swoje dziecko. Jest zazdrosna o rozmowy Dominiki z Grażynką, które zwykle koncentrują się wokół babci Haliny; czuje się z nich wykluczona i dziwi się, że można tyle gadać o jej teściowej. Paczki! Rozmawiają o paczkach, które Grażynka wysyłała z Enerefu Halinie, śmieją się, i Jadzia zdaje sobie sprawę, że teściowa miała swoje sekrety, życie jakieś własne poza niedzielnymi obiadkami, i że z nich dwóch to Jadzia była po śmierci Stefana bardziej samotna.

Jadzia zza firanki obserwuje, jak Dominika ćwiczy z Sarą w ogrodzie, oparta o pień, naprężone plecy i nogi, wygląda, jakby chciała przesunąć drzewo. Czy to na pewno jest zdrowe? A to co znowu? Dominika i Sara stają na jednej nodze jak bociany i wykonują dziwne, powolne ruchy, jakby skradały się, odpychały niewidzialnego przeciwnika, obejmowały ramionami kulę z powietrza. Czy to aby nie jaka sekta? Ta czarna to pewnie kocia wiara czy inne fiu-bździu, dziecku w głowie namąci, martwi się Jadzia, gdy Dominika i Sara siedzą na bujanej ławce i kołyszą się wśród opadłych liści. Chciałaby wiedzieć, o czym rozmawiają, a właściwie, o czym mówi Sara, bo Jadzia widzi ze swojego punktu obserwacyjnego za firanką, że Dominika głównie słucha. Objęła ramionami chude kolana i od czasu do czasu zwraca twarz w kierunku swojej towarzyszki. Jakie to oczyska żółte ma ta czarna, jak kot, jak wiedźma. Dupa jak szafa trzydrzwiowa, żadnej subtelności, i żeby w dżinsach z taką figurą, to naprawdę, kręci głową Jadzia. Chciałaby chronić swoje dziecko cudem wyrwane śmierci, ale ono znów jej się wymyka w jakimś dziwnym kierunku. Dlaczego to dziecko, nawet uszkodzone i osłabione, jest takie trudne do urobienia? Matka czuje, jakby wokół Dominiki było pole minowe, po którym niełatwo dotrzeć do celu bez utraty ręki lub nogi, jeden nieostrożny krok i nieszczęście gotowe. Gdy wieczorem piją herbatę, Jadzia pyta, co to czarne fiksum-dyrdum tak opowiada całymi godzinami? ale zaraz poprawia się, że wprawdzie fiksum-dyrdum, ale trzeba przyznać, bardzo pracowite i czyste, bo córka patrzy w taki sposób, że aż zimno jej się robi. Jednak nie następuje wybuch, który przed wypadkiem byłby pewny, żadnych krzyków i wyrzutów, żadnego a bo ty nic nie rozumiesz; Dominika tylko wzdycha i zdziwiłaby się, gdyby wiedziała, jak podobne jest jej westchnienie do matczynego. Sara opowiada mi różne historie, mówi Dominika, o swoim życiu, skąd tu się wzięła i w ogóle. I skąd się wzięła? Z Ameryki, z Nowego Jorku, z dzielnicy Brooklyn, mieszka tam jej babcia La-Teesha. Znów ta Ameryka, Jadzia ma wrażenie, że wszystko, co robi córka, każda osoba, którą spotyka, jakby jej na złość naznaczona jest obcością, która obcość córki potęguje. Czy naprawdę nie mogłaby raz, ten jedyny raz, zrobić matce przyjemności i zaprzyjaźnić się z kimś normalnym? Najpierw ni to Grek, ni to Cygan, potem ta Małgosia schłopiała i ksiądz na dokładkę, teraz Murzynka, Nowy Jork, drapacze chmur po sto pięter, że w głowie się kręci od samego myślenia. Jadzia pragnie, by Dominika zaprzyjaźniła się z jakąś miłą dziewczyną z Piaskowej Góry. Albo lepiej z chłopakiem o poważnych zamiarach i szerokich perspektywach, studentem prawa albo medycyny.

Jadzia Chmura coraz bardziej chce wracać do domu, na Piaskową Górę. Na tę okazję matka Dominiki ma kilka przysłów i mądrości, niekiedy sprzecznych, którymi okraszone są jej westchnienia pełne tęsknoty. Wszędzie dobrze, gdzie nas nie ma, nie ma jak w domu, mówi i wolałaby być na Piaskowej Górze, skąd Eneref wydawał się o wiele piękniejszy niż z bliska, chleb pachniał chlebem, a ona królowała w kuchni, łazience i dwóch pokojach niepodzielnie. Na pewno kwiaty jej zdechły, kurz pokrył bibeloty i kryształy, Matko Boska! Czy Krysia Śledź, której zostawiła klucze, aby nie myszkuje jej tam po szafkach, czy dba o paproć jak trzeba? Żeby nie przesuszyła, nie przelała! Niby porządna kobieta, ale bo to wiadomo? Złoto na czarną godzinę Jadzia ukryła pod zlewem, taśmą przylepiła za kolankiem, ale co, jak rura pęknie, mieszkanie zaleje i się wyda? Wrócą przed Wszystkimi Świętymi, unikną ruchu na drogach i zdążą świeczkę na wałbrzyskim cmentarzu zapalić za zmarłych, których im przybyło; zapada decyzja i wkrótce matka Chmura i córka Chmura pakują walizki, do których nie mieszczą się liczne prezenty od Grażynki i Hansa. Jadzia ogląda te wszystkie dobra, wycenia i pieczołowicie zawija w worki foliowe, Dominice i roboty wieloczynnościowe, i moherowe sweterki są zupełnie obojętne. Na kilka dni przed wyjazdem Grażynka daje jej jeszcze jeden prezent, aparat fotograficzny, który Hans przywiózł z Monachium. Dominika waży go w dłoni i po namyśle przykłada do oka; mierzy w kierunku pijącej kawę matki, wędruje okiem po jej twarzy, skupia uwagę na uszku filiżanki i odgiętym małym palcu, naciska guzik. Aparat fotograficzny staje się jedną z niewielu rzeczy po wypadku, jakie wzbudzają w niej coś na kształt ekscytacji; pstryka zdjęcie za zdjęciem, palce swoich stóp, ucho Jadzi, twarz Grażynki odbitą w okularach Hansa, miękką linię biodra Sary, fragmenty zwierząt łażących po domu, strukturę kory. Na żadnym ujęciu nie ma całej ludzkiej postaci, są dłonie, palec w uszku filiżanki w róże, usta i pomadka, świńskie oko, oko kocie, psie i wróble. Tylko Grażynka pozuje Dominice z przyjemnością, bo od czasu, gdy przed laty Ludek Borowic zrobił jej w Kamieńsku pierwszy portret, uwielbia sztukę zdejmowania wizerunków. W przeciwieństwie do Jadzi, która miota się po pokoju, większym niż jej całe wałbrzyskie M3, narzeka na ścisk i z nerwów co rusz łyka raphacholin. Nic nie może znaleźć, wszystko leci jej z rąk; przestań już tak pstrykać, strofuje córkę, jak ja wyjdę taka niezrobiona, upocona?

Z kieszeni letniej garsonki, w której Jadzia przez lipiec i sierpień czuwała nad łóżkiem śpiącej córki, wypada zawiniątko powiązane gumką recepturką, Dominika pstryka jedno zdziwione oko matki i jeden kącik jej zdziwionych ust. Jak mogła zapomnieć! Gdzie ona ma głowę? Jadzia wyjmuje z chusteczki pierścionek, złoto jest ciemne i nie lśni tak jak kupowane od Ruskich, mimo iż czyściła je pastą do zębów i polerowała flanelą, kamień, skrzący jak ogień, raz szmaragdowo, raz rubinowo, wydaje się Jadzi tak piękny, że pewnie nieprawdziwy; Dominika pstryka pierścionek na dłoni matki. Prawdziwy? nawet jak szkiełko, myśli Jadzia, oglądając klejnot pod światło, to sama oprawa pewnie sporo warta i można w razie czego dać do przetopienia albo spieniężyć. Dominika ściskała ten pierścionek w dłoni, gdy Małgosia i proboszcz Postronek znaleźli ją na brzegu jeziorka pajęczycy-topielicy. Że też w karetce jej nie świsnęli, to cud, dziwiła się Jadzia, gdy w szpitalu oddali jej pierścionek, którego nigdy przedtem nie widziała. Nawet chciała powiedzieć, a co to za pierścionek? chyba nie nasz, ale z drugiej strony wyjaśnić zawsze się zdąży, a jak dają złoto, to lepiej brać i się nie zastanawiać. Przyszło jej potem do głowy, że Dominika dostała klejnot od księdza Adasia. Bo jak nie od niego, to skąd? Chciała oddać pierścionek córce zaraz po przebudzeniu, bo jakoś wydawał jej się ważny, i dlatego nosiła przy sobie do szpitala, ale potem zapomniała w natłoku zdarzeń. Jadzia przymierza klejnot, ale wchodzi tylko na jej mały palec, i to nie dalej niż do drugiego stawu. Pewnie na jakiegoś chudzielca robiony; Dominika pstryka upierścieniony palec matki, w jej oczach odbija się zielonkawy blask. A skąd ty to, córcia, masz? Myślisz, że dużo warte? Tombak by ściemniał, więc chyba złoto? Dominika nie zaspokaja ciekawości matki. Na moment widoczny tylko dla matczynego oka nieruchomieje, ale zaraz zakłada pierścionek na środkowy palec lewej ręki i wzrusza ramionami. Chyba go znalazła, nie pamięta. Po twarzy Dominiki przebiega cień, który może, lecz nie musi, być błyskiem rozpoznania; pstryka pierścionek na swoim palcu i ku uldze Jadzi, chowa w końcu ten diabelny aparat.

Dzień wyjazdu z Mehrholtz jest mglisty i chłodny, niebo opuchłe od śniegu, który zaczyna padać, gdy wsiadają do samochodu. Grażynka odwozi je do Monachium, a Sara im towarzyszy, chociaż Jadzia wolałaby, żeby już nic nie zakłócało ich matczyno-córczanej diady. Pragnie już Dominikę oderwać od innych i mieć tylko dla siebie, no, córcia, jedziemy do domku, bo wszędzie dobrze, gdzie nas nie ma, ale w domu najlepiej! Na dworcu autobusowym Jadzia po raz pierwszy od dawna widzi innych Polaków; ładują do luków wypchane torby w kratę, ich twarze wydają jej się jednocześnie swojskie i odpychające. Sama nie wie, czy stać tak, żeby wyglądało, że jest po ich stronie, czy się dystansem odgrodzić, łowi uchem polskie słowa i krzywi się dramatycznie na każde kurwa i pierdolę. Patrz, córcia, ile to wiozą, szepcze Jadzia, nachapali się, dorobili na cudzej ziemi, to wiozą; ci nasi, wszędzie ich pełno, na dupie nie usiedzą. Przyciska do brzucha torebkę gestem kobiet, które zawsze się boją, że stracą, i denerwuje się, czy będą mogły zająć dobre miejsca, bo niby mają numerki na biletach, ale nigdy nic nie wiadomo. A nuż ktoś się wepcha? Ten, co tak przeklina, dupę bez kolejki wciśnie! Świat pełen jest cwaniaków, którzy tylko patrzą, jak kogoś takiego jak Jadzia Chmura naciąć, jak wyrolować; biednemu zawsze wiatr w oczy. Długa podróż przed nimi, czy Dominika nie będzie głodna, może by jeszcze coś przekąsiła, proponuje

Jadzia, ale tak naprawdę to ona czuje głód, który wmawia córce, bo od dłuższej chwili jej wzrok przyciąga budka z kebabem. Co za zapaszek! Pachnie mięskiem prawie po naszemu, chociaż ten, który obsługuje, to dzicz jakaś, czarny, włochaty, oczyska, że strach się bać. Ustawia się Jadzia Chmura od nawietrznej i węszy; to chyba nie wieprzowe? Może kurczaczek? Nie przekąsiłabyś? pyta córkę, która patrzy na nią tak, jakby dopiero teraz zauważyła, że jest na dworcu autobusowym w Monachium. Oczy Dominiki są ogromne, dwa jeziorka pajęczycy-topielicy, w których odbija się ogień, pobielałe kostki palców zaciskają się na uchwycie torby z prowiantem na drogę. Jadzia wie, że dzieje się coś złego, zanim jeszcze padną słowa. Jej córka robi krok w tył, tam gdzie stoi Sara, i mówi: Ja nie wracam do Polski, mamo.

## III

Pojadę z tobą, jeśli chcesz, Sara obejmuje dłońmi butelkę piwa; żółte włosy prześwietlone od tyłu słońcem okalają jak aureola jej trójkątną twarz, pojadę z tobą, nawet jeśli nie masz pojęcia, dokąd się wybierasz. Dominika już wie, że zapach, który wyprowadził ją ze snu i który zawsze towarzyszy Sarze, to paczuli; w słońcu rozpala się tak, że otacza Sarę niczym ciepła pulsująca chmurka. Dominika opiera się na łokciu i robi zdjęcie, na którym jest oko Sary, kawałek szklanki z piwem, słońce i pełne słońca żółte włosy; gdyby sfotografować paczuli, mówi, byłoby jak słońce, kora i złoto. Po wypadku zapachy są wyraźniejsze, inne zmysły nie nadążają jeszcze za powonieniem, ale Dominika próbuje do każdego zapachowego wrażenia dobrać obraz. Ma nadzieję, że w ten sposób na nowo pozahacza rozsypane elementy świata, zapach, obraz, znaczenie. Inaczej teraz widzi kolory; jakby każdy ukazywał jej się na tle bieli ze snu, wydestylowany i wyraźny, podszyty zapachem. Dominika ubiera się na czarno, szaro i biało, gdy widzi większą plamę czerwieni albo błękitu, bolą ją oczy.

Tak widzisz świat? pyta Sara, gdy ogląda zdjęcia, które Dominika robiła od rana; są na nich oczy, palce, włosy, uszy, ale żadna żywa istota, łącznie z nią, nie jest przedstawiona w całości. Tak, śmieje się Dominika, zobacz, przecież świat tak wygląda: okulary w złotych oprawkach, sari w kolorze fuksji, czerń burki odbita w szybie baru McDonald's. Tak wygląda Europa, odpowiada Sara i zatacza ręką krąg, w którym mieści się cała łąka w monachijskim parku; jesteśmy w Europie, Dominiko Chmuro, tu jest bardzo ciasno. To jeden wielki pieprznik, kocioł pełen nóg, oczu, paznokci i łokci, butów i toreb w kratę, drogich walizek, kościołów, twierdz i dworców, z nieba zamiast śniegu padają tu bilety kolejowe, autobusowe i samolotowe. Powiedz mi, jak ona pachnie, jak zdaniem Dominiki Chmury, polskiej imigrantki pochodzenia bardzo mieszanego, pachnie Europa? Dominika unosi głowę i węszy; trawa wokół Chińskiej Wieży pełna jest piknikujących ludzi, którzy piją piwo, jedzą kiełbaski, grillują, pocą się. Mięsem, które się przypaliło, tak pachnie Europa, Saro Jackson, mówi Dominika, ten zapach śnił mi się, gdy byłam w śpiączce, zapach spalonego mięsa, ciągle go czuję. Nim przesiąknięte jest wszystko, nie pomogą żadne diory i odświeżacze powietrza o zapachu morskiej bryzy, może Europa przestanie śmierdzieć gównem, ale nie spalonym mięsem. To nieładnie, marszczy nos Sara. Nieładnie, zgadza się Dominika, bardzo nieładnie; zamyka oczy, kładzie głowę na kolanach Sary i węszy, zapach spalonego mięsa jest podszewką wszystkich innych, najpiękniejszych nawet zapachów, czasem odpływa, zawsze wraca. Dym z grillowania płoży się, ciężki, wsiąka we włosy; to, co już gotowe do zjedzenia, miażdżone jest zębami tubylców, aż pryska sok. Jedzenie, na które ma się apetyt, a nie głód, o nie, głodu nie dopuszcza się do głosu na łące Europa; tu jedzenie służy przyjemności albo zastępuje to, czego mieć nie można. Meat, mówi Dominika po angielsku, i po polsku, mięso, Fleisch, dodaje po niemiecku. Najbardziej mięsne jest mięso po polsku, decyduje; powiedz mięso, powiedz po polsku, prosi Sarę. Źle! Mię-so, a nie minso. Zapach mięsa płynie z miejsc, gdzie piknikują starzy Europejczycy z dziada pradziada, rozpierają się na kocach; niektórym może się wydawać, że ta łąka powinna należeć tylko do nich, a także wszystkie inne łąki, i dlatego gdy jadą na wczasy do Egiptu czy Tunezji, raniutko zajmują sobie ręcznikami najlepsze leżaki przy morzu lub basenie, bo one im się należą. Inni muszą się dopiero nauczyć triku z ręcznikiem, wszyscy aspirujący do bycia Europejczykami muszą się jeszcze dużo nauczyć, nie ma lekko. Na łące pod Chińską Wieżą są wyspy zamieszkane przez smagłe rodziny, grupy albo pary, dla których ten kraj nie jest ojczyzną; Dominika wwąchuje się w obce zapachy płynące z ich strony. Kobiety w sari, kobiety w burkach, kobiety już przebrane po tutejszemu, tyle że w wersji uboższej, otwierają plastikowe pudełka z lunchem, pachnie z pudełek plastikowych ojczyzną kardamonu, cynamonu i chili, do której nie wrócą. Gdyby tak całą ojczyznę dało się zapakować do pudełka, przyprawić curry, sosem sojowym albo zataarem i nosić przy sobie! Matki w sari, matki w burkach, matki przebrane po tutejszemu wkładają kęsy do dziecięcych ust; te usteczka już wkrótce odwrócą się od smaków nieznanej ojczyzny, które kojarzyć im się będą głównie z odstawaniem od reszty. Jeśli uda im się nie odstawać za bardzo i nie będą zmuszeni do prowadzenia rodzinnego sklepiku albo poślubienia kuzyna, może kiedyś znajdą się na jednej z wysp studenckich, wielokolorowych, wielokulturowych. Jak tu miło! Tuż obok Dominiki i Sary tutejsi młodzi mężczyźni obejmują ramieniem ciemnowłose i ciemnookie dziewczyny, a tubylki o różowych policzkach rumienią się pod spojrzeniem smagłych kolegów o dziwnych imionach, które skraca się dla wygody. Te wyspy, węszy Dominika, pachną chipsami ziemniaczanymi i colą, tym dziwnym napojem o chemicznym posmaku, którego nie lubiła nawet wówczas, gdy cola była rarytasem przywożonym do Wałbrzycha przez górników pracujących na niemieckich kontraktach.

Pojadę z tobą, jeśli chcesz, powtarza Sara, albo ty pojedź ze mną, to wszystko jedno, skoro obie nie znamy celu. Na razie nie chce mi się pracować w szpitalach, wystarczy, że ciebie pomogłam poskładać do kupy, czas w drogę. Jest kilka osób, z którymi chcę się spotkać w Niemczech, a potem pojedziemy gdziekolwiek, w świat. Nie jesteś dla mnie ciężarem, tylko towarzyszką podróży. Naprawdę? Naprawdę! Ile razy mam ci powtarzać. O taką właśnie towarzyszkę podróży mi chodziło, o Polkę chudą jak bocian, lekko kulawą, nielegalną imigrantkę, małomówną i z paszportem, na który nikt nie chce dawać wizy. Żadna z nas nie zna kierunku, i tyle tylko wiem, Dominiko Chmuro, że obie oddalamy się od domu. Dominika patrzy na przyjaciółkę i myśli o podróży, której pragnienia w sobie szuka, ale to tak, jakby szukać jakiegoś drobiazgu w domu pełnym popakowanych pudeł, gotowych do przeprowadzki. Pamięta, że kiedyś chciała właśnie tego, bycia w drodze, zmieniających się pejzaży, ruchu obrazów za oknami pociągów, samolotów, zwłaszcza samolotów odrywających się od ziemi, od Piaskowej Góry, od Jadzi, samolotów mknących nad chmurami coraz dalej i dalej; czuje, że powinna iść tropem tego uczucia, po którym w ogóle został jakikolwiek ślad. Poszukamy pracy, ciągnie Sara, możemy jechać do córki Grażynki, Anieli, która ma cukiernię gdzieś koło Frankfurtu nad Menem; Grażynka mówiła, jedźcie koniecznie, Aniela się ucieszy, gdy byłam u was ostatnio. Cukiernia, czy to nie brzmi kusząco? Nie możesz do końca życia karmić świń na niemieckiej wsi. To jak? Sara leży na trawie i wygląda, jakby mówiła przez sen, w pełnym słońcu widać, że wcale nie jest taka czarna, jak ją widziała Jadzia; jej skóra ma ciepły odcień oliwnego drewna. Dominiko Chmuro, mówi, nie otwierając oczu, czuję, że na mnie patrzysz, wsłuchaj się w siebie, Dominiko Chmuro, czas odlecieć. Wiem, odpowiada Dominika, wiem, a teraz nie ruszaj się, zrobię zdjęcie motyla na twoim palcu u stopy.

Dominika nadal mieszka u Grażynki i pomaga jej w pracy; razem przygotowują jedzenie w rozgardiaszu i bałaganie, od którego Jadzię trafiał szlag. Dominika jest coraz silniejsza, wstaje o świcie i zasypia niedługo po zmroku wśród przygarniętych kotów i psów, w ciemności słyszy ich cichutkie sapanie i wie, że odtąd źle będzie się czuła w domach bez zwierząt. Lubi dotyk i zapach kociej sierści, miękkie brzuchy ufnie nadstawiane do głaskania i łapki ugniatające jej uda, gdy któryś szykuje się do snu. Do zwierząt żyjących w domu Grażynki ostatnio dołączyła papuga Franca; nie wiadomo, jaką drogę przebyła, zanim kierowana nieomylnym instynktem innych stworzeń, trafiła do państwa Kalthöfferów. Pewnego dnia po prostu wleciała przez okno, wylądowała na stole i powiedziała, vie de merde; wszyscy spojrzeli w kierunku otwartego okna i nikt się specjalnie nie zdziwił, tylko Hans przysunął bliżej siebie talerz z ulubioną golonką w kapuście, bo już nieraz się zdarzyło, że na chwilę odwrócił wzrok, a mięso znikało ściągnięte przez jakieś zwierzę. Papuga, czerwona i wielka jak kura, wyglądała na głodną, powtórzyła przekleństwo, podreptała od talerza do talerza, jakby zastanawiając się, co jest najsmaczniejsze, i wybrała sałatkę ziemniaczaną, w której zanurzyła dziób. Gdy pojadła, wrzasnęła, va te faire plumer! i pofrunęła na żyrandol, piękny, pełen kryształowych wisiorków jak krople wody, który Hans osobiście nabył w Monachium w czasach, gdy myślał, że miłość Grażynki trzeba karmić prezentami jak ogień w kominku drewnem. Vie de merde, powtórzyła papuga sennym głosem i natychmiast zasnęła spokojnie, a koty wpatrywały się w żyrandol i śledziły jego kołysanie się zogromniałymi oczami drapieżników. Grażynka i Dominika rozkleiły ogłoszenia pod kościołem i na tablicy w piekarni, achtung,

achtung, papuga barwy czerwonej, rozmiarów słusznych, przeklinająca w języku francuskim, przybłąkała się 25 maja 1990 roku do państwa Kalthöfferów, zamieszkałych w Mehrholtz przy ulicy takiej i takiej, czeka na właściciela, ale nikt się nie zgłosił. Grażynka ochrzciła więc papugę Francą, bo tak nazywano ją, franca, cholerna franca, franca puszczalska, stara franca i jeszcze gorzej, gdy mieszkała w Wałbrzychu; niech ktoś spróbuje wymówić to niezbyt ładne słowo z taką słodyczą, jak ona wymawia je teraz: Franca, chodź, malutka, na śniadanko! Franca upodobała sobie pokój Dominiki i spędza noce na różowym tremo, w którym można obejrzeć się ze wszystkich stron jednocześnie, odpowiednio ustawiając boczne lustra; w przeciwieństwie do Dominiki, która po wypadku unikała luster i ograniczała zabiegi kosmetyczne do wsmarowania w bliznę maści ze ślimaka, Franca wydawała się zainteresowana cudem lustrzanego wizerunku, być może brała go za swoją zaginioną siostrę.

Gdy Dominika budzi się, widzi Francę, która wita ją trzepotem skrzydeł i wrzeszczy, putin de vie! tak głośno, że urażone koty przeciągają się i wychodzą na poranny spacer; pokój tonie w różowawym świetle, wpadającym przez połyskliwe zasłony w kolorze wnętrza muszli. To najprawdziwszy sztuczny jedwab, mówiła z podziwem Jadzia, lejący, u nas się teraz takiego nie dostanie, za Gierka bywał, ale wystać się trzeba było pod sklepem Merino, aż nogi w dupę wchodziły. Dominika wstaje i podchodzi do okna, a Grażynka w legginsach w panterkę i turkusowym moherowym swetrze macha do niej z podwórka; niesie pełne wiadro do chlewni tak lekko, jakby była to wieczorowa torebka, na uszach ma słuchawki. Dni są spokojne i wypełnione krzątaniną, nie rozmawia się wiele, a jeśli już, mówi głównie Grażynka; to nie są opowieści, tylko kojący potok słów jak muzyka, ale nie można powiedzieć, że mówi o niczym, bo jest tak, jakby umiała dobierać słowa wyrażające samo życie. Dominika patrzy na twarz Grażynki ani młodą, ani starą, na ciało, które nawet melodia deszczu wprawia w taniec, a co dopiero ulubiona Abba czy Gloria Gaynor, i wie, że ta kobieta pozostanie w jej życiu nawet wtedy, gdy już trzeba będzie opuścić jej gościnny dom. Daleka droga przed tobą, wzdycha czasem Grażynka i głaszcze Dominikę po głowie. Zabiera ją niekiedy na swój wieczorny spacer do lasu, to dowód dużego zaufania, i wtedy milczą, bo jest to pora, do której pasuje milczenie; siedząc na kamieniu, patrzą na dryfujący w mroku dom i oddychają zapachem żywicy, czują, jak przepływa wokół nich czas. Podczas któregoś z tych spacerów Dominika ma wrażenie, jakby w jej wnętrzu coś zaskoczyło, jakby ruszył jeden z zatrzymanych mechanizmów i pragnienie podróży, o którym mówi Sara, stało się jej własnym.

Sara zna ten las. Trzy lata wcześniej znalazła ją tu Grażynka, która myślała, że na ścieżce duch stoi, bo skąd nagle czarna dziewczyna z żółtymi włosami, i nawet zaczęła przypominać sobie, co Ciocie Herbatki z Kamieńska, a co Halina Chmura z Wałbrzycha radziły robić w takiej sytuacji, bo w przeciwieństwie do nich przez całe życie miała kłopoty tylko z żywymi, i to zwykle mężczyznami. A tu nagle w ciemności stoi coś o drzewo oparte, dyszy, oczami świeci, na kobietę wygląda, a na duchy żeńskie Ciocie Herbatki mówiły duszne, to Grażynka dobrze pamięta. Wracały z wyprawy na bagna po borówki i jedna do drugiej mówiła, a ta duszna, co ją pod dębem widziałyśmy, to nasza z Kamieńska czy jakaś zamiejscowa? Grażynka nie wiedziała więc, duszna czy żywa, i nie znając lepszego sposobu na to, by zagadać do obcej, zapytała cudaka, czy może potrzebuje pomocy. Mam na imię Sara, Sara Jackson, odpowiedziała duszna lub żywa w obco brzmiącym, choć płynnym niemieckim; to sprawy nie rozwiązało, bo wiadomo, że duchy mogą przedstawiać się imionami ziemskimi, gdy jeszcze nie nadano im pozaziemskich, i mówić w dowolnym języku, nawet po łacinie czy japońsku. Czarna postać wytłumaczyła, że zobaczyła ścieżkę i chciała na przełaj dostać się na dworzec kolejowy w Mehrholtz, bo wybiera się do Monachium, ale chyba zabłądziła; Grażynka dostrzegła w półmroku zarys plecaka i wydało się już niemal pewne, że obca jest kobietą z krwi i kości, bo na cholerę duchowi osobowy do Monachium, który wlecze się jak żółw. A co się stało? Sara przyjechała do Mehrholtz tego samego dnia po południu i miała pracować u państwa Korn, gdzie głowa rodziny, Adolf Korn, z dnia na dzień tracił głowę z powodu alzheimera, ale odesłali ją natychmiast. Dlaczego? Wynikło nieporozumienie, bowiem państwo Korn w osobie starej pani Korn, jej syna i synowej, oraz starego pana Korna, za którego oni w pełni ręczą, iż podziela ich zdanie, spodziewali się czegoś innego, niż dostali w osobie Sary. Nie, referencje miała bardzo dobre, jest dyplomowaną pielęgniarką i rehabilitantką. To znaczy co? Białej się spodziewali! Myśleli, że będzie biała. Biała być miała! Biała? Biała. Nie chcieli, by mieszkała z nimi czarna. Gdyby dochodząca, to jeszcze, ale mieszkać? Powiedzieli, że nieporozumienie, straszne nieporozumienie, że oni wyraźnie mówili w agencji, czego im potrzeba, a nie dodali, że biała, bo to się samo przez się rozumie. Osobiście nie mają nic przeciw, ale swoje wiedzą i widzą, wystarczy, że telewizję się pogląda i wiadomo, co widać i co wiedzieć, ile wszędzie się Czarnych, Turków, Polaków namnożyło. Obecność Sary miałaby wpływ wprost fatalny na alzheimera, przez którego głowę traci głowa rodziny Korn w takim tempie, że niedługo zostanie na jego szyi pusta kulka obciągnięta szarą skórą, jak makówka, z której wysypał się mak. Gdyby taka czarna opiekunka co rano pana Korna budziła, myła, karmiła, wszystko by mu się na amen pomieszało, bo to byłby dla staruszka straszny szok. Mogłoby go to wpędzić do grobu, zanim sobie przypomni, gdzie ukrył te dwie stare ikony, co to jeszcze z wojny je miał i o których mówił, że cenne, a z latami cena ich wzrasta, więc niech trzymają ręce przy sobie, on w swoim czasie sam da wnukowi, będzie miał pamiątkę po dziadku. Wnuk już się na świat pcha i kopie od środka brzuch młodej Frau Korn; co jakiś czas prowadzą więc młodą panią Korn do łóżka starego Korna, by mu zademonstrowała brzuch z wnukiem, może sobie co przypomni w obliczu przyszłych pokoleń. Jednak stary ślini się i nic sobie nie przypomina; posiał gdzieś te ikony, cały dom przekopali, ogród zryli i nie znaleźli. Nie mają już do niego siły, do tego alzheimera, pieluch zmieniania, więc zgłosili do agencji, że pomocy potrzebują w osobie wykwalifikowanej pielęgniarki. No ale białej! Żadnych czarnych, żółtych czy Turczynek. Frau Korn widziała w telewizji, jak jedna turecka sprzątaczka niemieckiego staruszka na swoją wiarę przekabaciła, tak że rodziny się wyrzekł, powiedział im, raus, ja się będę z Turczynką moją heiraten. One tylko patrzą, te Turczynki! Gorsze niż Polki, bo przyjechały z daleka, nie takie robotne, i wieprzowiny podobno nie jedzą. Frau Korn rozmawiała potem z Frau Zorn, co też oglądała, że jak to tak, trzeba naprawdę sumienia nie mieć, żeby do cudzego chorego staruszka się zabierać. I on się potem z nią nawet ożenił, widziały w telewizji, z tą Turczynką czy Hinduską, ten staruszek podobny do starego Korna, a na ślubie mu jakiś naszyjnik z kwiatów założyli na szyję jak głupiemu, bo tak robią w Turcji czy u Hindusów. Przeżyli więc szok państwo Korn z Mehrholtz, gdy na progu zobaczyli Sarę Jackson. Frau Korn nie chciała ryzykować i chwyciła za telefon, krzyku było co niemiara, bo agencja kazała jej zapłacić Sarze za dojazd plus odszkodowanie, a nawet poprosili Sarę do telefonu, nie zważając na to, że to rodzina Kornów obciążona zostanie kosztami połączenia. Wszystko, co Frau Korn mówiła do Sary, miało formę prostych zdań w czasie teraźniejszym wypowiedzianych głośno i wyraźnie, jakby nie docierał do niej fakt, że dziewczyna odpowiada jej w płynnym niemieckim, i potem będzie opowiadać Frau Zorn, nie dość, że czarna, moja droga Frau Zorn, to jeszcze ani be, ani me, ani kukuryku. Sarze nie podobało się u państwa Korn, ale zostałaby, gdyby chcieli, bo nie miała dokąd wrócić i potrzebowała pracy. To był komunikat, na który Grażynka nastawiła swój wewnętrzny radar; znaleziona w lesie dziewczyna potrzebuje pomocy, a więc to jasne, że los zetknął je ze sobą nieprzypadkowo. Chodź ze mną, odpoczniesz, zjesz ciepłej zupy, a jutro się pomyśli, co dalej. Jutro przyszło i odeszło, a Sara została przez miesiąc, uczyła syna Grażynki, Daniela, jazdy na deskorolce, a ją przyrządzania aromatycznych potraw, które Hans zjadał z przyjemnością jak wszystko, co mu żona podawała.

Grażynka i Sara poczuły zew siostrzeństwa, mimo że urodziły się na dwóch różnych kontynentach i wbrew różnicy wieku; Sara miała dwadzieścia siedem lat, Grażynka lat swoich od dawna nie liczyła i dwa razy zmieniała datę urodzenia w dokumentach, ale z pewnością dźwigała na barkach więcej niż dwa razy tyle. Gdy Sara znalazła pracę w szpitalu w Monachium, nadal odwiedzała Grażynkę prawie co niedzielę, a pobyt Dominiki zbliżył je jeszcze bardziej; dopiero potem okaże się, że Sarze, podobnie jak Dominice, Grażynka tak naprawdę nie powiedziała o sobie nic i żadna z nich nie potrafiła odtworzyć historii jej życia ze sprzecznych i poplątanych fragmentów opowieści. Sara pamiętała, że Grażynka chyba pochodziła z Radomska, Dominika mogłaby prawie przysiąc, że nie z Radomska, tylko z Częstochowy; na resztę składały się niepołączone ze sobą wydarzenia, mężczyźni, którym czegoś brakowało, miasta, miasteczka i wioski, z których pewne wydawały się tylko Wałbrzych i Mehrholtz. Grażynka wiedziała, że z nich trzech tylko ona jest w miejscu, w którym powinna pozostać, przynajmniej przez jakiś czas, i liczyła się z tym, że czeka ją pożegnanie. Nie zdziwiła się, gdy w lipcu, podczas jednej z wielu burz, jakie tamtego roku nawiedziły Mehrholtz, Dominika powiedziała jej, że wyjeżdża z Sarą, odwiedzą po drodze jej córkę Anielę. Przyzwyczajona do tego, że odchodzili mężczyźni i dzieci, psie znajdy trafiały do domów, w których dostawały miskę na wyłączność, świnie zabierano do rzeźni, a koty znikały, by pojawić się znów bądź nie, Grażynka uważała utratę za tak samo konieczną część życia jak przyjemne niespodzianki. Właściwie to, że szczęście mija, a nie trwa, że ludzie raczej odchodzą, niż zostają, że na przykład wraca się do Napoleonówki z tańców w Gorzkowickiej remizie, a po Ciociach Herbatkach nie ma śladu, tylko zapach lawendy i parę błękitnych kropli likieru w kieliszku, i że życie po tym toczy się dalej, że dalej chce się tańczyć, kochać i oblizywać palce poklejone słodkim sokiem, było dla niej oczywiste. To o nich myślała, o Ciociach Herbatkach, gdy opuszczali ją mężczyźni lub sama wymykała się o świcie, by nigdy nie wrócić, gdy rozstawała się z przyjaciółkami, a tych nie było wiele. Ona potrzebuje miłości, a nie opieki, powiedziała Grażynka do Sary, gdy się żegnały na tym samym dworcu autobusowym, z którego parę miesięcy wcześniej odjechała do Polski zrozpaczona Jadzia Chmura. Wiedziała jednak, że Sarze nic nie musi tłumaczyć i słowa służyły tylko temu, by powstrzymać łzy, bo Grażynka nie lubiła łez i rozmazanego tuszu. Szepnęła więc, w ucho pachnące paczuli, ona potrzebuje miłości, matkuj jej w drodze, bo rozumiała, że Dominika jest nadal krucha i podatna na zniszczenie, mimo iż doszła do zdrowia szybciej, niż zapowiadali lekarze. Gdyby czas rzeczywisty płynął tak jak czas życia Grażynki, bez jutra i wczoraj, zabrałaby tę smutną, cichą dziewczynę do domu w miasteczku Kamieńsk, do Napoleonówki, gdzie przy starym stole siedziały Ciocie Herbatki i napełniały słoiki różaną konfiturą. Dominika mogłaby się tam schronić, tańczyć do melodii katarynki, łowić raki w Kamionce i chodzić z Grażynką do budki dróżnika Barnaby Midziaka, by słuchać jego bajania, ale niestety. No trudno, niestety, powiedziała Grażynka i gdy machała im, stojąc na peronie dworca, jej twarz była znów pogodna i spokojna. Sarze Grażynka mogła ufać, bo ktoś, kto nosi w sobie taką historię i żyje, ma moc ocalania innych. To właśnie opowieść Sary Jackson, w której przemocy jest tyle samo, co miłości, sprawiła, że Grażynka zobaczyła w niej siostrę.

Sara spędziła dzieciństwo na Brooklynie, w dzielnicy Bedford Stuyvesant, Bed-Stuy w skrócie, w domu z brązowej cegły, który stał w szeregu innych domów z brązowej cegły zamieszkanych przez czarnoskórych Amerykanów. Wychowywała ją kobieta marudna, silna i odważna, La-Teesha Jackson; połączenie zrzędzenia, odwagi i siły nadawało jej mowie rytm, przy którym wrażliwa na muzykę Sara od razu zaczynała się kiwać. Uwielbiała kąpać się z La-Teeshą i w oparach pieniącego płynu o zapachu pomarańczowym słuchała jej ponurych wywodów na temat życia w ogóle, a w szczególności na Bed-Stuy, gdzie La-Teesha spędziła całe życie. Wilgoć zamazywała kontury sprzętów, osiadała na sinawych ścianach łazienki, które przybierały szlachetny kolor morskiej zieleni. Baby, mówiła do niej babka zanurzona po piersi w pianie i punktowała każdą frazę, celując we wnuczkę mokrym palcem. Baby, nie mów mi, że Bed-Stuy się zmieni. Ooh, Bed-Stuy, ooh Bed-Stuy. Jesteśmy tu na życie całe udupieni. Się mądrzysz, ale nie zgadniesz, jakie są wyroki boskie. Baby, gdzie ci tam do boskich, jesteś czarnym podrostkiem. Ooh, Bed-Stuy, ooh Bed-Stuy, wzdychała i dolewała gorącej wody. Baby, jest tak, jak jest, to chyba tak być musi, a jak nie wierzysz, los cię do tego zmusi. Ooh, Bed-Stuy, ooh Bed-Stuy. Sara odziedziczyła po babce mocne duże dłonie i piękne pośladki, hipnotyzujące mężczyzn, bo gdy szła, w zgranym ruchu dwóch półkul było coś jednocześnie czułego i dzikiego, a przynajmniej tak myśleli ci, którzy umieli powiedzieć więcej niż ale dupa. Sara najmocniej zakręcone słoiki otwierała bez wysiłku, gdy miała dziesięć lat, a jako piętnastolatka wyrosła tak bujnie i hojnie, że każdy dzieciak i mężczyzna z Bedford Stuyvesant pragnął przytulić się do niej. Jej tułów pozostał szczupły, talia wąska, ale biodra Sary otwierały się poniżej jak kielich kwiatu, gigantyczny czarny tulipan pokryty delikatnym meszkiem. Bujne ciało Sary stawało się problemem tylko wtedy, gdy większość kobiet wokół była biała, co na początku zdarzało się nader rzadko, bo podobnie jak inne czarne dziewczynki nie miała wielu okazji do opuszczania swojej dzielnicy. Bed-Stuy było czarne, a jego mieszkańcy uważali, że w porównaniu z Harlemem są o wiele prawdziwsi i czarniejsi; Harlem, ich zdaniem, powoli schodził na psy, tu, na Bed-Stuy, toczyło się życie nieporównywalnie bardziej skomplikowane i trudne, godne uwiecznienia w słowach śpiewanych wokół ognisk rozpalanych w ciepłe noce na zapuszczonych podwórkach. Na początku XX wieku prababka Sary, Destinee, przybyła tu z Południa, by osiedlić się na Brooklynie, gdzie przez kolejne pięćdziesiąt pięć lat prowadziła sklepik ze starzyzną wciśnięty między pralnię i lombard; już wówczas los dzielnicy wydawał się przypieczętowany.

Sara zdążyła poznać swoją prababkę, półślepą i pokręconą artretyzmem jak chałka z żydowskiej piekarni; staruszka budziła w niej fascynację i czułość, bo u schyłku życia była tak mała i lekka, że bez trudu dawała się włożyć do wózka dla lalek i wozić po ulicy. Na starość miała jedną ekstrawagancję, upierała się, by niezależnie od pory roku nosić rękawiczki; bez rękawiczek nie pozwoliła ruszyć się z domu, w wózku czy bez wózka, i zaczynała tak przeklinać, że więdły uszy. Prababka Sary miała dłonie, które zdążyły swoje przeżyć, zanim Destinee skończyła dwadzieścia lat, najpierw ich wnętrze stwardniało od pracy na plantacji trzciny cukrowej w Luizjanie, potem brzegi poznaczyły różowe sznyty oparzeń, gdy z pola przeniesiono ją do domu, gdzie zajmowała się gotowaniem i prasowaniem, na koniec straciła końce dwóch palców lewej dłoni, gdy dla zabawy poszczuto ją psem. Sara od małego miała zamiłowanie do opiekowania się stworzeniami potrzebującymi opieki, a więc nakładała babce rękawiczki i woziła ją w wózku przykrytą kołderką w kwiatki; w porze lunchu karmiła ją malutkimi kęsami tostu z masłem orzechowym, przeżuwając go najpierw tak, jak to robiły matki podpatrzone w parku na Bed-Stuy. Prababka Destinee mieszkała z jedną ze swoich córek, głuchą ciotką o wiecznie zdziwionym wyrazie twarzy, i być może brak kontaktu ze współlokatorką, która, co by do niej powiedzieć, zawsze miała tę samą minę królika zaskoczonego w świetle samochodowych reflektorów, wynagradzała sobie niepowstrzymanym gadulstwem, gdy prawnuczka zabierała ją na przejażdżkę. Prababka Destinee miała żółte oczy i historię, którą opowiadała przez całe życie, najpierw dzieciom podczas niedzielnych podwieczorków, gdy piekła im słodkie ziemniaki z wanilią i cynamonem albo, gdy miała szczególnie dobry humor, odgrzewała ozór wołowy z obiadu, potem wnukom i prawnukom.

Gdy starość skurczyła Destinee do rozmiaru kabaczka i pozbawiła siły, historia, przeciwnie, nabrała mocy, jakby utwardziło ją i wygładziło ciągłe powtarzanie. Sarze trafiła się wersja najpełniejsza, jak gotowy do zerwania, ciężki od soku owoc.

Bohaterką tej opowieści była babka Destinee, aktorka z Europy, z Paryża, taka piękna, że sobie nie jesteście w stanie wyobrazić, a mówili na nią Wenus. Nie wiecie, kto to Wenus? Bogini, tłumoki, nieuki, kretynki z mysim gównem zamiast mózgu, Wenus to bogini z Europy, i po niej nazwali moją babkę. Występowała w Londynie, w Paryżu, w Moskwie nawet, bo sam ruski król listy, prezenty słał, że odmówić nie mogła, tłumaczyła Destinee. Włosy piękne, jakby właśnie wyszła z salonu fryzjerskiego, skóra niby czarna, ale jakby biała, gładka i delikatna jak koci brzuch. Cóż Wenus miała za suknie! Całe szafy pełne rękawiczek. Na każdy dzień tygodnia inna para i dzięki temu dłoni sobie nie zniszczyła. Szkarłatne, w kolorze indygo, żółte jak szafran. Złotobrązowe jak skórka pieczonego kurczaka. Zamszowe, z cętkowanej skórki leoparda, jedwabne, aksamitne, koronkowe, z wełny szetlandzkiej i egipskiej bawełny, z brokatu ręcznie wyszywanego złotem. Malowane w kwiaty, całe pejzaże na rękawiczkach, które poruszały się jak żywe, gdy zginała palce. A dłonie miała Wenus delikatne jak niemowlęca dupka, paznokietki jak u lalki wypolerowane na glanc, różowe, czyściutkie, zachwycała się Destinee i kazała Sarze pokazać ręce dla porównania. A jak Wenus tańczyła! Stroje do tańca najlepsze paryskie krawcowe jej szyły. Występowała na scenie, znała królów, Napoleonów różnych osobiście przyjmowała, mówiła Destinee do prawnuczki Sary, tak samo jak kilkadziesiąt lat wcześniej do swoich dzieci, potem wnuków i każdego, kto chciał jej słuchać, a przynajmniej nie przerywał. Rękawiczki! Coraz wymyślniejsze pojawiały się w opowieści Destinee, o wzorach dziwnie współczesnych, z metalowymi nitami jak te używane przez szczęśliwych posiadaczy motorów z Bed-Stuy, ze sztucznego jedwabiu, a nawet gumowe kuchenne, jakie kupić można było za grosze u Icka Kaca w American Values. Na co dzień praktyczna i przyziemna kobieta, która nie miała wielu okazji, by się od ziemi odrywać, bo zbyt była zajęta obowiązkami związanymi z przeżyciem i utrzymaniem przy życiu swoich młodych, Destinee zmieniała się nie do poznania, gdy zaczynała opowiadać o czarnej Wenus z Paryża, podróżującej ze swoim teatrem po całej Europie. Opowieść sprawiała, że staruszce prostowały się ramiona, a oczy żółte jak u kota świeciły jaśniej niż żarówka nad ich stołem; Sara patrzyła na Destinee w obawie, że babka nie wytrzyma tej energii, która rozpalała jej drobne ciałko, i na jej oczach spłonie od żaru opowieści. Podróże po Europie, aksamitne rękawiczki, żyrandole kryształowe, te słowa zapadały w Sarę jak ziarno i miał z nich wkrótce wyrosnąć las dziki jak amazońska dżungla. Żyrandole! W paryskim mieszkaniu Wenus, opowiadała Destinee, żyrandole były kryształowe, ogromne, wyglądały jak fontanny światła tryskające z sufitu, a czarna Wenus, gdy roztańczyła się tak, że brakowało miejsca na podłodze, hop, podskakiwała i dłońmi w rękawiczkach jedwabnych, brokatowych, ze skórki jagnięcej, piórami ozdobionych, hop, chwytała się żyrandola i rozhuśtywała go od ściany do ściany, od ściany do ściany; żyrandola uczepiona przelatywała nad głowami, nad dachami i nad morzami, tylko jej małe stópki było widać z dołu i koronkowe majtki. Zostawał po niej diamentowy pył na podłodze, a ludzie zgromadzeni na balu, sami książęta, księżniczki, Napoleony, brali go w palce, szeptali, cuda, cuda; szemrali, niemożliwe, patrzyli po sobie, nie dowierzając, że byli świadkami czegoś tak niezwykłego. A Wenus jak kometa z ogonem ognistym, jak śnieżna burza czarna, jak trąba powietrzna, jak łabędź leciała, i gdy ktoś podniósł głowę tej nocy, nigdy nie zapomniał jej widoku. Dokąd leciała? Jak to dokąd! Prababka Destinee kręciła głową z politowaniem, że tak prostej rzeczy Sara nie umie zgadnąć. Czarna Wenus żyrandola uczepiona wprost do Afryki leciała. Daleko, daleko, na południe od Paryża, na południe od Londynu, na południe od Nowego Jorku i na południe od wszystkiego, tam gdzie woda błękitna jest jak niebo, niebo jeszcze błękitniejsze od wody, a piasek, piasek na plaży, na której Wenus lądowała, wciąż trzymając się francuskiego żyrandola, tak biały, że trudno uwierzyć, by coś było zrobione z bieli tak doskonałej. Tam, mówiła Destinee, była prawdziwa ojczyzna czarnej Wenus, jej ciotki i wujowie, przyrodnie siostry i bracia, matka, ojciec i rodzeństwo w liczbie sztuk osiemnastu; gdy tylko ją zobaczyli, urządzili wielkie przyjęcie na plaży, czego tam nie było! Stosy owoców, jakich na Bed-Stuy nikt nigdy nie widział, prawdziwe owoce prosto z drzewa, opite słońcem, a do tego ogromne gary pełne pieczonych kurczaków, wołowych ozorów i słodkich ziemniaków z cynamonem i wanilią, które tak pachniały, że głodni ludzie budzili się na drugim końcu Afryki, przecierali oczy i węszyli, oblizując wargi. Czarna Wenus piła, jadła i opowiadała o życiu w Paryżu, pozwalała przymierzyć swoje rękawiczki, ale żadna z kobiet nie miała tak drobnych dłoni, by pasowały. Mówiłam, pytała Destinee, jakie miała rękawiczki? A Sara patrzyła na nią zogromniałymi żółtymi oczami, pragnąc, by prababka jeszcze raz opowiedziała o rękawiczkach, które pięknialy z opowieści na opowieść, zamieniały się w żywe stworzenia o pięciu nibynóżkach. Rękawiczki! Z atłasu w kolorze nieba, z guziczkami, z pawimi piórkami, które tak łaskotały czarną Wenus w nadgarstki, że ciągle chichotała. Z kryształkami, różyczkami, małymi cukrowymi perełkami, które można było obgryzać! W chwilach szczególnie dobrego humoru Destinee pokazywała tańczącą czarną Wenus, pląsając w dzikim rytmie, który skądś pamiętała jej dusza, a dzieci podbijały go rękoma i nogami, coraz szybciej, szybciej, by zobaczyć, jak szybko uda się babce zatańczyć, i nigdy ich nie zawiodła. Pod koniec życia Destinee mówiła już tylko o czarnej Wenus, swojej babce aktorce z Paryża, ale traciła pamięć, a może odzyskiwała inną, lepszą, i historia pełna była nagłych skoków, hop, na żyrandol, hop, między epokami i kontynentami, z Paryża, hop, do Londynu, i hop, na Bed-Stuy, a czasem, hop, staruszka zasypiała w połowie zdania z otwartymi ustami, z których sączyła się nitka śliny.

Najmłodsza prawnuczka Destinee, Sara, była osobą, której ta dziwna porwana historia wydawała się ciekawsza niż kino i chłonęła słowa jak gąbka, pytając, i co dalej, co dalej, prosząc, opowiedz, babciu, o czarnej Wenus, gdy nikt inny już nie traktował staruszki poważnie. W Paryżu, mówiła Destinee, życie miała Wenus zupełnie inne niż Murzynka z Brooklynu, a Sara smakowała frazę inne życie, jakby ssała kostkę kurczaka. Paryż to Paryż, są tam ulice wyłożone marmurami tak szerokie jak rzeka Hudson, z jednego brzegu drugi ledwie widać, jest park, w którym trwa nieustanny piknik, rozdają tam za darmo pieczone kurczaki i wołowe ozory, a dla dzieci pod dostatkiem jest słodkich ziemniaków, to piękne miejsce nazywa się Wschodni Przylądek. Wschodni Przylądek w Paryżu, powtarzała Sara i oblizywała się na sam dźwięk tej nazwy, a także dlatego, że po prostu lubiła jeść, zwłaszcza potrawy, o których opowiadała babka. Destinee, żywiąca się już tylko czarnymi nitkami lukrecji i przeżutymi tostami, solidniejszych pokarmów dostarczała sobie w opowieści i niezależnie od tego, w jakim znajdowała się momencie historii o czarnej Wenus, pojawiały się tam pieczone kurczaki i ozory wołowe, bo niedojadająca przez całe życie tak wyobrażała sobie niebo. Mlaskała, mówiąc o tym jedzeniu, na które tak rzadko było ją stać, i Sara odnosiła wrażenie, że jej prababka naprawdę odżywia się słowami, czasem w pokoju unosił się zapach przyrumienionej skórki kurczaka albo wanilii i cynamonu. Któregoś razu głodna Sara tak skupiła się na ozorze z opowieści babki, że przegapiłaby nowy wątek w historii Destinee, po której nie spodziewano się już nic nowego prócz śmierci. Wenus miała dziecko z francuskim królem, powiedziała babka i popatrzyła na wnuczkę oczami, które z upływem czasu zmętniały tak, jakby nalało się do nich mleka, nazywał się Napoleon, kochał ją jak żadną inną kobietę na świecie, ale przyznać trzeba, że niestety był mężczyzną żonatym.

Niedługo po tym zadziwiającym wyznaniu Destinee zmarła we śnie, a oprócz zapachu słodkich ziemniaków z wanilią i cynamonem, ostatniej potrawy, o której mówiła w tym życiu, została po niej skrzynka drewniana z ubogim dobytkiem, parę sukienek, trzy pary butów, Biblia, której nie mogła czytać, bo nigdy się nie nauczyła, ale którą zawsze nosiła ze sobą do kościoła; a w Biblii, między psalmem siódmym a ósmym, ulotka wielkości kartki ze szkolnego zeszytu, zgięta wpół. Odbity na niej był wizerunek czarnej kobiety, stojącej bokiem, ale lekko zwróconej ku patrzącemu. Dzięki temu jej łono jest zasłonięte, jednak można dostrzec dwie nagie piersi, kuliste jak połówki melona. Na szyi i wokół talii kobieta obwieszona jest sznurami koralików, z których zrobione są także ozdoby nad jej kolanami, na stopach ma dziwne buty przypominające męskie mokasyny. Prawą dłoń opiera na długiej żerdzi, szczupłe delikatne ramię wyciągnięte jest do przodu jakby w poszukiwaniu równowagi, przez lewy bark trzyma przewieszoną materię, a może skórę jakiegoś zwierzęcia, która zlewa się z tłem poznaczonym sinymi plamkami pleśni. Część twarzy czarnej kobiety przykrywa maska, a może to malunek, trudno stwierdzić jednoznacznie na podstawie zatartego obrazka. Jej usta są pełne i niemal okrągłe, jak pulchne, miękkie O, tkwi w nich papieros, a może cygaro czy fajka, nie wiadomo, pewny jest tylko dym, który unosi się szarą spiralą ku postrzępionej krawędzi kartki. Włosy kobieta ma bardzo krótkie, gęsto pokrywają jej czaszkę, ozdabia je opaska, a pęk paciorków jak fontanna wytryskuje z czubka jej głowy. Najbardziej rzucającym się w oczy szczegółem wyglądu kobiety są potężne pośladki wystające poniżej jej szczupłych pleców i wąskiej talii jak obła mięsista półeczka. Siedzi na niej amorek o policzkach, których jaskrawy róż nie uległ zniszczeniu, mimo iż prawie nie widać jego oczu i dłoni, i celuje z łuku prosto w patrzącego. Nad głową amorka unosi się dymek z napisem, Take care of yo, i nie wiadomo, o co dbałość zaleca mały urwis usadowiony na pośladkach półnagiej czarnej kobiety, bo dalej rozlała się brunatna plama, jakby zakrzepła tam kropla kawy albo krwi. Na dole obrazka zachował się napis, niewyraźny, ale wciąż możliwy do odczytania: Love and Beauty. Sartjee the Hottentot Wenus. Wenus z opowieści prababki Destinee, aktorka z Paryża! Mała Sara wpatrywała się w wizerunek kobiety i docierało do niej, że prababka nie kłamała, czarna Wenus istniała naprawdę, choć wyglądała nieco inaczej niż w opowieści Destinee. Czarna Wenus, kolekcjonerka rękawiczek, kochanka króla Napoleona, latająca na żyrandolu kryształowym, patrzyła na nią z obrazka przechowanego w Biblii prababki.

Sara, dziewczynka na progu kobiecości, uległa czarowi wizerunku i dzięki niemu po raz pierwszy zdała sobie sprawę z tego, jak wygląda; gdy w łazience przejrzała się w lustrze, zobaczyła w nim czarną Wenus, na której pośladkach też zmieściłby się już amorek, i to całkiem spory. Od tego dnia nie pozwalała swojej babce La-Teeshy spinać sobie włosów kolorowymi kulkami w osiem sterczących rożków, tylko ogoliła je na krótko maszynką dziadka, by wyglądać jak kobieta z obrazka. Przed zaśnięciem słuchała głosów dochodzących z ulicy i myślała o dalekich krajach, jedwabnych rękawiczkach, kryształowych żyrandolach, garnkach pełnych pieczonych słodkich ziemniaków na jakiejś plaży, o piasku tak białym, że przed jego blaskiem trzeba mrużyć oczy. Czasem śniła jej się czarna Wenus; patrzyła na Sarę oczami jak cytrynowe landrynki i nuciła w jakimś nieznanym języku, który składał się z cmoknięć i kląskania, i wydawał się jej niezwykle piękny. Sara powtarzała we śnie tajemnicze słowa i niektóre pamiętała po przebudzeniu, ale babka La-Teesha nie potrafiła jej powiedzieć, co znaczą, i na wszelki wypadek kazała zażyć aspirynę. Niekiedy sny Sary były piękne i miała wrażenie, że huśta się na żyrandolu, o którym opowiadała jej prababka; po przebudzeniu zwlekała z otwarciem oczu, by cud kołysania wysoko, ponad głowami, dachami, nadal trwał choć przez chwilę. Ale zdarzały się sny straszne, gdy Sarze wydawało się, że Wenus jest zamknięta w klatce; wyraźnie czuła jej gniew i przerażenie, słyszała głosy, krzyki i gwizdy, i po chwili widziała, że to ona jest uwięziona, naga, otoczona przez tłum gapiów. Ich twarze były różowosine jak surowe mięso kurczaka, policzki nabiegały krwią z podniecenia, języki wyskakiwały z ust, oblizywały wargi układające się do krzyku: potwór, monstrum, czarna dziwka. Czy ja wyglądam jak czarna dziwka? zapytała Sara rano babkę La-Teeshę, i najpierw dostała przez łeb, a potem dodatkową łyżkę tranu o smaku malinowym, który kupowały w American Values u Icka Kaca. La-Teesha widziała, że z wnuczką, którą wychowywała od maleńkości, dzieje się coś dziwnego, słyszała, jak jęczy przez sen, ale tłumaczyła sobie, że to śmierć Destinee tak ją zasmuciła, i zaparzała jej wieczorem rumianek na uspokojenie. Trudniej było jej zaakceptować nową fryzurę Sary, która w przeciwieństwie do koleżanek nie chciała ujarzmiać swojego afro i zaczynała wyglądać na Bed-Stuy jak odmieniec. Do tego sprawiała często wrażenie śniącej na jawie i wzdychała, ach, babciu, jak ja bym gdzieś pojechała, gdzieś daleko stąd! Gniewnym tonem powtarzała jej wtedy La-Teesha, baby, na Bed-Stuy jest twoje miejsce i nie szukaj winnych. Ooh, Bed-Stuy, ooh, Bed-Stuy. To chyba proste. Każda z nas jest czarna i winna, za to nie ma winnych wśród innych. Jesteś tu, gdzie jesteś, bo tu jest twoje miejsce, baby. Pójdziemy do zakładu Janet, uczesze cię jak trzeba, nie ma co się wyróżniać bardziej niż potrzeba. Na Bed-Stuy, ooh, Bed-Stuy, ooh, Bed-Stuy, wzdychała i groźnie celowała we wnuczkę palcem, ale Sara pierwszy raz chciała czegoś tak wyraźnie, a jej pragnieniem było upodobnienie się do czarnej Wenus z ilustracji odziedziczonej po prababce Destinee. Kręcone włosy i ciemna skóra były na Bed-Stuy powodem dumy i zgryzoty zmieszanych w różnych proporcjach, zależnie od okoliczności zewnętrznych i indywidualnego charakteru; w momencie, gdy jedna z ingrediencji zaczynała dominować, pojawiały się kłopoty, i dlatego La-Teesha załamywała ręce. W gabinetach kosmetycznych i fryzjerskich Bed-Stuy, takich jak salon piękności Janet, prowadzony przez przyjaciółkę La-Teeshy, od dawna oferowano zabiegi wybielające i rozjaśniające, a włosy prostowano, bo nikt nie chciał ich kręcić jeszcze bardziej. Dziewczynki w wieku Sary czekały na moment ukończenia szkoły, by móc pójść do fryzjera i poddać się bolesnemu i nierzadko niebezpiecznemu zabiegowi, który na Bed-Stuy był rytuałem przejścia. Na nic przydałaby się tu umiejętność Tadeusza Kruka z Kamieńska, który trwałą typu baranek potrafił nakręcić w szesnaście minut, z zegarkiem w ręce. Na Bed-Stuy w użyciu był płyn do prostowania, który wypalał dziury w politurze i niszczył paznokcie; gdy któraś kobieta mimo ostrzeżeń potrzymała go na głowie chwilę dłużej, włosy robiły jej się ciągliwe jak guma i wychodziły garściami, a skóra głowy łuszczyła się przez miesiąc i piekła.

Od śmierci Destinee i zmiany fryzury na taką, jaką miała czarna Wenus, Sara czuła się coraz bardziej osamotniona w Bed-Stuy. Na lekcjach nudziła się i rozmarzona wpatrywała w okno, ale miała dobre oceny, a nauka przychodziła jej łatwo; nie budziła jednak sympatii koleżanek, które jej zdolność do zapamiętywania bez trudu stolic nieznanych krajów i dorzeczy dalekich rzek brały za zarozumiałość. La-Teesha codziennie, z wyjątkiem niedziel, o piątej dwadzieścia jechała metrem na Manhattan, gdzie sprzątała biura między siedemdziesiątym siódmym a osiemdziesiątym trzecim piętrem Empire State Building. Pozostałe piętra były podzielone między kobiety podobne do niej, z tym, że Wonda z Portoryko, Natasza z Ukrainy, Wiesia z Polski i Regina z Czechosłowacji przyjechały do Ameryki mniej więcej z własnej woli, podczas gdy przodków La-Teeshy wyłapano, związano i wrzucono do ładowni statku. Przed wyjściem do pracy zostawiała wnuczce śniadanie do szkoły zawinięte w szary papier. Sara wracała po lekcjach do wciąż pustego mieszkania na dolnym poziomie jednego z brązowych domów, żyły tam we dwie z babką, nie licząc przypadkowych lokatorek i dziadka, który pojawiał się i znikał. Gdy brakowało im grosza, podnajmowały kobietom przybywającym na Bed-Stuy bóg wie skąd i mówiących najróżniejszymi odmianami angielskiego malutką i zawilgoconą sypialnię, a Sara każdą z nich nazywała ciocią i cieszyła się ich obecnością. Zawsze miały jakieś ciekawe i skomplikowane powody, by przybyć na Brooklyn z jedną walizką albo i bez bagażu; zawsze były to kobiety, bo o mężczyznach, niezależnie od rasy, babka La-Teesha miała jak najgorsze zdanie. To gamonie, muzycy z bożej łaski, sukinsyny, pasożyty, czekają na żarcie i oklaski. Sprzątam już od lat dwudziestu. Baby, wytęż wyobraźnię. Ruszysz się z Bed-Stuy za rzekę tylko do sprzątania. Wszystko zrobisz do połysku, ale nikt ci się nie kłania. Baby, wytęż wyobraźnię. Mówię fuck i nie powtórz tego w szkole. Mówię fuck i naprawdę to pierdolę, ooh, Bed-Stuy, ooh, Bed-Stuy. Sara kiwała się w rytm babcinych wywodów i proponowała, że posmaruje jej na noc plecy obolałe od schylania się przy myciu podłóg. Gdy La-Teesha odkryła, iż jedna z lokatorek, wysoka, potężnie zbudowana dziewczyna imieniem Jai-Vonna, ukradkiem goli się w łazience i ukrywa pod nieprzyzwoicie krótkimi spódniczkami męskie ciało, wyrzuciła ją na zbity pysk przy akompaniamencie rytmicznych przekleństw, mimo protestów zafascynowanej urodą lokatorki małej Sary. Jeszcze długo potem sam dźwięk imienia Jai-Vonna kojarzył się Sarze z czymś pięknym i zakazanym: Jai-Vonna w czerwonych butach za kolano i krótkim futerku o szalowym kołnierzu, Jai-Vonna z ustami pomalowanymi najczerwieńszą ze szminek – w wyobraźni Sary Jai-Vonna należała do świata podobnie tajemniczego i pociągającego, co świat czarnej Wenus. Czasem obie kobiety mieszały się w marzeniach i snach dziewczynki, zlewały w jedną potężną postać, jak bogini albo jej zmarła matka Shaunika, której nie poznała.

La-Teesha została babką w wieku trzydziestu paru lat, co nie wydawało się ani jej, ani sąsiadom niczym nadzwyczajnym, podobnie jak fakt, iż mężczyźni, którzy byli sprawcami jej wczesnego macierzyństwa i jeszcze wcześniejszego babcieństwa, pojawiali się w domu przy Nostrand Avenue sporadycznie i zwykle nic z tego nie wynikało prócz kolejnej ciąży lub awantury, podczas której przez okno wylatywały sprzęty, a niekiedy też zwierzęta domowe i ludzie. Po córce Shaunice La-Teesha urodziła jeszcze dwóch chłopców, którzy zmarli we wczesnym dzieciństwie na tę samą chorobę, stopniowo odbierającą im zdolność poruszania się, potem łykania pokarmów, a w końcu oddychania, i pod koniec życia łapali powietrze jak ryba wyrzucona na brzeg. Miejscowi lekarze nie mieli pojęcia, co to za przypadłość, a na lekarzy zamiejscowych nie było pieniędzy, i śmierć dwóch chłopców La-Teesha przyjęła z podobną godnością i rezygnacją jak wszystkie wcześniejsze nieszczęścia.

Swojego męża, który raz na jakiś czas wyłaniał się z niebytu, La-Teesha nazywała Johnny Torba Pełna Niespodzianek i wymawiała jego imię z taką intonacją, z jaką kobiety mówią o swoich nieznośnych dzieciach, by ukryć matczyną dumę, którą się czuje mimo braku jakichkolwiek powodów. Johnny! Stukał do drzwi zarośnięty i śmierdzący dymem spelunek, w których grał na saksofonie i przegrywał w karty to, co zarobił, i wołał, kobiety, mam dla was torbę pełną niespodzianek! a ona była zła na siebie, że podobnie jak jej córka, a potem wnuczka, nie może opanować podniecenia i radości. Otwierała mu drzwi ze srogą miną i w udawanej złości rzucała garnkami, przygotowując posiłek, a jej serce wyrywało się do tego wysokiego, przygarbionego mężczyzny o wyglądzie zbitego spaniela, który umiał przybierać na tę szczególną okazję. Pod groźbą śmierci nie przyznałaby się, że zapach tytoniu, skóry i torów kolejowych, zapach, który kojarzył się jej z miłością i utratą, uważała za najpiękniejszy na świecie. Twój dziadek Johnny! mówiła do Sary, baby, wytęż wyobraźnię. Mówię fuck you, Johnny, i nie powtórz tego w szkole. Mówię fuck i naprawdę go pierdolę, a Sara chichotała szczęśliwa, bo dla niej ten nieodpowiedzialny, pojawiający się i znikający co rusz dziadek oznaczał świat i kuszącą możliwość zniknięcia z Bed-Stuy, która być może pewnego dnia stanie się faktem. Jak przyrzekała sobie z dziecinną wiarą w cuda, ona nie ruszy stąd do sprzątania jak La-Teesha, o nie, ona będzie podróżować z pompą i klasą jak Czarna Wenus. Po kilku dniach, a najwyżej tygodniach Johnny Torba Pełna Niespodzianek znikał znowu i robił to dokładnie w tym momencie, gdy czujność La-Teeshy uśpiona została łóżkowymi igraszkami i rutyną kilkunastu wspólnych posiłków na tyle, że zostawiała na wierzchu portmonetkę albo, co gorsza, kopertę z wypłatą. Brała wówczas dodatkowe prace i wywieszała w sklepiku Icka Kaca ogłoszenie o pokoju do wynajęcia, przytulnym, co było kłamstwem, i tanim, co odpowiadało prawdzie, a jej surowość i zasznurowane usta były jak samonałożona kara za chwilową słabość.

W kuchni, najjaśniejszym i najcieplejszym pomieszczeniu, gdzie toczyło się życie babki i wnuczki, wisiały portrety zmarłych synów i córki La-Teeshy, Shauniki Jackson, w ramce przystrojonej sztucznymi kwiatami. Mała Sara z nabożeństwem ozdabiała portret matki i nieznanych dziecięcych wujów nowymi różami i amarylisami, które zmieniała z okazji urodzin i świąt; żegnała się zamaszyście, jak uczyła ją babka, i całowała przez szkło twarze zmarłych. Kwiaty do ozdoby portretów, podobnie jak wiele innych tanich rzeczy, plastikowych, podrabianych, niepełnowartościowych, można było kupić w sklepie American Values, należącym do polskiego Żyda Icka Kaca. La-Teeshy nie podobało się, że musi robić zakupy u obcego, zwłaszcza Żyda, komu na Bed-Stuy się podobało, ale nie mogła odmówić sobie przyjemności grzebania w stosach majtek, nylonowych halek i ogromnych biustonoszy o dziwnym zapachu chemii i stęchlizny, w pudłach pełnych szklanej biżuterii grzechoczącej jak kości, w naręczach jadowicie różowych róż i tulipanów z przyklejonymi na wieczność kroplami wody. Pójdziemy do Żyda po kwiatki dla mamusi, mówiła i brała wnuczkę za rękę, to były dobre chwile.

Portret matki Sary pochodził z magazynu „Ebony", z artykułu o osiągnięciach edukacyjnych dziewcząt z Brooklynu, tam zamieszczono fotografię siedemnastoletniej Shauniki Jackson z chmurną miną i rozchylonymi ustami, włosy okalały jej twarz jak czarna aureola, kości policzkowe były ostre i wysokie, a oczy żółte jak u kota. Zdążyła zagrać rólkę w amatorskim filmie reżysera z ich dzielnicy, który miał zrobić światową karierę, i zdobyła stypendium sportowe na stanowym uniwersytecie w Nowym Jorku, dzięki któremu miała wkrótce dokonać czegoś, co nie udało się jeszcze żadnej dziewczynie z jej ulicy – przerwać krąg biedy i wczesnego macierzyństwa. Shaunika była podobna do swojego ojca, Johnny'ego Torby Pełnej Niespodzianek, i dlatego trudno było ją poskromić, ale jej obecność przynosiła radość taką, jaką czuje się przed nadejściem Bożego Narodzenia. Chodziła ubrana w sukienki, które ledwie przykrywały jej biodra, i wbrew miejscowym zwyczajom nie prostowała włosów, mówiąc, że to już niemodne i że na Manhattanie nosi się afro. Latem 1963 roku Shaunika znalazła pracę w barze White Horse w Greenwich Village, gdzie czarne dziewczyny z Bed-Stuy nie zapuszczały się zbyt często. Zarabiała więcej niż jej matka na sprzątaniu i wyglądała na zadowoloną; La-Teesha podejrzewała, że maczał w tym palce jej ojciec, Johnny Torba Pełna Niespodzianek, który podobnie jak wielu innych muzyków z Bed-Stuy i Harlemu, znalazł dla siebie miejsce w tej gościnnej dzielnicy odmieńców różnej maści, żyjących w złudnym poczuciu braterstwa i rozprawiających o równości ras. Shaunika wracała na Bed-Stuy nad ranem, pachnąc słodkawym dymem i alkoholem zupełnie jak jej ojciec, a później nuciła melodie, które La-Teeshy wydawały się dzikie i straszne. Bredziła o kulcie pieniądza i wyjeździe na Wschód, gdzie jest prawdziwa duchowość, a La-Teesha stukała się w czoło. Kult pieniądza na Bed-Stuy? Wyjazd na Wschód? Tłumaczyła córce Shaunice tak, jak potem będzie tłumaczyła wnuczce Sarze, baby, jest tak, jak jest, to chyba tak być musi, a jak nie wierzysz, to los cię zmusi. Kult pieniądza niech uprawiają bogaci, bo im się to bardziej trochę opłaci. Baby, na Bed-Stuy jest twoje miejsce i nie szukaj winnych. To chyba proste. Każda z nas jest czarna i winna, za to nie ma winnych wśród innych. Ooh, Bed-Stuy, ooh, Bed-Stuy. Zdaniem La-Teeshy na wschodzie czy na zachodzie panowała dla czarnych taka sama bieda jak na Bed-Stuy, a najlepszym miejscem dla przeżyć duchowych był kościół w ich dzielnicy. Matka Shauniki modliła się, by z tego wszystkiego nie wynikło jakieś nieszczęście, a ponieważ niechciana ciąża była w życiu znanych jej kobiet raczej normą niż szczególnym okrucieństwem losu, najwyraźniej albo nie uwzględniła tego punktu w litanii wznoszonej do nieba, albo władcy niebiescy zignorowali ją tak samo, jak mieli w zwyczaju ci na ziemi.

Gdy Shaunika zaczęła tyć, La-Teesha westchnęła tylko, że jakoś to będzie, a kto wie, czy nie lepiej, niż gdyby miała studiować na uniwersytecie, gdzie czają się niebezpieczeństwa trudne nawet do wyobrażenia. Shaunika porzuciła college, a z baru w Village ją zwolnili, bo co to za barmanka z brzuchem, i zaczęła pracować w sklepiku na Nostrand Avenue, należącym do starego Murzyna. Właściwie odczuła ulgę podobną jak jej matka, bo tak naprawdę, mimo urody wielkiej i nieprzydatnej w czasie, gdy czarne modelki nie miały jeszcze szansy trafić na okładkę „Vogue'a" czy „Harper's Bazaar", czuła, że na Bed-Stuy jest jej dom, i nigdy nie miała potrzeby ucieczki, nie marzyła o dalekich podróżach. Stypendium sportowe zdobyła po prostu dlatego, że biegała najszybciej, ale nie stało się to jej pasją, nie interesowało jej dążenie do doskonałości i rywalizacja. Gdy po nocach spędzanych w ciemnym barze w Greenwich Village, gdzie spróbowała marihuany, wolnej miłości i LSD, które podobało jej się najbardziej, wracała na Brooklyn, swoje życie uważała za wypełnione i dobre; ziewała szeroko, pokazując idealnie równe, białe zęby. Shaunika wydawała się nieposkromiona; nieposkromiona, mówili, buńczuczna, bo jej uroda skłaniała ludzi do używania słów rzadko przydatnych na co dzień, ale naprawdę była po prostu niezdecydowana i nieprzewidywalna. Jedynym uczuciem, co do którego Shaunika nie miała żadnych wątpliwości, było pragnienie dziecka, pragnęła go gorąco od momentu, gdy odkryła, że jest w ciąży, jakby sama ciąża stała się odkryciem jej prawdziwej natury. Została matką, zanim jeszcze poczuła ruchy płodu i rosnący ciężar, który w sposób cichy i nieubłagany skazywał ją na reprodukcję losu, jaki był udziałem jej matki, babki i prababki. Ten ciężar sprawiał Shaunice radość tak doskonałą, że wszystko, co zdarzyło się wcześniej i co mogło zdarzyć się później, straciło znaczenie. Zaszła w ciążę podczas jednej z imprez, zaczynających się nad ranem po zamknięciu Białego Konia, a sprawcą był najprawdopodobniej pisarz imieniem Jack, o twarzy opalonej tropikalnym słońcem i wątrobie na wylot przeżartej alkoholem, którego młodzi ludzie w procesie transformacji między bitnikami i hippisami wielbili jak boga. Mówił Shaunice o wolnej miłości i porównywał ją do bogiń o nieznanych imionach i wielkiej mocy, a któregoś razu dał jej do żucia włóknisty kawałek rośliny i poczuła, jak odrywa się od ziemi, a zamiast ramion ma dwa zielone skrzydła, opalizujące jak pawi ogon. Wyfrunęła więc z Białego Konia, poszybowała nad dachami Village, śmignęła nad rzeką Hudson i wylądowała na materacu w Soho, gdzie pierwsi artyści zaczynali zajmować opuszczone budynki fabryczek. To był pierwszy i ostatni lot pięknej Shauniki Jackson z Bed-Stuy, która wkrótce osiadła na ziemi i miała już tam pozostać.

W ciąży zaczęła tyć, obżerała się orzechowymi ciasteczkami i aromatyzowaną watą cukrową, którą podjadała w sklepiku, nawijając na palec lepkie pasma słodyczy. Tycie sprawiało Shaunice przyjemność, jakby fakt, iż jej bezużyteczna wyjątkowość zaciera się i znika, a ona upodobnia się do kobiet z sąsiedztwa, utwierdzał ją w jakimś tajemniczym postanowieniu. W tym czasie

Shaunika zaczęła spotykać się z Demarco, chłopakiem z tej samej ulicy, który gotów był związać się z nią, choćby ciężarną z innym i utytą, nawet jeśli własny ojciec z tego powodu wyzywał go od pedałów i bab, co było straszną obelgą, i pod tym względem Bed-Stuy nie różnił się wcale od innych części Nowego Jorku i świata. Shaunika podobała się Demarco od momentu, gdy któregoś upalnego lata, krótko po zakończeniu roku szkolnego, zobaczył ją na huśtawce na szkolnym boisku. Z rozpalonego nieba spadła burza, jakby ktoś przeciął je nożem, a ona nie przestawała się huśtać; w rozpryskach wody rozpalały się małe tęcze. Shaunika zrzuciła białe lakierowane buciki i jej bose stopy o różowym podbiciu wydały się Demarco najpiękniejszym widokiem w życiu. Gdy ciężarna Shaunika wróciła na Bed-Stuy, Demarco chodził z Dedrą, chmurną dziewczyną o pięknych piersiach i zdecydowanym charakterze. Dedra przewodziła gangowi podobnie mrocznych dziewczyn, spędzających czas na przerabianiu słusznego gniewu na drobną i bezsensowną przemoc wobec słabszych oraz nienawiść wobec obcych, których wybierały mało oryginalnie, ale za to zgodnie z lokalną tradycją. Nienawidziły więc białych, szczególnie Żydów, którzy mieli w Bed-Stuy sklepy, nienawidziły nauczycieli, szczególnie białych nauczycielek, które najczęściej były Żydówkami, i białych policjantów, a szczególnie Irlandczyków, nienawidziły rządu, o którym mało wiedziały, i kobiet, które zabierają innym kobietom mężczyzn, a te znały z własnego doświadczenia lub opowieści przyjaciółek. Demarco porzucił Dedrę bez żalu i finezji, nie biorąc sobie specjalnie do serca przysięgi zemsty, jaką mu złożyła zaraz po tym, jak dostał od niej pięścią w nos. Od tej pory można go było zobaczyć przed domem La-Teeshy i Shauniki niemal zawsze, stał, palił papierosy, czyścił paznokcie końcem scyzoryka i z wprawą pluł na gołębie. Odprowadzał Shaunikę do sklepu, w którym pracowała, i czekał, gdy kończyła pracę, by z taką samą gorliwością towarzyszyć jej w krótkiej drodze do domu. Demarco przypominał La-Teeshy starego mopa, którym zmywała podłogę w biurach i toaletach Empire State Building, bo na końcu sylwetki chudej jak patyk wyrastał wiecheć dziwnych włosów, prawie prostych, sztywnych i gęstych, o kolorze smaru. Shaunika traktowała go z niedbałą obojętnością, pozwalała zabierać się na spacer, do wesołego miasteczka, na lody, do łóżka, w którym okazał się o wiele użyteczniejszy od pisarza imieniem Jack, choć nie miał równie ciekawych opowieści i nie porównywał jej do bogiń o pięknych imionach. La-Teesha nie miała najlepszego zdania o Demarco, ale przyjęła go z praktyczną otwartością kobiety, która całe życie musiała przebierać w rzeczach drugiego gatunku. Demarco deklarował chęć pomocy, a nawet ożenku z Shauniką, wspominając, iż jedno i drugie będzie możliwe, gdy tylko wypali wspaniały interes, który ma na oku; gdy interes okazywał się niewypałem, jego oko szybko namierzało kolejny. La-Teesha częstowała go więc smażonym ryżem i pieczonymi kurczakami przy niedzieli, mając nadzieję, że prędzej czy później interes uda się, a Demarco nie skończy przy tym w więzieniu. Latem 1964 roku Shaunika była gotowa do wydania na świat dziecka, dla którego nie bez trudu skompletowały z matką wyprawkę, kupując w sklepie Icka Kaca wiklinowy kosz, parę kompletów pieluch i nowe zasłonki. Ten jeden raz La-Teeshy udało się uchronić przez Johnnym Torbą Pełną Niespodzianek skromne oszczędności, ale i tak, znikając po raz kolejny, podwędził im nowe żelazko i – to już szczyt wszystkiego – butelkę płynu do prostowania włosów.

Z tego, co zauważyła La-Teesha, żaden czas nie był dla Murzynki dobry na rodzenie dzieci, ale myślała sobie, że jakoś to będzie, bo zawsze jakoś było, mimo iż bieda na Bed-Stuy rosła, nie pamiętała dnia bez strzelaniny, a w okolicy rzadko która matka nie straciła syna albo córki z powodu narkotyków. Pojawiały się ich straszne nowe odmiany, sprawiające, że krew zamieniała się w palący kwas, a kości miękły i gniły, zanim przychodziła śmierć, człowiek robił się w środku pusty jak wyjedzona skórka od kiełbasy. Którejś bezsennej nocy La-Teesha usłyszała brzęk szkła i pobiegła do kuchni, gdzie zobaczyła najpierw błysk noża, a potem chwiejącego się na nogach potężnego mężczyznę, który nim wymachiwał i zażądał pieniędzy. Panią Jackson, która nie mogła spać właśnie z powodu ich braku, tak niestosowność tego żądania oburzyła, że zaatakowała dwa razy większego od siebie intruza patelnią z resztkami fasoli i ryżu. Ooh, Bed-Stuy, westchnęła, gdy padł nieprzytomny na podłogę. Biali policjanci używali broni w czarnych dzielnicach, nawet wówczas gdy przestępca nie stawiał oporu, a często nie mieli żadnej pewności co do tego, że w ogóle popełnił jakieś wykroczenie. Po zmroku strach było wychodzić z domu. Gdy w połowie lipca biały policjant, Irlandczyk, zastrzelił w Yorkville piętnastoletniego czarnego ucznia Jamesa Powella, zamieszki najpierw ogarnęły Harlem, ale wkrótce dotarły na Bed-Stuy. Przekazywano sobie z ust do ust historię, która karmiła się gniewem i narastała jak sękacz. Podobno bawiących się pod szkołą chłopców policjant zaatakował bez żadnej prowokacji z ich strony; trzy strzały trafiły chłopca w serce, brzuch i oko. Trzy strzały! Strzelaj, zabij jeszcze jednego czarnucha, krzyczała jakaś dziewczyna i wkrótce był ich tłum, rzucali butelki, rwali chodnikowe płyty, gniew emanował z ich ciał i jak ciemna chmura gromadził się nad miastem. Narobiło się, westchnęła La-Teesha i zakopała w ogródku puszkę z kilkoma najcenniejszymi rzeczami, tak na wszelki wypadek. Cegły wpadały przez wybite okna do domów, których mieszkańcy siedzieli pod stołami albo w szafach, płonęły samochody, a sklepy były demolowane i okradane, zwłaszcza jeśli należały do Żydów, bo irlandzkich sklepów nie było pod ręką. Bunt w lipcu 1964 na Bed-Stuy był cichy, ta cisza przerywana strzałami, tupotem nóg, krzykiem, który milkł jak ucięty – to zapamiętała La-Teesha, straszną ciszę, która była pomiędzy.

Shaunika nie powinna była tego wieczoru wychodzić i zupełnie nie wiadomo, co ją podkusiło; ktoś ją wywabił, tego La-Teesha była pewna. Ubrana w czerwoną sukienkę, bez torebki, bez pieniędzy, poleciała. Tylko na chwilę, przejdę przez podwórza, kto by ruszył kobietę w ciąży. Gdy nie wróciła po godzinie, matka zaczęła się niepokoić, a kiedy Demarco, zdyszany i z zakrwawionym czołem, zastukał w okno kuchenne i zapytał, gdzie Shaunika? wpadła w histerię. Szukali jej przez kilka godzin wzdłuż Nostrand Avenue i w bocznych ulicach, w parku i u wszystkich znajomych, wołali Shaunika! i dawali się zwieść, gdy w ciemności jakaś postać wydała się do niej podobna. Nad ranem stracili czujność i wtedy wpadli na młodego białego policjanta, który krzyknął, by się zatrzymali i podnieśli ręce, byli o nie więcej niż dziesięć kroków od niego i w końcu mógłby się wykazać na służbie w dzielnicy, którą traktowano w nowojorskiej policji jak zesłanie. Zatrzymać się i podnieść ręce, to komenda, na którą Demarco miał reakcję we krwi, podobnie jak wszyscy, którzy wiedzą, że są uznani za winnych, zanim im się cokolwiek udowodni, a udowodni im się, gdy się zatrzymają i podniosą ręce; krzyknął więc do La-Teeshy, uciekaj, mamuśka! Ruszyli ulicą wzdłuż domów z brązowej cegły, pod ciemnymi oknami, potem przez podwórza i małe ogródki, w których suszyła się bielizna, wśród komórek pełnych nie wiadomo czego i psich bud. La-Teesha wiedziała, że dłużej nie jest w stanie biec; wtedy padł pierwszy strzał i zmobilizowała się do dalszego wysiłku. Mimo iż była silną kobietą i potrafiła tak wyżąć pościel w rękach, że nie zostawała ani kropla wilgoci, to stanowczo nie stworzono jej do biegu; biegła z nogami złączonymi w kolanach, kołysząc się z boku na bok i podtrzymując biust. Chciała powiedzieć Demarco, by uciekał bez niej, już ona sobie jakoś poradzi, ale nie mogła wydusić ani słowa; znów padł strzał i pocisk przeleciał tuż koło policzka La-Teeshy w parzącym podmuchu powietrza, potknęła się i wtedy zobaczyła, że wejście na zaplecze American Values jest uchylone, a Icek Kac daje im znak. Wchodźcie! Drzwi zatrzasnęły się w porę, zgrzyt zasuwy, usłyszeli, jak tuż obok przebiega pościg i milknie w oddali.

W pozbawionym okien magazynie paliła się jedna mrugająca świetlówka, której blask padał na naręcza sztucznych kwiatów, stosy plastikowych owoców, pandemonium lalek o lśniących oczkach i blond włosach, którymi lubiły bawić się dziewczynki z Bed-Stuy. Ściany kanciapy, która służyła jako magazyn, ale najwidoczniej była też pokojem, bo stała tu kanapa, krzesło i stolik, obklejone były zdjęciami, jedno przy drugim, setki zdjęć, jedno przy drugim od podłogi do sufitu. Patrzyli na siebie przez chwilę bez słowa, aż Icek powiedział, rozgośćcie się, sąsiedzi; La-Teesha wtedy po raz pierwszy przyjrzała się jego twarzy w kolorze papieru do pakowania i smutnym brązowawym oczom, pomyślała, że pamiętała go zupełnie innego, podobnego do Żydów z karykatur, w czarnych chałatach, z wielkimi nosami. Nocni goście usiedli na kanapie, a Icek zaparzył na gazowym palniku kawę mocną jak smoła; La-Teesha piła ją małymi łyczkami, czując, jak płyn rozjaśnia jej myśli i pamięć, a Demarco, od zawsze cierpiący na niemożność skupienia uwagi na czymkolwiek dłużej niż przez chwilę, co było przyczyną jego szkolnej udręki i nieudanych interesów, po pierwszej filiżance zasnął z głową opuszczoną między kolana podwiniętych nóg. Icek Kac był jedyną osobą, która wtedy mówiła, w tę noc przemocy chciał opowiedzieć inną historię, jakby historia jego ocalenia mogła przeważyć na dobrą stronę szalę tego złego, co działo się właśnie na ulicach Bed-Stuy.

W Kamieńsku, mówił Icek Kac, najważniejsza była ulica Prosta, wybrukowana kocimi łbami; wzdłuż stały parterowe domy w dwóch szeregach, ciasno przylegając do siebie ramionami, z tyłu były ogródki warzywne. Ani La-Teesha, ani Demarco nigdy przedtem nie słyszeli o miasteczku Kamieńsk, gdzie rodzice Icka Kaca, Herszel i Gołde, mieli sklep żelazny. Naprzeciwko była cukiernia Mateusza Suligi, który uczył go boksu na szkolnym boisku i zawsze miał umączone włosy; takich rogalików z różą, takich napoleonek nigdzie potem Icek nie jadł, jak w tej małej cukierni w Kamieńsku. Po lewej stronie cukierni, mówił Kac, był zakład fotograficzny Ludka Borowica i jako mały chłopiec często stawał przed witryną, patrząc na wystawione zdjęcia ślubne, ze chrztu, z bar micwy, zrobione na okoliczność podarowania ukochanemu, ukochanej, wysłania za granicę do narzeczonego, narzeczonej, na zwykłe zdjęcia legitymacyjne. Icek nie wiedział, czemu doznawał przed wystawą fotografa Ludka Borowica uczucia takiego smutku, że nie mógł powstrzymać łez, jakby z wizerunków mieszkańców Kamieńska, Kocierzowej i Gorzkowic sączyła się jakaś straszna wiedza, której nie potrafił ująć w słowa albo na którą słów nie było. Małego Icka Kaca przerażała nieruchomość zdjęć, mających w intencji fotografowanych zatrzymywać życie, a jedynym sposobem na to jest unieruchomienie, a więc śmierć. Tak wtedy myślał. Stał tam i patrzył na bezruch i trwanie twarzy poważnych, ułożonych w wymuszony uśmiech, na uróżowane usta kobiet, dłonie mężczyzn oparte na poręczach foteli, ozdobnych główkach lasek, na dzieci w białych becikach, w zbyt poważnych odświętnych ubrankach, o oczach lśniących jak szklane kulki, i wydawało mu się niemożliwe, że po takim znieruchomieniu mogło nadal toczyć się życie – że zetkną się wargi oddalone w uśmiechu, opadnie na czoło odgarnięty lok, dłonie uderzą w kolana, że, uch, nareszcie koniec tego pozowania, zwiędną kwiaty uwiecznione w kryształowym wazonie, a Ciocie Herbatki i ich Grażynka, najpiękniejsza dziewczynka w miasteczku Kamieńsk, wstaną z huśtawki i powiedzą, dziękuję bardzo, panie Ludku, za zdjęcie, do widzenia. Icek Kac pamięta dobrze kolejność fotografii w witrynie ostatniej jesieni, jaką spędził w Kamieńsku; od lewej stało zdjęcie Marka Słowika z krową, zwyciężczynią konkursu rolniczego, potem ślubne Mateusza Suligi z Beatą Suligą z domu Kopeć, obok zaraz Fabrykant Antoni Mopsiński z małżonką Józefiną o nieobecnym wyrazie twarzy, z synem Napciem w marynarskim ubranku, następnie Aurelia Borowiecka, nauczycielka muzyki w otoczeniu swoich kilkunastu uczniów polskich i żydowskich, dróżnik Barnaba Midziak bez zbędnych upiększeń zdjęty do dokumentu, Franciszka Pyłek podobnie, i dalej Ciocie Herbatki z Grażynką na ławce-huśtawce, sama Grażynka, najpiękniejsza dziewczynka, jaką w życiu widział, ale to już chyba mówił, raz nawet się pobił o nią z Napciem Mopsińskim; a więc Grażynka w sukience tak białej i puchatej jak beza, a w końcu cała rodzina Kac oprócz niego, Icka Kaca, syna trzeciego z kolei, bo celowo zapodział się tego dnia, gdy jego rodzina zrobiła sobie zdjęcie, pierwsze i ostatnie w zakładzie Ludka Borowica. Gdy patrzył na fotografię swojej rodziny, uczucie osamotnienia, które czuł zawsze, potęgowało się, bo miał przed oczami namacalny dowód, że oni wszyscy są tam, a on tu. Fakt, iż Icek był dzieckiem środkowym, sprawiał, że łatwiej było mu ujść rodzicielskiej uwadze; dzięki temu częściej niż starsi bracia wywijał się od kary, ale niestety częściej omijały go też nagrody, których przydzielanie rodzice zaczynali od najmłodszej córki lub od najstarszego syna. Gdy Icek Kac stał przed witryną zakładu Ludka Borowica i patrzył na swoich bliskich, doznawał dziwnego uczucia, że ich nieruchomy wizerunek jest prawdziwszy od rzeczywistości. Ojciec Icka, małomówny chudy mężczyzna o wielkich oczach, matka ze znamieniem w kształcie kwiatu wiśni na policzku, bracia i mała siostra z rączką wyciągniętą w kierunku obiektywu budzili w nim tęsknotę, jakiej nigdy przedtem nie zaznał i o której wiedział, że nigdy jej nie ukoi. Wystarczyło odwrócić się, przebiec ulicę Prostą i zobaczyć żywego ojca za ladą sklepu żelaznego, żywą matkę siekającą wątróbkę tak szybkimi ruchami, że zacierał się kształt dłoni i tylko ostrze noża lśniło w kuchni, po której w poszukiwaniu czegoś słodkiego kręcili się jego bracia i siostra. A jednak Icek stał przed rodzinną fotografią, na której go nie było, i opłakiwał rodzinę, choć miał ją dopiero utracić.

Gdy rodzinę Kac i wszystkie inne żydowskie rodziny wywieźli do getta w Radomsku, Icek był jednym z nielicznych, którym udało się uciec. Trzy tygodnie przesiedział w lesie na skraju bagien, gdzie co kilka dni jedzenie przynosił mu Mateusz Suliga. Znał ten las między Kleszczową a Gorzkowicami jak własną kieszeń, wiklinowe zarośla, olszyny i wysoką trawę poprzerastaną nitkami wody, wiedział, że najlepszy pies traci tu ślad, a po zmierzchu zapalają się ogniki umarłych. Bez strachu zapuszczały się tu tylko Ciocie Herbatki. Jednak teraz las był inny i Icek zdawał sobie sprawę, że jego los zależy od czegoś o wiele potężniejszego niż on sam. Spał w dzień, a nocą leżał w trawie i czuł, jakby las był wielkim dobrym zwierzęciem o wilgotnej sierści; wtulał w nią twarz i mocno wciągał powietrze, przylegał całym ciałem do podłoża, jakby chciał w nie wniknąć. Nie myślał o rodzicach, braciach i siostrze takich, jakimi ich widział ostatni raz, matkę ze znamieniem w kształcie kwiatu wiśni, siostrę z ustami ułożonymi w podkówkę jak zawsze, gdy próbowała pokazać, że jest już duża, i powstrzymać płacz, ojca, który szepnął, uciekaj, synku. Żadne siedmioro, sześcioro dzieci ma, przysięgała matka Kac, a na dowód pomyłki pokazała to samo zdjęcie, które stało w witrynie zakładu, proszę bardzo, fotografia nie kłamie, oto jej pięciu synów i córka, oto ona i jej mąż oraz walizka spakowana jak należy. Ukryty w lesie Icek Kac myślał o fotografiach w witrynie zakładu Ludka Borowica, powoli przypominał sobie każdą bliską osobę, w co była ubrana, jak trzymała dłonie, jak światło padało na jej twarz, uwieczniając uśmiech lub brak uśmiechu, a gdy doszedł do końca, zaczynał jeszcze raz, aż słońce wschodziło nad bagnami i budziło go do życia. Icek Kac nigdy więcej nie zobaczył ani rodziców, ani rodzeństwa; wszyscy zginęli w Treblince, gdzie wywożono Żydów z getta w Radomsku.

Być może fakt, iż Icek był środkowy, sprawił, że niebudzące wątpliwości cechy semickie rodziców i rodzeństwa w nim były rozmyte, wyrośnięty ponad swój wiek chłopiec o odstających uszach, włosach ani ciemnych, ani jasnych i oczach w kolorze suchych sosnowych szyszek nie miał złego wyglądu w tych czasach, gdy wygląd znaczył śmierć lub życie. Mateusz Suliga wywiózł go do Częstochowy, gdzie w sierocińcu prowadzonym przez Siostry Adoratorki Krwi Chrystusa Icek został pomocnikiem ogrodnika i razem z ubraniem roboczym i starą czapką z daszkiem otrzymał imię Jaś; tam po raz kolejny spotkał Grażynkę. Grażynka, powiedział Icek Kac, ale La-Teesha nie znała takiego imienia, więc przeliterował

Grażynkę powoli, z namaszczeniem i nawet Demarco obudził się na chwilę, czując, że dzieje się coś ważnego, gdy La-Teesha szturchnęła go w bok. Grażynka, powtórzyła La-Teesha, najlepiej jak umiała, Grażynka, powtórzył za nią raz jeszcze zaspany Demarco, bo czuli, że tak należy się zachować w tę dziwną noc i że wypowiedzenie tego imienia jest wszystkim, czego Icek Kac, właściciel sklepiku American Values, od nich oczekuje w zamian za schronienie. Grażynka mówiła, że ma dwanaście lat, opowiadał dalej Icek Kac, ale wyglądała na więcej. Przychodziła do ogrodu sierocińca i zrywała truskawki, jesienne truskawki, małe i prawie czarne, najsłodsze; miała szarą sukienkę jak inne dziewczynki, choć dla niego inne dziewczynki nie istniały, i słomiany kapelusik z niebieską wstążką w groszki, patrzyła na niego spod wystrzępionego ronda i wkładała truskawki do ust. Icek był gotów zrobić dla niej wszystko. Gdy siostra Bernadeta złapała ich w szopie na narzędzia, Icek musiał odejść z sierocińca Sióstr Adoratorek Krwi Chrystusa, bo przyjęto go tam do pracy, a więc jako dorosłego, a nie dziecko. Grażynka na pożegnanie dała mu prezent, wybiegła za nim na ulicę, chociaż furtianka Genowefa darła się jak stare prześcieradło, rany boskie, wracaj, cholero! Powiedziała, żeby sprzedał, zamienił na jedzenie, zrobił, co zechce, z nocnikiem Napoleona, jemu bardziej się przyda, bo rusza w drogę, a po nią niedługo przyjadą Ciocie Herbatki, jest tego całkowicie pewna, podobnie jak nie wątpi, że obojętny będzie im los nocnika. Icek Kac patrzył na Grażynkę i starał się zapamiętać złotą skórę, piegi na nosie, szarą sukienkę, ale kręciło mu się w głowie i obraz przed oczami zamazywał się jak widziany przez spływającą deszczem szybę. Nie płacz, powiedziała Grażynka, nigdy cię nie zapomnę, zawsze cię będę kochała, i były to dokładnie te słowa, które pragnął usłyszeć. Odnajdę cię, chciał obiecać Grażynce, ale nie trzeba było takich obietnic, bo Icek Kac, sierota z Kamieńska, miał wprawę w traceniu tego, co kochał, i z jakiegoś powodu wiedział, że nigdy już nie zobaczy Grażynki, chociaż będzie jej szukał bez wytchnienia.

Może dlatego udało mu się przeżyć i gdy skończyła się wojna, pojechał do Kamieńska, jednak Napoleonówka stała pusta, powiedziano mu, że Ciocie Herbatki wróciły, ale niedługo po powrocie utonęły, chociaż niektórzy w barze Kurka utrzymywali, że nie utonęły, a zamieniły się w syreny i popłynęły Kamionką do morza. Grażynka znikła parę dni po Ciociach Herbatkach i nigdy nie wróciła, co do tego nie było wątpliwości, jedni mówili, że wyjechała do Piotrkowa Trybunalskiego albo do Warszawy, inni, że jaki tam Piotrków, jaka tam Warszawa, do Ameryki, do samiuśkiego Nowego Jorku poleciała z jednym takim z Radomska, co się na wojnie dorobił. Na to Marianna Gwóźdź, księża gospodyni, wybuchła, a z jakim tam z Radomska, nie wie, a gada, z żadnym z Radomska, z fryzjerem uciekła, z Tadeuszem Krukiem, co to znikł jak kamfora w tym samym czasie; Icek w tę ostatnią hipotezę nie uwierzył. Pojechał do Warszawy i Piotrkowa, do Gdańska i Białegostoku, Wrocławia, Szczecina i Wałbrzycha, wybierał duże miasta, bo w sierocińcu Grażynka mówiła mu, że chciałaby w takim mieszkać, a po drodze wysiadał w mniejszych, był w Koluszkach, Legnicy, Skierniewicach, Grudziądzu, Szczawnie Zdroju, bo przecież nie zawsze trafia się tam, gdzie by się chciało; Icek Kac szukał Grażynki we wszystkich miejscach, które podpowiadało mu jego biedne serce. Nie pozbył się nocnika Napoleona, nie spieniężył ani nie zamienił, bo ten przedmiot stał się rekwizytem pozwalającym Ickowi przekładać swoje pragnienie na opowieść zrozumiałą dla innych. Szukam jednej kobiety, mówił, ocaliła mi życie, muszę jej podziękować i oddać cenną rodzinną pamiątkę, nocnik Napoleona, który dla niej przechowałem.

Swoje poszukiwania Icek Kac zawsze zaczynał od witryn fotografów, bo pamiętał, jak bardzo Grażynka lubiła robić sobie zdjęcia, i nieraz zdawało mu się, że ją rozpoznaje. To ona, Grażynka, była zdjętą do legitymacji elegantką w zakładzie, który ocalał w morzu ruin na warszawskiej Woli, ona była w Koluszkach roześmianą młodą matką o wysokiej fryzurze trzymającą niemowlę, to nie szkodzi, że ma dziecko, pomyślał Icek; amazonką była Grażynka w Białymstoku, ze szpicrutą na karym koniu, coś takiego, nauczyła się jeździć konno, westchnął z podziwem; druhną była Grażynka na czyimś ślubie w Piotrkowie Trybunalskim, w eleganckim białym kapeluszu ozdobionym kwiatami i sukience z dekoltem jak śmietanka; jedną z sześciu kobiet na pikniku była i przysiągłby Icek, że owoc, który trzymała w dłoni i już, już miała zjeść, to jesienna truskawka; to ona, Grażynka, tańczyła na zdjęciu z festynu w Skierniewicach i dansingu w Legnicy, ona w sukience w groszki i słonecznych okularach śmiała się połową twarzy, bo druga połowa została niedoświetlona; ona mogłaby być tą mniejszą, przeciętą strugą światła postacią na tle stawu z niewyraźnej fotografii, którą dostał od młodziutkiego fotografa w Szczawnie Zdroju; i ona, z całą pewnością ona, obejmowała ramieniem jakąś starszą panią o wyglądzie jaszczurki na fotografii w Wałbrzychu – ale nikt nigdzie nie potrafił naprowadzić Icka na właściwy trop. Po jakimś czasie Icek zauważył, że obraz dziewczynki jedzącej truskawki w ogrodzie sierocińca zatarł się w jego pamięci, podobnie jak zatarł się obraz zamordowanych w obozie rodziców i rodzeństwa; nałożyły się nań wszystkie zdjęcia, które widział we wszystkich miastach i miasteczkach, gdzie szukał Grażynki Rozpuch, od Wałbrzycha po Nowy Jork.

Fotografie stały się dla niego tak samo niezbędne jak wspomnienie i zaczął zbierać je z obsesyjnym przymusem. Oto one, Icek Kac pokazał na ściany, na każdym zdjęciu jest coś, co w jego pamięci wiąże się z Grażynką i wszystkim, co utracił; czasem są to kobiety w różnym wieku, które mogłyby być Grażynką w kolejnych fazach życia, czasem słomkowe kapelusze, jakie nosiła w sierocińcu, czasem tylko szczególny sposób, w jaki cień padał na jej twarz; ma całą kolekcję takich cieni. W ten sposób może wierzyć, że przeszłość była i nadal trwa, a on tylko dzięki przeszłości żyje; jej obecność czuje też w muzeum, czy La-Teesha widziała na przykład mumie w Met? Nie? To musi koniecznie zobaczyć, gdy patrzy się na mumię wystarczająco długo, można uwierzyć, że kiedyś w jej miejscu było życie, pulsowała krew, powiedział Icek Kac, a La-Teesha zadrżała. Mumie! Ci Żydzi, pomyślała, mają jednak dziwne pomysły, choć zdarzają się wśród nich przyzwoici ludzie. Zapadła cisza, w której słychać było tylko pochrapywania Demarco, a La-Teesha patrzyła na zdjęcia, prawdziwe fotografie o rowkowanych brzegach i te wycięte z gazet, na zupełnie do siebie niepodobne kobiety, truskawki, kapelusze, pociągi, ulice, cienie. I co, zapytała La-Teesha, twoja Grażynka rzeczywiście przepadła na zawsze? Ja przepadłem, odpowiedział Icek Kac i uśmiechnął się do niej.

Słońce wstało tego dnia wielkie i czyste, jakby wykąpane w oceanie, i ludzie z Bed-Stuy przecierali oczy, zastanawiając się, jak to możliwe, jeszcze parę godzin temu mieli wrażenie, że nastąpił koniec świata, a tu proszę, taka pogoda, wiatr szeleści w liściach drzew. Wprost nie do wiary i można by nie uwierzyć, gdyby na ulicach nie leżało szkło, gdyby wciąż nie czuło się dymu i palonej gumy. La-Teesha była dobrej myśli, gdy wracała do domu; sklep na rogu ich przecznicy był już otwarty, kupiła więc paczkę tostów, masło orzechowe i słoik winogronowej galaretki w promocyjnej cenie. Myślała, że opowie o wszystkim Shaunice, razem zastanowią się, jak się odwdzięczyć Ickowi Kacowi, może placek z orzechami nerkowca mu upieką, ale przedtem najchętniej przylałaby córce za te nerwy. Gdy zobaczyła czekających pod drzwiami policjantów i gdy zapytali, czy pani jest matką Shauniki Jackson? nie straciła jeszcze nadziei. Nie straciła jej do końca nawet wówczas, gdy powiedzieli, że w parku przy Nostrand Avenue znaleziono czarną dziewczynę lat około osiemnastu, była w ciąży, ubrana w czerwoną sukienkę, włosy krótkie, kręcone. Nie żyje? Jeszcze w policyjnym samochodzie łudziła się La-Teesha, że to pomyłka, źle rozpoznali; wiele ciężarnych nastolatek na Bed-Stuy, wiele czerwonych sukienek. W pośpiechu, w złym świetle łatwo powiedzieć, to Shaunika Jackson, a potem się świeci oczami, że jednak nie, to zupełnie obca dziewczyna. Kostnica na Bed-Stuy; tu panował kościelny chłód i pachniało trochę jak w sklepie Icka Kaca, chemią i czymś, co już zaczęło się psuć mimo zimna; czy jest gotowa zidentyfikować ciało? Jak można rozpoznać ciało, jeśli znało się tylko osobę żywą, z różowymi paznokciami i ciepłą skórą, pod którą pulsowała krew. Zidentyfikować ciało? La-Teesha czuła, jak wzbiera w niej krzyk, ale nie wiedziała, że żaden nie będzie wystarczający na to, co ją czeka.

Twarz Shauniki pozostała nietknięta, ale jej brzuch został przecięty od pępka w dół tak, jakby ktoś rozkroił arbuz tępym nożem, brzegi skóry odstawały, były ciemnoczerwone. Zaschnięta krew, pod spodem żółtawa tkanka, pępek w kształcie strzałki wskazującej w dół; La-Teesha miała taki sam ślad po matce. Nożyczki, powiedział policjant, to były nożyczki, i jeszcze wtedy La-Teesha milczała. Patrzyła na brzuch swojego dziecka, który wczoraj był pełen życia, ciasno opięty skórą o kolorze i zapachu cynamonu. Dziecko, powiedział policjant, w środku nie było dziecka. Dziecko? W środku czego? zapytała La-Teesha, zrozumiała, i wtedy dopiero zaczęła krzyczeć.

## IV

Dominika wychodzi na dach i siada pod ścianą, obejmując kolana ramionami; nie może spać. Zamyka oczy, ale zamiast snu pojawia się jeziorko topielicy-pajęczycy; jest dno usiane kośćmi, zapach spalonego mięsa, czarna wołga, białe schody, a wszystko to jakby w lustrze odbite w ciemności wody. Jest ogień u góry, płonie i rozlewa się po powierzchni, a potem wypala w niej dziury i spływa w dół, strugi ognia. Dominika wie wtedy, że nie zaśnie, bo gdyby zapadła w sen, znalazłaby się pośrodku dwóch śmierci, ogniowej i wodnej.

Dominika wstaje i po cichu, by nie obudzić innych lokatorów domu przy Siódmej Ulicy, wychodzi na dach. Jest sierpień, miasto pulsuje, jakby zbudowano je na grzbiecie śpiącego zwierzęcia o szybko bijącym sercu. Dociera tu smród z ulicy, wszechobecny odór kanalizacji i śmieci, ale powietrze jest trochę lepsze niż na dole. Spadają gwiazdy, jakby ktoś co chwilę odłupywał kawałek lśniącego tynku, dach, lekko zapadnięty ku środkowi, gdzie zbiera się brudna woda, pokryty jest srebrną powłoką, która być może zawdzięcza kolor gwiezdnym okruchom. W jego lśniącej powierzchni odbijają się światła miasta i księżyc, przemykają cienie samolotów i wielkie brązowe karaluchy; kakrocie, mówi się na nie w domu przy Siódmej Ulicy. Ameryka to królestwo kakroci, ich nawet bomba atomowa nie zabije, na jednego martwego rodzi się sto nowych, pomstuje pani Stenia i wie, co mówi, bo od kilkunastu lat sprząta amerykańskie mieszkania. Dach domu przy Siódmej Ulicy w East Village, w którym mieszka Dominika, zawsze przecieka i nie jest to jedyna wada tego lokum dla ubogich. Łatwo tu trafić, wystarczy zapytać o polski kościół, a biało-czerwoną flagę, która powiewa przed nim na maszcie, widać z daleka. Jak swojsko! ucieszyła się Jadzia, której Dominika wysłała zdjęcia swojego nowojorskiego domu. W przykościelnej kamienicy z tanimi pokojami znajdują schronienie ci, którzy nie mają lepszego wyjścia, i zwykle zostają na dłużej, bo dobre wyjścia stają się stąd jeszcze mniej widoczne, a często nie widać żadnego oprócz podświetlonego exit na klatce schodowej. Gdy pada deszcz, gumowata farba, którą pomalowano sufit w pokoju Dominiki, zaczyna uwypuklać się, jakby wyrastał w tym miejscu wielki pryszcz, a po kilkunastu minutach zwisa już bąbel wielkości melona i wypełnia się wodą do momentu eksplozji, a wtedy ratuj się, kto może! Krater o postrzępionych brzegach zasycha aż do następnego deszczu, gdy bąbel wykwita w innym miejscu sufitu, i znowu trzeba podstawiać garnki i miski, by nie utonąć. Dominika robi zdjęcia kolejnych faz katastrofy, podobnie jak wielu innych rzeczy, które mało kto uznałby za godne fotografowania, nawet w Nowym Jorku. Opakowanie po chińskim jedzeniu na wynos, w którym wyrosła trawa, dziecięca zabawka wdeptana w błoto, włoskie lody powoli rozpuszczające się na chodniku, ściana klatki schodowej zaniedbanego budynku na Szóstej Ulicy z łuszczącymi się warstwami farby, stopy ludzi w metrze, ich dłonie trzymające torby, uchwyty, inne dłonie. Pokój przy polskim kościele w East Village to kolejny przystanek w wędrówce Dominiki Chmury, ale gdy wraca tu po pracy, mówi, idę do domu, i robi tak nie tylko dla wygody, ale też w umacniającym się poczuciu, że innych domów niż chwilowe nie będzie miała.

W jej malutkim pokoju mieści się łóżko, półka, miniaturowa lodówka, którą Dominika znalazła na ulicy podobnie jak wiele innych przydatnych przedmiotów. W rzeczach interesuje ją tylko użyteczność i możliwość sfotografowania, gromadzenie przedmiotów uważa za bezcelowe w jej życiu nomady. W przeciwieństwie do znalezisk, które górnicy z jej rodzinnego Wałbrzycha przywozili z niemieckich ulic, tutejsze rzeczy rzadko są porządne i kompletne; przeszły przez wiele rąk, zanim kolejne podniosły je z chodnika, a wszystkie traktowały je po macoszemu. Niektóre rzeczy wędrują tak po East Village od lat; niekiedy ktoś zaciągnie jakąś sztukę aż do Bowery czy w drugą stronę, do Union Square, ale tylko patrzeć, jak stare krzesło, ratanowa komoda czy wok, który niejednego już wykarmił i na zawsze nasiąkł aromatem czosnku i curry, znów wyłoni się na Dziewiątej albo przy Tompkins Square, gdzie będzie czekać na nowego właściciela. Niepotrzebne ubrania zostawia się tu na sztachetach metalowych płotów, gdzie sweterki, koszule i spodnie zwisają jak martwe stwory o odnóżach poruszanych przez wiatr, aż jakieś ręce zdejmą je, sprawdzą pod światło na okoliczność plam i dziur, i zabiorą bądź nie. Gdy przyjdzie pora ruszać dalej, Dominika zostawi wszystkie swoje rzeczy bez żalu, nawet znalezioną niedawno piękną lampę na mosiężnej nóżce, bo nie wyobrazi sobie domu, do którego chciałaby stąd cokolwiek zabrać. Mimo niemal zawsze otwartego okna i kadzidełek o zapachu paczuli w domu przy Siódmej Ulicy unosi się niemożliwy do usunięcia zapach suszonych grzybów, jakby zapomniane przeleżały lata całe w czyjejś spiżarni; wgryzł się w ściany i zniszczoną podłogę. Dominika szuka obrazów odpowiadających temu zapachowi i robi zdjęcia; ciemne, niewyraźne wizerunki rzeczy, fragmentów twarzy i ciał, które kiedyś były dobre, ale są już nie do uratowania. W domu na Siódmej Ulicy lokatorzy zostawiają buty przed drzwiami do swoich pokoi; Dominika fotografuje je, niełądne, niemodne buty tkwiące tam jak porzucone w schronisku zwierzęta bez żadnej szansy na nowego opiekuna.

Na tym samym piętrze mieszka rodzina Malców z trójką dzieci, stara pani Stenia i średnia, lecz czująca się młodo pani Hania; te dwie ostatnie w mniejszych pokojach po obu stronach pokoju zajmowanego przez Dominikę. Rodzina Malców wynajmuje największe pomieszczenie, prawdziwy luksus, mają dla siebie ponad trzydzieści metrów, ale niestety, najstarsze dziecko, siedmioletnia Żanetka, nie mieści się już w łóżku z rodzeństwem; trzeba jej było ostatnio kupić osobne łóżeczko. Zmniejszyło to państwu Malcom przestrzeń życiową; pani Malec jeszcze częściej teraz wzdycha, jak to byłoby cudownie przenieść się gdzieś na wysoki Manhattan, a pan Malec nieodmiennie powtarza, poczekaj jeszcze trochę, Żabcia, już niedługo się doczekasz. Pani Malec uważa, że choćby na Czternastej Ulicy jest pięknie, chodzi tam w niedzielę na spacery z dziećmi i podziwia projekty, tak mówi się tu na budynki z mieszkaniami komunalnymi dla ubogich rodzin. Gdy już dostanie się takie lokum, narzekać można co najwyżej na sąsiedztwo, bo do projektów pakują wszystkich razem, czarnych i białych, brązowych i skośnych, wzdycha pani Malec i trochę się boi tej różnorodności ze względu na dzieci, a także z powodu pana Malca, który ogląda się za Latynoskami w krótkich spódniczkach. Niby mówi, a ta, patrz, Żabcia, prawie całą dupę na wierzch wywaliła, ale pani Malec wie, że nie robi on tego w szczerej intencji potępienia, bo zaraz wzrok mu się przylepia do kolejnej wypukłej pupy, jakiej pani Malec nigdy nie posiadała i raczej nie ma szans, że posiądzie. Jej zdaniem jeszcze lepiej niż na Czternastej byłoby w New Jersey, bo tam można mieć dla siebie nawet cały dom, o tak, New Jersey to jest to, zieleń, zdrowe powietrze, same osiedla willowe. Pani Malec słyszała o takich Polakach, którym udało się osiąść w New Jersey, a jedną rodzinę zna nawet osobiście, mają tam dom i własny zakład naprawy maszyn do szycia. Niestety pan Malec nie zarabia wystarczająco dużo na budowie, by mogli ruszyć się gdziekolwiek z Ulicy Siódmej i wciąż są skazani na kościelną łaskę. Gdy pani Malec wspomina o New Jersey, pan Malec mówi, poczekaj jeszcze trochę, Żabcia, już niedługo się doczekasz, i zaraz potem zasypia, bo jest zmęczony plastrowaniem, tynkowaniem i malowaniem. W związku z brakiem perspektyw na przeprowadzkę, pani Malec właśnie pod osłoną nocy wystawiła do wspólnego przedpokoju kolejne kartonowe pudło; Dominika słyszała skradanie się i szelest.

Następne pudło; stoją wzdłuż ścian korytarza wysoko aż po sufit, zebrało się ich tyle, że przejście przypomina chodnik w kopalni, jest wąskie i równie ciemne. Wiele pudeł tkwi w przedpokoju od lat, porosły kurzem, przetarły im się kanty, a z niektórych zaczynają wyłazić strzępki jakiejś niezidentyfikowanej materii, szarej ektoplazmy o zapachu suszonych grzybów i kurzu. W innych chyba coś się zalęgło, bo nocami wyraźnie słychać, jak drapią małe łapki, pracują ząbki; mogą to być myszy lub kakrocie, może być coś zupełnie innego, nieznane zoologom stworzenia o czerwonych oczach i wzdętych brzuszkach, które lęgną się w ciemności wśród rzeczy zapomnianych i bezużytecznych. Właścicielki pudeł, pani Malec, pani Stenia i pani Hania, nie zgodziłyby się z tym;

o nie, one potrzebują wszystkiego, co jest w pudłach, potrzebują samych pudeł i świadomości, że już wkrótce uda im się spakować kolejne, potrzebują czuć, że tam są pudła pełne rzeczy. Bez pudeł zupełnie nie byłoby się czego chwycić i zabrakłoby uzasadnienia dla życia w domu pod flagą biało-czerwoną, który w środku tak bardzo przypomina domy zostawione za oceanem. Tylko patrzą więc, pani Malec, pani Stenia i pani Hania, co tu jeszcze zachomikować, posiąść i spakować, co tu jeszcze zapudlić. Kartony są dopychane na siłę i te za nimi wgniatają się lub ulegają całkowitemu zmiażdżeniu; co jakiś czas pani Malec, pani Stenia lub pani Hania pod osłoną nocy wkopuje kolejne pudło, na którym napisane jest Malec, Hania albo Stenia, żeby się nie pomyliło, bo to byłaby prawdziwa tragedia, mimo iż zawartość wszystkich pudeł jest bardzo podobna. W kartonach są stare ubrania, które żal wyrzucić, sprzęty domowe, które nie działają lub nie przydają się do niczego, ale to na razie; potem się je naprawi, a taki na przykład zestaw do fondue, który pani Stenia dostała od pracodawczyni, zestaw nowy i francuskiej produkcji, na pewno znajdzie jeszcze zastosowanie, nawet jeśli w swoim sześćdziesięciosiedmioletnim życiu pani Stenia raz tylko spróbowała czegoś innego niż polskie jedzenie, i słowa nie wyrażą, jak jej się potem odbijało. W pudłach są rzeczy znalezione, rzeczy ze sklepów z używaną odzieżą, z przecen w New Jersey, z cudownych sklepów jednodolarowych, rzeczy, których żal nie kupić za taką cenę, bo za dolara w Ameryce nawet chleba porządnego się nie dostanie, a tu na przykład dekoracje świąteczne w ogromnym wyborze, które potem żal wyrzucić, bo od jednego użycia wcale przecież się nie zużyły; za rok kupuje się nowe, bo jak tu nie kupić, skoro kosztują tylko dolara, i na każde kolejne święta przypada jeden karton. Stroiki, świeczniki, bombki, aniołki, mikołaje, renifery, łańcuchy srebrne, złote, pisanki, króliczki, kurczaczki, plastikowe dynie zostają spakowane i dopchane szaliczkami, rękawiczkami, pluszowymi misiami, serwetkami, walentynkowymi serduszkami z czerwonego weluru z napisem I love you. W przypadku państwa Malców sprawa się komplikuje, bo ich dzieci świętują w amerykańskich szkołach również jakieś inne święta i miesza się im już w głowie od tych chanuków czy innych ramadanów; jak im się uda wyprowadzić do New Jersey, to dzieci pójdą do dobrych szkół, może gdzieś do sióstr zakonnych, mówi pani Malec, a pan Malec wybity z drzemki odpowiada, poczekaj jeszcze trochę, Żabcia, już niedługo się doczekasz. Do kartonów idą ciężkie talerze i kubki, a każdy tylko dolar lub nawet dziewięćdziesiąt dziewięć centów, to prawdziwa okazja i w Polsce tego nie ma, a więc do kartonów, bo za łatwo się obtłukują, żeby używać; do kartonów kurteczki, z których dzieci wyrosły, szklanki do koktajli, których się nie pija, pucharki do deserów, których się nie przyrządza, do kartonów wózeczki dla lalek, lalki, plastikowe samochody, lustra, ramki na zdjęcia, zestawy do robienia biżuterii, zestawy do dekupażu, bo kiedyś może jeszcze raz się spróbuje, i tym razem z sukcesem, zrobić piękne korale, okleić deskę do krojenia, by była deską ozdobną w jakiejś przyszłej pięknej kuchni; do kartonów na wygnanie torebki z cekinami, które jeszcze się nie przydały, ale się na pewno przydadzą na przyszłe cudowne bale, imprezy w lokalu, a nie po ciasnych mieszkaniach; w końcu buty, butów to się już na pewno nie wyrzuca. Aby dotrzeć do swojego pokoju, Dominika musi przejść całą długość korytarza wzdłuż pudeł podpisanych Malec, Stenia, Hania i czuje, jak na nią napierają; boi się, że zostanie tu pogrzebana żywcem którejś nocy i dopiero rano, być może, odkopie ją pan Malec wychodzący do pracy. Kiedyś w przedpokoju stała gipsowa figura Matki Boskiej, ale przez te pudła została relegowana na zewnątrz, na ciemny podest schodów; wygląda to teraz tak, jakby pod drzwiami na ich piętrze czaiła się karlica o białej twarzy i dłoniach gotowych, by chwycić za szyję. Oprócz kartonów, których przeznaczeniem jest czekanie, w domu przy Siódmej Ulicy pakuje się pudła do natychmiastowego wysłania do Polski, gdzie, jak wiadomo, wszystkiego brakuje, a poza tym miło rodzinie pokazać, że tu wręcz przeciwnie, prawdziwy raj, i brakuje tylko ojczyzny. W okresie przedświątecznym z domu na Siódmej Ulicy i podobnych domów ludzie taszczą paczki na pocztę, a co bardziej przemyślni, jak na przykład państwo Malec, wzorem bezdomnych zagospodarowali sobie wózek z taniego supermarketu Key Food, zwanego tu Kifudem. Gdy trzeba wysłać paczkę, nawet pani Stenia i pani Hania jednoczą siły, choć na co dzień pierwsza zarzuca drugiej pijaństwo i rozpustę, a druga pierwszej wtrącanie się w nie swoje sprawy oraz dewocję, i żaden z tych zarzutów nie jest pozbawiony podstaw. Do kartonów świątecznych pani Stenia ładuje nawet papier toaletowy, a rodzina w Polsce nie ma sumienia jej powiedzieć, że przestał być towarem deficytowym, już od dwóch czy nawet trzech lat można go kupić w każdym sklepie, zdarza się nawet kolorowy i perfumowany. Pani

Hania wysyła rzeczy, które i jej się mogą przydać, gdy wróci do Wągrowca, jako że pani Hania należy do tych, którzy planują powrót, i robi to już od siedemnastu lat. Strach pomyśleć, jak one szybko minęły, trafiła do East Village w dwa dni po trzydziestych urodzinach, a tu proszę, czterdzieści siedem, a w jej życiu ciągle niewiele. Czymś jest tylko perspektywa powrotu; jak wrócę, to wszystko się przyda, mówi Dominice i radzi, by też zaczęła planować powrót. Szczegóły powrotu pani Hani do Wągrowca obmyślane są wciąż na nowo, bo trzeba ustalić nie tylko, gdzie się zamieszka po powrocie, ale nawet, jak się ubierze na drogę, by zrobić wrażenie powrotu z tarczą. Pani Stenia nie mówi o powrocie, wychodząc z rozsądnego i popartego długim życiowym doświadczeniem założenia, że skoro w jej mieszkaniu w Kątach Wrocławskich mieszka teraz syn, synowa, dwoje wnuków i jeden prawnuk, to nie będzie tam miejsca dla niej. Mówi więc o ściąganiu rodziny i ściągnięcie rodziny wyznacza jej cel, który tymczasem się oddala, bo nadal nie wszystkie papiery pani Steni są w porządku, a oszczędności, jakie poczyniła, sprzątając domy Amerykanów, mimo wyrzeczeń wydają się mniejsze niż te, które zgromadziła rozpustna pani Hania, pracując w polskiej restauracji na Greenpoincie. Pani Dominisiu, niech pani pomyśli o ściągnięciu rodziny, radzi Dominice przy każdej okazji.

Obie kobiety dziwią się, że Dominika nie gromadzi kartonów i wykazuje irytującą obojętność wobec tych wszystkich pięknych rzeczy, które można zapudlić. Pani Stenia mówi jej nawet o Likwidatorze, to tani sklep przy Broadwayu, dwa kroki od Astor Place, chociaż o takich miejscach nie opowiada się byle komu, grzybiarze też nie paplają na lewo i prawo o młodniakach pełnych maślaków. W Likwidatorze można upolować nie tylko bieliznę i ubrania z wyciętymi metkami, ale także sprzęty domowe w bardzo korzystnych cenach, ostatnio na przykład tostery w różnych kolorach, po pięć dolarów, pani Stenia wzięła cztery, przydadzą się, jak już ściągnie rodzinę. Pani Hania też zaraz poleciała, wróciła z trzema, będą jak znalazł, gdy wróci do Wągrowca, a tymczasem lądują w pudłach, gdzie śnią sobie o tostowaniu i porankach pachnących kawą. Dominika jednak mówi, dziękuję pani bardzo, pani Steniu, może potem. Jakie potem, leć teraz, dziewczyno, buty wkładaj i leć, bo wykupią! A ta tylko uśmiecha się półgębkiem, tego jeża na głowie przeczesuje; że też musi się tak krótko strzyc, pani Hania nie może się nadziwić, bo ona lubi tylko długie i ostatnio zrobiła sobie przedłużenie z doczepianych w polskim salonie Marysia, zaraz za rogiem. Pani Stenia i pani Hania zastanawiają się nad dziwnymi obyczajami Dominiki Chmury i bardzo chciałyby wiedzieć o niej coś więcej, bo są przekonane, że ukrywa jakąś tajemnicę. Może wszystko oszczędza? Może ma dziecko nieślubne? Gdy pani Malec, pani Stenia i pani Hania dowiedziały się, że Dominika znalazła stałą pracę u starej Żydówki z Upper West Side, zaczęły podejrzewać, że gromadzi ona rzeczy gdzie indziej. Żeby jej nie ukradły się boi? Też coś! Może zresztą to lepiej, miejsca im nie zajmie. Jak wrócę, mówi pani Hania, to się przyda, czasem człowiek myśli, że nie, a potem jest szczęśliwy, że nie wyrzucił, bo akurat się przydaje. A mnie, jak ściągnę rodzinę, to się dopiero przyda, wchodzi jej w słowo ze swoim pani Stenia. Jak ściągnę rodzinę, to jeszcze mało będzie, tak wszystko się przyda wszystkim do wszystkiego.

Pani Stenia i pani Hania rozmawiają przyciszonymi głosami we wspólnej kuchni, która znajduje się w suterynie. Ich wzajemna antypatia rośnie odwrotnie proporcjonalnie do odległości i gdy patrzą na siebie oddzielone jedynie stołem przykrytym ceratą w rybki i muszle, wiedzą, że tylko sprzymierzenie się przeciw komuś lubianemu jeszcze mniej jest w stanie uratować je przed rozlewem krwi. Do tego celu nadaje się zarówno pani Malec, jak i Dominika; ta pierwsza ma to, czego one nie mają, ślubnego mężczyznę w osobie pana Malca, ojca dzieciom, który ma pracę i nie pije, a przynajmniej nie za często. Druga nie pragnie niczego, co dla pani Steni i pani Hani stanowi wartość. To dopiero może wkurzyć! Gdy Dominika trafia do kuchni akurat wtedy, gdy tkwią tam pani Stenia i pani Hania, ma wrażenie, że napierają na nią dwa potwory. To jak, pani Dominiczko, wracać pani będzie? pani Hania atakuje pierwsza, czy raczej rodzinkę pani ściągnie, pani Dominisiu? pani Stenia nie pozostaje w tyle. Jarzeniowe światło nadaje twarzom kobiet niebieskawy odcień, podzwaniają łyżeczki w szklankach i sztuczne zęby pani Steni. Musi się pani zdecydować, pani Dominiczko! Latka lecą, lecą. Czas coś postanowić, pani Dominisiu! Hania pije colę łapczywie, bo ją suszy, Stenia ma na sobie strój roboczy, szarą bluzę i legginsy, na których główki psa Snoopiego szczerzą kły w złowieszczym uśmiechu. Dominika przeciska się cudem między Stenią i Hanią ze swoją herbatą, pomyślę, dziękuję paniom bardzo! woła, i raz jeszcze umyka.

Jedyne okno kuchni domu przy Siódmej Ulicy wychodzi na ciemne wewnętrzne podwórze, nigdy nie dociera tu światło słońca, docierają niekiedy szczury i to jest kłopot, bo wgryzie się taki od tyłu do szafki z zapasami i zżera je na wyścigi z kakrociami, które były tu pierwsze. Kakrocie, te szaleją o każdej porze, tupiąc nóżkami po starym linoleum, a winą za nie obarczana jest zwykle pani Malec, która gotuje najwięcej z powodu dzieci i często zostawia na wierzchu a to niedojedzoną kanapkę, a to nieumyty talerz z resztką kaszki manny. Dzieci państwa Malec denerwują zwłaszcza panią Hanię, podobnie jak irytująco wpływa na nią młodość Dominiki i starość pani Steni. Często powtarza, by sobie utrwalić i pozbyć się reszty wątpliwości, że ona by normalnie nie mogła, nie wytrzymałaby z tymi cholernymi bachorami, ale nie wie, że nikt nie wyobraża sobie, iż mogłoby być inaczej, bo od dawna uważana jest za kobietę niezdolną do zaopiekowania się czymkolwiek żywym. Ja tobym jej pod opieką nawet psa nie zostawiła, mówi pani Stenia do pani Malec, gdy pani Hani nie ma w pobliżu, we łbie pstro i tylko oczami strzela, z kim się tu napić czy gorzej, pani wie, o czym mówię, pani Malec. Najpierw się nachleje, tyłkiem pokręci, a potem rzyga! Lepiej przy niej chłopa swojego pilnować, strzeżonego pan Bóg strzeże. Pani Malec bardzo chciałaby na chwilę zostawić komuś dzieci, a nawet męża, i wyrwać się do fryzjera, ale pani Stenia szepcze jej na ucho, że na jej miejscu Dominiki by też nie prosiła o taką przysługę, bo czy ona zauważyła, że Dominika do kościoła nie chodzi? Co niedziela przyjeżdża po nią ta czarna kobieta i jadą cholera wie gdzie, pewnie do jakiejś bezbożnej dodatkowej roboty. A dzieci, wiadomo, nasiąkają jak skorupki za młodu, zwłaszcza dziewczynki, te to nasiąkają jak gąbki, a gąbki nigdy nie da się wycisnąć do sucha. Pani Malec wzdycha i mówi, ja już tego dłużej nie wytrzymam, a zamówiona wizyta w salonie Marysia znów jej przepada, podobnie jak pragnienie, by wziąć się za siebie, bo żeby to zrobić, najpierw musiałaby się odnaleźć w którymś z pudeł. W związku z tym bierze się do kotletów mielonych, których postanawia nasmażyć na kilka dni, a wtedy, kto wie, może znajdzie jakąś wolną chwilę. Pani Hania lubi sobie czasem popichcić i gardzi prostą kuchnią pani Malec. Hania robi zakupy nie tylko w Kifudzie, o nie, ona wpada czasem do delikatesów Balducci w Greenwich Village i patrzy łakomie na opakowania tiramisu, ziołowych sosów, na pięknych ludzi, którzy kupują to wszystko i wychodzą, by gdzieś wieść życie jak z filmu, zajadać lasagne i popijać winami o eleganckich nazwach. Pani Hania kupiła sobie ostatnio książkę o winach i kiedyś ją przeczyta, wszystkiego się dowie, jakie do czego, czym się różnią, pięknie ilustrowana książka tkwi w którymś pudle; jak wróci do Wągrowca, znajdzie czas, by zostać koneserką win. Ja to lubię sobie popichcić dla przyjemności, mówi pani Hania, a pani Malec, niezbyt wprawna w kontaktach towarzyskich, gasi ją, wzdychając, gdyby pani miała rodzinę, pani Haniu, toby pani nawet się w tyłek podrapać nie miała kiedy, a co dopiero pichcić. Na początku pani Hania myślała, że popichcą sobie razem z Dominiką, bo mimo swoich lat, a przyznaje się tylko do trzydziestu dziewięciu z czterdziestu siedmiu, o wiele lepiej czuje się z młodymi. Młodą mam duszę! Do młodych mnie ciągnie, mówi pani Hania, taka już jestem, że z młodymi czuję się po prostu jak ryba w wodzie. Noszę się tak więcej na luzie, choć kobieco, i już nieraz ktoś się pomylił, za młodą mnie biorąc, a jak dowiedział się, ile mam lat, to niemożliwe, nie wierzę, że aż trzydzieści dziewięć, przysięgać musiałam, a dalej nie wierzył. Więcej niż trzydzieści bym pani nie dał, tak mówił ten ktoś. To wszystko pani Hania powtórzyłaby Dominice przy pichceniu, mogłaby też udzielić jej paru kobiecych rad, jak się nosić, ale Dominika schodzi do kuchni tak rzadko.

Przez kuchnię przechodzi się do należącej do kościoła sali, w której odbywają się różne imprezy, i gdy w karnawale urządzane są zabawy, cały dom przy Siódmej Ulicy słucha polskich przebojów. Dominika myśli wtedy o matce, która tak lubi piosenkę Seweryna Krajewskiego, że nuci jej przez telefon, uciekaj skoro świt, bo potem będzie wstyd i nie wybaczy nikt chłodu ust, braku słów. Co za romantyczna piosenka, wzrusza się Jadzia i w jej agrestowych oczach zbierają się łzy, Dominika czuje ich wilgoć w głosie matki; romantyczna piosenka i jaki przystojniak z tego Seweryna Krajewskiego, żebyś ty, córcia, takiego spotkała, co ja bym za to dała. Dominika siedzi nocą na dachu i nuci, uciekaj skoro świt, bo potem będzie wstyd, i czuje, jak dojrzewa w niej tęsknota, by wrócić, na chwilę, ale jednak, do swojej matki i babki Haliny-Kolomotywy na Piaskową Górę. Od kilku lat ta tęsknota rozrasta się w niej jak kłącze, krąży z krwią. Wbrew temu, co widzą pani Malec, pani Hania i pani Stenia, Dominika też wysyła paczki do Polski, niezdarnie pakuje matce kawałki Ameryki jak puzzle, z których ta nie potrafi złożyć nic, co choć trochę przypominałoby

Nowy Jork jej córki. Robi zdjęcia i wybiera najlepsze dla matki, ale Jadzię interesują tylko te nieliczne, na których jest Dominika; może wtedy ocenić z bijącym sercem, czy poprawiła się na buzi, czy znów schudła, czy ciepło się ubiera, czy w końcu zapuściła włoski. Bez czapki! martwi się na widok córki ze Statuą Wolności w tle i niespecjalnie interesuje ją symbol Ameryki, skoro właśnie przeczytała w „Poradniku Domowym", że przez głowę ucieka trzydzieści procent ciepła. Na zdjęciach ze ślizgawki w Central Parku, gdzie Dominika należy do najszybszych łyżwiarek, Jadzia widzi przede wszystkim zagrożenie, jakie dla jej dziecka stanowi wirujący tłum; jeszcze ją ktoś popchnie, wpadnie na nią jakieś chłopaczysko, zgilotynuje ją ostra krawędź łyżwy. Przepływający po rzece Hudson statek pasażerski, który Dominika sfotografowała któregoś ranka, przeraża Jadzię Chmurę swoim ogromem, toż to można wypaść, utopić się i nikt nie zauważy, że jej córka samiuteńka została w wielkiej groźnej wodzie; matka ma nadzieję, że jej dziecko nie planuje wycieczki transatlantykiem. Jadzi podoba się za to dom, w którym mieszka Dominika, bo uspokaja ją bliskość kościoła i maszt z biało-czerwoną flagą, dobrze, że ma tam swoich dookoła w obcym świecie, bo to i bezpieczniej, i gębę jest do kogo otworzyć. Pokazuje sąsiadce, Krysi Śledź, okno Dominiki i jak zwykle przesadza, dodając jeszcze to obok, by mieć dowód dwuokienny na to, jak sobie jej córka dobrze radzi za oceanem. Dwa pokoje ma, dwa okna na słoneczną stronę, na biało-czerwoną, szczęściara. Najbardziej Jadzię dziwią schody przeciwpożarowe; co to za pomysł, przecież można umrzeć ze strachu, że jakiś Murzyn czy inny w nocy wlezie przez okno. Pyta córkę, czy w okolicy nie ma za dużo jakiejś dziwnej narodowości? Bo na tych zdjęciach, co przysyła, to, Matko Boska, raz Chińczyk, raz Japończyk, a raz mieszaniec. Żebyś tylko, pamiętaj, okno zamykała, przestrzega ją w listach i telefonicznych rozmowach. Wszystko, co robi Dominika, bardzo Jadzię martwi i czasem nie wie, co ludziom mówić, gdy pytają, co jej córka robi za oceanem. Gdy drugiego nowojorskiego lata Dominika pracowała na festynie jako Cyganka i przysłała Jadzi zdjęcie fałszywego taboru i Cyganów, z których tylko niektórzy byli prawdziwymi Romami, Jadzia mało zawału nie dostała. Jeszcze tylko Cyganów brakowało! Jej córka w spódnicy kwiecistej do ziemi, w paciorkach, kolczykach cygańskich, z talią kart. Mamo, tłumaczyła Dominika, to taka zabawa, festyn etnograficzny, jeden Cygan był prawnikiem, dwie inne Cyganki to studentki, a mnie przyjęli, bo mam dziwny akcent i ciemna jestem, ale trudno było Jadzię przekonać. Już ona wie, jak Cygan wygląda, jak Cyganka, czy to nie widziała ich w Zalesiu, pod dworcem we Wrocławiu, w Wałbrzychu na ulicy Pocztowej? Wiadomo, że jej dziecko fiksum-dyrdum, i jeszcze tego by brakowało, żeby z jakimś taborem uciekła; szukaj potem wiatru w polu po Ameryce. Radzi córce, by chodziła na organizowane przy kościele potańcówki; idź, córcia, wyjdź do ludzi, a może poznasz tam w końcu kogoś wartościowego, zamiast z Cyganami się włóczyć.

Niektórzy poznają; efektem karnawałowych zabaw są czerwcowe śluby, dzwonią wtedy dzwony kościoła, aż budzą się bezdomni z Tompkins Square. Czerwiec to najlepszy miesiąc na wesele, bo ma w sobie gwarantujące szczęście r i ciepło, a panny młode chcą być szczęśliwe i niezmarznięte. Suknie w tych latach są wielkie, rozdymają się od talii jak kielichy zmutowanych genetycznie kwiatów, welony ciągną się, im dłuższy, tym lepszy, i niekiedy limo przystrojone wstążkami i balonami, z lalką Barbie na masce, jest już pod kościołem na Siódmej, a koniec welonu polskiej panny młodej gdzieś w połowie Pierwszej Alei. Oblubienica trzyma się tylko za głowę, żeby jej przez przypadek nie zerwali wianka wpiętego w pełną loków fryzurę, a goście weselni ciągną welon, szarpią jak rzepę. Panowie zdejmują marynarki, panie dopingują, no kurde, pociąg, Staszek, ten welon, bo czas do kościoła! Po kościele jest witanie chlebem i solą; rodzice pytają pannę młodą, co wybierasz, chleb, sól czy pana młodego? a ona odpowiada, chleb, sól i pana młodego, żeby zarabiał na niego. Ten moment panią Stenię bardzo wzrusza i łza jej się w oku kręci, bo, ach, gdybyż ona trafiła na takiego zaradnego pana młodego, toby nie musiała od lat sprzątać amerykańskich domów i tłuc amerykańskich pancernych kakroci, i wzruszać się na weselach prawie obcych ludzi. Pani Hania też się wzrusza przy chlebie i soli, ale udaje, że nie robi to na niej wrażenia. A potem można już jeść, tańczyć, wołać gorzko, gorzko! robić różne śmieszne konkursy, i łzy pani Steni osychają. Młodzi wymyślają coraz to śmieszniejsze zabawy weselne; ostatnio na przykład trzeba było napompować balonik, kto szybciej. Ale jak napompować! Pompka mechaniczna spoczywała na udach panów, a pompowanie odbywało się za pomocą pup pań, które, hop, hop, podskakują i pompują, w górę, w dół. Komu pierwszemu pęknie, ten wygrywa. Tego lata, gdy Dominika nie może spać, ślubów było jedenaście i aż siedem przyjęć weselnych zorganizowano w sali za kuchnią. Przez całe noce Dominika słucha uciekaj skoro świt, bo potem będzie wstyd na przemian z majteczki w kropeczki, ło ho ho ho ho. Zabłąkanych weselnych gości można spotkać niekiedy na schodach prowadzących na piętro, a zdarzyło się, że jeden dostał się do łazienki, gdzie zasnął w kabinie prysznicowej, rano pani Stenia za zasłonę włożyła rękę, odkręciła wodę, wchodzi i jak nie wrzaśnie, co tu robisz, świnio pijana, poszed won, bo milicję, księdza zawołam! Pani Stenia chodzi na większość przyjęć weselnych, na których interesuje ją głownie szwedzki bufet, razem z innymi starszymi paniami przysuwa sobie krzesło i zajada, bo na stojąco co to za jedzenie. Panie zgadzają się, że niezdrowo łykać na stojaka, bo idzie za szybko do żołądka, poza tym popaprać się można. Rozmawiają o rodzinie młodych, a w której nie znajdzie się coś smakowitego, lepszego nawet niż weselny bigosik po dwunastej. Jednym spalił się dom na przykład, tak że nic nie zostało, a wnuk drugich zamieszkał z Chinką czy Japonką, która zaszła w ciążę. Dzieci par mieszanych starsze panie nazywają mikserami. Co to za mikser wyjdzie z tego? zastanawiają się. Jak to, żartuje pani Stenia, made in China: wymawia made in china a nie mejd in czajna, bo przecież są wśród swoich, a Chińczyk i tak by nie zrozumiał w żadnym normalnym języku. Starsze panie spotykają się od lat na imprezach przykościelnych i polonijnych; wiedzą, gdzie dają najlepiej zjeść, i przestrzegają niepisanej hierarchii, która każe im łączyć się w grupy oparte na podobnym stanie posiadania i braku, a każdy przypływ i odpływ fortuny zapisywany jest skrupulatnie w pamięci. Mają lata praktyki i potrafią tak się zgrabnie wymanewrować z tłumu na spotkaniu opłatkowym w polskim konsulacie, że wszyscy jeszcze stoją, nogami przebierają, chór jakiś śpiewa cicha noc, święta noc, bo wiadomo, najpierw część artystyczna, a one już, szast-prast, za stołem, śledzik, serniczek, po pierożku. Pani Hania również pojawia się na przyjęciach weselnych i nawet jeśli nie zna bezpośrednio państwa młodych, to zawsze może podeprzeć się znajomością z jakąś ciotką czy kuzynem, by nie wyglądało, że wciska się na chama. Za każdym razem szykuje się i biega między swoim pokojem a wspólną łazienką w różnych stopniach negliżu, jej ciało jest pełne i opalone na brąz, włosy platynowe, wszystkie suknie podobne, lśniące i kolorowe jak upierzenie egzotycznych ptaków. Puka do Dominiki i pyta, no jak mi? wciągając brzuch i wypinając piersi w puszapie, lepiej w tej czy w tej różowej? Nie interesuje jej zdanie Dominiki, która według niej ubiera się okropnie i nie ma pojęcia o prawdziwej kobiecości, wymagającej starań. Dominika przypomina pani Hani siostrę Krysię, która została w Wągrowcu; Krysia ma wprawdzie rodzinę, dzieci, ale za to odrost na pół głowy, kiedy ona ostatnio była u kosmetyczki, kiedy się na zakupy wypuściła. Nawet sobie ust błyszczkiem nie pociągnie! Ona, Hania, by tak nie mogła bez błyszczka, z odrostem. Mimo pogardy dla stylu Dominiki, pani Hania potrzebuje jednak jej oczu, jak lustra innego niż łazienkowe, by utwierdzić się w przynależności do tych kobiet, które ciągle wychodzą życiu naprzeciw. W przeciwieństwie do pani Steni, panią Hanię interesują na weselach mężczyźni i alkohol, ale to drugie może mieć na co dzień, i ma, więc podczas wesel skupia się na pierwszym. Zawsze zdarzy się tam jakiś samotny kuzyn, pojedynczy wuj czy mąż, którego żona wściekła się i wcześniej wróciła do domu albo pochorowała się i leży gdzieś znieświeżona, a wtedy pani Hania daje się porwać do tańca kuzynowi, wujowi czy mężowi i już; już lustra dźwięk walca powoli obraca, choć to nie walc, tylko majteczki w kropeczki, ło ho ho ho ho! Co za rytm, noga Hani do tańca się rwie, co za rytm, za chwilę rwą się jej dwie; niebieskie wstążeczki, ło ho ho ho ho. Hania z Wągrowca wiruje na parkiecie, co za szczęściarz w ramionach ją ma? Bielutki staniczek, ło ho ho ho ho! Hania w tył się gnie i w przód, już ręka tancerza wędruje w Hani dół. Maleńki guziczek, ło ho ho ho ho! Ta melodia, ten rytm to szał! To cały mundurek tych naszych pań, z koronek i tiulek, to ja mówię wam, ło ho ho ho ho! Czasem Hani trafia się ciąg dalszy z kuzynem, wujem, mężem, coś więcej niż ślinienie za uszkiem, niż ręka na pośladku, i Dominika słyszy przez ścianę, ciiii, a potem szelesty, chichoty, ochy, achy, chichociki, oparcie łóżka łup, nad jej głową spada tynk, potem w łazience jeden sik, drugi sik, cicho. Gdy kuzyn, wuj czy mąż, a najczęściej pani Hania przedawkuje mieszankę weselną, oprócz siku zdarza się rzyg, a wtedy pani Stenia wkracza w gotowości bojowej, potwór morski złością ziejący, by powiedzieć, co myśli o tym łajdactwie, bo od myślenia na ten temat tylko mówienie sprawia jej większą przyjemność. Jeszcze chwila i na korytarz wygląda kolejna głowa, to pani Malec, która płaczliwym tonem oznajmia, że już dłużej tego nie wytrzyma, ale nikt jej nie wierzy, bo wytrzymuje od dawna, jako że nie ma wyjścia, no exit. Dominika wspina się znów na dach i tego lata hucznych wesel zdarza się, że już nie zasypia, tylko czeka, aż nad Manhattanem wstanie dzień. W narożnym sklepiku kupuje na wynos kawę i jedzie do domu Eulalii Barron, u której pracuje od trzech lat.

Pani Eulalia Barron pochodzi z Krakowa i chociaż od ponad pół wieku mieszka w Nowym Jorku, jej tęsknota za ojczyzną nie maleje; przeciwnie, im dłużej żyje z dala od niej, tym bardziej tęskni i bardziej pamięta. Jej pamięć karmi się książkami i wystarczy, by otworzyła którąś z czytanych w Krakowie, bo każde zdanie i każde słowo jest jak drzwi, przez które utracone życie Eulalii Barron wsącza się w nią z powrotem. Gdy Eulalia Barron zaczęła tracić wzrok, potrzebowała kogoś, kto czytałby jej po polsku; takie zamieściła ogłoszenie w „Village Voice": szukam Polki, która będzie mi czytać książki. Konieczna dyspozycyjność, dobra dykcja i zamiłowanie do lektury. Wiek, stan cywilny i orientacja seksualna obojętne. Sara obawiała się, że to jakiś wariat albo zboczeniec, jacy w „Village Voice" ogłaszają się na pęczki, ale Dominika mówiła, że ma dobre przeczucia, i postanowiła to sprawdzić. Sara uparła się, że pojedzie z nią na wypadek, gdyby szukająca lektorki staruszka jednak okazała się młodym sadystą albo starym zboczeńcem w skórzanym kombinezonie. Jej interwencja nie była potrzebna; Dominice otworzyła malutka starsza pani o lasce, która w ramach testu poprosiła ją o przeczytanie kawałka *Odysei*. Usiądź przy oknie, córeczko, tam, pod paprocią, powiedziała, pieśń dwunasta, wers trzydziesty dziewiąty. Dominika otworzyła książkę w zaznaczonym miejscu: Ty w kraj Syren zajedziesz, czarownic, co zdradzą tych wszystkich, jacy tylko o nie tam zawadzą. Szaleniec, kto się zbliży i Syren tych śpiewy usłyszy: ten nie ujrzy nigdy, póki żywy, ni małżonki, ni dziatek, ni ziemi rodzinnej, tak go zczaruje śpiew tych Syren słodkopłynny, zaczęła. Dobrze, uśmiechnęła się staruszka i zamknęła oczy, bardzo dobrze, czytaj mi dalej, córeczko, o syrenach.

Eulalia Barron mieszka w domu o nazwie Mimoza; gdy Dominika przychodzi tam co rano, mroczne, pełne książek pokoje wydają się za każdym razem trochę inne, jakby ich wygląd i rozmieszczenie odzwierciedlały stan psychiczny właścicielki, która wędruje po nich, postukując laską. Pani Eulalia mówi o książkach tak, jak inni mówią o zwierzętach, i narzeka dobrodusznie, a gdzie ta cholera znów polazła? jak gdzieś wlezie, to potem utrapienie, szukaj i szukaj, człowieku, wołaj, krzycz, proś, nie odezwie się, nie odpowie. Eulalia Barron teraz chce mówić tylko po polsku i nie traci apetytu na czytanie w tym języku, chociaż na wszystko inne właściwie już straciła, każdy posiłek nudzi ją śmiertelnie, nigdy nie włącza telewizora. Jej umysł coraz bardziej pogrąża się w ciemności; przez pierwszy rok znajomości z Dominiką mieszkała nadal sama, teraz Dominice otwiera opiekunka, która zajmuje się staruszką na co dzień i dba, by jadła. Od jakiegoś czasu Eulalia Barron myli Dominikę z kimś innym, raz z mężczyzną o imieniu Icek, raz z dziewczyną imieniem Władzia, ale obie przywykły do tego zamieszania i gdy trzeba, Dominika godzi się po prostu na bycie kimś innym i odpowiada na imię Icek albo Władzia, jakby było jej własnym; tak, to ja, pani Eulalio, dzień dobry. Każdy, z kim zetknęła się Dominika od czasu, gdy wyszła ze śpiączki, był przekonany, że przypomina mu ona kogoś, kogo utracił, i mógł mieć na myśli zarówno dziadków, ludzi dorosłych obojga płci, jak i dzieci zmarłe w niemowlęctwie, a nawet ukochane zwierzęta, jakby osoba Dominiki Chmury mieściła w sobie możliwość wszystkich podobieństw i wywoływała tęsknotę za tym, co utracone. Nie tylko Eulalia Barron z Nowego Jorku, Sara, która matkowała Dominice od czasu, gdy wyruszyły z Monachium w świat, też nie oparła się temu czarowi swojej towarzyszki podróży. Przyjaciółka przypomina jej czasem Shaunikę, dziewczęcą, szczupłą matkę z wiszącej w kuchni na Bed-Stuy fotografii, matkę, od której Sara jest już starsza i dużo silniejsza. Im dłużej zna Dominikę, tym nabiera większej pewności, że nigdy jeszcze nie widziała kogoś tak podobnego do matki, mimo iż ta nie zdążyła na nią spojrzeć za życia. Eulalia Barron najczęściej widzi w Dominice kogoś, kto czytał jej, gdy była małą dziewczynką, w zupełnie innym miejscu i czasie, miejscu pięknym i czasie utraconym, dlatego gdy Dominika wchodzi do jej nowojorskiego mieszkania, Eulalia Barron woła Władzia! i przez chwilę wydaje się znów młoda, a jej oczy odzyskują blask. Czytaj, córeczko, mówi, poczytaj mi dziś o syrenach. Ty w kraj Syren zajedziesz, czarownic co zdradzą, czyta Dominika, a właściwie recytuje z pamięci, bo nagle zdaje sobie sprawę, że ta opowieść o wędrówce, której tak lubi słuchać pani Eulalia Barron z Krakowa, należy już także do niej, Dominiki Chmury z Piaskowej Góry. Recytuje więc, nie wytykam ci drogi. Czy okręt obierze drogę w prawo lub w lewo, sam rozważysz w sobie.

Wspólna podróż Dominiki i Sary z Monachium do Nowego Jorku trwała kilka lat, podczas których mieszkały w kilkunastu miejscach, nie licząc przejściowych tygodni na czyjejś kanapie lub dywanie, gdy kanapa była już zajęta przez innych wędrowców, uciekinierów czy turystów. Potykały się o cudze walizki i buty, w wilgotnych łazienkach zastanawiały się, które z kilkunastu szczoteczek do zębów należą do nich albo kto znów zużył szampon i dolał wody do marnej resztki na dnie. Spotykały polskie turystki, które nie wróciły z pielgrzymki do Watykanu, naukowców i sportowców z wizami łatanymi i artystów z naciąganymi, inżynierów, tancerki erotyczne, budowlańców i bandytów, kontrabasistów i konduktorów, barmanów i byłych badylarzy, którzy już prawie, prawie mieli stały pobyt albo właśnie nagrywali sobie fikcyjne małżeństwo i brakowało im tylko reszty pieniędzy potrzebnych do opłacenia gotowego na taki krok tubylca lub tubylki. Spotkani w drodze mówili, jak się urządzę, to ściągnę rodzinę, albo jak się dorobię, to wrócę, i tylko czasem trafiały na podobnych sobie; ci nie mówili, lubię podróżować, ani nie mówili, podróżuję, bo lubię, lecz z oczami utkwionymi w miejscu niewidocznym dla rozmówcy, wzdychali, czas ruszać, na mnie już czas, czas w drogę, jakby czas pozwalał im odetchnąć tylko na chwilę i zaraz domagał się uwagi jak pies spaceru. Sara nauczyła Dominikę szybkiego pakowania, tak że teraz może w ciągu godziny być gotowa do drogi z całym dobytkiem poręcznie rozmieszczonym w przegródkach plecaka, a wszystkim, co zostaje po niej, jest zjedzony do połowy jogurt, pół słoiczka miodu i czyjeś wspomnienie jej twarzy, która wydawała się taka podobna do kogoś znanego w innym miejscu i czasie.

Pierwszą pracę po opuszczeniu domu Grażynki Dominika i Sara znalazły w małym zakładzie przetwórstwa owoców, Obst Paradise, Owocowy Raj, na peryferiach Frankfurtu nad Menem, gdzie mieszkały w barakach podzielonych na męskie i kobiece, z Turczynkami, Senegalką, Białorusinką, Czeszką i Niemkami z Enerdowa, które resztę traktowały z góry, a same tak były traktowane przez Niemki miejscowe. Choć Niemki z Enerdowa miały wszystkie papiery w porządku, a język miejscowy, to pochodzenie zza złej strony muru sprawiało, że ciążyły ku tym, którzy mieli paszporty podejrzane albo fałszywe. Jest różnica, czy pochodzi się z Hamburga, czy z Görlitz, meine Damen! Dla Niemek z Enerdowa, nieodróżnialnych na oko od Niemek miejscowych, wszyscy czarnoskórzy byli po prostu Czarni, niezależnie od tego, skąd pochodzili, bo skąd mogą pochodzić, jak nie z Afryki, która jest czarna i dzika; ci ze Wschodniej Europy mieścili się łącznie z Dominiką w poręcznej kategorii Ruskich, było to i tak lepsze niż podkategoria Polaczków zarezerwowana dla trzech młodych pracowników ze Zgorzelca. Tylko Ruska z Czarną w parze stanowiły kombinację trudną do zakwalifikowania i nazwania, a nazywanie daje władzę, z której trudno zrezygnować nawet w Owocowym Raju, więc mówiono na nie Te Dwie Dzikie. Niemki miejscowe miały władzę nazywania i wyboru muzyki, która waliła na okrągło; zestaw stereo z nagłośnieniem był dumą szefa Owocowego Raju i miał świadczyć o nowoczesnym podejściu do higieny pracy. Nie tylko o ciała dbał, lecz także o ducha, i zaspokajał wyższą potrzebę obcowania ze sztuką, dlatego pracownicy Owocowego Raju mogli sobie słuchać przez osiem godzin niemieckich szlagierów, umpa-umpapa. Szef Wątroba, czyli Leber Führer, jak nazywały go cudzoziemki, naprawdę nazywał się Klaus Leber, nie jego to wina, i osobiście bardzo nie lubił dyskusji o winie, czy to w telewizji, czy przy piwie, bo czuł się niewinny, taka była jego natura. Był mężczyzną postawnym, gwałtownym i jednookim. Drugie oko Leber Führer stracił w bójce w młodości, ale zawsze mówił, że tym, które mu zostało, widzi lepiej niż inni dwoma.

Dominika i Sara pracowały w Owocowym Raju na nocki, bo to opłacało się najlepiej; do wyboru niewykwalifikowane kobiety miały sortowanie owoców, składanie kartonów i aufkleben – nalepianie nań nalepek z napisem Dżem Owocowy Raj albo Konfitura Wykwintna Owocowy Raj, oraz specjalnie premiowaną, bo najcięższą, pracę przy maszynie do mycia słoików na dżemy i konfitury. Na urządzenie mówiono Waschmaschine, dostosowując to niemieckie słowo do własnego języka, który zmiękczał je i spłaszczał lub kawałkował na twarde grudki, wygładzał, by przypominało wyssaną landrynkę, albo przeciwnie, wyostrzał tak, że stawało się trudne do przełknięcia i wbijało się w gardło jak ość. Wśród niewykwalifikowanych robotnic było oprócz Dominiki, Sary, Turczynek, Senegalki, Białorusinki i Czeszki, dwóch opóźnionych umysłowo niemieckich młodzieńców, Mark i Matze, którzy poprzez to pożyteczne zajęcie mieli zostać włączeni do społeczeństwa, ale uznano, że na początek nadają się co najwyżej do tego, by dołączyć do społeczności kobiet. Mężczyźni też byli w Owocowym Raju, ale przeznaczeni zostali do poważniejszych prac, wymagających siły mięśni, i obsługiwali wózki widłowe, rozładowywali towar lub byli kierownikami, a wtedy krzyczeli, schneller; mężczyzną najważniejszym był Leber Führer. Tej zarazie nic nie umknie, skarżyły się kobiety, gapi się tą jedną gałą, aż ciarki chodzą, w dupie też chyba ma oczy, narzekały i chodziła plotka, że Leber Führer w łaźni kazał zamontować ukryte kamery. Oprócz zajmowania się swoją pracą zatrudnione w Owocowym Raju musiały uważać, by Mark lub Matze nie włożyli ręki do rozdrabniacza lub nie wpadli do kotła z wrzącą truskawkową mazią, raz że nieszczęście, a dwa, marnacja owoców. Dodatkowy problem wynikał z tego, że Mark i Matze chętnie wkładali ręce pod fartuchy kobiet, które darły się bardziej z zaskoczenia niż strachu, bo w huku maszyn łatwo było chłopakom zakraść się, nie budząc podejrzeń. Gdy któraś nagle wrzeszczała i przeklinała w swoim języku, wiadomo było, że Mark lub Matze, albo obaj naraz, podeszli ją przy robocie, i reszta śmiała się, cóż było robić. Dominika i Sara pracowały najczęściej przy Waschmaschine, bo potrzebowały pieniędzy na dalszą drogę, a pracę w obłokach gorącej pary znosiły lepiej niż reszta, żartując, że mają tu saunę za darmo, co za luksus, prawdziwy owocowy raj; sauna i maseczki z truskawkowej mazi bez ograniczeń. Tymczasem nawet Senegalka mówiła, że dla niej Waschmaschine to piekło, u niej w Senegalu w środku lata nie było tak gorąco, zresztą choćby i było, to lepszy, piękniejszy byłby ten upał, złoty, pachnący, baobabowy. Może delikatność Senegalki wynikała z faktu, iż w swojej ojczyźnie uczyła się przez chwilę we francuskiej szkole dla dziewcząt i segregując truskawki w Owocowym Raju, przeplatała opowieści w łamanej niemczyźnie słówkami o wykwintnym brzmieniu i zapachu. Adorable! Délicieux! Génial!

Formidable! Merveilleux! wzdychała Senegalka i najchętniej opowiadała o baobabach z Senegalu, do których wszystkie te określenia pasowały jej zdaniem jak ulał. Baobaby, cóż to były za drzewa, pod ich korą przypominającą skórę słonia krył się miąższ nasiąknięty sokiem jak gąbka. W największym upale nie umierało się z pragnienia, gdy były baobaby. Wystarczyło naciąć korę i włożyć rękę do środka, by wydobyć garść bialutkiego miąższu i wyciskać wprost do ust, nic nie smakowało lepiej, ani piwo niemieckie, ani fanta, ani nawet coca-cola. Gdy zepsuł się silnik łodzi, którą wraz z piętnastoma innymi osobami Senegalka próbowała dostać się z Senegalu na Wyspy Kanaryjskie, bo Wyspy Kanaryjskie to była Hiszpania, a Hiszpania to była Europa, a Europa to jedzenie i praca, myślała właśnie o baobabach, i uważa, że dzięki temu udało jej się przetrwać dziesięć dni bez jedzenia i picia. Bo takie właśnie są baobaby: Adorable! Délicieux! Génial! Formidable! Merveilleux! Senegalka miała zapewne imię, ale w Owocowym Raju nazywano ją Baobab, bo to drzewo, baobab, cóż za brzmienie dzikie, wystawało korzeniami do góry z jej opowieści o ojczyźnie, której nazwa reszcie z niczym się nie kojarzyła. Baobab wsiadła na starą łódź nie tylko dlatego, że głodne matki i córki z jej wioski, których od dawna nie stać było na ryby, zbierały rybne odpadki, głowy, ości, wnętrzności. Ocean kiedyś oznaczał nadzieję, kobiety czekały na pirogi, które wracały pełne srebrnych i karmazynowych ryb, pysznych ośmiornic o fioletowym odcieniu, teraz wszystkie złowione ryby odpływały do Japonii, Francji, Hiszpanii. Pirogi przegrywały z wielkimi statkami, leżały nieużywane na brzegu jak zdychające mieczniki, wokół nich kozy włóczyły się po plaży w poszukiwaniu jedzenia. Mężczyźni porzucali sieci, spotykali się w swoim gronie, omawiali plan, sprzedawali, co się da, albo zapożyczali się u całej rodziny i którejś nocy znikali. Niektórzy żegnali się, obiecywali, dam znać zaraz, jak dotrzemy na miejsce, jak się urządzę, ściągnę was do siebie, nic się nie bójcie, zarobię i wrócę, do końca życia będziemy urządzeni. Mąż Baobab, Madou, nie pożegnał się, bo wiedział, że nie pozwoliłaby mu odpłynąć bez niej; czekała, licząc godziny do momentu, w którym przy sprzyjających okolicznościach jego łódź dotarłaby do wybrzeży Wysp Kanaryjskich, a potem doliczała dni, które były mu potrzebne na znalezienie pracy, wyrobienie dokumentów i wynajęcie mieszkania. Jednak Baobab czekała na darmo, bo z łodzi, na której odpłynął jej mąż, nikt nigdy nie dał znaku życia. Chodziła do marabutów, prosząc o radę, a poważni mężczyźni z brodami kiwali głowami, wywracali oczami i radzili, by była cierpliwa. Jej cierpliwość wyczerpała się po dwóch latach i Baobab sama wsiadła na łódź, która kiedyś służyła do połowu ryb, a teraz cwani przewoźnicy przerobili ją na łódź śmierci z czkającym silniczkiem; nocą odbili od wybrzeży wioski, a po kilku godzinach silnik czknął ostatni raz i zgasł. Zanim tuż przy brzegu Teneryfy wyłowił ich z morza prywatny jacht, zmarła połowa z siedemnastu osób; kolejno wrzucali ich zwłoki do wody, ale ostatnich dwóch trupów nikt nie miał siły dźwignąć za burtę. Baobab myślała wtedy o baobabach, ich miąższu ociekającym sokiem, jakby zaklęta w nim była tylko życiodajna moc palącego teraz słońca; wystarczy sięgnąć dłonią do wnętrza drzewa miękkiego jak ciało, podnieść pełną garść do ust. Najpierw napije się sama, jest taka spragniona, a druga garść będzie dla jej męża, tak myślała Baobab, gdy leżała na dnie łodzi. Gdy umierała z pragnienia, wydawało jej się, że słyszy śpiew, kobiece głosy śpiewające z morza w nieznanym języku, który jednak rozumiała, śpiewały o tym, że jej mąż żyje i na nią czeka, że jest przyszłość i życie, są baobaby. Dzięki temu śpiewowi Baobab ani nie umarła, ani nie straciła nadziei. Trafiła do obozu Czerwonego Krzyża na Teneryfie i stała się jednym z milionów wygnańców pozbawionych ojczyzny dawnej i niezbyt pasujących do nowej; Owocowy Raj był kolejnym miejscem, w którym nie zamierzała zostać długo, bo jej męża podobno ktoś widział w Kopenhadze. Wierzy, nie wierzy, nie zaszkodzi sprawdzić, bo nie ma tu marabutów, których mogłaby się poradzić, nie ma też niestety baobabów.

Oprócz Senegalki zwanej Baobab inne kobiety z Owocowego Raju też próbowały pracy w gorącej atmosferze Waschmaschine, ale tylko Dominika i Sara wytrwały tak długo. W gumiakach i fartuchach w kolorze zgniłych truskawek śpiewały wszystkie znane sobie piosenki, przekrzykując mechaniczny hałas i umpa-umpapa niemieckich szlagierów; Dominika po polsku, Jolka, Jolka pamiętasz lato ze snu, a Sara w języku, który złożony był z cmoknięć i kląskania. Co to za język? pytały inne kobiety, khoi-khoi, odpowiadała Sara, tak mówili moi przodkowie. Khoi – co? Khoi-khoi! Skąd go znasz? Nie znam, umiem w nim tylko śpiewać, żartowała, śmiała się i śpiewała jeszcze głośniej. Od ruchu taśmy, na którą stawiały słoiki do mycia, po sześć naraz, nad ranem kręciło im się w głowie i Dominice wydawało się wtedy, że to nie słoiki, tylko ona jedzie taśmą jak pociągiem, za którego oknami przesuwają się zamglone widoki Wałbrzycha, Zalesia, Warszawy, a obok niej Jadzia z torbą pełną bułek z serem gouda, jajek na twardo i pomidorów. W czasie przerw cudzoziemki trzymały się swoich podgrup, między którymi czasem dochodziło do nieporozumień, a czasem do przyjaznych kontaktów; częstowały się papierosami i cukierkami, pytały, a jak jest po twojemu na przykład kochać albo chleb, albo jak jest po twojemu pierdolić, a jak rodzić, i śmiały się, że tak różne nazwy istnieją na te same rzeczy, i po co to komu. Gdy przerobiły też słowa blisko związane z Owocowym Rajem, takie jak truskawka, pieniądze, malina, pracować, zmęczenie, spać, wymyślały inne, dalekie i prawie puste jak nieumyty słoik po dżemie – świat, samolot, aktorka, zakonnica. Powtarzały jeptiszka, zakonnica, nun, prychały na tureckie słowa, na których europejskie języki potykały się jak pijak na kocich łbach. Gdy Sara mówiła słowo w khoi-khoi, reszta machała rękoma, że to już naprawdę ponad ludzkie siły i czy naprawdę można w ten sposób nazywać świat, a jeśli tak, to czy stworzenia rozumieją wtedy swoje imiona? Opóźnieni młodzieńcy siadali zawsze w pobliżu kobiet, mieli okrągłe twarze i słoneczne uśmiechy nie do starcia. Jeśli coś łączyło Dominikę, Sarę, Turczynki, Senegalkę, Białorusinkę, Czeszkę i Niemki z Enerdowa, to był to odruch karmienia słabszych, jakiego kobiety uczą się wszędzie tam, gdzie niedana jest im satysfakcja z bardziej doniosłych zadań. Karmienie takie wypełnione jest dobrocią i złością, może uratować życie i zdławić, bo gdy tylko karmicielki widzą otwarte usta, nie pytają, czy chciały coś powiedzieć, krzyknąć, zaczerpnąć oddechu, lecz wkładają w nie jedzenie i dopychają, by zmieścił się następny kęs, jedzjedzjedz. W kierunku Marka i Matze wyciągały się kobiece dłonie, jedzjedzjedz; biedactwa, byli w tak oczywisty sposób słabsi, bardziej poszkodowani. Miło tak się nad bardziej poszkodowanym politować, aż się lżej człowiekowi robi. Co to za życie, to ja już bym chyba wolała nie żyć, wzdychała raz Ukrainka, raz Czeszka, a Niemka z Enerdowa pamiętała ze szkoły, że w Grecji to się takich zaraz po urodzeniu zrzucało z jakiejś wysokiej skały. Kobiety karmiły i zastanawiały się, czy nie byłoby lepiej dla Marka i Matze, gdyby ich tak ze skały jak w Grecji, ale jednak nie, to wydawało się zbyt okrutne. Ale gdyby tak uśpić? To by nie bolało. Lepiej uśpić, niż ma się męczyć, a już na pewno na wszelki wypadek lepiej wykastrować, bo jednak nie wiadomo, co takiemu przyjdzie do głowy, jedzjedzjedz. Chłopakom odbijało się z przejedzenia i zasypiali na kartonach syci i spokojni jak niemowlęta, nieświadomi eugenicznych pomysłów karmicielek. Dopiero nadejście Szefa Wątroby sprawiało, że Mark i Matze podrywali się jak oparzeni, bo instynktem tych, którzy nieraz oberwali, czuli, że z jego strony nie ma co liczyć na współczucie.

Szef Wątroba lubił przeglądać się działającym okiem w lusterku swojego samochodu, lubił wygląd swojej ozdobionej sygnetem dłoni spoczywającej władczo i pewnie na kierownicy, bo, jak sądził, dłoń właściciela powinna tak spoczywać na wszystkim, co jego jest. Najbardziej Szef Wątroba lubił jednak władzę, lubił ją tak bardzo, że na samą myśl o posiadaniu czegoś tak cudownego, jak prawo do dawania i odbierania, łzawiło mu szare oko, którego kolor wraz z Owocowym Rajem odziedziczył po ojcu. Uczucie, które ogarniało Szefa Wątrobę, gdy wchodził do Owocowego Raju, nie dawało się porównać ani do wakacji na Majorce all inclusive, gdzie można było nie ruszać się dalej niż hotelowy basen, co za luksus, i jeść bez żadnych ograniczeń, ani nawet do jazdy ukochanym bmw ze skórzaną kremową tapicerką, którym mógł po kolei wyprzedzić z dziesięć gorszych aut, pędząc lewym pasem autostrady. Najpełniej tego stanu doświadczał, gdy patrzył na pracujące w Owocowym Raju kobiety; im bardziej na czarno pracowały, tym bardziej im na pracy zależało, a poczucie władzy Leber Führera rosło najlepiej na pożywce strachu tych, którzy nigdy nie mieli wiele do stracenia. Gdy składał niezapowiedziane wizyty w tonącej w truskawkowych oparach sali, jego chód był sprężysty, pierś wypięta, a oko czujne; to był raj i cały należał do niego, co więcej, można powiedzieć, że to on stworzył to piękne miejsce, modernizując odziedziczoną po ojcu ruinę. On przyjmował do Owocowego Raju i on z niego wyrzucał, to było jego święte prawo. Szef Wątroba lubił tu przychodzić, uważał, że pańskie oko konia tuczy. W przeciwieństwie do pomniejszych kierowników nigdy nie używał brzydkich słów, a uśmiech łagodny, ojcowski nie schodził z jego twarzy i nie różnił się od uśmiechu, jaki miał na okoliczność rodzinną, dla dzieci i wnuków. Gdy przerwa trwała za długo i Turczynki, Senegalka, Białorusinka, Czeszka i Te Dwie Dzikie porozłaziły się po zakładzie, kierownicy krzyczeli, że koniec gucken i besuchen, leniwe baby tylko by gucken i besuchen, tylko essen i trinken, wracać do roboty i to schneller, jeśli nie chcą mieć potrącone. Szef Wątroba nigdy nie podnosił głosu, mówił, guten

Morgen, pytał, wie gehts, i często prosił którąś z młodszych kobiet do gabinetu, a wszystko bardzo kulturalnie. Namierzał swoje ofiary z wprawą myśliwego, trafiając szarym okiem tam, gdzie czuł najsmakowitsze połączenie uległości i oporu.

Młodsza z Turczynek, Nazan, o czerwonych włosach punkówy, przekonała się o tym na własnej skórze, choć sprawy zaszły głębiej niż skóra. Podobno były inne poszkodowane, były też takie, które z westchnieniem rezygnacji same odpinały guziki fartuchów w kolorze zgniłych truskawek, by potem mówić sobie, że gdzie tam je zmuszał, żadnego zmuszania nie było, przemogły się i swej sytuacji pomogły, załatwiły sobie to czy owo, bo takie jest życie w Owocowym Raju. Nieraz żartowały kobiety, co należałoby zrobić z takim Szefem Wątrobą, o, gdyby tylko mogły, gdyby nastał dla nich czas mocy, już one by mu pokazały! Białorusinka Kalina miała zawsze najlepsze pomysły. A wiecie, co ja bym zrobiła? zaczynała, a potem już szło. Powiesiłyby Leber Führera za jaja, stały w kółku i się śmiały, a on by dyndał jak ozdoba choinkowa. Utopiłyby w kadzi z konfiturą truskawkową. A przedtem w dupę by mu nakopały i po jajach. Tak, po jajach koniecznie. W malinach wrzących by go wytarzały, a potem na golasa po śniegu przepędziły, że hej, aż by się sfajdał ze strachu. Na golasa! Pewnie, że na golasa. Przepuściłyby Szefa Wątrobę przez Waschmaschine, skąd wyjechałby na taśmie odbarwiony, wydezynfekowany i gorący jak pączek. Nazan wróciła do pracy z biura Leber Führera zapięta po szyję i nie powiedziała nic, ale jej czerwone włosy płonęły, jakby tamtędy uchodziło obrzydzenie, przez chwilę się wydawało, że może być z tego pożar, ale ogień przygasł z sykiem i Nazan wróciła do nalepiania na kartony nalepek Konfitura Wykwintna Owocowy Raj. Piętnaście minut w magazynie i niesmak w ustach to cena wygórowana za tak nędzną pracę, Nazan gotowa ją była jednak zapłacić, bo ryzykowała znacznie więcej. Wszystko było lepsze od deportacji i powrotu tam, skąd uciekła, paląc mosty, i gdzie miejsce, które po niej zostało, nie pomieściłoby dzisiejszej Nazan o czerwonych włosach i odkrytej głowie. Niekiedy podczas przerwy Nazan siadała koło Dominiki i Sary na drewnianych paletach przed Owocowym Rajem, gdzie paliły papierosy, patrząc w noc, która przynosiła tu jak na falach strzępy snów śnionych przez mieszkańców domów o zadbanych ogródkach. Niemieckie sny nadpływały wilgotne i nieprzejrzyste, osiadały na włosach, ramionach cudzoziemek z Owocowego Raju; na dalekich przedmieściach ich fabryczka dżemów i konfitur luksusowych była jedyna plamą światła otoczoną przez mrok tak gęsty, że wydawał się żywą substancją pełną oddechów i westchnień. Turczynka jeszcze słabo mówiła po niemiecku, ale Dominika zrozumiała, że Nazan ma siostrę Aysun, która została w rodzinnej wiosce, i nie zdziwiła się specjalnie, gdy usłyszała, że jest podobna do Aysun, która też ma tak długie rzęsy. Długie, czarne, delikatne jak motyle skrzydła, jak jest motyl po niemiecku? Schmetterling. Der czy das? Gdyby nie der i das, już by Niemki były z nas! A więc Schmetterling, rzęsy jak skrzydła motyla. Niekiedy po przebudzeniu Aysun nie mogła ich rozplątać. Chciała otworzyć oczy, a tu nic przez te rzęsy, ciemność, jakby sen trwał mimo przebudzenia i było się jednocześnie tu i we śnie. Wołała wtedy,

Nazan, Nazan! przyjdź, bo zaplątały mi się rzęsy, i śmiały się, tarzały się za śmiechu po łóżku, jadły chałwę z pistacjami na śniadanie i patrzyły przez okno, jak pada śnieg. W ich wiosce padało całą zimę; tej śnieżnej zimy, gdy Nazan wyjechała, dwie dziewczyny popełniły samobójstwo. Ten jeden raz Nazan powiedziała coś o życiu przed, ale gdy po kilku dniach Dominika podczas nocnej przerwy wróciła do tej rozmowy, do siostry Aysun, która została w wiosce na południowym wschodzie Turcji, Nazan wzruszyła tylko ramionami, zgasiła papierosa i odeszła. Gdy po pracy brały prysznic we wspólnej łaźni, Dominika zobaczyła po raz pierwszy plecy i pośladki Nazan, która dotąd nie paradowała po szatni nago jak inne kobiety, i zrozumiała, że ten widok to nie przypadek, lecz dar. Plecy Turczynki pokryte były pręgami, które biegły ukośnie od lewego ramienia, różowawe ślady po ranach, które zagoiły się dopiero niedawno. Plecy Nazan mówiły, to wszystko, co mogłam teraz dać i wziąć, być może nigdy nie poznasz mojej historii ani ja twojej, ale dziękuję, że dzięki tobie wypowiedziałam imię Aysun. Dominika dotknęła swojej blizny na policzku, bo to wydawało jej się najwłaściwszym sposobem, by powiedzieć, dziękuję, Nazan. Jeszcze kilka razy paliły razem papierosy, ale już nigdy nie mówiły o rzeczach ważnych, a nieważnych jest przecież tyle, że wystarczy do mówienia przez całe życie. Siedziały po prostu obok siebie, żartowały z mężczyznami, którzy podczas przerwy popisywali się jazdą na wózkach widłowych, flirtowały, karmiły Marka i Matze, dzieląc się z nimi swoimi kanapkami, albo słuchały, jak Senegalka, zwana Baobab, opowiada po raz kolejny o drzewach, które wyglądają, jakby rosły korzeniami do góry, i zgadzały się, że, fakt, tu drzewa nie są takie piękne i wszystkie mają korzenie w ziemi.

Tej nocy, gdy Dominika, Sara, Baobab i Nazan opuściły Owocowy Raj, Szef Wątroba pojawił się na początku zmiany. Minął Dominikę i Sarę, Białorusinkę i Czeszkę, Niemki z Enerdowa i Senegalkę, zwaną Baobab, aż w końcu zatrzymał się przy Nazan, której czerwone włosy zapłonęły tak jasno, że przygasł blask jarzeniowych lamp. Nazan, wie gehts? Okazuje się, że muszą jeszcze raz porozmawiać, bo jednak papiery Nazan nie są w takim porządku, w jakim wydawało się, że były po ich ostatniej rozmowie. Sygnet zalśnił na palcu wskazującym Szefa Wątroby, ten palec lubił błyszczeć na kierownicy i wciskać się na siłę; chce porozmawiać z Nazan teraz, dokładnie w tej chwili, bitte. Zapłonęły włosy Nazan jak główka potartej zapałki i trzeba było być ślepcem, by tego nie widzieć, ale Szef Wątroba, zapatrzony w zbliżającą się przyjemność, nic nie zauważył i może miała rację żona, gdy namawiała go ostatnio na wizytę u okulisty. Tymczasem włosy Nazan iskrzyły się już jak zimne ognie, by po chwili wybuchnąć feerią fajerwerków w kształcie smoków, węży, tygrysów, ale to widzieli tylko Mark i Matze, i do końca życia nie zobaczą niczego piękniejszego. Smoki! Węże! Tygrysy! tak będą opowiadać, ale nikt im nie uwierzy, bo komu by się tam chciało im wierzyć. Nazan! krzyknęła Dominika, ale Turczynka nie obejrzała się; Nazan! zawołały Sara i Baobab jednocześnie, ale też na darmo. Smoki! Węże! Tygrysy! Mark i Matze chcieli powiedzieć Białorusince Kalinie, co widzą, pokazać palcem, ale dostali tylko przez łeb, każdy dla pewności po dwa razy. Za Szefem Wątrobą i Nazan zamknęły się drzwi magazynu; kobiety w hali wróciły do pracy.

Zmyliła go szybka zgoda, a pośpiech dłoni rozpinających mu spodnie wziął za gorliwą uległość i zdziwił się, gdy Nazan nagle wstała z klęczek i skoczyła do drzwi. Kolana miał skrępowane bokserkami w świnki, żona lubiła mu kupować takie zabawne i miłe prezenty pod choinkę; Szef Wątroba ruszył za Nazan, nie zdążył, dziewczyna zatrzasnęła drzwi. Pożałujesz, suko! Jak można było tak go potraktować? Jego, człowieka na stanowisku, właściciela Owocowego Raju! Czyjeś ręce, czuł, że więcej niż jedna para, choć nie będzie mógł tego udowodnić, barykadowały właśnie drzwi metalowym regałem, na którym stały skrzynki z dżemami z eksperymentalnej serii ekologicznej. Zupełnie wam odbiło, powiedziała Sara, i to ona dopchała regał tak, że trzech mężczyzn z trudem go potem odsunie. Ale to potem. Teraz Szef Wątroba nie zdoła wspiąć się do małego okienka pod sufitem, a nawet gdy podstawi krzesło i złapie się rękoma krat, nic mu z tego nie przyjdzie.

To, co stało się potem, najlepiej zapamiętają Mark i Matze, którym kolor czerwony już zawsze będzie przypominał płonące włosy Nazan; zachodzące słońce, czerwone światło na przejściu dla pieszych, truskawki, to wystarczy, by przywołać ciąg obrazów z tamtej nocy w Owocowym Raju. Która była pierwsza? Baobab! Mark i Matze widzieli, jak zerwała chustkę z głowy i jej włosy zaplecione w warkoczyki zatańczyły jak węże, mówiłem, że węże! wrzasnął Mark, węże! smoki! tygrysy! zawtórował mu Matze. Wtedy Baobab cisnęła o ścianę słoikiem pełnym dżemu, chwilę po niej Białorusinka Kalina przywaliła drugim, aż echo poszło po Raju. Job twoju mać, jak ja nienawidzę dżemów! Paszły won, precz z dżemami, Dominika roześmiała się, nabrała pełne garści rozdrobnionych truskawek i obrzuciła nimi Sarę, ta ochlapała Czeszkę od stóp do głów pulpą zaczerpniętą wiadrem z kadzi. Czeszka starła maź z twarzy, zamrugała powiekami, powiedziała coś o rukach i krwawiczce, chlapnęła Dominikę w odwecie, a dostało się też Nazan, która była teraz cała czerwona, wokół głowy świeciła jej jakby aureola, mokry fartuch przylegał do ciała. Truskawkowa maź spływała kobietom po twarzach i dekoltach, malinowy mus lepił włosy, łaskotały jego strużki między piersiami, truskawkowy sok wędrował w dół pleców i brzucha. Mark i Matze jeszcze nigdy nie widzieli takiej zabawy, dlaczego kobiety dopiero teraz wpadły na coś, na co oni mieli ochotę od początku? A może im się to wszystko wydaje? Może to tylko piękny sen? Nieważne, nabrali po wiadrze owocowej pulpy i niechby ktoś spróbował teraz zatrzymać Marka i Matze, niechby ktoś spróbował powiedzieć, zostaw to, ty debilu pieprzony, niedojebku. Dominika i Sara, Baobab i Nazan, Białorusinka i Czeszka śmiały się coraz głośniej, przyłączyły się do nich dwie Niemki z Enerdowa, mała pulchna i duża chuda, i to któraś z nich podkręciła jeszcze głośniej niemieckie szlagiery. Tanzen! Zawołała duża chuda, rozpięła fartuch i ruszyła ostro, melodia w rytmie umpa-umpapa pasowała o wiele lepiej do tańca niż do pracy. Adorable! Délicieux! Génial! Formidable! Merveilleux! krzyknęła Baobab, jak nigdy nie krzyczała, i zatańczyła, jak nie tańczyła od lat, wymachując głową, jej warkoczyki tryskały na czerwono, pod spodem żałosnej melodii szlagierów słyszała inny, morski śpiew, porywał ją jak fala. Słyszycie? chciała zapytać, ale chyba słyszały. Resztę najlepiej zapamiętają Mark i Matze, i upierać się będą, że to prawda, bo nic nie tracą, skoro i tak nikt ich nie bierze poważnie, a takie wspomnienie warte jest uporu. A było tak. Adorable! Délicieux! Génial! Formidable! Merveilleux! śpiewała Senegalka, zwana Baobab, a jej nagle objawiony sopran koloraturowy przypomniał Białorusince Kalinie czasy, kiedy to było, gdy miała zostać baletnicą. Baletnicą! Co robi w fabryce dżemów białoruska baletnica? Kalina zdjęła fartuch, miała pod nim majtki z napisem Montag, choć to była środa, i miękki bawełniany stanik, okazało się nagle, że jej ciało, cięższe teraz o czterdzieści kilo, pamięta baletowe figury sprzed lat. Pas couru! Ballonné! Kalina wyskoczyła w powietrze, lekko wróciła na ziemię, zastygła w arabesque i po chwili, hop, assemblé! wycięła piruet na puentach. Jej piersi przed oczami Matze rozkołysane były jak dwa słońca, a chłopca zachwycił, choć nie zdziwił, ten widok, bo zawsze myślał, że słońc jest wiele, poranne, południowe, zachodzące, a wszystkie piękne, wędrujące w te i z powrotem nad nieruchomą ziemią. Co za cud, nikt nie powiedział mu, spadaj, debilu pieprzony, wynocha, niedojebku, trzeba cię uśpić, kretynie, tylko kobieta, piękna jak wszystkie słońca wzięte naraz, poranne, południowe, zachodzące, wirowała z nim, umpa-umpapa, w majtkach z napisem Montag. Dominika tańczyła z Sarą, a Nazan z Baobab, umpa-umpapa, łapały się za ręce, robiąc korowód, do którego włączały się kolejne kobiety z Owocowego Raju; nawet jedna tutejsza Niemka w zaparowanych okularach zrzuciła fartuch, chwyciła za rękę Marka i poszła w tany, ostatnio to na Oktoberfeście tak ją porwało! Korowód zawadził o stertę kobiałek ze świeżymi owocami, truskawki i maliny rozsypały się pod nogami, kobiety gubiły służbowe kalosze, dłonie kleiły się do dłoni i nikt nie zwracał uwagi na to, że Szef Wątroba wali w drzwi i przeklina, nie daruje im tego, już one go do końca życia popamiętają, śmiecie zagraniczne, głupie dupy, niech drzwi otwierają, szacunek okazują, i to schneller. Ale, umpa-umpapa, grała muzyka, Ich liebe dich, aber du liebst mich nicht, śpiewał jakiś zawiedziony w miłości, lecz bardzo energiczny głos, korowód kobiet z Markiem i Matze pośrodku wytańczył się na zewnątrz, gdzie noc była rozedrgana i gęsta; co odważniejsi mężczyźni porzucali pracę i dołączali do zabawy. Dominika czuła dłonie Sary i Nazan w swoich dłoniach, przylegały jak warstwy ciasta sklejone dżemem, pierwszy raz od wypadku czuła się taka szczęśliwa i wolna, ale korowód zaczął wkrótce wytracać szybkość, w powietrzu czuć było już poranny chłód. Pierwsza otrzeźwiała miejscowa Niemka i nagle, niczym osoba zaskoczona nago, zgięła się wpół i pomknęła w stronę łaźni. Białorusinka Kalina klapnęła na stos palet i dysząc ciężko, wymamrotała, że job twoju mać, balet już chyba nie dla niej. Potem Nazan odlepiła się od korowodu, Nazan! krzyknęła Dominika, ale Turczynka, nie oglądając się, pobiegła do zaparkowanego samochodu z cysterną, którym mus z truskawek i malin przetworzonych w Owocowym Raju rozwożono do innych zakładów. Jeden samochód stał gotowy do drogi, drzwi szoferki otwarte, kluczyk w stacyjce, za kierownicą już Nazan. Podjechała do ściany budynku, wyskoczyła z szoferki i wybiła kopniakiem okienko magazynu, w którym klął uwięziony Szef Wątroba. Zanim inni zdążyli pojąć, co zamierza, Nazan spuściła przez nie do środka zawartość cysterny, popłynęła czerwona rzeka! Wstawał świt, w oddali zawył pociąg, z wnętrza magazynu coś zabulgotało gniewnie. Kobiety zaczynały przecierać oczy; czy to wszystko dzieje się naprawdę? Co one robią na zewnątrz półnagie i ubabrane w truskawkach, z malinami w stanikach i majtkach, gdy powinny arbeiten, i to schneller, pogłupiały? Muzyka wciąż grała, umpa-umpapa, ale niczyja noga nie rwała się już do tańca, ci, którzy przed chwilą trzymali się za ręce, odsuwali się od siebie i unikali patrzenia sobie w oczy, a gdy Matze sięgnął ręką do słonecznej piersi Kaliny, ta warknęła, spadaj, debilu, i zdzieliła go w głowę. Szef Wątroba wył i bulgotał, klął i groził; stał po brodę w truskawkowym musie i ślizgały mu się nogi. Jeden z niemieckich pracowników powiedział, macie dwadzieścia minut, wariatki, potem go wypuszczamy. Nam zależy na tej pracy! Narobiło się. Jak mogli do tego dopuścić? To wina Tych Dwóch Dzikich! To wina Baobab! Nazan wina! Kto to powiedział pierwszy? Kto pierwszy obwinił? Kobiety zaczęły rozchodzić się, nie patrząc sobie w oczy, ktoś wyłączył w końcu umpa-umpapa; to wina Tych Dwóch Dzikich, Nazan, Baobab, powtórzył ktoś szeptem; świt wstawał zimny i siny, to wina Tych Dzikich, ktoś inny głośniej, Nazan, Baobab. Dzikich wina, bo jak nie, to czyja? Nazan wina, Baobab!

Pakujemy się! Macie piętnaście minut! powiedziała Sara. Za piętnaście minut widzimy się przy wyjściu. Gdy spotkały się przy bramie Owocowego Raju, miały jeszcze kawałki owoców we włosach, uszach, pod paznokciami, a w pośpiechu narzucone ubrania kleiły się im do ciał; Dominika włożyła sweter na lewą stronę, Nazan ukryła głowę pod narciarską czapką z pomponem i nawet doświadczonej podróżniczce Sarze cieliste rajstopy wystawały z plecaka i powiewały na wietrze jak kołysane wodą ukwiały. Warkoczyki Baobab sztywne od dżemu sterczały na wszystkie strony, w uszach podrygiwały wielkie kolczyki z turkusami, była piękna i trochę straszna. Czy opowiadałam wam już o baobabach? To był śmiech, jakim śmieją się uciekinierki nad ranem, śmiech mający moc budzenia z martwych. Pierwszy poranny do Frankfurtu odchodził z małej stacji o czwartej pięćdziesiąt i musiały na niego zdążyć, bo jeśli Szef Wątroba wezwie policję, choć nie sądziły, by to zrobił, bo musiałby tłumaczyć się z nielegalnego zatrudniania pracowników, będą ich szukać przede wszystkim na dworcu. Ale kto wie, jaka zemsta przyjdzie mu do głowy? Nie ma już dla nich miejsca w Owocowym Raju. Ruszyły; biegły skrótem przez lasek brzozowy po kolana stojący we mgle, przez uśpioną wioskę, wzdłuż ogródków z krasnalami, gipsowymi grzybami i wodnymi oczkami, koło sklepu Aldi, gdzie śmiertelnie przeraziły dostawcę mleka. Zdążyły!

Gdy piły kawę na dworcu we Frankfurcie nad Menem, wiedziały, że ich wspólna droga dobiegła końca. Tu jest dużo Turków, powiedziała Nazan, może znajdę pracę w jakiejś restauracji, może w sklepie; poradzę sobie, bo nie mam dokąd wrócić. Ja jadę do Kopenhagi, oznajmiła Baobab, może wcześniej zarobię trochę tu czy tam, ale potem do Kopenhagi, szukać mojego męża, Madou. Razem wrócimy do domu, do Senegalu. My pojedziemy do Gelnhausen, mamy tam kogoś, córkę naszej przyjaciółki Grażynki, zatrzymamy się na chwilę i popracujemy w cukierni, powiedziała Dominika. A potem? Dalej w drogę. Gdy spotkam Aysun, opowiem jej o tobie, powiedziała Nazan do Dominiki, kiedy się żegnały, powiem jej, że też plątały ci się rzęsy. Rzęsy nieznanej siostry Nazan stały się rzęsami Dominiki i odtąd ilekroć spojrzy na nie w lustrze, pomyśli o dziewczynie, która jadła na śniadanie chałwę z pistacjami, a za oknem śnieg sypał się na dachy tureckiej wioski wielkimi mokrymi płatkami.

## V

Ciocie Herbatki nawet przed wojną zapasy robiły tak, jakby zawsze spodziewały się zimy stulecia. Szły na targ z wielkimi koszami i macały owoce, grzebały w warzywach, a ich twarze przybierały wyraz skupionej i podszytej podejrzliwością powagi, jakby chodziło o coś o wiele bardziej doniosłego niż zakup produktów na przetwory.

Jabłka tej jesieni były byle jakie; byle jakie, wzdychały, niewydarzone pierdziołki. Za to gruszki! Zrobią gruszki w occie i konfiturę gruszkową z żurawiną, świetną do mięsa, a jeśli mięsa nie będzie, zje się z plackami ziemniaczanymi. Może też kilka kompotów gruszkowych z goździkami i syropem porzeczkowym, który nada im piękną różową barwę, i będą goście pytać, a jak to panie zrobiły, pani Różo, pani Anielo, że gruszki, a różowe? Klapsy, bergamotki i lukasówki, piękne owoce o kształtach miejscowych kobiet, nawet w kolorze podobne, płowozłote, gdzieniegdzie zbrązowiałe i obite.

Ciocie Herbatki wybierały, przebierały, podnosiły owoce pod światło, jakby spodziewały się dojrzeć przez skórkę i miąższ ukryty w środku skarb. A jak się targowały! Wiedziały dokładnie, ile razy mają odejść, mówiąc, nie to nie, idziemy gdzie indziej, a kiedy ustąpić i ubić interes. Ale najpoważniejszą sprawą był wybór kapusty do kiszenia. Wielkość, kolor, zapach, dotyk i zwartość, wszystko miało znaczenie. Kazały sobie przekroić wybrany egzemplarz i oglądały każdą połówkę z taką uwagą, jakby trzymały w dłoniach cenne okazy japońskiej ceramiki. Dobra kapusta powinna z wierzchu mieć kolor kiełkującej trawy, w środku olśniewać kremową bielą twarożku; dyskwalifikują ją czarne kropki, sinawe nacieki, a nawet delikatne smugi żółci. A do tego zapach niedojrzałych ziaren pszenicy, świeżość z orzechową domieszką, i żaden inny. No i dźwięk, ściśnięta kapusta powinna zapiszczeć jak mysi osesek; jeśli zapiszczy, kisimy, mówiły Ciocie Herbatki, ugniatając w dłoniach główki wybrane ze sterty leżącej na jednym czy drugim wozie. Tego roku trochę spóźniły się z kiszeniem, ale bywają lata, gdy wszystko przychodzi za późno, jabłka nie chcą dojrzeć i mimo słońca wiszą na drzewach zielone i twarde jak kamienie, a węgierki do pierwszych mrozów nabierają zaledwie połowy przewidzianej słodyczy. Czekały więc i czekały Ciocie Herbatki niezadowolone z tego, co można było kupić na targu w Kamieńsku czy Gorzkowicach, aż w końcu zdecydowały, że nie ma co, jaka będzie, taką kupią i ukiszą, bo inaczej zostaną bez kapusty na zimę.

Od piątej rano Ciocie Herbatki szatkowały kapustę, rozmawiając o Grażynce, bo w przeddzień doszło do nich, że fryzjer Tadeusz Kruk zastawił na nią sidła. Całą noc myślały, co mogą zrobić, i nic nie wymyśliły. Zabronić? Nigdy niczego Grażynce nie zabraniały. Wytłumaczyć jej? Jak wytłumaczyć to, o czym nie da się mówić? Przekupić fryzjera? Nie ma czym. Uciekać? Nie ma dokąd. Wpakowały kapustę do beczek, pomyły nogi, żeby zabrać się do deptania, i Róża poszła po sól do spiżarki, ale tak długo nie wracała, że poszła i Aniela. Trutka na mole! Szukając soli, Róża znalazła buteleczkę trutki na mole i oglądała ją pod światło. Całą wojnę w jakimś kącie przestała; butelkę z ciemnego szkła pokrywał kurz i pajęcze kłaczki, a gdy Aniela przetarła ją brzegiem fartucha, w środku zalśniło księżycowo. Żaden środek nie działał tak jak trutka na mole sporządzona według starego przepisu przez Ciocie Herbatki. Piołun i belladonna, czarny pieprz i wilcza jagoda, miód, koniecznie wrzosowy, bo inny spaprze wszystko, trochę czarnego bzu i kozieradki, szczypta cynamonu, trzy ostre papryczki. Taki przepis podała im na kursie gospodarstwa domowego w Częstochowie dziewczyna imieniem Balbina, która potem uciekła i została aktorką w Warszawie. Ponoć wystarczyło położyć w szafie watkę nasączoną trutką, by mieć pewność, że wełniane okrycia i futra przetrwają nienaruszone. Pewnie Ciocie Herbatki coś pokręciły, bo trutka ich autorstwa nie wywierała żadnego wrażenia na molach, miała za to inne działanie, i do tego pyszny smak. Moc trutki Cioć Herbatek polegała na tym, że dzięki niej ludzie dochodzili do siebie. Ciocie Herbatki rozdawały ją tym, którzy wydawali się właśnie tego potrzebować, i radziły zażywać po łyżeczce przed snem. Na przykład Franciszce Pyłek z poczty, która nie mogła dojść do siebie po powrocie z obozu; jej ciało chodziło po Kamieńsku, puste jak wydmuszka, a Franciszka Pyłek klęczała nad dołem pełnym trupów i wyła, choć nie słyszała swego głosu. Tak mi ciężko, łkała w strasznych godzinach przedświtu, już chyba nigdy nie dojdę do siebie. Postanowiła więc zażyć trutkę na szczury, a jej straszny smak zapić kieliszeczkiem trutki na mole Cioć Herbatek, bo mała przyjemność w obliczu samobójczej śmierci nie wydawała się grzechem. Napisała list pożegnalny, rozdała dobra doczesne, w tym prawie nowy kostium ze szmaragdowego aksamitu, ubrała się jak do trumny, by nikomu potem kłopotu nie robić, łyknęła i obudziła się po trzech dobach z uczuciem dziwnej lekkości. Franciszka otworzyła na oścież okna, wylała resztę najwyraźniej zwietrzałej trutki na szczury i podarła na strzępy list pożegnalny, zatytułowany: Do tych, którzy znajdą me ciało. Mikstura cioć Herbatek najpierw dała Franciszce uczucie lekkości tak wyraźne, że byle przeciąg unosił ją w górę, i gdy porządnie wiało, na wszelki wypadek obciążała kieszenie kamieniami, w tym celu na toaletce w przedpokoju, oprócz apaszek i rękawiczek, trzymała zawsze parę sporych otoczaków znalezionych na brzegu Kamionki. Dopiero po kilku tygodniach Franciszka zauważyła, że kłopotliwa lekkość to nie jedyny efekt trzydobowego snu po trutce Cioć Herbatek. Jedząc loda na ławce przed kościołem, Franciszka Pyłek, która na szczęście przeżyła obóz, i niestety też rodzinę, wróciła do siebie. Może nie była dokładnie ta sama, co kiedyś, ale darowanej sobie nie patrzy się w zęby, pomyślała i kupiła jeszcze dwie śmietankowe gałki; smakowały tak bardzo, jakby na dwa języki lizała! Franciszka Pyłek aż przymknęła oczy ze szczęścia i odtąd przy każdej okazji dziękowała Ciociom Herbatkom za ocalenie.

Róża potrząsnęła butelką i pod światło zobaczyła, że płyn nie zmętniał, a gdy wylała dwie krople na talerz, wyglądały dokładnie tak, jak powinny, błękitne i opalizujące niczym kamień księżycowy. Ciocie Herbatki popatrzyły na siebie bez słów i pokiwały głowami, pieczętując decyzję, która już zapadła. Jeśli jest jakiś inny Tadeusz Kruk oprócz tego, którego znały i bały się, po trutce na mole powinien przyjść do siebie. Tadeusza Kruka nie zdziwiło zaproszenie do Napoleonówki, bo sam zastanawiał się, jak podejść Ciocie Herbatki. Grażynka spędziła w jego zakładzie już ponad tydzień i były to dla niego dni wyjątkowe, Tadeusz Kruk nie rozumiał, jak mógł żyć bez niej tak długo. Najpierw myła tylko włosy klientek i mieszała papkę rozjaśniającą, mrużąc oczy w gryzących oparach perhydrolu, ale wkrótce nauczył ją podcinać końcówki. Niektóre klientki wręcz o nią prosiły, panie Tadziu, niech pan odpocznie i pozwoli Grażynce się powprawiać. Dziewczyna nie miała wielkiego daru do fryzjerstwa, ale kobiety lubiły słuchać jej paplaniny, nawet te, które denerwowała jej uroda i wrażenie, jakie wywierała na mężczyznach z Kamieńska. Zostawiały zazdrość za progiem zakładu fryzjerskiego Tadeusza Kruka i mówiły, pani Grażynko, z tyłu krócej, a grzywkę wycieniować i z falą na lewy boczek, a ona strzygła, jak umiała, i mówiła o wiele więcej niż wtedy, gdy spotykano ją w towarzystwie Cioć Herbatek. Wystarczyło parę dni, by narodziła się plotka, że Grażynka Rozpuchówna opowiada przy pracy cuda-niewidy; trudno się połapać, co i jak, bo nie są to przepowiednie jak od Cyganki, jednak dotyczą przyszłości, i po wyjściu z zakładu ze świeżą fryzurą człowiek czuje przymus, by zrobić coś, o czym nigdy wcześniej nie myślał. Podobno Marianna Gwóźdź poleciała do sklepu i kupiła dziesięć zeszytów, a Franciszka Pyłek pobiegła do domu i wróciła z całym naręczem spódnic i sukienek, które dała do krawca do skrócenia.

Gdy Grażynka pracowała, Tadeusz Kruk siadał tak, że widział tył Grażynki normalnie, a przód w lustrze, w którym odbijała się też jego twarz. Każdy ruch Grażynki sprawiał, że powierzchnia lustra falowała jak woda, a fryzjerowi aż kręciło się w głowie, gdy błysk nożyczek kroił lśniącą powierzchnię. Wydawało mu się czasem, że on i Grażynka odbita w lustrze to jedno, że jest Grażynką Rozpuchówną o pełnych piersiach i wysokich pośladkach, i ogarniało go uczucie rozkoszy tak doskonałej, jakiej nie zaznał, nawet strzygąc kobiety w obozie. Niekiedy spojrzenia Grażynki i fryzjera krzyżowały się w nagłym rozbłysku światła, a on widział w jej oczach to, co sam czuł, pragnienie stopienia w jedno, bo jej oczy były jego oczami. Tymczasem Grażynka osobna i własna widziała człowieczka o twarzy starzejącego się żółwia i pragnęła go ratować. Tadeusz Kruk postanowił ożenić się z Grażynką, jak najszybciej, ale praktyczna strona jego natury podpowiadała mu, że dobrze byłoby załatwić to po bożemu, z błogosławieństwem Cioć Herbatek. Niby wiele one nie miały, Napoleonówkę i kawałek ogrodu, ale wiecznie żyć nie będą i lepiej, żeby Grażynki nie wydziedziczyły i nie zapisały chałupy jakiemuś muzeum. Na wizytę wieczorną ubrał się Tadeusz Kruk starannie w przedwojenny garnitur zakupiony w Radomsku, prawie nieużywany, wzuł świeżo wypastowane buty, zarzucił jesionkę przesiąkniętą zapachem naftaliny. W ostatniej chwili wyczyścił końcem scyzoryka brud spod paznokcia i starannie wygrzebał woskowinę z uszu, jakby na wstępie Ciocie Herbatki miały dokonać przeglądu czystości. Miał dla nich w prezencie karkówkę wieprzową, zgrabny kawałek w sam raz do pieczenia, a dla elegancji postarał się też o dwie buteleczki perfum i bukiet. Cieszył się, że wizyta wypadła tego dnia, gdy Grażynka była w Radomsku, bo bałby się wyłuszczać sprawę przy kobiecie, której obecność sprawiała, że rozpływał się z miłości.

Usiadł Tadeusz Kruk za stołem, a naprzeciwko Ciocie Herbatki, każda w bluzce z kokardą pod szyją, Róża w seledynowej jak woda, Aniela w liliowej jak błędne ogniki z bagien. Po słowach powitania w Napoleonówce zapadła cisza i fryzjer zaczął z nerwów bębnić palcami w drewniany blat, czuł zapach lawendy i świeżo zaparzonej esencji, pocił się obficie; Ciocie Herbatki dobiegł zapach zła i wiedziały już, że wzmógł się od czasu, gdy ostatni raz miały Tadeusza Kruka pod nosem. Westchnęły jednocześnie, zegar wybił godzinę. Czy to Aniela dała znak, czy Róża wstała z własnej inicjatywy, by z kredensu wyjąć kryształową karafkę z nalewką porzeczkową? Czarna porzeczka, cierpki owoc o dużej zawartości witaminy C i delikatnym zapaszku trupa, jak żaden potrafi stłumić inne smaki, wonie i kolory. Owoc zdrowy i piękny, którego grona lśnią na krzakach w kamieńskich ogrodach jak czarne złośliwe oczka. Płyn, którego Aniela nalała do kieliszka fryzjera, był gęsty, prawie czarny i tylko bardzo wprawne oko dostrzegłoby w jego barwie poblask księżycowego kamienia. Tadeusz Kruk odgiął elegancko mały palec i podniósł kieliszek do ust, był dobrej myśli, o ile to możliwe w przypadku człowieka o złych intencjach. Po pierwszym kieliszku leciutko poweselał i pomyślał, jakie stare już te Ciocie Herbatki, jakby starsze, niż wydawało mu się jeszcze przed chwilą. Ileż one mogą mieć lat? Hm, chrząknął niepewnie, bo nagle wydały mu się młode i piękne, nagie i długowłose. Tadeusz Kruk zamrugał oczami. Róża zapytała na to grzecznie, czy jeszcze sobie naleweczki życzy, życzył i Aniela polała zgrabnie, zakręcając karafką tak, że nie kapnęło na obrus. Patrzyły na niego, wpatrywały się, a niech się gapią, głupie kwoki. Co za pyszna naleweczka! czy Grażynka taką nastawiać potrafi, zapyta, jak nie, niech się nauczy, pomyślał rozmarzony fryzjer i poczuł, jak ciążą mu stopy. Próbował rozruszać je dyskretnie pod stołem, by nagłym skurczem nie zepsuć eleganckiej atmosfery, ale sztywnienie nie mijało, przeciwnie, pełzło w górę, jakby zanurzał się w tężejącej galarecie jednocześnie parzącej i zimnej. Mocna! Koniecznie nastawić trzeba będzie. Hm, chrząknął. Chciał powiedzieć coś więcej, całą mowę sobie ułożył, która zaczynała się od słów, przyszłem tu wiedziony nadziejom. Przyszłem tu wiedziony nadziejom, nadziejom wiedziony tu przyszłem, powtarzał przed wyjściem, poprawiając węzeł krawata, który już w niedalekiej przyszłości wiązać mu będą ukochane rączki żony. Przyszłem tu wiedziony nadziejom, chciał więc powiedzieć, ale tylko chrząknął, hm, wycharczał, pppłem, i puścił bańkę śliny w jaskrawoniebieskim kolorze. To żem się upił, pomyślał ze zdziwieniem fryzjer Tadeusz Kruk, żeby słodkim chłop się tak upił w trymiga? Nie mógł widzieć tego, co aż nadto oczywiste było dla Cioć Herbatek, które, ciekawe, jaki skutek trutka na mole wywrze w tym wypadku, zafascynowane patrzyły na przemianę fryzjera. Cóż za kolor zaczął przybierać, siność nie z tego świata niebieskawą, niby trupią, ale jakoś piękną, piękną urodą ogników bagiennych, które Ciocie Herbatki widywały, gdy późną jesienią zapuszczały się po żurawinę aż na mokradła koło Kocierzowy. Żegnały się wtedy, ale bardziej z przyzwyczajenia niż strachu, bo o wiele straszniejsze rzeczy widziały w życiu, i patrząc na tlący się płomyk, zastanawiały się, czyja to dusza tak na bagnach się męczy, mężczyzny czy kobiety, duch to czy duszna? Tym razem nalała Róża, a ręka Tadeusza Kruka wysunęła się w kierunku kieliszka wbrew jego woli; puścił drugą bańkę, czknął, wypił, kropla o niebieskim połysku popłynęła mu po brodzie i zamarła na jej skraju jak klejnot. Jeszcze nigdy nie był tak piękny Tadeusz Kruk, bo nalewka Cioć Herbatek wypaliła w nim zło, które poddawało się płomieniowi jak suche włosy, płonęło, wciąż płonęło, aż nie miał wewnątrz nic prócz popiołu w kolorze sroczych jajek. Przy szóstym kieliszku fryzjer Tadeusz Kruk zesztywniał na amen z dłonią zaciśniętą i palcem odgiętym, a jego wciąż żywe oczy nie mogły zamknąć się z przerażenia, gdy zrozumiał, że dał się nabrać, i zaraz stanie się coś jeszcze gorszego. Ciocie Herbatki spojrzały na siebie w milczeniu, bo nie potrzebowały słów, by się porozumieć, a Tadeusz Kruk był już tylko pustą skorupą człowieka, pałubą o tęczówkach tak ciemnych jak wydłubane gwoździem dziury. Gdyby pożar, jaki rozpętała w nim trutka na mole, natrafił na choćby najmniejszy okruch niepalny, dałoby się go uratować, a tak tylko westchnęła Aniela, Róża westchnęła. Wyszły z pokoju i po chwili wróciły z beczką do kiszenia kapusty, a była tak wielka, że z trudem przepchały ją przez drzwi; westchnęła Aniela, Róża westchnęła, podstawiły beczkę i włożyły do niej fryzjera Tadeusza Kruka głową w dół. Pod pantoflem, który spadł, miał dziurawą skarpetę, paluch wystawał z niej zwieńczony żółtawym paznokciem, westchnęła Róża i upchnęła stopę fryzjera, Aniela westchnęła, podniosła i wrzuciła do beczki but, wziąwszy go w dwa palce jak jakaś dama. Wieko przybiły na cztery ręce, przewróciły beczkę i wytoczyły do sieni. Róża uchyliła drzwi i wyjrzała, ogród był cichy i pusty, pozbawione liści drzewa odcinały się od nieba. Szło na mróz, ale ścieżka biegnąca w dół do Kamionki wytapiała się w pierwszym śniegu jak czarna wstążka, bo Ciocie Herbatki po południu posypały ją solą.

Za godzinę wróci Grażynka ostatnim pociągiem z Radomska, trzeba się śpieszyć; westchnęła Aniela, Róża westchnęła, gdzieś daleko zaszczekał pies, wiało mrozem, kolejne gwiazdy zapalały się z trzaskiem. Ciocie Herbatki zarzuciły kufajki, włożyły walonki i zepchnęły beczkę po trzech kamiennych schodach, potoczyła się wprost na ścieżkę, jakby znała drogę, jej zawartość załomotała; Róża i Aniela jak na komendę przyłożyły palec do ust, ciii. Ciii, i obłoczki pary z ich ust. Do furtki poszło łatwo, tylko raz musiały użyć siły, szepcząc raz-dwa-trzy, gdy beczka zeszła z kursu i utknęła w krzakach agrestu. Wyjrzały na drogę, pusto, ciii. W oddali ciemniała wieża kościoła, a w bożnicy przerobionej na przychodnię zapaliło się światło, zalśniły kryształki wody na przydrożnych chwastach. Nikogo? zapytała Róża; ciii, nikogo, Aniela westchnęła. Przepchnęły beczkę przez drogę, a potem już potoczyła się sama w dół do rzeki Kamionki, Ciocie

Herbatki za nią jak w dym. Gdyby woda przy brzegu nie zamarzła, byłoby już po sprawie, popłynąłby fryzjer z Kamieńska do Bałtyku. Tymczasem beczka ślizgiem poszła i zatrzymała się na lodzie tuż obok nurtu czarniejszego niż noc, pełnego gwiazd w nim odbitych, płynących ku morzu. Rzadko w listopadzie zdarza się taki mróz. Co za pech! Westchnęła Aniela, Róża westchnęła, wzięły się za ręce, a te, które miały wolne, rozpostarły dla równowagi, jakby wchodziły na liny obok siebie równolegle rozciągnięte – najpierw palce, potem reszta stopy, krok po kroku z oczami utkwionymi w beczce. Ciocie Herbatki bały się wody i nawet balia pełna deszczówki wydawała im się zbyt obfitym nagromadzeniem żywiołu, który przerażał je dlatego, że był tak piękny. Mój Boże, wzdychała Aniela albo Róża wzdychała, patrząc na usianą owadami powierzchnię, mój Boże, jaka to potęga z tej wody, żegnały się, nabierając garnkiem trochę na mycie głowy. Teraz ostrożnie stawiały stopy w walonki obute, trzeszczał lód, jakiś ptak krzyknął, zamilkł, beczka z Tadeuszem Krukiem była tuż-tuż. Ja popchnę, powiedziała Aniela. Nie, ja, sprzeciwiła się Róża. Westchnęła Aniela, Róża westchnęła i razem zrobiły jeszcze trzy kroki. Już! Obie popchnęły fryzjera w czarny nurt i wtedy lód trzasnął. Jak strasznie trzasnął lód! Beczka z Tadeuszem Krukiem podskoczyła i popłynęła, podskakując na czarnych falach, trzask ucichł, słychać było tylko plusk, przybrzeżne osiki drżały. Ciocie Herbatki odetchnęły, no to po wszystkim, ale tym razem one dały się nabrać. Gdy odwróciły się, by wrócić na ląd, zobaczyły, że między cienką krą, na której stoją, a lodem rośnie czarna krecha wody. Przed nimi woda, za nimi woda i żadnej arki na horyzoncie, a jeśli nawet by się znalazła, kto zaprosiłby na nią dwie stare panny morderczynie? Westchnęła Aniela, Róża westchnęła, chyba skoczyć będzie trzeba, ale zanim się odważyły, straciły równowagę. Świat fiknął koziołka i niebo znalazło się na ziemi, a ziemia na niebie, z drzewami rosnącymi na wspak, z wieżą kościelną górą do dołu zwisającą jak sopel, z rzeką Kamionką, która płynęła jak gdyby nigdy nic, z dwiema parami nóg w walonkach, które z rzeki przez chwilę wystawały, powierzgały, znikły.

Co za ciemność była pod wodą, srebrna i gęsta jak rtęć! Ani Róża, ani Aniela nie rozpoznawały, która kończyna w plątaninie rąk i nóg młócących na oślep do kogo należy; dopiero gdy dwie dłonie splotły się w jedno, wiedziały: Róża, pomyślała Aniela, Aniela, Róża pomyślała, a nurt niósł je coraz dalej od Kamieńska. Koło łachy piasku zwanej Juratą, na której latem bawiły się dzieci, wyprzedziły beczkę z fryzjerem Tadeuszem Krukiem, i płynęły dalej, wciąż trzymając się za ręce, gubiąc kolejne części garderoby. Dziwne, w ogóle nie czuję zimna, pomyślała Róża, a może to była Aniela, bo jednomyślnie im się myślało i płynęły w ciemności pełnej potopionych gwiazd, które, wirując, opadały na dno, kanciaste skrawki odbitego światła ramionami zaryte w piasek. Pod drugim mostem Ciocie Herbatki przepłynęły już nagie, znikły ich zmarszczki, zwisająca skóra, odrosły włosy, wypełniły się piersi, które wcześniej wyglądały jak woreczki z piaskiem; pięknie westchnęła Róża, pięknie Aniela westchnęła.

Nagie piękno odmienionych Cioć Herbatek nikogo nie zachwyci prócz pijanego dróżnika Wacława Pająka.

Po wojnie objął stanowisko po Barnabie Midziaku i okazało się, że pociągi budzą w nim taki smutek, że zaczął pić, by jakoś znieść ich codzienne znikanie w oddali, a gdy się upił, robiło mu się jeszcze bardziej markotno. Wszelki duch Pana Boga chwali, jęknął i oczy w wodę wlepił, syreny? Syreny! Będzie przysięgał potem Wacław Pająk, w chudą pierś pięścią bił się, że dwie syreny w Kamionce widział jak żywe. Syreny! Na moście stał, bo, za przeproszeniem, musiał zrobić siku, a trochę trwa to w jego wieku i kondycji, więc gdy zrobił, nadal stał, bo zapomniał, z której strony w którą szedł, i czy szedł dokądś, nie był pewny, czy może skądś wracał. Po jednej stronie stania miał most i most miał po stronie drugiej, jakże tu zdecydować, gdy po jednej stronie mostu ciemność i ciemność po drugiej taka sama. Stał więc i czekał Wacław Pająk na jakiś znak, w wodę patrzył, a tu nagle, Matko Boska i Wszyscy Święci! w rzece włos długi, kręty, złoty, najzłotszy, dwie głowy, czworo rąk, i nie nogi, lecz ogony, ogony rybie dwa, ogonami chlasnęły syreny, chlast, i ten chlast nocną ciszę na moście przeciął jak nóż. Plusk i chlast ogonów, łusek blask, zamęt, błysk, gwiezdny pył, syreny. Syreny w rzece Kamionce, już nic piękniejszego w życiu nie zobaczy, co do tego nie miał wątpliwości Wacław Pająk, dróżnik ze stacji Kamieńsk. Ani żona, ani światło elektryczne do chałupy pociągnięte, ani świąteczna wyżerka, nic z tego, od tej nocy syreny tylko były mu w głowie na jawie i we śnie, ach, gdyby tak któryś z pociągów zawiózł go do krainy syren, wtedy byłby szczęśliwy i przestał pić. Przyszła wiosna, a dróżnik Wacław Pająk wciąż śnił o syrenach w Kamionce i przespał pośpieszny do Warszawy oraz pierwszy osobowy do Radomska; obudził go dopiero huk nieziemski, gdy towarowy uderzył w tył osobowego, wykoleił się i zasypał tory paroma tonami cukru, który jechał do Wrocławia; dzieciaki z Kamieńska i okolic nigdy się tak słodkiego nie obżarły, a co cwańsi z workami raz-dwa przybiegli i na handel nabrali. Wacława Pająka zamknięto na dwa lata w zakładzie karnym w Radomsku, gdzie źle mu nie było, bo i wikt, i opierunek, a żonie nieraz udało się przemycić dla niego flaszkę w wydrążonym bochenku chleba. Tam zaczął czytać, choć wcześniej go do książek nie ciągnęło, a najlepiej mu się czytało, gdy było coś o syrenach; wtedy czytał tak długo, aż coś zaczynało w nim recytować samo z siebie i nie mogło przestać: Ty w kraj Syren zajedziesz, czarownic, co zdradzą tych wszystkich, jacy tylko o nie tam zawadzą. Szaleniec, kto się zbliży i Syren tych śpiewy usłyszy. On nie ujrzy nigdy, póki żywy, ni małżonki, ni dziatek, ni ziemi rodzinnej: tak go zczaruje śpiew tych Syren słodkopłynny. Wacław Pająk wrócił z więzienia i gdy tylko usiadł w barze Kurka, który powstał na miejscu zakładu Tadeusza Kruka, zaczął opowiadać o syrenach.

Przez dwa lata odsiadki tak mu się talent do gadania rozwinął, że mężczyźni milkli, żarty cichły, zamknij dziób, jeden drugiego uciszał, wykrzywiając twarz szyderczo, że niby jaja sobie robią z byłego dróżnika, kto by takie brednie brał poważnie, srututu, syren się chłopu zachciało, bimber mózg mu wypalił. Żaden nie przyznawał się, że naprawdę ciekawi byli tych syren śpiewających, słodkopłynnych, ogonami chlastających, syren, które wcześniej jakoś nie zapuszczały się do Kamieńska. A wtedy, mówił były dróżnik Wacław Pająk, gdy na moście stałem i dumałem, syreny! Najsampierw coś jakbym śpiew usłyszał. Ale jaki! Nie żadne wyjce, ale jakby na najlepszym dansingu warszawskim, w żadnym radiu takiego śpiewu nie usłyszysz! Cichutko, a jakby głośno, prosto do serca. Śpiew to był syren słodkopłynny! Słodkopłynny, powtórzył ten i ów pod nosem, a Mariusz Gwóźdź, bratanek Marianny, zapytał, że słodko-co? ale go uciszyli, bo uchodził za nierozgarniętego. Wacław Pająk tymczasem z kufla popijał i oczy zamykał; w nowo zapadłej ciszy słychać było tylko sapanie cierpiącej na astmę bufetowej Krysi. Dróżnik oczy otwierał, ale patrzył tak, jakby co innego niż wszyscy widział, i to nie tu, w barze Kurka, ale gdzieś daleko, i mówił: Mnie jednemu li wolno słuch mieć dla ich śpiewu, lecz trzeba mnie przywiązać k'masztowemu drzewu; Matko Boska, wzdychała bufetowa Krysia, żeby do drzewa przywiązywać, toż to dzicz jakaś, panie Pająk. Pan powie lepiej, jak i co od początku. A więc było to tak, ciągnął swoimi słowami Wacław Pająk, pochyliłem się z mostu, a one do mnie, Wacławie Pająku, przemówiły, a jak syrena przemawia, to tylko śpiewem jak w łoperze, śpiewem słodkopłynnym. Taka syrena nie musi też o nic pytać, po oczach imię człowieka czy zwierzęcia poznaje, a po samym dotyku imię rzeczy, i to w każdym języku. Po czechosłowacku, po rusku, po afrykańsku, po francusku! Wacławie Pająku, przemówiły śpiewem, tyś na tym moście nie przez przypadek się znalazł, o nie, my miałyśmy w tym swój plan. Wybrałyśmy ciebie, boś jest porządnym człowiekiem, a my porządnego człowieka umiemy rozpoznać, nasz wzrok sięga prosto do serca. Ciii, bufetowa Krysia uciszyła parsknięcia śmiechu, bo niektórym jakoś trudno było uwierzyć w to, że akurat Wacława Pająka, pijaka, którego z każdej roboty wyrzucali, wybrały sobie złotowłose syreny. Wacławie! tak śpiewem wołały słodkopłynnym, do połowy z wody wynurzone, a piersi miały gołe, jak śnieg białe, jak śmietanka. Śpiewały, a tak równo, jakby jednym głosem, choć dwoje było ust, Wacławie Pająku, do mnie po imieniu śpiewały. A co za słodki głos miały, że piłbyś jak wódkę! O matko, westchnęła bufetowa Krysia na bufecie biustem wsparta, żeby tak w listopadzie w Kamionce na półgoło, Wacławie, wołać, czy to nie sprawka szatańska? Zignorował Wacław Pająk pytanie Mariusza Gwoździa, czy duże cycki te syreny miały, czy raczej małe, i znów oczy zamknął w natchnieniu. Piersi gołe, brzuch goły, a pod pępkiem, pod pępkiem łuska srebrna, nie tak jak u zwykłej kobiety, o nie. Takiej syrenie to zwykła kobieta do pięt nie dorasta, chociaż pięt to one w ogóle nie mają, tylko płetwę ogonową jak u ryby. Łuska srebrna, ja wam mówię i powiadam, a jak się w niej światło księżyca odbijało, tożem oczy mrużyć musiał jak w południe. Wacławie, powiedziały syreny, słuchaj i zapamiętuj. Jesteśmy syreny z dalekich mórz, ale najsampierw za życia, nie zgadłbyś, kim byłyśmy. A jakbyś nawet zgadł, sam sobie byś nie uwierzył, drogi Wacławie. Sam sobie byś nie uwierzył, powtórzył pod nosem Mariusz Gwóźdź, ale nadal nie rozumiał, więc popatrzył na swoje wielkie ręce, popił piwa i słuchał dalej. Nie uwierzyłbyś, Wacławie, że żyłyśmy koło ciebie, że mijaliśmy się na ulicy Prostej i tym samym pociągiem osobowym nieraz jeździliśmy do Radomska na targ. U tego samego rzeźnika kupowaliśmy mięso, w tej samej piekarni chleb. Dzień dobry, nam mówiłeś. Wacławie, spójrz nam w oczy, syreny zażądały, a ja przez barierkę mostu wtedy mocniej żem się wychylił i raz jednej, raz drugiej w oczy żem spojrzał, choć strach. A jak patrzyłem, to tak jakbym w jedną parę oczu patrzył, i aż mi się w głowie kołowało. Bo też co za oczy one miały, te syreny, jak studnia, do której człowiek zagląda i wydaje mu się, że tam ktoś znaki daje, woła, chodź do mnie, chodź do mnie, chodź do mnie. Matko Boska, powtórzyła bufetowa Krysia i złapała się za medalik z Częstochowy, który nosiła na łańcuszku i wyławiała spomiędzy piersi w chwilach trwogi. Ich oczy były zielone, niebieskie, ale były też brązowe, złote jak herbata, ja jestem Aniela, zaśpiewała jedna syrena, a ja Róża jestem, druga zaśpiewała; potem westchnęły i znikły. Przez chwilę jeszcze śpiew się w powietrzu unosił słodkopłynny, zakończył Wacław Pająk. Co za cisza zapadła w barze Kurka! Że niby Ciocie Herbatki? wypowiedział Mariusz Gwóźdź to, czego inni nie śmieli powiedzieć. Ano one, odparł dróżnik Wacław Pająk, Ciocie Herbatki we własnej osobie.

To dopiero zaszumiało w Kamieńsku, prawie jakby Ciocie Herbatki po raz kolejny wróciły do Napoleonówki. Już prawie zdążyli ludzie zapomnieć o Róży i Anieli, bo trudno pamiętać o czymś, czego zrozumieć nie sposób; nosili je w pamięci tylko tak długo, jak długo była nadzieja na rozwiązanie zagadki ich zniknięcia. Tymczasem one znikły bez śladu w tym samym dniu, co fryzjer Tadeusz Kruk, a wkrótce potem z Kamieńska wyjechała Grażynka. Potrójne zniknięcie, bez zapowiedzi, bez jednego choćby ciała utopionego, powieszonego czy pokrojonego, było czymś tak strasznym, że zabrakło słów. Każda stworzona naprędce plotka, a to, że nocą SB ich zabrało, a to, że do Ameryki uciekli, bo cała trójka była szpiegami CIA, zamierała, zanim nabrała wigoru i lotności. A tu, proszę, syreny, syren w Kamionce śpiew słodkopłynny, ogonów syrenich srebrzysty chlast, to jest coś. Nagle niemal wszyscy przypomnieli sobie, że coś dziwnego było z tymi Ciociami Herbatkami, to może być, że syreny, nawet trochę jakby wyglądały syrenio. Syrenio, potwierdzał nowy dyrektor poczty, który pochodził z Warszawy i widział nieraz syrenkę warszawską. Śmiali się nadal z Wacława Pająka, co też ten Pająk wygaduje, łbem w semafor stuknął, ale trochę się pośmiali i znów zaczynali mówić o syrenach i Ciociach Herbatkach, jakby ten śmiech był bramą do opowieści. Że niby fryzjera Tadeusza Kruka musiały tym śpiewem słodkopłynnym zwabić, omamić i utopić. Tak, to ma sens. One poza tym zawsze na wspak były jakieś i wbrew. I czemu akurat pod ich drzwi podrzucili Grażynkę? Może Grażynka była córką fryzjera i Cioć Herbatek? zasugerowała bufetowa Krysia i nikt nie zaoponował, że jak to, jak dziecko może mieć dwie matki, bo wydawało się dziwnie oczywiste, że jak jedna Ciocia Herbatka byłaby w ciąży, to druga też. Inny ktoś przysięgał, że widział, jak nocą po resztkach kirkutu łaziły i tak samo jak Żydzi przed wojną mieli w zwyczaju, do zmarłych gadały, a przecież nie Żydówki: Hawo, córko Mosze, żono Ludka, wołały, i dalej jej opowiadać, co się w Kamieńsku dzieje. A przecież Hawa i Ludek z dymem w Treblince poszli i ich grobu w Kamieńsku nie ma. Albo te ich wyprawy na bagna! Niby po żurawinę, ale która kobieta szła na bagna po żurawinę, skoro każde dziecko wiedziało, że płoną tam trupie ogniki, co za nogi w bagno wciągają. Niejednego zwiodły! Czy te ich nalewki.

Na herbatkę zapraszały, pytały grzecznie, czy do herbatki po kieliszeczku, i kto by odmówił, a potem dziwne rzeczy się działy. Ja, przypomniała sobie Marianna Gwóźdź, raz im poszłam przy pieleniu pomóc, a one, czy pani Marianna kieliszeczek malinówki pozwoli; wypiłam, a słodycz taka w tej malinówce była, że aż językiem resztkę wylizałam z kieliszka, bo w gościach czy nie, powstrzymać się nie szło. Najpierw nic, ale potem, Matko Boska! Jakby mnie w środku ktoś pieprzem i cukrem posypał, paliło, ale na słodko, słodko mi było, ale i pieprzno przy tym. Miejsca sobie nie mogłam znaleźć, żadna robota mi nie szła, bo co siadłam do cerowania skarpet, coś mi kazało lecieć na strych, okno w dachu otwierać i na gwiazdy się patrzyć jak sroka w płot. Podobną przygodę miał bratanek Marianny, Mariusz Gwóźdź, który u Cioć Herbatek rynnę przepychał z jesiennych liści. Z dachu zlazł, dostał zapłatę i już iść miał, gdy one, a może pan Mariusz kieliszeczek nalewki pozwoli? Za nalewkami to on nie jest, ale mało kto do niego tak, panie Mariuszu, się zwracał i odmówić było żal. Brzoskwiniowa, powiedziała Róża, a może Aniela powiedziała. W kieliszeczku kryształowym, jakby kto słońca nalał, taki blask. Głowę odchylił i na raz wlał. O Matko, jak nim telepnęło! Zamiast do domu wrócić, pod drzewem Mariusz Gwóźdź usiadł i nagle nie był Mariuszem Gwoździem z Kamieńska, uczącym się na murarza, ale kimś zupełnie innym, większym jakby i prostszym, o skórze wolnej od uporczywego trądziku. Chodził po mieście o wiele piękniejszym nawet od Częstochowy, pełnym światła w brzoskwiniowym kolorze i domów o brzoskwiniowych fasadach, mijały go kobiety ubrane w sukienki, jakich nigdy nie widział, ale wiedział, że ten materiał opinający piersi i biodra, poddający się wiatrowi, to jedwab. On, Mariusz Gwóźdź, który nigdy wcześniej nie myślał o materiałach innych niż budowlane, niemal czuł dotyk jedwabiu. Ciemnowłose kobiety odwzajemniały jego uśmiech, pochylały głowy, gestykulowały, na ich rękach pobrzękiwały srebrne bransoletki, ale on nie zatrzymywał się, szukał czegoś, a może kogoś innego. Pierwszy raz miał tak mocne poczucie, że jest coś, co powinien znaleźć, że czeka gdzieś na niego, i że on, Mariusz Gwóźdź z Kamieńska, umrze, jeśli przynajmniej nie spróbuje. Zdążył jeszcze zobaczyć rzekę, wielką jak tysiąc Kamionek, most, którego strzegły jakieś kamienne postaci, na drugim końcu ktoś machał do niego, i już, już miał pobiec, gdy szkolny kolega, Paweł Lepianka, trzepnął go w głowę i zapytał, a co się tak gapisz jak Cygan w cipę? Mariusz Gwóźdź nie mówił nikomu, że od tego czasu oszczędzał każdy grosz z zarobionych na lewo pieniędzy na książeczce PKO, a gdy już zaoszczędzi na używany samochód, najlepiej wołgę, bo wprawdzie dużo pali, ale solidna, to pojedzie szukać miasta, które zobaczył po nalewce brzoskwiniowej Cioć Herbatek.

Odkąd Wacław Pająk przywrócił Kamieńsku Ciocie Herbatki w opowieści o syrenach, każdy, komu starczało wyobraźni, dodawał coś nowego do ich historii. O Tadeuszu Kruku ludzie szybko zapomnieli, jakby nigdy nie istniał. Nawet gdy temu czy owemu przychodził na myśl fryzjer z ulicy Prostej, to po chwili znów pogrążał się w ciemności, jakby coś wciągało go za nogi; nawet Marianna Gwóźdź, która wszystko widzi i wszystko pamięta, drapie się po głowie i sama siebie pyta, o czym to ja myślałam? Beczka do kiszenia kapusty zawierająca na niebiesko wypalone szczątki Tadeusza Kruka zatonęła w najgłębszym miejscu Kamionki, zwanym Rowem Mariana, od Mariana Pytki, stolarza, który wziął i z miłości się tam utopił, choć inni mówili, że nie z miłości, bo gdzie by się tam z miłości chłop topił, tylko winny był komuś straszne pieniądze.

## VI

Dominika wie, że Eulalia Barron zasnęła i jej nie słyszy, ale jeszcze przez chwilę czyta *Odyseję*. Gdy zaczynała pracę u staruszki, czytały dwie, trzy książki tygodniowo; starożytna filozofia przeplatana tragediami i komediami, ze cztery razy cała *Odyseja*, renesansowe dzieła medyczne ilustrowane pięknymi rycinami, na których ludzkie postaci odsłaniały wnętrza swoich ciał, i dramaty Szekspira, rozprawy średniowiecznych teologów i gotyckie powieści, psychoanaliza i literatura dwudziestowieczna na wyrywki, raz amerykańska, raz coś skandynawskiego, ale dla smaku przyprawione po południu iberyjską sagą; zawsze tylko do 1939 roku.

Dominika czyta *Odyseję* w tym miesiącu po raz trzeci i Eulalia Barron nie ma tymczasem zamiaru zaczynać następnej książki. Coś mnie te syreny męczą i męczą, wzdycha i zastanawia się, czego chcą syreny od takiej niedołężnej babci. Prosi Dominikę, poczytaj mi, córeczko, najpierw o syrenach, a potem po bożemu od miejsca, gdzie ostatnio skończyłyśmy. Gdzie tośmy ostatnio stanęły? Stanęły na przybyciu Odysa do kraju Cyklopów, dotarły do jaskini Polifema, jestem Nikt, przedstawił się Odys potworowi, a potem upił go na umór; gdy Cyklop zwijał się w konwulsjach po tym, jak Odys wbił mu kołek w oko, Eulalia Barron spokojnie zasnęła, pochrapując leciutko. Dominika uśmiecha się i czyta dalej, jej głos jest pewny, słowa płyną w rytmie morskich fal i Eulalii wydaje się, że kołysze się na nich swobodna i lekka; ta wizja wraca coraz częściej i za każdym razem pojawia się w niej więcej szczegółów, Eulalia nagle widzi małe tęcze rozpalone w rozpryskach wody i zdaje sobie sprawę, że to ona tak chlapie, płynąc w stronę słońca. Ogarnia ją uczucie szczęścia, jakiego nie czuła od kilkudziesięciu lat, słyszy muzykę i głos, który tak bardzo przypomina wszystkie dobre głosy jej życia, że aż dostaje czkawki ze wzruszenia. Dominika spogląda na twarz śpiącej staruszki i czyta dalej. Eulalia Barron widzi statek Odysa z dziwnymi pasażerami na pokładzie, gdy dobrze się przyjrzy, rozpoznaje twarze Żydów z Krakowa, którzy przychodzili w odwiedziny do ich mieszkania na ulicy Studenckiej, rodzice zmarli podczas ucieczki, ciotki i wujowie, kuzynki i kuzyni spaleni w Oświęcimiu machają do niej. Kim ona jest w tej wizji? Tego Eulalia Barron nie jest pewna, ale czuje się młoda, silna i chce śpiewać, podoba jej się tam i kusi ją, by nie wracać do rzeczywistości. Powoluttku, babciu, powtarza sobie, gdy wynurza się ze snu jak z wody. Pośpiech ostatnim razem nie wyszedł jej na dobre, złamała sobie biodro i odtąd większość czasu spędza w łóżku, a chodzi tylko z balkonikiem do łazienki, i obiecuje sobie, że będzie żyć tylko dotąd, dokąd jest w stanie tam dojść. Pani Eulalia Barron zna dalszy ciąg każdej książki, którymi ściany jej mieszkania zastawione są od podłogi po sufit; dalszy ciąg jej własnej historii też wydaje się oczywisty i bliski, bo dwa miesiące temu skończyła osiemdziesiąt lat i czasem w nocy jej serce zatrzymuje się na chwilę. Budzi się wówczas w ciszy gęstej jak melasa, otwiera oczy i czeka z dłonią na lewej piersi; serce w końcu rusza, ale Eulalia Barron czuje, że robi to niechętnie, jakby mówiło, no dobrze, jeszcze tym razem ci ulegnę. Książki są dla niej jak schody, które prowadzą nie w górę, lecz w dół, ku przeszłości, i staruszka wybiera je ostrożnie i starannie, tak jakby czubkiem wygodnego buta sondowała następny stopień.

Czasem Eulalia Barron wyobraża sobie swoją wędrówkę ku temu, co było, jak schodzenie po prawdziwych schodach Metropolitan Museum, gdzie zaraz po przyjeździe do Nowego Jorku dostała pracę w dziale starożytności. W ciemnym kostiumie i białej bluzce, z plakietką, na której było napisane Eulalia Barron, pilnowała ekspozycji razem z trzema innymi kobietami w ciemnych kostiumach. Nie interesował jej awans i odrzuciła propozycję lepszej pracy, bo od początku wiedziała, że to miejsce jest dla niej idealne; niezauważana, niemal niewidzialna, mogła przyglądać się ludziom, tak jak przyglądała się życiu, które biegło w Ameryce bez wielkiego udziału z jej strony. Dopóki zwiedzający przestrzegali zasad, nie musiała nic mówić, a zasadą niepisaną w każdym muzeum jest niezauważanie pilnujących. Gdy było wielu zwiedzających, Eulalia Barron chodziła po sali na swoich krótkich, łatwo puchnących nogach, a podczas małego ruchu odpoczywała na stołeczku w kącie, skąd miała dobry widok. Nie wolno było tego robić, ale przynosiła do muzeum książki, najczęściej powieści w miękkich okładkach albo małe tomiki wierszy, które łatwiej ukryć za pazuchą; gdy nie było ludzi, czytała, i trzy, cztery ukradzione zdania, pół wiersza wystarczały jej za drugie śniadanie. Rozpoznawała niektórych odwiedzających, pracowników uniwersytetu z notesami, fascynatów pragnących rozwiązać starożytne zagadki, samotnych staruszków, dziwaków w różnym wieku. Przychodzili w porach mniejszego ruchu i niekiedy pytali ją o coś albo chociaż mówili dzień dobry. Był wśród nich niepozorny mężczyzna o dużych uszach i smutnych oczach, dużo młodszy od Eulalii Barron. Gdy zobaczyła go po raz pierwszy, wpatrującego się w mumię, miała dziwne uczucie pokrewieństwa, zanim jeszcze dowiedziała się, że jest polskim Żydem z miasteczka Kamieńsk i nazywa się Icek Kac.

Małżeństwo Eulalii rozpadło się po kilku latach, a fakt, iż jej były mąż szybko poślubił dużo młodszą kobietę i doczekał się gromadki dzieci, przyjęła z łagodną obojętnością. Pozwalała im traktować się jak daleką i nieco zdziwaczałą ciocię. Leo Barron wyprowadził się z ich wynajmowanego mieszkania i do końca życia wspierał byłą żonę finansowo, tak że mogła tam pozostać wśród swoich książek i paproci. Eulalia Barron czytała więc i dzięki czytaniu wspominała, a gdy nie mogła już czytać sama, znalazła Dominikę Chmurę. Denerwowała się tylko wtedy, gdy zawodziła ją pamięć, co z wiekiem zdarzało się coraz częściej. Jak mogę nie pamiętać? pomstowała, gdy przed jej oczami spragnionymi pamiętania nie chciała stanąć dawno utracona filiżanka, z której piła czekoladę w mieszkaniu na ulicy Studenckiej, też nienależącym już do niej. To samo pragnienie miał w sobie Icek Kac, i Eulalia Barron rozpoznała je od razu. Przychodził do sali starożytności i za każdym razem zatrzymywał się przed tym samym eksponatem, mumią w dziale egipskim, w którą wpatrywał się godzinami. Po kilku miesiącach zaczęli wymieniać pozdrowienia, po roku niezobowiązujące uwagi, a po jakichś dwóch latach rozmawiać ze sobą, i rozmowy te dotyczyły tylko przeszłości. Dlaczego? zapytała go Eulalia, dlaczego zawsze dział starożytny i mumie? Bo dzięki nim lepiej pamiętam, odpowiedział Icek Kac, i Eulalia Barron rozumiała wtedy, co różni ich od innych ludzi – i ona, i Icek Kac żyli tylko po to, żeby pamiętać o tym, co utracili, dla samych siebie stali się muzealnymi eksponatami. Pamiętanie utraconego, pragnienie, by dojść w nim do perfekcji, stanowiły główny cel ich życia. Icek szukał dróg do przeszłości na fotografiach i w muzealnych obiektach, dla Eulalii droga ta prowadziła przez książki i u schyłku życia czytała tylko te, które znała z Krakowa, jakby przeżyła swoją rodzinę wyłącznie po to, by codzienne wspominać, kiedy czytałam *Odyseję*, wuj Jan i ciotka Gołde powiedzieli, że będą mieć dziecko, kiedy czytałam Rousseau, kuzynka Priwa omal nie udławiła się migdałem w gorzkiej czekoladzie, przy *Ulissesie* Joyce'a, takim trudnym po angielsku, że cały czas ziewałam, moja mama popłakała się, grając *Sonatę księżycową*. Każda czytana przez Dominikę książka to dla Eulalii Barron jeden schodek w przeszłość, wyjątkowo dwa, jak *Ulisses*, którego zaczęła czytać jeszcze w Krakowie, a skończyła w Jokohamie. Głos Dominiki, matowy i trochę szorstki, wydaje się podobny do jakiegoś głosu z przeszłości, czytaj mi, córeczko, o syrenach, prosi ją staruszka.

Eulalia Barron mieszkała w Krakowie na ulicy Studenckiej, dwa kroki od Rynku. Jej ojciec, Feliks Meisels, mężczyzna niewielki i ruchliwy jak sympatyczny gryzoń, był prawnikiem, matka, Alina, dostojna i pachnąca geranium, uczyła gry na pianinie, a w wolnych chwilach, z dłońmi uzbrojonymi w wielkie rękawice ogrodnicze, przesadzała kwiaty doniczkowe, które w ich pięciopokojowym mieszkaniu rosły z niepokojącą szybkością i rozmachem. Gościom komplementującym z lekkim przerażeniem paprocie, których liście w ciągu jednej kolacji potrafiły tak się wydłużyć, że ich mechate koniuszki wplątywały się paniom we włosy, właziły do sosjerek i piły kawę z filiżanek cienkich jak papier, Alina Meisels mówiła, że w szczęśliwych domach kwiaty tak rosną, one do rośnięcia potrzebują dobrej atmosfery i muzyki. Panie śmiały się i poprawiały fryzury, panowie żartobliwie udawali, że stają w ich obronie przeciw straszliwej paproci, wywijali nieistniejącymi sztyletami, celowali z wyimaginowanych pistoletów. Władzia Dziurska, pełniąca w ich domu rolę pokojówki, służącej i opiekunki do dziecka, zbierała naczynia, podawała więcej kawy, świeżo palonej i parzonej z dodatkiem kardamonu; ręce gości sięgały po kolejny makaronik, po jeszcze jedną z tych pysznych tartinek, a pani Alina siadała do pianina i zaczynała grać. Jak ona grała *Sonatę księżycową*! W całym Krakowie nikt tak nie grał, może z wyjątkiem pianistki z filharmonii, chociaż Feliks uważał, że nie tylko w krakowskiej, ale nawet w wiedeńskiej nikt by jego żonie nie dorównał w *Księżycowej*. Latem ludzie przechodzący ulicą Studencką zatrzymywali się i patrzyli w jasny prostokąt okna na pierwszym piętrze, skąd muzyka wysypywała się jak pulsujące fontanny srebrnych kulek. Mała Eulalia Meisels tam jest – siedzi na stołeczku i patrzy na matkę z takim zachwytem, że aż dostaje czkawki, i odtąd czkawka będzie męczyła ją zawsze, gdy wzruszy się lub zachwyci. Córka w niczym nie przypomina postawnej kobiety o oliwkowej cerze i wyraźnych rysach, która w białej bluzce i ciemnej welurowej spódnicy siedzi przy fortepianie. Eulalia próbuje czasem przed lustrem ułożyć usta w kapryśny łuk ust matczynych, ale efekt jest daleki od zamierzonego. Eulalia przypomina ojca, jakby skóre z pana zdar, mówi ich gosposia, Władzia Dziurska; dziewczynka jest mała i niepozorna, a jej twarz przy dobrym sercu patrzącego i korzystnym oświetleniu może uchodzić za co najwyżej dość ładną. Miłe dziecko, mówią o niej znajomi rodziców, bo słowo śliczne byłoby na wyrost, a do domu przy ulicy Studenckiej przychodzą tylko kulturalni i taktowni ludzie. Podczas koncertu Władzia Dziurska przynosi małej Eulalii kubek kakao, ale nie jest łatwo pić bez odrywania wzroku od palców matki, które pędzą po klawiszach. Eulalia oblewa się kakao i czuje, jak gorący płyn wsiąka w jej piękną organdynową sukienkę z haftowanym karczkiem. Nic nie daje po sobie poznać, by nie przeszkodzić w koncercie, ale czuwająca w drzwiach Władzia Dziurska poznaje po drżeniu jej ramion, że coś jest nie tak; podchodzi i bierze Eulalię na ręce, a dziewczynka wtula się w pachnącą mydłem i krochmalem szyję dziewczyny. Podziwia Władzię, która w jej oczach należy do jakiegoś innego, fascynującego świata, gdzie wszystkie kobiety mają czerwonawe ręce o silnym uścisku, warkocze w kolorze siana i oczy jak agrest. To świat, w którym można się schronić, inny niż ten, do którego należy jej matka, Alina, tu trzeba dobrze się prezentować i nie wolno się wygłupić. Eulalia lubi siedzieć w kuchni i patrzeć, jak Władzia sieka zieleninę z taką samą szybkością, z jaką jej matka uderza w klawisze fortepianu.

Gdy Władzia Dziurska pojawiła się u nich w poszukiwaniu pracy, sama była jeszcze niemal dzieckiem, i choć państwo Meisels potrzebowali kogoś bardziej doświadczonego, zlitowali się i przyjęli ją na okres próbny. Okazało się, że radzi sobie całkiem dobrze z gotowaniem i z opieką nad maleńką wówczas Eulalią, a nawet kwiaty potrafi ułożyć z gustem i zna się trochę na rachunkach. Alina Meisels, gdy jej siostry, kuzynki czy przyjaciółki skarżyły się na służące brudne, kradnące lub leniwe, wzdychała, ach, ta moja Władzia to prawdziwy skarb. Władzia Dziurska przyjechała do Krakowa, by podjąć pracę u kuzynki Aliny Meisels, Isli, która po ślubie miała zamieszkać z mężem w Wieliczce, ale pech chciał, że tuż przed weselem niedoszła panna młoda uciekła z młodym poetą do Zakopanego i napisała stamtąd, że koniec z życiem mieszczańskim, ona wybiera miłość, wolność i sztukę, a znany malarz właśnie maluje jej portret, i, mój Boże, jakież ten geniusz ma oczy. Rodzice Isli przysłali więc Władzię do Meiselsów, wiedząc, że zwłaszcza Feliks serce ma miękkie i zrobi mu się żal dziewczyny o agrestowych oczach i przydługich ramionach. Gdy Alina zauważyła, że Władzia nie tylko czyta, ale robi to całkiem dobrze, zaoferowała jej podwyżkę i dała odpowiednie dla dziecka lektury, które odtąd miała czytać Eulalii. Dziewczynka spędzała z nią coraz więcej czasu, bo Alina Meisels szybko odkryła, że macierzyństwo nie ma dla niej takiego powabu jak muzyka, co zresztą podejrzewała od początku, mimo iż matka i siostry wmawiały jej, że się myli, i to bardzo, sama się przekona. Alina słyszała za uchylonymi drzwiami salonu cichutki szmer głosów dziecka i służącej, i waliła w klawisze tak, że słychać było aż na Plantach. Władzia czytała Eulalii i opowiadała historie, które jej samej wydawały się zwykłe i nieciekawe, choć dziecko zachwycały jak opowieści Szeherezady. Mówiła jej więc, że przed przyjazdem do Krakowa mieszkała w kamienicy u stóp Jasnej Góry. Gdy miała czternaście lat, zmarł jej ojciec, na chorobę, której nie potrafił wyleczyć żaden lekarz, i która polegała na znikaniu cielesnej postaci; trumnę musiały zamknąć, bo wyglądało, jakby leżał w niej pusty garnitur i buty, tekturowe trupięgi. Oprócz Władzi było jeszcze pięć sióstr, które rozjechały się po świecie. Tak mówi Władzia Dziurska do wpatrzonej w nią dziewczynki, rozjechały się po świecie, jedna tu, druga tam, a Eulalia drży na sam dźwięk słów rozjechać się i świat, bo budzą w niej myśl o tym, czego nigdy nie robiła, strasznym i kuszącym zarazem. Prosi, Władziu, opowiedz mi o siostrach, opowiedz, jak się rozjechały po świecie! Podoba jej się nazwa Jasna Góra i wyobraża sobie, że stojący na jej szczycie kościół zbudowany jest ze szkła, lśni w słońcu tak, że trzeba mrużyć oczy, a gdy jest się w środku, widać niebo, przepływające nad przezroczystym dachem obłoki albo rozpryskujące się o niego krople deszczu. Państwo Meisels nie chodzą ani do kościoła, ani do synagogi, ale bywają zapraszani na religijne uroczystości dalszych krewnych, którzy niekiedy wyrażają opinię, że dziadek Meisels w grobie się przewraca, gdy patrzy na swoich bezbożnych potomków. Feliks odpowiada wówczas, że pobożny dziadek rabin już za nich wszystkich na zapas się pomodlił, to wystarczy. Małą Eulalię fascynują świątynie, wszystko jedno jakie, byle miały dużo ozdób i wypełniał je jak najgęściej zapach kadzidła i blask świec. Czasem Władzia zabiera ją do kościoła Mariackiego, gdzie dziewczynkę tak oszałamiają malunki, że potem musi posiedzieć chwilę na powietrzu, bo kręci jej się w głowie i znów dostaje czkawki. Eulalia wyobraża sobie, że siostry Dziurskie z Częstochowy poszły pomodlić się na Jasną Górę, a potem każda wsiadła do osobnej karocy i wio, rozjechały się po świecie, na jego wszystkie strony, stangreci trzaskali z bicza, stukały o bruk kopyta rumaków. Eulalia urodziła się w tym samym mieście co jej rodzice, których wszyscy bracia i siostry tu mieszkają, ich dzieci, czyli jej kuzyni i kuzynki, dorastają wraz z nią. Myśli, że ona też będzie mieszkać w Krakowie, bo tu jest jej miejsce; mieć swoje miejsce, pozostać w nim i czytać o dalekich podróżach, syrenach, cyklopach, Scylli i Charybdzie, to wszystko, czego pragnie Eulalia, gdy Władzia czyta jej po raz pierwszy *Odyseję*. Tymczasem Władzia odrzuca na plecy warkocz w kolorze siana i mówi, że jej najstarsza siostra, Jadwiga, wyszła za młynarza, mieszka gdzieś pod Skierniewicami i może kiedyś do niej pojedzie, ale gdzie rozjechały się pozostałe, nie wie. Czy ty wyjdziesz za mąż? pyta Eulalia Władzię, a ta odpowiada, że jej się za mąż nie śpieszy, o nie, ona chciałaby najpierw pojechać do Ameryki i wyjść na swoje. Zostawisz mnie? Nie zostawię, póki trochę nie dorośniesz, obiecuje Władzia Dziurska, i dotrzymuje słowa. Eulalia ma jedenaście lat, wygląda na mniej, a zachowuje się, jakby miała więcej, i książka, którą czytają razem, to *Pani Bovary*, ale role się odwróciły, to Eulalia czyta Władzi, bo książka, własność Aliny Meisels i jej ostatnio ulubiona lektura, jest po francusku. Dziewczynka czyta i tłumaczy Władzi na polski, niektórych słów sama nie rozumie, ale w niczym im to nie przeszkadza, bo dziewczynka zmyśla jak z nut. Eulalia jest zachwycona swoją kompetencją i dorosłością, Władzia odpoczywa, przez godzinę czy nawet dwie może zupełnie nic nie robić, co jest i pozostanie rzadkim luksusem w jej życiu. Książka nawet jej się podoba, choć za nic nie może zrozumieć, o co tej Emmie chodziło, czego jej brakowało, skoro miała własny dom, własną kuchnię i ogród, a ten jej doktor wydawał się przyzwoitym człowiekiem i nigdy jej nie uderzył. Ona, Władzia Dziurska, miałaby w domu Emmy Bovary pełne ręce roboty i co najwyżej wieczorem, po kolacji, usiadłaby chwilę przy kominku, zwłaszcza gdyby nie musiała oszczędzać na opale. Dochodzą do pierwszego spotkania Emmy z panem Rudolfem, gdy Władzia mówi, że wyjeżdża do Ameryki i że nigdy Eulalii nie zapomni. Trudno nie płakać, nawet gdy skończyło się już jedenaście lat i posiadło dobrą znajomość francuskiego oraz angielskiego, bo Eulalia Meisels nie ma wielu przyjaciół oprócz tej dziewczyny o agrestowych oczach. Wyszło na jaw, że będąca przedmiotem zazdrości innych pań skromność służącej, która nie wydawała na stroje i unikała wszelkich innych okazji do wydawania, była skromnością przemyślaną i konsekwentną, Władzia ma nie tylko na bilet, ale też coś na początek. Żal jej zostawiać dziewczynkę, którą pokochała bardziej niż siostry, co to rozjechały się po świecie, ale Władzia wie, że życie składa się z rozstań i tego, co pomiędzy. Chciała coś podarować Eulalii i zupełnie nie wiedziała co, bo ta dziewczynka dostawała zawsze więcej rzeczy, niż potrzebuje jedno dziecko. Poszła więc do fotografa i zrobiła sobie portret w prawie nowym ciemnym płaszczu z futerkiem, który dostała od pani Meisels, i również darowanym kapeluszu. Nie była do końca zadowolona, bo wyszła tak staro, jakby zdjęcie pośpieszyło się o dwadzieścia lat, a do tego jej włosy w kolorze blond wydawały się ciemne, prawie czarne. Jednak co było robić, oszczędność powstrzymała Władzię przed powtórnym zrobieniem sobie portretu i taki, jaki był, podarowała Eulalii Meisels. Gdy po latach spojrzy na swoje odbicie przed wyjściem na niedzielny spacer po Central Parku, zobaczy zapomnianą fotografię kobiety, która odwzajemni jej spojrzenie, bo Władzia dorośnie do tamtego wizerunku z Krakowa, jakby był on przepowiednią.

Po odejściu Władzi na Studenckiej pojawiają się kolejne pomoce domowe, ale żadna nie będzie już taka jak Władzia Dziurska; pozbawiona jej towarzystwa Eulalia dorośnie bardzo szybko, bo tak naprawdę tylko służąca traktowała ją jak dziecko. Dla ojca była miniaturowym człowiekiem płci żeńskiej, w którego twarzy na próżno szukał rysów ukochanej żony. Alina Meisels też do końca nie zauważy podobieństwa ukrytego pod innością swojego niepozornego dziecka; tymczasem Eulalia, podobnie jak ona, po prostu pragnęła czegoś innego niż to, co uważano za właściwe dla dziewczynki, pragnęła, by pozostawić ją w spokoju, by mogła czytać. Zawsze z książką! mówił jej ojciec i trudno było dociec, czy ten wykrzyknik był oznaką zdziwienia, dezaprobaty, czy podziwu, a córka podnosiła na Feliksa Meiselsa swoje oczy w nieokreślonym kolorze i uśmiechała się tak, jakby właśnie obudziła się ze snu. Czytała nawet podczas domowych koncertów matki, ale żaden z gości nie uważał tego za niegrzeczne, po jakimś czasie wydawało się wszystkim, że książka jest nieodłącznym atrybutem Eulalii, tak jak fortepian Aliny. Eulalia poszła na studia i ukończyła kilka kursów z historii literatury, a potem znów czytała, coraz rzadziej wychodząc z domu. Feliks Meisels pracował, służące sprzątały, robiły zakupy i gotowały, paprocie rosły, matka grała i uczyła grać na fortepianie dzieci, potem wnuki swoich przyjaciółek, a córka wciąż czytała; życie w domu na ulicy Studenckiej toczyło się powoli i bez większych zgrzytów. Panował tam ten rodzaj cichego szczęścia, które docenia się dopiero wówczas, gdy się je utraci.

Dla Eulalii początek końca nastąpił wtedy, gdy ostatnia, zupełnie pozbawiona koniecznych umiejętności pomoc domowa uciekła, kradnąc wcześniej komplet srebrnych sztućców, i kto wie dlaczego, brązowe popiersie Cycerona. Wyjeżdżajcie, mówili im znajomi, a ich oczy były czujne i błyszczące jak oczy zwierząt. Co wy tu jeszcze robicie? dziwili się, gdy po tygodniu znów widzieli Alinę i Eulalię spacerujące po Plantach, uciekajcie! Feliks chodził nocami po domu i wzdychał tak, że spod mebli wylatywały szare kłaczki kurzu i skurczone listki umierających paproci, bo w mieszkaniu przy ulicy Studenckiej nikt od dawna nie zamiatał podłóg, aż w końcu powiedział: uciekamy. Wtedy Alina poprosiła o jeszcze dwa tygodnie, a gdy minęły, o kolejny tydzień. Nawet gdy zagrożenie było już tak bliskie, że wieczorami czuło się swąd spalenizny, którą cała Europa miała nasiąknąć na lata, Alina i Eulalia nie wierzyły w realność i ogrom zła. Jeszcze chwilę, jeszcze dzień, dwa, błagały Feliksa, może to wszystko jakoś minie, skończy się i okaże zwykłym nieporozumieniem, przecież żyjemy w cywilizowanym świecie, w Europie. Przyszedł jednak wtorek, gdy Feliks Meisels powiedział, za tydzień wyjeżdżamy, wszystko już załatwione. Córka odłożyła książkę, *Ulissesa* Joyce'a, który niezbyt jej się podobał, żona zatrzymała się z dłońmi wzniesionymi nad klawiaturą fortepianu i w mieszkaniu przy ulicy Studenckiej zapadła taka cisza, jakby już wyjechali. Na drugi dzień matka i córka szykowały pożegnalną kolację i wspominały Władzię Dziurską, o, gdyby tu była Władzia, o wiele łatwiej poszłoby przygotowanie pieczeni wołowej, zupy z groszkiem ptysiowym, deserów. Eulalia patrzyła na matkę z czułością, bo dopiero teraz wyraźnie widziała wachlarzyki zmarszczek koło oczu, już nie tak doskonałe zęby i linie smutku, jakie w ciągu kilku ostatnich miesięcy łzy wyrzeźbiły w jej twarzy. Gdy nadszedł wieczór, Alina Meisels znów wyglądała nieskazitelnie w czarnej sukience, ze sznurem pereł na szyi, a Eulalia siedziała z książką na kolanach, i choć smutek i strach nie pozwalały jej czytać, czuła, że niezwykłość tego wieczoru polega na powtórzeniu rutyny wieczorów poprzednich, bo tym, co świętują, jest ich życie w domu przy ulicy Studenckiej, a nie jego koniec. Ten koncert matki Eulalia Barron pamięta szczególnie dokładnie, o wiele dokładniej niż to, co ona sama robiła wczoraj. *Sonata księżycowa*, okna otwarte na noc, o której nie chcieli myśleć, jej ojciec taki elegancki, choć zaciął się przy goleniu i ma na policzku plamkę krwi, profil matki wyraźny na tle ciemności. Pani Estera i pan Ludwik, pan Benek z panią Anną, pani Sura i pan Jan, pan Natan i pani Ewa. Nikt nie mówił o ucieczce, nikt nie mówił o wojnie, chwalono babeczki z porzeczkami i kremem waniliowym, kawa wciąż pachniała kardamonem, i tylko gdy goście żegnali się, uściski były dłuższe, dłonie nie chciały się rozdzielić, a pani Estera nagle zaczęła kaszleć, pokazała na gardło, że niby się zakrztusiła i stąd te łzy, pociągnęła pana Ludwika za rękę i łkając, zbiegła ze schodów, co stanowiło nie lada wyczyn przy jej tuszy.

Potem było już tylko uciekanie, a pierwszym przystankiem, który utkwił w pamięci Eulalii, znużonej nocami w miejscach jednocześnie pozbawionych wyrazu i strasznych, było Kowno. Rzeka, a nawet dwie, ucieszył ją ten widok, bo we wszystkich miastach, jakie zobaczy od tej pory, będzie szukała Krakowa, a w Krakowie przecież jest rzeka. Po przybyciu do Kowna Alina była już bardzo chora i straciła przytomność, gdy tylko udało się znaleźć szpital gotowy ją przyjąć. Matka Eulalii rozchorowała się zaraz po przekroczeniu granicy Polski, chociaż wcześniej nic nie miała przeciw podróżom do wód czy Wiednia. Jednak teraz jej ciało słabło i malało proporcjonalnie do odległości dzielącej ich od Krakowa; na przedmieściach Kowna wyglądała jak staruszka o twarzy pokrytej dziwnymi brązowymi plamami. Gdy położono ją do łóżka, popatrzyła na swojego męża i córkę, otworzyła usta, jakby chciała coś powiedzieć, ale tylko zwilżyła końcem języka spierzchnięte wargi i zamknęła oczy. Czekali trzy dni, łudząc się, że pogłębiający się cień na jej policzkach i siny kolor ust przejdzie jak lekkie przeziębienie, bo przecież uciekali i musieli ruszać dalej. Eulalia zaczynała rozumieć, że gdy się ucieka, w całości jest się uciekaniem, uciekają nogi, ręce, głowa i wspomnienia, plecak i gotówka zaszyta w podszewce, jeśli jakiś element wypadnie z uciekania, tragedia gotowa, bo wszystko jest potrzebne tak samo, i wspomnienia, i dokumenty. Podczas tej podróży nieustannie sprawdzała kieszenie plecaka, macała skrytki w ubraniach, ale nie opuszczało jej wrażenie, że nie zabrała z Krakowa czegoś ważnego, ważniejszego niż wszystko.

Już chyba wszyscy Żydzi wiedzieli, że w japońskiej ambasadzie w Kownie jest konsul, który jak szalony wypisuje wraz z żoną wizy przejazdowe, dwadzieścia, trzydzieści, pięćdziesiąt wiz na godzinę, w tym połowa rodzinnych, na które uratuje się więcej niż jedną osobę, i te pan Sugihara lubi wypisywać najbardziej; siedzi przy biurku całe dni, skrzypi stalówka. Robota idzie łatwiej, gdy zrobiona zostaje pieczątka, teraz wystarczy przytknąć ją do poduszeczki z tuszem i przybić gotową wizę dla kolejnego uciekiniera albo uciekinierki. Żona konsula, Yukiko, przygląda się twarzom na fotografiach, na każdą ma dwie, góra trzy sekundy i żadnej nie zobaczy nigdy więcej, ale tyle wystarcza, by spojrzenia uciekinierów odcisnęły się w jej pamięci jak pieczątka w paszporcie. Spojrzenie Estery, Jana, Rywki, Mosze, Chai, Feliksa, Priwy, Hani, drobna, krucha Yukiko czuje je na całym ciele; Yukiko mówi do męża, że Żydzi są im, Japończykom, bliżsi niż Niemcy, niech się sam przyjrzy ich ciemnym włosom, oczom o azjatyckiej czerni. Żona konsula Sugihary tęskni za domem i fakt, iż ci ludzie udają się w nieznane i mogą już do domów nie wrócić, wydaje jej się nieszczęściem, którego by nie przeżyła. Gdy żona konsula była małą dziewczynką, babcia opowiadała jej bajki o demonach, które miały okrągłe niebieskie oczy i włosy białe jak sama śmierć, nadciągały zza gór; czasem, rozmawiając z Europejczykiem, Yukiko przypomina sobie swoje dziecinne przerażenie, bo wydaje jej się, że przez jasną tęczówkę można zajrzeć do środka głowy, gdzie płonie ogień. Niezależnie od tego jak bardzo konsul i Yukiko spieszą się, kolejka przed ambasadą nie maleje; pan Sugihara wygląda przez okno i ociera pot z czoła, a żona nalewa mu kolejną filiżankę zielonej herbaty. Dawno przestali się przejmować przepisami regulującymi liczbę wydawanych wiz i choć spędzają przy pracy całe dni, wciąż więcej ludzi potrzebuje wiz, niż je dostało. Zmęczona Yukiko śni na jawie ocean ludzi, którzy ze wszystkich stron napierają na ambasadę, wyciągają ręce, a oni nie mają wystarczającej liczby ratujących życie papierków i zaczynają przybijać pieczątki wprost na ludzkich ciałach, stemplują przedramiona, plecy, policzki, pośladki. Państwo Sugihara wydają wizy już od miesiąca i stracili rachubę, może było ich sześć, a może nawet dziesięć tysięcy, w każdym razie staje się coraz bardziej jasne, że wkrótce japoński konsul zostanie odwołany z Kowna, do którego wkroczyli Rosjanie. Nadchodzi wrzesień 1940 roku i przez otwarte okna wpada zapach jesieni, rozedrgane głosy ludzi zgromadzonych przed budynkiem są jak głosy duchów z góry Osore i konsul Sugihara będzie je słyszał w swojej głowie do końca życia, nie wiedząc, kogo zdążył uratować, a kto przepadł. Wsłuchuje się i próbuje zrozumieć, który szept w obcym języku jest szczęśliwy, a który nie, ale głosy duchów w jego głowie przypływają i odpływają jak fale. Nawet gdyby pan Sugihara zechciał porozmawiać z duchami na górze Osore, gdzie itako, ślepe szamanki, za opłatą potrafią nawiązać kontakt z mieszkańcami zaświatów, nie wiedziałby, jakie szczegóły podać itako, którego z sześciu, a może aż dziesięciu tysięcy uciekinierów wywołać. Ci, którzy dostaną w porę japońskie wizy przejazdowe, będą udawać, że wybierają się do dziwnych miejsc, gdzie wygnany z domu Żyd ciągle ma prawo jechać nawet bez wizy. Nie ma tych miejsc wiele i wydają się one nie do końca realne, jak Surinam i Curaçao. Przez japoński port Kobe, a może przez Jokohamę, do Surinamu lub Curaçao jadą Żydzi z Krakowa, Będzina, Radomska, Piotrkowa, Izbicy. Kobe, Surinam, Curaçao, powtarzają uciekinierzy, jakby bali się, że zapomną, albo mieli nadzieję, że powtarzanie uwiarygodni te miejsca niebywałe, których nigdy wcześniej nie zamierzali odwiedzać, bo po co z takiego na przykład Krakowa jechać do Surinamu albo Curaçao, na cholerę nauczycielowi łaciny z Radomska jakaś Jokohama. Jokohama, Kobe, Surinam, Curaçao, szepczą kobiety i zastanawiają się, co tam będzie można dostać do jedzenia i co da się z tego ugotować, podobnie jak Eulalia sprawdzają przemyślne schowki z pieniędzmi, kosztownościami i pamiątkami; spomiędzy stronic książek wysypują się zdjęcia, ze skarpet wystają srebrne widelce jak piszczele. Eulalia czuła, jak ucieczka niczym wirus atakuje jej ciało, ona, zawsze taka spokojna, teraz, nawet siedząc, przebierała nogami, jej dłonie o krótko obciętych paznokciach były w nieustannym ruchu, jakby chciały uciec na własną rękę. Za to Feliks oklapł, postarzał się tak, że można by go pomylić z jego ojcem, i w ogóle nie ruszał się ze szpitala, czuwając nad coraz głębszym snem Aliny. Eulalia sama pobiegła przez Kowno do ambasady Japonii, którą z daleka poznać można było po tłumie oblegających ją ludzi. Tłum Żydów, który nagle chce wyjechać do Japonii! Eulalia, kobieta nieinteresująca się polityką i pragnąca nade wszystko czytać książki w jakimś spokojnym domu, poczuła, jak zagotował się w niej letni dotąd gniew. Nie udało jej się dostać wizy ani tego dnia, ani następnego, a trzeciego w południe zmarła Alina Meisels, najlepsza wykonawczyni *Sonaty księżycowej* na ulicy Studenckiej, a nawet w całym Krakowie. Odtąd Eulalia nie dała sobie wmówić, że nie umiera się z powodu złamanego serca, chociaż lekarz z Kowna przekonywał ją, że panią Meisels zabił guz, który pękł i spowodował zapalenie otrzewnej. Zapewne inaczej przeżyliby jej śmierć w domu, gdzie wszystko miało swoje miejsce, każda książka własne parę centymetrów na półce, łyżeczki w szufladzie, bielizna w komodzie, łzy w samotności, muzyka w salonie – ale tu musieli troszczyć się o rzeczy praktyczne, i Eulalia po raz pierwszy poczuła, że mimo wszystko naprawdę chce przeżyć, a pragnienie to silniejsze jest nawet niż smutek po śmierci matki. Ta flegmatyczna kobieta, którą ominęły szaleństwa wczesnej młodości i obok której każda namiętność silniejsza niż czytanie przechodziła niemal niezauważona, poczuła, że w okolicach jej mostka coś jakby kliknęło jak zapadka. Gdy było już po wszystkim, a wszystkim był szybki pogrzeb na obcym cmentarzu, Eulalia Meisels, z natury powściągliwa i niełakoma, stała się tak głodna, że mogłaby pożreć całe cielę, trzy karpie z rodzynkami, miskę cymesu, sześć misek deseru z kaszki krakowskiej i bakalii, który w ich domu na Studenckiej nazywano kukiełką, bo ona sama jako mała dziewczynka tak go nazwała, przekręcając na zawsze prawidłową nazwę. Nie znalazła kukiełki, ale w cukierni na rogu jednej z ulic były bułeczki drożdżowe z powidłami, jeszcze ciepłe; Eulalia stanęła w długiej kolejce, kupiła ich tyle, że wysypywały się z papierowej torebki. Ojciec, przygarbiony i cichy, dreptał przy niej posłusznie i co chwilę wycierał nos w wielką białą chustkę; usiedli na jakimś skwerze, gdzie dwóch chłopców biegało wokół z kółkami na kijkach, wzniecając kurz i strasząc gołębie. Feliks Meisels nie chciał jeść, a jego dystyngowana córka zżerała jedną bułeczkę po drugiej i oblizywała palce polepione białym lukrem. Jak tylko dostaniemy wizę, pojedziemy koleją przez Syberię, tłumaczyła ojcu, we Władywostoku poczekamy na statek, którym popłyniemy do Japonii. Japonia? powtarza Feliks, patrzy na córkę i jej nie poznaje, bo jego córka, i ten obraz pozostanie mu o wiele bliższy, siedzi w bujanym fotelu, czyta książkę, a słońce wpada przez okna i rozjaśnia jej cienkie włosy nieokreślonego koloru. Jokohama, Kobe, Surinam, Curaçao, myśli Eulalia i porządkuje ich bagaże; trzeba zostawić plecak z rzeczami matki, od której jest o wiele niższa i pełniejsza, nie przydadzą jej się ani dwie spódnice z weluru, ani organdynowa bluzka, myśli, Jokohama, Kobe, Surinam, Curaçao, potem będę płakać, teraz musimy ruszać. Musimy ruszać, mówi do ojca i zdaje sobie nagle sprawę, że przez te wszystkie lata niemal zawsze kontaktowali się za pośrednictwem matki, przez którą ich wzajemna miłość przepływała jak ożywczy strumyk. A Eulalia czyta, oznajmiał Feliks, wchodząc do salonu, gdzie siedziały z matką w bursztynowym świetle popołudnia; cały dzień czytała, odpowiadała matka, a córka w jej stronę posyłała uśmiech przeznaczony dla ojca; tata znów się zasiedział w kancelarii. Musimy ruszać, powtórzyła Eulalia, ale Feliks Meisels siedział ze spuszczoną głową, z rękoma wiszącymi między kolanami i nie chciał wstać z ławeczki, jakby nic już poza tym siedzeniem nie było. Zapadł mrok i zapaliły się gazowe latarnie, Eulalia uklękła przed ojcem i spojrzała w jego oczy, dwa ciemne jeziorka, w których odbijał się płomień; nie, nie, córeczko, wyszeptał. Gdy nazajutrz poszła do ambasady, dowiedziała się, że konsul właśnie wyjechał, ale jakiś mężczyzna, młody i lekko zgarbiony, powiedział, że jeszcze jest nadzieja, może złapią pana Sugiharę na dworcu. Odjeżdża za pół godziny. Pół godziny? Eulalia, chuda jako dziecko, była teraz dość pulchną kobietą o krótkich nogach i ciągnących ku sobie kolanach. Nie zdążą! Niech wskakuje na jego rower. Rower? Mężczyzna miał miłą inteligentną twarz, okrągłe okulary w drucianych oprawkach. Jestem z Wieliczki, powiedział, i na razie nie trzeba było więcej, Wieliczka to nie Surinam, Kobe czy Curaçao; Eulalia niezdarnie usiadła na ramie, ruszyli. Tłum ludzi oblegał pociąg, z którego okna wyglądała twarz konsula Sugihary; wypisywał wizy, jeszcze gdy pociąg ruszył z dworca w Kownie, i ludzie biegli wzdłuż peronu, wyciągali ręce i krzyczeli swoje nazwiska z Krakowa, Wieliczki, Częstochowy, Radomska, Piotrkowa, Będzina, Izbicy. Eulalia Meisels zadyszana tak, że aż się popłakała, była jedną z ostatnich osób, które dostały pieczątkę od konsula Sugihary, ona i Leo Barron z Wieliczki, rowerzysta, który podrzucił ją na dworzec. Eulalia zapamięta ten bieg po peronie kowieńskiego dworca, tak sprzeczny z jej naturą i nigdy niepowtórzony. Po latach będzie z uwagą przyglądać się silnym, wysportowanym kobietom uprawiającym jogging w parku koło jej nowojorskiego domu. Rok po roku, przycupnięta na ławeczce, z książką opartą na kolanach, będzie wodzić za nimi wzrokiem i myśleć, o, jak to pędzi, szelma, ta toby pociąg przegoniła, na pewno zdążyłaby odebrać wizę od konsula Sugihary. Tak samo pomyślała, gdy zobaczyła Dominikę Chmurę, spodobała jej się od razu; na takich nogach, pomyślała Eulalia Barron, wygrałaby sprint na sto metrów, który rozegrał się na dworcu w Kownie i odmienił jej życie. Zdołała dotaszczyć coraz bardziej opornego ojca do Japonii, ale stamtąd nie dał się już ruszyć, i gdy w jednej z nielicznych chwil kontaktu z rzeczywistością zauważył, że jest koło nich Leo Barron, miły przygarbiony mężczyzna zapatrzony w Eulalię, zamknął się w sobie i zaryglował ostatnie okna. Nie, nie, córeczko, powtarzał, gdy próbowała go ożywić. Eulalia zepchnęła smutek po śmierci matki na dno serca, gdzie miał trwać jak skamieniała poczwarka, odkryła pod swoją flegmatycznością nałogowej czytelniczki aktywność i zdolność do radzenia sobie w kryzysie. Załatwiała tysiące spraw, zdobywała jedzenie najbardziej przypominające to, co przez jedzenie rozumiano w ich domu na ulicy Studenckiej w Krakowie, a nawet kupiła porcelanowy komplet do herbaty i drzeworyt przedstawiający smukłą kobietę w kimonie, bo nagle, po raz pierwszy z życiu, Eulalia pomyślała o jakimś swoim domu, ścianie, na której powiesi oprawiony drzeworyt, stole, na którym poda herbatę w porcelanie z Jokohamy. W wilgotnym powietrzu portowego miasta jej cienkie włosy zaczęły się kręcić, a twarz nabrała koloru; nauczyła się paru słów po japońsku, a gdy widziała coś szczególnie ciekawego, pokazywała dłonią w tym kierunku, opierając się na ramieniu Leo Barrona. W tym czasie jej ojciec wypróbował dwa nieskuteczne sposoby rozstania się z życiem, zapalenie płuc i katar żołądka, ale z obu wyleczył go japoński lekarz, który nie rozumiał ani słowa w żadnym z kilku języków znanych przez pana Meiselsa, co dla pacjenta było szczególnie denerwujące, bo zależało mu, by medyk pojął w końcu, że on nie chce wyzdrowieć. Lekarz w surducie, prążkowanych spodniach i białych skarpetkach o jednym palcu kiwał tylko głową, kłaniał się, uśmiechał i dawał mu do picia mikstury, których zażywania pilnowała Eulalia. Gdy Feliks Meisels pozbierał się na tyle, że mógł wstać z łóżka, ogolił się, ubrał, napisał list do córki i poszedł świtem do portu, gdzie bez zbędnych ceregieli wskoczył do wody. Ta druga śmierć być może załamałaby Eulalię, która schudła dziesięć kilo i posiwiała na skroniach, ale Leo Barron był zawsze blisko i podtrzymywał ją za ramię z cichą determinacją. Musisz przetrwać, powtarzał jej i całował, gdy pytała, po co?

Po kilkunastu miesiącach od tego wydarzenia Eulalia Meisels, sierota z matczynym grobem w Kownie i ojcowskim w Jokohamie, była już Eulalią Barron, mieszkała w Nowym Jorku i w Metropolitan Museum pilnowała ekspozycji w dziale starożytności. Gdy świeżo poślubieni małżonkowie urządzili się w mieszkaniu na siódmym piętrze domu o nazwie Mimoza i usiedli w nowych fotelach, by odpocząć przy herbacie, wszystko wokół lśniło czystością. Nowe życie, westchnął z satysfakcją

Leo Barron i wziął w dłonie rękę żony, a Eulalia doznała w tym samym momencie tak silnego ataku tęsknoty za życiem starym, że zaczęły jej dzwonić zęby; świeżo pomalowane mieszkanie wydało jej się nagle szare, jakby przysypał je popiół, poczuła nieomylny odór spalenizny przebijający się spod zapachu farby i pasty do podłogi. Dłoń męża wydała jej się zimna i trupia, odrażająca. Na piersi opadł jej ciężar i wiedziała, że ją zadusi i pogrzebie w tej pustce o kolorze popiołu, jeśli natychmiast nie przypomni sobie wzoru na ulubionej filiżance, która została w mieszkaniu na ulicy Studenckiej. Niezapominajki o bladych płatkach, tak, niezapominajki, chwyciła się tego obrazu jak liny, dzięki której wydostała się na powierzchnię, ale wiedziała już, że nie dla niej nowe życie; Eulalię Barron ogarnęła pewność, straszna i spokojna, że z tego się nie zdrowieje. Okazało się, że Eulalia, w przeciwieństwie do swojego męża, chciała przeżyć nie po to, by żyć, lecz po to, by pamiętać, a to, co jest, z mężem włącznie, nie ma dla niej ani realności, ani znaczenia. Pamiętać, przypominać sobie, rozpamiętywać – Eulalia Barron zna każdą formę tego słowa, a na własny użytek wymyśliła całkiem nowe, rozprzypominać, zaprzypamiętać i pozaprzypomnieć.

Dominika Chmura jest obok Icka Kaca jedną z niewielu przygód, które przydarzyły się Eulalii Barron w nowojorskim życiu oprócz pamiętania, przypominania i rozpamiętywania. Słucha głosu Dominiki i myśli o schodach, schodach takich jak w Metropolitan Museum, zatrzymuje się na każdym stopniu i słucha głosu tej dziewczyny, która mogłaby być jej wnuczką, gdyby oczywiście Eulalia miała dzieci, a potem wnuki. Pięknie czyta *Odyseję*!

Skoro okręt nasz prądy Okeanu minął i na bezkresny przestwór wód morskich wypłynął pędzim k'wyspie Eei, gdzie Eos się rodzi. Eulalia, specjalistka od pamiętania, nie umie jednak przypomnieć sobie momentu, gdy Dominika przestała być samym głosem, miłym i znajomym, a stała się kimś bliskim i wyczekiwanym. Po dwóch latach, nie wcześniej, ale jednak, ku swojemu zdumieniu, Eulalia Barron zaczęła Dominice opowiadać, co czytane książki przypominają jej z przeszłości; jej wsobna historia wypłynęła na zewnątrz. Słucha i zastanawia się, czy mówiła już o nocniku Napoleona? Musi jej koniecznie o tym opowiedzieć; ta dziewczyna nie tylko dobrze czyta, umie też słuchać, Eulalia Barron ma wrażenie, że Dominika pije opowieści jak jej paprotki wodę. Musi jej opowiedzieć, że Icek Kac, który przez tyle lat przychodził do muzeum, któregoś razu nie pojawił się, potem minął tydzień czy dwa i Eulalia otrzymała przesyłkę. W pudełku pełnym styropianowych kulek przypominających owoce śnieguliczki było stare naczynie i list. Szanowna Pani Eulalio, Droga Przyjaciółko, pisał Icek, to nocnik Napoleona, proszę go zatrzymać. Gwarantuję, że jest prawdziwy. Nie mogę go zabrać ze sobą tam, gdzie się wybieram. Niestety, nie udało mi się go oddać prawowitej właścicielce i sądzę, że powinienem zostawić go Pani. To najcenniejsze, co mam. Oddany przyjaciel Pani, Icek Kac. Eulalia przyjrzała się odrapanemu nocnikowi, na którym zatarte malunki mogły przedstawiać równie dobrze chińskie smoki co huzarów albo róże, i użyła go jako doniczki do paproci, rosnących w jej nowojorskim mieszkaniu tak samo bujnie jak w Krakowie na Studenckiej, choć były tylko wspomnieniami tamtych. Nocnik

Napoleona, muszę o tym opowiedzieć Dominice, zaraz, czy ja jej już o tym mówiłam? myśli Eulalia Barron i pogrąża się w śnie starych ludzi, który jest jednocześnie głęboki, bo ma już tyle lat, i płytki, bo wypełnia go tyle obrazów, że ktoś nieuważny mógłby przebiec po nim, mocząc tylko stopy.

Dominika czyta jeszcze przez chwilę, a potem odkłada książkę na kolana i patrzy, czy śpiąca staruszka nie uchyli oka i nie powie, jak to ma w zwyczaju, czytaj, czytaj, córeczko, wcale nie śpię ani nie umarłam, nie myśl sobie, że ci zrobię taki kawał. Eulalia Barron uśmiecha się przez sen; jej głowa przypomina Dominice łebek szmacianej lalki, dostała taką na któreś urodziny od rodziców mających nadzieję, że przestanie bawić się zniszczoną, przypominającą trupka lalką od babci Haliny, którą ta przytargała do Wałbrzycha jeszcze ze Wschodu. W końcu starą lalkę, o której Halina opowiadała wnuczce jakieś niestworzone historie, wkurzona Jadzia wyrzuciła. Od tamtego czasu Dominika nigdy już nie interesowała się lalkami, bo te następne, nowe i czyste, pachnące plastikiem i klejem, nie miały w sobie żadnej opowieści. Babcia Halina z Wałbrzycha nie wierzy do końca, że Dominiki praca w Ameryce polega na czytaniu książek niedołężnej staruszce, ale jest o Eulalię Barron zazdrosna. Prędzej gotowa jest uwierzyć i zrozumieć, że ktoś Dominice płacił, by wyprowadzała psy, zwierzę samo o siebie nie zadba. Ale czytanie książek? co to za praca? radia sobie nie może włączyć ta amerykańska staruszka? pyta wnuczkę przez telefon Halina Chmura. Nie ma telewizora? radia? Kto to widział tak pieniądze na fiu-bździu marnować, sekunduje jej Jadzia, chociaż zwykle nie zgadza się z teściową w niczym. Radio włączyć, pieniądze odłożyć, tak powinna zachowywać się normalna starsza pani! Halina jest zazdrosna o jakąś nieznaną staruszkę, która zatrudnia Dominikę i spędza z nią czas, a Jadzia, jak zawsze, umiera z niepokoju, że córkę może u Eulalii Barron spotkać coś złego, wykorzysta ją tam ktoś, dokuczy, uszkodzi. Dopiero gdy dowiaduje się, że pracodawczyni Dominiki jest bezdzietna i zupełnie pozbawiona krewnych, zaczyna po swojemu węszyć w poszukiwaniu korzyści; może jej ta staruszka by spadek zostawiła, mieszkanie zapisała? Takie mieszkanie w Nowym Jorku pewnie więcej warte niż na Piaskowej Górze, można by spieniężyć, wynająć, co miesiąc tylko by się komorne od lokatorów zgarnęło. Niech się na wszelki wypadek Dominika stara, żeby ją ta pani Barron polubiła, niech będzie milsza, przymilna nawet, to nic nie kosztuje. Pokorne cielę dwie matki ssie! instruuje swoje oporne dziecię matka Chmura. Jadzia stara się śledzić na bieżąco wędrówkę Dominiki, ale gubi się, denerwuje, że wszystko jej się kićka i musi zaczynać od nowa, wyliczając na palcach miasta i różne prace swojej córki, najpierw w Niemczech, potem w Nowym Jorku. Niektóre zajęcia takie dziwne, że trudno je uznać za pracę, bo na ten przykład, zwierza się Krysi Śledź, czy wyprowadzanie psów jest pracą? Czy ty, Krysia, płaciłabyś komuś, żeby ci Pirata wyprowadzał? I czy Krysia może sobie wyobrazić, że tam trzeba gówna po psie zbierać własnymi rękami i wyrzucać do kosza? Albo czy pracą jest przebieranie się za Cygankę na jakimś festynie? O tym to nawet trochę wstyd ludziom mówić. Czytanie książek to przynajmniej czyste i bezpieczne zajęcie, ale praca? Fiksum-dyrdum i fiu-bździu, a nie praca. Zawsze kiedy Jadzia Chmura nabiera nadziei, że jej dziecko osiadło, ono dzwoni z innego miejsca o nieznanej nazwie i mówi, mamo, to już nieaktualne, ja jestem teraz gdzie indziej i robię coś zupełnie innego, poczekaj, zaraz wyślę ci nowe zdjęcia, to zobaczysz. Powsinoga z tego dziecka, latawiec! Jakby w tym plecaku, co go zawsze nosi, wiatr miała.

Jadzi najbardziej podobało się, gdy Dominika była w Gelnhausen, małym miasteczku w Hesji, gdzie córka Grażynki, Aniela Wolf, prowadzi cukiernię o nazwie Calypso. Małe miasteczko, prywatna cukiernia, matka Chmura pławiła się w brzmieniu tych słów, spijała słodki spokój, jaki z nich płynął, smakowała aromat zamożności. Calypso, jak lody, które były za komuny, a potem znikły; oj, kiedyś to były lody, rozmarza się Jadzia, miały taki smaczek, teraz sama chemia. Tam to nic nie wykombinuje, nie wyskoczy z żadnym fiksum-dyrdum, cieszyła się, gdy Dominika dotarła do Calypso, bo wydawało jej się, że w miasteczkach takich jak Gelnhausen nie dzieją się rzeczy niebezpieczne, zwłaszcza gdy pracuje się w prywatnej cukierni u kogoś znajomego. Mimo iż na Piaskowej Górze większość rzeczy była już prywatna, Jadzia nie przyjęła tego do wiadomości, bo sama, prywatnie, nie posiadała nigdy nic cenniejszego niż parę sztuk ruskiego złota, kilka kryształów i kolekcję ceramiki z Włocławka. Niektórym to się żyje, prywatna cukiernia, Gelnhausen, wzdychała na balkonie do Krysi Śledź nie bez dumy, że jej córka jakoś uczestniczy w tym cudzie prywatnego posiadania. Pokazywała sąsiadom zdjęcia od Dominiki i z upodobaniem używała nowej nazwy, której się nauczyła: pruski mur. Te białe ściany z czarnymi balami, co wystają, to pruski mur, tłumaczyła, w Enerefie taka moda na pruski mur, nie to, co u nas, beton i beton, albo te nowe gargamele, co w Szczawnie Zdroju burżuje pobudowali. Gdyby Dominika została w Calypso i zamieszkała w domu z pruskiego muru, Jadzia byłaby spokojniejsza, ale tak się nie stało, niestety.

Dominika i Sara pojechały do Gelnhausen po krótkim pobycie we Frankfurcie, gdzie trafiły po ucieczce z Owocowego Raju. Frankfurt nad Menem, miasto, którego centrum przypomina skrzyżowanie banku z lotniskiem i pachnie powietrzem przepuszczonym przez klimatyzatory, odbijało ich zniekształcone sylwetki w szklanych ścianach city jak w wodzie. Zbliżała się jesień i Dominika, nadal nosząca tylko czarne, szare i białe rzeczy, kupiła sobie w sklepie z używaną odzieżą pelerynę, jaką miał Zorro, i wielką białą czapkę z pomponem, która przetrwała w czyjejś niemieckiej szafie od lat sześćdziesiątych. Jesteś pewna, że tego właśnie chcesz? ostrożnie zapytała Sara, gdy zobaczyła przyjaciółkę wynurzającą się z przymierzalni, Dominika była pewna, a czapka, puchata i miękka, przypominała jej chmurę. Chmurę? upewniła się Sara, ale gdy potem widziała głowę Dominiki płynącą przez ulice Frankfurtu, musiała przyznać, że było to trafne porównanie. Szybko porzuciły nieprzyjazne centrum i zapuściły się na peryferie; chodziły po ulicach, do których czystości Jadzia miałaby zastrzeżenia, i na węch wyczuwały tanie knajpy tureckie, ormiańskie, greckie, jadły w nich warzywa i frytki maczane w ostrym paprykowym sosie, kupowały na deser kleiste słodycze i szukały pracy. Dominika w którymś z greckich sklepików rozpoznała pamiętany z dzieciństwa smak rachatłukum w różanej kostce z orzechami; stała i mlaskała jak niemowlę, a Sara pytała, co ci jest? Co widzisz, Dominiko Chmuro? Dominika nie potrafiła dobrze wytłumaczyć sensu wspomnienia, bo nie miała pojęcia, jak jest rachatłukum po angielsku czy po niemiecku. Miałam kiedyś przyjaciela na Piaskowej Górze, małego Greka, o imieniu Dimitri, przynosił mi słodycze, powiedziała Sarze. I co? I nic, wyjechał. Gdzie teraz jest jej pierwszy przyjaciel, chłopiec o białych zębach, z tornistrem pełnym rachatłukum, podskakujący w kółko jak fryga? Może stał się podobny do tych mężczyzn o ciemnych oczach i włosach, którzy nieraz zaczepiali Dominikę i Sarę, proponując to, co mieli w skromnej ofercie, bo byli jeszcze na dorobku, seks, kawę, w najlepszym razie kolację w jednej z knajp, których zapach na długo zostaje we włosach. A może został mnichem na górze Athos albo raczej armatorem, Onassisem, ten mały Grek z Wałbrzycha? Może ma żonę i czwórkę dzieci? Dominika chciałaby to wiedzieć. Czytały ogłoszenia o pracy przyklejone na szybach, w budkach telefonicznych, na ścianach sklepików z tanią odzieżą; mogły zostać opiekunkami dzieci i staruszków, prostytutkami, kelnerkami, wyprowadzaczkami psów, pomywaczkami, sprzątaczkami, hostessami, mogłyby myć okna biurowców, gdyby miały doświadczenie wspinaczkowe; tak naprawdę mogły niewiele. Popatrz na to! zawołała Sara. Mogły pozować nago studentom akademii sztuk pięknych, co wydawało się najbardziej interesujące. Poszły więc na spotkanie i przez dwie godziny czekały z kilkunastoma innymi kobietami różnej narodowości i w różnym wieku w sali pachnącej terpentyną i rozpuszczalnikiem. Niektóre kandydatki na modelkę wyglądały tak, jakby szykowały się na tę okazję długo i starannie, inne najwyraźniej porzuciły na chwilę dotychczasowe zajęcia, licząc, że może nowe okaże się korzystniejsze i stanie trampoliną, z której odbiją się do czegoś lepszego, ale tyle razy się zawiodły, że nie chciało im się już starać; jedna miała na sobie poplamioną koszulkę z logo McDonald's, inna trzymała w ramionach dziecko i karmiła je piersią, na której wytatuowany był napis Love&Peace. Dominika i Sara weszły razem i elegancki profesor w średnim wieku obie uznał za ciekawe, choć każdą z innego powodu; młoda profesorka zgodziła się z nim. Dominika przypominała niemieckiemu profesorowi kobiety, które widywał podczas podróży na Wschód, ich archetypowe biblijne twarze, tak niepodobne do jego rozmytej nijakości, która nawet nie była porządnie aryjska; zapatrzył się na Dominiki oczy i usta. Ach, gdyby tak umiał namalować tę twarz zamiast postindustrialnych pejzaży w szarościach i zgniłych zieleniach, z których co prawda słynął, ale i tak mniej, niżby pragnął słynąć. Niestety, Dominiki nie mogli przyjąć, bo nie miała odpowiednich dokumentów, które pozwalałyby zatrudnić ją legalnie, keine Papieren, keine Arbeit, wie schade. Dominice pozostało wyprowadzanie niemieckich psów, a pracę modelki dostała Sara, która dla pary profesorów ucieleśniała postkolonializm, dekonstrukcję kobiecości i hybrydyczność podmiotu, jak mówili, używając też innych trudnych słów. Nie można jednak wykluczyć, że po prostu oboje bardzo byli ciekawi, jak jej gładkie brązowe ciało o wypukłej pupie wygląda bez opakowania.

Sara przez tydzień tkwiła na środku podestu oparta o kij od szczotki, bo nic innego nie było pod ręką, podczas gdy studenci wprawiali się w sztuce zwanej szkicowaniem z natury; naturą była Sara, a każdy student widział ją inaczej. Ich profesor, który lubił wyrażać się w sposób kwiecisty i mętny, tłumaczył, że między ich oczami a tym brązowym nagim ciałem jest ocean wyobraźni, trzeba rzucić się w niego i płynąć jak syreny. Wyobraźnia! Mity i władza, symbole i archetypy, o to w tym chodzi, meine Damen und Herren, chociaż oczywiście musicie też pamiętać o technice i podstawach kompozycji. Do dzieła! Studenci rzucili się na Sarę, jak kto umiał. Była więc Sara piękna dla Frantza tak, że nie mógł doczekać się następnych zajęć i szkicował ją, pryskając kawałkami za mocno przyciskanego węgla; wytaczała mu się Sara poza brzegi sztalug. Profesor spacerujący wśród studentów musiał go co rusz poprawiać, Achtung, Frantz, skup się na kompozycji, pilnuj proporcji, co ty wyprawiasz. Dla Agnes, spokojnej studentki o dużym poczuciu przyzwoitości i talencie tylko odrobinę wykraczającym ponad średnią, Sara była nieprzyzwoita, przesadna, nadmierna. Jakaż ta Murzynka jest odrażająca, myślała, co za przesada! kręciła głową na jej biodra, uda, piersi o dużych ciemnych brodawkach i nie mogła od tego przesadnego ciała oderwać swoich okrągłych szarych oczu. Sara na obrazie Agnes wyglądała tak, jakby miała rzucić się na młodą artystkę i ją pożreć, wydłubać z przyzwoitej szarej tuniczki i dżinsów, wyssać jej protestanckie kości o zimnawym szpiku, by zaraz po kanibalistycznej uczcie podskoczyć i rozhuśtać się małpio na żyrandolu. Sehr Gut, Agnes, ale trochę więcej polotu. W domu profesor szkicował Sarę z pamięci, nagą, obcą wśród ubranych studentów, nową wersję targu niewolników, gdzie na sprzedaż jest egzotyczna kobieta o żółtych włosach i ciele kuszącym jak uczta Babette. Czy gdyby potem zaprosił ją na kolację, zastanawiał się, byłoby to wbrew czy nie wbrew zasadom? Sara stała oparta o kij od szczotki w pozie Hotentockiej Wenus i z uwagą przyglądała się studentom i profesorowi, bo o wiele bardziej niż na zarobku zależało jej na tym, by dowiedzieć się, jak to jest i co się wtedy czuje, gdy jest się wystawionym na pokaz. Nikt z oglądających Sarę nagą i jej nagością karmiących swoje pragnienia nie był w stanie przeniknąć tajemnicy, której strzegła. Ani Frantz, choć w snach Sara będzie się pojawiać do końca jego życia, ani Agnes, która na takie sny nie dałaby sobie pozwolenia, ani profesor, któremu dostarczyła tematu do rozmów z psychoterapeutą – nie wiedzieli, że ta piękna kobieta o bujnym ciele nie odpowiedziałaby na żadną z namiętności, bo nigdy jeszcze żadnej nie czuła. Jej ciało budzące takie emocje nie znało erotycznego pragnienia, a jeśli czasem przytulała Dominikę, była w tym tylko łagodna potrzeba czułości.

Przez dwa miesiące spędzone we Frankfurcie Dominika i Sara mieszkały u Amber, studentki antropologii, Sara znała dziewczynę z Nowego Jorku. Gościnna Amber miała długie kręcone włosy, skórę w kolorze bursztynu i kolczyk w pępku; w dzień spała albo pisała, a wieczorem przed wyjściem do pracy robiła tiramisu tak pyszne, że Dominika niekiedy zapominała na chwilę o podróży; leżała nasycona jak noworodek i myślała, że mogłaby zostać na zawsze w tym przypominającym jaskinię malutkim mieszkaniu. Zostańcie! prosiła Amber, czy wam ze mną źle? i stawiała na stole pucharki pełne słodkiej masy. Amber nocami pracowała jako domina imieniem

Kirke w klubie dla sadomasochistów i mówiła, że to obserwacja uczestnicząca do doktoratu. Lubisz to po prostu! przekomarzała się z nią Sara i niewykluczone, że miała rację, bo badania Amber trwały już od paru lat i nic nie zapowiadało ich końca. Wieczorem Amber zmieniała się w Kirke; ubierała się w skórzany gorset, wysokie buty i wywijając pejczem, ćwiczyła niemieckie przekleństwa i obelgi, kierowane potem do spragnionych dominacji klientów. Ty świnio! wrzeszczała, proś o litość swoją panią! I co, mordo świńska? znów zasłużyłeś na karę, cedziła okrutnym szeptem i obnażała zęby, a Dominika i Sara umierały ze śmiechu, bo przypominały sobie świnie hodowane przez Grażynkę i Hansa, bezbronne, otyłe stworzenia o wiecznie głodnych pyskach. Amber-Kirke potrafiła wiązać ciała na sposób japoński z taką łatwością jak supełek na chusteczce i przekonywała Dominikę i Sarę, że bardzo piękny jest zapach świeżo wyprawionej skóry. Tłumaczyła im, jak zaciska się obrożę nabijaną ćwiekami, mocno, ale nie tak, by klienta udusić, i prosiła, by mogła na Dominice lub Sarze wypróbować nowy model skórzanej maski na zamek, którą potem będzie z wprawą zamykała na twarzach lekarzy, biznesmenów i profesorów. Amber-Kirke nieustannie prosiła, by zostały dłużej; i gdy nie mogły znaleźć pracy, oferowała nawet pośrednictwo w załatwieniu czegoś w klubie SM, bo jej zdaniem obie miały warunki. Powiedz: ty świnio, tłumaczyła, powiedz tak, żeby poczuł się jak świnia i miał ochotę zachrumkać, jednak Dominika przy każdej próbie wcielenia się w postać dominy widziała nagle twarz swojej matki, ściągniętą w kurzą dupkę z tym charakterystycznym wyrazem zdziwienia i dezaprobaty. Wybuchała wtedy śmiechem, jakim nie śmiała się od czasu, gdy z małym wałbrzyskim Grekiem obmyślała sposoby zgładzenia nauczycielki Heleny Demon. Czas w drogę, powiedziała Sara któregoś wieczoru, a może to była Dominika. Ucałowały więc Amber-Kirke, życzyły jej powodzenia i ruszyły w dalszą wędrówkę.

Sara myślała o powrocie do Stanów, ale Dominika wciąż nie miała odpowiednich dokumentów i szans na amerykańską wizę. Podobnie jak jej matka, nie czuła się też gotowa na spotkanie ze swoją amerykańską rodziną, dziećmi Ignacego Goldbauma, bo wiedziała, że ich opowieść jest tylko w jakiejś części jej własna. Moja amerykańska rodzina, wzdychała niepewnie, podczas gdy Jadzia z większą pewnością i niechęcią mówiła o tych Żydach z Ameryki. Ci Żydzi z Ameryki, przestrzegała córkę, żeby ci tylko w głowie nie namącili. Jadzia nie chciała spotkać się z synami Ignacego, którzy przyjechali do Zalesia po to, co zostało z ich ojca w spalonym domu Zofii, i nie zgodziła się na ich przyjazd do Wałbrzycha. Już dość namącili, dziękuję bardzo, zacięła się w sobie i powtarzała, że nie, absolutnie i pod żadnym pozorem, prędzej jej kaktus, o tu, pośrodku dłoni podniszczonej królowaniem w kuchni wyrośnie. Nawet po naszemu porządnie mówić nie potrafią, powtarzała ze złośliwą satysfakcją, wspominając dwie rozmowy z Davidem i jedną z Ruth, jakie odbyła przez telefon; niby ojciec Polak, choć Żyd, a ten jego syn jakby kluski w gębie i mowa jakaś przedpotopowa. Niech pani jednakże rozważy, złośliwie naśladowała polszczyznę Davida Goldbauma. Rozważyć to on se może worek kartofli! W podwójnym nieszczęściu, jakim była śmierć Zofii i wypadek Dominiki, fakt, iż dzieci Ignacego, David, Joshua i Ruth, są jej przyrodnim rodzeństwem, umknął świadomości Jadzi, bo takie rzeczy, jak nagłe pojawienie się braci i siostry, były do przyjęcia w telenowelach, ale nie w życiu na Piaskowej Górze. Co jej tam rodzeństwo nieznane, Jadzia Chmura cała nastawiona była na ratowanie swojego jedynego dziecka, któremu zgodnie z jej obawami w końcu przytrafiło się coś strasznego, choć zupełnie nie to, czego się obawiała. Tyle potrafiła wyobrazić sobie nieszczęść, straszliwych chorób wywołanych bakteriami, a jej dziecko miało wypadek spowodowany przez Jagienkę Pasiak, która wydawała jej się taka miła i grzeczna. Matka Chmura nie chciała pomocy od rodziny Ignacego, ale gdy Grażynka spadła jak z nieba z propozycją zabrania pogrążonej w śpiączce Dominiki do niemieckiego szpitala, Jadzia przezwyciężyła dumę i niemal fizyczną niechęć, jaką od zawsze czuła do tej kobiety. Że takiej lafiryndzie! kręciła głową w świętym oburzeniu na myśl o Grażynce, że takiej lafiryndzie szczęśliwy los na loterii życia się trafił, a porządne kobiety nawet trójki w totolotka trafić nie mogą. Nie ma sprawiedliwości na świecie! Grażynka, w sukience jak wiosenna łąka, z ramiączkami stanika na widoku, z przedziałkiem między piersiami, podzwaniająca kolczykami wielkimi jak dwa żyrandole z czeskich kryształków, biegała po wałbrzyskim szpitalu, zaczepiała lekarzy, którzy ku oburzeniu Jadzi nie mówili, niech się pani odczepi, głowy nie zawraca, tylko zatrzymywali się i rozjaśniali w uśmiechu jak nigdy na jej, Jadzi Chmury, przyzwoity widok. Wdzięczność wobec tej kobiety, tak innej niż wszystko, co Jadzia akceptowała jako kobiece, była jednak łatwiejsza niż ewentualna wdzięczność wobec amerykańskiej rodziny, bo do pokrewieństwa z nią nadal się nie poczuwała, dziękuję bardzo. Odmowa Jadzi tylko pogłębiła ból dzieci Ignacego Goldbauma, bo nie wiedzieli, że oferowana przyjaźń wydawała się Jadzi podejrzana w obliczu czegoś tak strasznego jak spalenie ich ojca. Bardziej spodziewałaby się zła, co należy się za zło. Oko za oko, Jadzia zawsze była tego zdania. Wykastrować i rzucić ludziom, niech sami sprawiedliwość wymierzą, unosiła się w obliczu doniesień o gwałcicielach i mordercach dzieci. Ukamienować, jak to kiedyś bywało, oko za oko, ząb za ząb. W takiego zboczeńca pierwsza by kamieniem rzuciła, nikt by jej nie powstrzymał; pierwsza bym kamieniem rzuciła! zaperzała się i kłóciła z Dominiką, upierającą się, że potrzebny jest sąd i prawo. Jadzia była przygotowana na atak ze strony dzieci Ignacego, na to, że powiedzą, to wasza wina, to Zofii wina, że ojca straciliśmy, po co go do Zalesia zapraszała, ciągnęła na takie zadupie na stare lata, po co Dominika chciała się z nim spotykać. Już ja im powiem! Powiem im, że co tam moja matka mogła zapraszać, chciał, to przyjechał, i kto wie, czy proszony; sumienia trzeba nie mieć, żeby tak przyjechać i kłopotu wszystkim narobić. Ignacy Goldbaum przyjechał do Polski w gości i zginął w straszny sposób, tak bardzo Jadzię złościło wszystko, co ze śmiercią Ignacego związane, że nie domyśliła się prawdziwej przyczyny swej złości zapijanej nervosolem. Biedna Jadzia z Piaskowej Góry czuła się winna tej śmierci, i ta wina była ponad jej siły. Gdy mijało zacietrzewienie, Jadzia wybuchała płaczem, bo kiełkowało w niej uczucie, nieokreślone i drobne, że wszystko mogło ułożyć się zupełnie inaczej i być może, jak widziała w przebłyskach wyobraźni, zamiast zgliszcz i popiołu zdarzyłby się wówczas suto zastawiony stół pod zaleskim orzechem, ludzie przy nim, jakaś nowa rodzina, zapach drożdżowego ciasta z wiśniami, letni wiatr i śmiech.

Nie przewidziała Jadzia, że jedno z dzieci Ignacego okaże się uparte, i nie przyszło jej do głowy, że to, co dla niej było tak skomplikowane, Ruth Goldbaum uda się bez trudu i dowie się, w którym szpitalu w Monachium jest Dominika. O wizycie Ruth wiedziała tylko Sara; Jadzię by chyba szlag trafił. Ruth przyjechała zaraz na początku pobytu Dominiki w niemieckiej klinice i czekała cierpliwie, aż pulchna starsza pani wyjdzie ze szpitala. Odprowadziła ją wzrokiem i starała się zapamiętać jak najwięcej, liliową spódnicę w kwiaty i wdzianko pod kolor opięte na dużych piersiach, wykoślawione obcasy czółenek z kokardami, zbyt obfite łydki i wciąż zgrabne szczuplutkie kostki, gruszkę pośladków, jakiej nie miała żadna inna kobieta w rodzinie Ruth, unieruchomione lakierem żółtawe włosy niczym kłębek starej waty. Żadna inna kobieta w mojej rodzinie, pomyślała jeszcze raz Ruth, i po raz pierwszy fakt istnienia Jadzi Chmury z Wałbrzycha dotarł do niej tak wyraźnie, że poczuła swoją starszą pół-siostrę w piersiach i brzuchu. Profil Jadzi z wyraźnie zarysowanym drugim podbródkiem wydał się Ruth bezbronny i dziwnie piękny, jak twarz jednej ze świętych, które podziwiała we włoskich kościołach, świętych, którym, zanim się ześwięciły, przydarzały się rzeczy nieprzyjemne i bolesne, a to piersi ucięte, a to cierń wbity w czoło, choć ta od ciernia, święta Ruta, akurat sama się o to prosiła. Parking przed szpitalem był pusty, światło latarni zimne jak w sklepowej gablocie z mięsem, postać ubrana na liliowo wydawała się samotna i bezbronna. Ruth omal nie podbiegła do niej, gdy niezdarna Jadzia upuściła torebkę i ukucnęła, by pozbierać rozsypane drobiazgi, ale podjechał samochód i Jadzia do niego wsiadła. Ruth stała tak długo, aż zniknął za bramą szpitala.

Gdy Sara zobaczyła Ruth w poczekalni szpitala w Monachium, wiedziała, że jest ona spokrewniona z Dominiką, zanim kobieta odezwała się do niej; pomyślała, że podobieństwo tak oczywiste musi mieć sens niczym zapis na ciele, który ta śpiąca dziewczyna z Polski będzie musiała odczytać po przebudzeniu. Te same usta szerokie, z kącikami kapryśnie opadającymi w dół, ostre kości policzkowe, bardzo ciemne brwi, które trudno utrzymać w ryzach, bo usiłują się zrosnąć. Amerykańska ciotka Dominiki Chmury, Ruth Goldbaum, która zupełnie nie wyglądała na czyjąś ciotkę, uścisnęła rękę Sary mocno, po męsku. Wydawała się Sarze silna i pewna siebie, jedna z tych kobiet, które od dziecka uczy się, że świat jest pełen możliwości, a nie niebezpieczeństw. Patrzyła na Ruth, która pochyliła się nad Dominiką, a po chwili ujęła w dłonie rękę śpiącej; Ruth, najmłodsze dziecko Ignacego, była kilkanaście lat starsza od Dominiki i wyglądała jak jej siostra. Wyglądasz jak siostra, którą zawsze chciałam mieć, powiedziała do śpiącej. Pachniesz jak moja siostra, pocałowała jej dłoń, masz kolor siostrzany. Obudź się, siostrzyczko! Mogę trzymać ją za rękę? zapytała Sarę. Możesz. Ruth wyszła z pokoju Dominiki dopiero świtem, gdy zaczynał się poranny obchód i na oddział śpiących dobiegł świeży zapach kawy, środków dezynfekujących i pieczywa; Sara nie przeszkadzała im i tylko przez oszklone drzwi widziała, że Ruth nie przestaje mówić. Oby tylko śpiewać nie zaczęła, jak Jadzia, pomyślała, bo na widok tej pewnej siebie Amerykanki, mówiącej jak prezenterka CNN, poczuła lekkie ukłucie zazdrości, które ją samą nieprzyjemnie zdziwiło. Złapała się na tym, że stara się formułować zdania tak jak w college'u, gdy otaczały ją białe koleżanki, które jej część Nowego Jorku znały tylko z teledysków i filmów. Zawiadom mnie, gdy się obudzi, poprosiła ją Ruth. Obudzi się, prawda? Obudzi. Powiesz jej o mnie? Powiem.

Ruth Goldbaum po śmierci ojca spakowała plecak i opuściła Pasadenę, miała spędzić jakiś czas w Europie, a potem wrócić na uniwersytet, gdzie ją zatrudniono, ale po wizycie u Dominiki w monachijskiej klinice poczuła, że nie jest gotowa do powrotu, bo straciła oparcie pod stopami, jak surferka, której nagle deska wysunęła się spod nóg, mimo iż wszystko szło tak dobrze i wydawała się przygotowana na każdą falę. W uporządkowanym i łatwym dotąd życiu zdolnego i kochanego dziecka otworzyła się czarna dziura niepewności i rozpaczy. Ruth zaczęła śnić sny pełne popiołu, polskich słów i zapachu spalonego mięsa, straciła z oczu swój dom i prowadzącą do niego drogę. Wtedy jej wzrok przykuła reklama tanich biletów do Indii i Ruth Goldbaum, która każde wakacje spędzała w atrakcyjnych miejscach świata i zmienne piękno krajobrazu było po prostu częścią jej życia, po raz pierwszy poczuła tak silną potrzebę podróży, że aż przeszedł ją dreszcz. Czas w drogę! Podjęła decyzję i zarezerwowała najbliższy lot do Delhi. Sara dotrzymała obietnicy i powiedziała Dominice o wizycie Ruth, od której wkrótce zaczęły przychodzić listy i pocztówki, była w Indiach, potem w Laosie, Wietnamie i Kambodży, wylądowała w końcu w Tajlandii, gdzie na wyspie Samui pracuje we włoskiej pizzerii; tu zatrzyma się na dłużej, bo nigdy nie była nikim innym niż Ruth Goldbaum z Pasadeny, a teraz turyści biorą ją za Włoszkę, i całkiem jej się to podoba. Przysłała zdjęcie; na tle morza lśniącego jak płynne szkło opalona kobieta w białej bawełnianej sukience. Dominika schowała zdjęcie swojej ciotki-siostry do portfela, jak miała to w zwyczaju jej matka, ale gdy Ruth dzwoniła potem do chwilowych domów, w których zatrzymywały się z Sarą, na linii co chwilę zapadała cisza.

Taki sam tembr głosu i śmiech nie do odróżnienia deprymowały je wobec braku bliskości, która nie miała kiedy się narodzić. Gdziekolwiek Ruth była, ponawiała zaproszenia i chęć pomocy, ale Dominika najlepiej czuła się przy Sarze i tylko czasem, na granicy przebudzenia i snu, wydawało jej się, że słyszy głos, który mówi, wyglądasz jak siostra, którą zawsze chciałam mieć; wyjmowała wtedy zdjęcie z portfela i patrzyła na kobietę w białej sukience. Podobnie jak Jadzia nie była przygotowana na nowego ojca, tak Dominika nie potrafiła znaleźć w sobie miejsca na ciotkę, która chciała być jej siostrą i na siostrę wyglądała. Wiedziała, że to pozorne siostrzeństwo niczego nie załatwi w jej życiu, choć może prościej byłoby zostać Żydówką z Pasadeny, siostrą Ruth Goldbaum, a nie mieszańcem i półsierotą z Piaskowej Góry. Może później, w przyszłym roku, mówiła więc, gdy Ruth, gotowa do powrotu, zachęcała ją do odwiedzin w Kalifornii i zapewniała, że nie ma tak złych papierów, których przy odrobinie wysiłku nie dałoby się polepszyć. Na pewno nie chcesz się z nią zobaczyć? upewniała się Sara. Dominika nie chciała; potem, mówiła, może w przyszłym roku.

Sara i Dominika przyjechały do Gelnhausen w wiosenny dzień; nad miasteczkiem płynęły obłoki tak białe i pulchne, jakby namalowało je dziecko. Chmurdalia, Dominice przypomniała się kraina, którą wymyśliły z Małgosią Lipką podczas wagarów na dachu Babela. Chmurdalia, piękna Chmurdalia, obie chciały ją znaleźć, obie były pewne, że istnieje, gdzieś daleko od Piaskowej Góry. Aniela Wolf, zamężna córka Grażynki, mieszkała w wielkim domu, którego ascetyczny wystrój nie zachwyciłby Jadzi, chociaż drewniane podłogi lśniły czystością, dywany miękkie niczym sierść jakichś dobrych, łagodnych zwierząt wyczesane były z włosem i pod włos, a sosnowe meble pachniały lasem. Dominice podobały się abażury, papierowe kule, lekkie, półprzejrzyste; na Piaskowej Górze żyrandole musiały być solidne, niczym wielkie pająki przycupnięte pod sufitem. Dominika i Sara zamieszkały w dwupokojowym domku gościnnym, ale główny dom był dla nich otwarty. W wolnych chwilach pomagały Anieli w kuchni albo siedziały w pracowni stolarskiej jej męża, który robił na zamówienie meble, repliki antyków francuskich i włoskich, pożądane przez zamożnych mieszkańców Niemiec; złote ostrużyny drewna pokrywały podłogę jak ścięte loki całego tłumu blond piękności. Państwo Wolf mieli godną podziwu umiejętność milczenia, kiedy trzeba było milczeć, i nie pytali, czy macie zamiar wracać, czy ściągać rodzinę? Wystarczyło im, że

Dominika i Sara zostały polecone przez Grażynkę, i nie narzucali się ze swoim towarzystwem, tylko zgadywali, pewnie chciałybyście pojechać na wycieczkę do leśnego zoo, i po półgodzinie byli wśród drzew, a melancholijne łosie podchodziły do ogrodzenia, by dać się pogłaskać po pyskach delikatnych w dotyku jak mech.

W należącej do Anieli cukierni Calypso oprócz Dominiki i Sary pracował starszy cukiernik, miejscowy Niemiec imieniem Helmut, i Ivo, cukiernik artysta, jak sam o sobie mówił. Ivo, młody Amerykanin z miasteczka Harrison w stanie Arkansas, ze względu na nienaganną prezencję i talent do języków był w Calypso również kelnerem. Gdy Dominika zobaczyła Iva po raz pierwszy, mył pod kranem pomarańcze i w blasku słońca miało się wrażenie, jakby przez kuchnię płynęła rzeka pełna lśniących drobinek światła; przyszła jej do głowy dziwna myśl, że tak mogłaby wyglądać jej zmarła siostra bliźniaczka, wysoka szczupła blondynka o niebieskich oczach i przejrzystej cerze. Hej, krzyknął Ivo i rzucił w stronę Dominiki pomarańczą jak piłką, hej, jestem Ivo, król czekolady, witam w krainie słodyczy. Jestem artystą, a nie po prostu cukiernikiem, tłumaczył Ivo, oto różnica, i malował cukierniczym pędzlem ze szczeciny dzika czekoladowe esy-floresy na marmurowym blacie, a potem, hokus-pokus! jednym pchnięciem paznokcia Ivo przesuwa wystygły czekoladowy kształt i podnosi, by wszyscy mogli podziwiać rajskiego ptaka, żyłkowaną strukturę liścia, gałąź drzewa z ciemnej czekolady pokrytą białoczekoladowym szronem. Jedz! podaje czekoladowe cudo Dominice; ona je, Ivo opowiada, tak to od początku wyglądało.

Ivo mówi szybko, dużo, przede wszystkim o słodyczach, jego opowieść jest jak śmietana ubijana elektryczną trzepaczką, rośnie, rośnie i wszyscy oprócz Dominiki proszą od czasu do czasu, by w końcu się zamknął, bo głowa pęka od tego gadania. Dominika cierpliwie słucha, zjada robione przez Iva desery i czeka, bo od kiedy zobaczyła w nim siostrę bliźniaczkę, czuje, że pod lukrem jest jakaś inna opowieść, dzięki której zrozumie tajemnicę ich pokrewieństwa. Mów, Ivo, zachęca go i młodemu cukiernikowi nie trzeba tego powtarzać, nawet jeśli przed chwilą udawał obrażonego, bo Sara kazała mu zamilknąć, na miłość boską, a Helmut wrzasnął, ruhe! Ivo ma dwie opowieści, którymi raczy Dominikę i tych, którzy znajdą się w polu rażenia jego słów. Pierwsza dotyczy przyszłości i młody cukiernik opowiada ją tak, jakby lukrował tort, tu wszystko kapie od słodyczy. Paryż, moja droga, mówi Ivo i gestykuluje, wymachuje trzepaczką albo końcówką miksera, w jego niebieskich oczach zapalają się iskry, jakby patrzył na patyczki zimnych ogni, którymi w Calypso ozdabia się desery dla dzieci i zakochanych. A więc Paryż, zdobędzie tutaj doświadczenie i wróci do Paryża, gdzie otworzy własny lokal, będzie się tam zajmował tylko czekoladą; czekolada do picia w filiżankach, żadnych papierowych kubków; musy, pralinki, sosy czekoladowe, figury z czekolady czarnej, brązowej i białej, bomboniery pełne czekoladowych cudów; to nie wszystko, czekoladowe suflety, tak, suflety to prawdziwa sztuka i wymagają talentu, trzeba wyjąć je w momencie wyważonym z chirurgiczną precyzją, byle rzemieślnik nie zrobi tego, jak należy. Kunszt Iva docenią w miejscach tak prestiżowych, jak Pierre Hermé czy Dalloyau;

wkrótce stanie się dla nich konkurencją, będą wysyłać pomocników kuchennych na zwiady, by nocą wwąchiwali się w aromaty wydostające się z jego czekolaterii Croissant du galant. Pokażę ci zdjęcia moich dzieci, mówi Ivo i wyciąga album z fotografiami cukierniczych dzieł. Poważnie podchodzi do kariery; zanim nadejdzie era wielkich triumfów na arenie paryskiej, przygotowuje sobie portfolio z konkursów i pokazów, w których odniósł już pierwsze sukcesy. Kiedy zacząłeś o tym marzyć? Czy masz w rodzinie cukierników? Skąd ta czekolada? pyta Dominika, ale Iva nie da się łatwo zbić z tropu, gdy zwęszy swoją piękną przyszłość. Już się taki urodziłem! zbywa ją i, voilà! karmi kawałkiem marcepanu w pomarańczowej czekoladzie, wiśnią nasączoną likierem amaretto i zanurzoną do połowy w waniliowym musie, do którego dodał, ach, to jego tajemnica, co. Ivo śledzi twarz dziewczyny jak początkujący kochanek, niepewny, czy sprawił nową pieszczotą przyjemność partnerce, a Dominika uczy się smaków kardamonu, chili, prawdziwej wanilii, których nie znała wcześniej, bo na Piaskowej Górze był tylko cukier wanilinowy, pieprz i sól. Otwórz buzię, kochana, gorzka ciemna czekolada z orzechem makadamii, prosi Ivo i wkłada jej do ust lśniącą kulkę. Co dalej, mów, prosi Iva Dominika, mów, a ja zjem resztę makadamii. Podczas południowej przerwy w pracy Sara idzie z Helmutem na kebab, a Dominika i Ivo siadają razem na schodach; Ivo opowiada, a Dominika wyjada z metalowego pudełka połamane ozdoby z karmelu, oklapłe róże cukrowe, literki, które trzeba było odkleić z tortów, bo wyszły koślawe, nieudane srebrne perełki z cukru, które lśnią jak rozsypana rtęć, cienkie i chrupiące skrawki zastygłej czekolady. Starszy cukiernik Helmut wygląda nieraz na zmieszanego w towarzystwie trojga młodych cudzoziemców, z których dwoje jest chude jak patyczaki i wyższe od niego o głowę, a jedno krągłe w sposób nieznany w jego świecie brzuchatych kobiet i mężczyzn. Helmut nie może oderwać oczu od wystających pośladków Sary, choć bardzo stara się zachowywać przyzwoicie, gdy idzie z Sarą przez rynek miasteczka do budki z kebabem, jest dumny jak paw. Ivo nie ma oporów, by mówić do Sary, kobieto z plemienia Khoi-Khoi, mogłabyś stawiać sobie tam doniczkę z kwiatkiem, żartuje z niej, albo używać tyłka jako półki na książki, co za oszczędność miejsca. Nawet wieża stereo by ci się tam zmieściła i dwie kolumny! To i tak mniej niż w twoim tyłku, odpowiada Sara tak, jak umie odpowiedzieć dziewczyna wychowana w nie najlepszej części Brooklynu, i Dominika nie wszystko rozumie, chociaż uczy się szybko. Zobacz, moja droga, Ivo pokazuje Dominice album, gdzie w przezroczystych kieszonkach wszystkie zdjęcia wyglądają podobnie, jest na nich uśmiechnięty Ivo i desery, spiętrzone piramidy makaroników, torty zbyt piękne, by je jeść, pucharki pełne słodyczy. Ostatnio w Berlinie, gdzie stanął do pojedynku z wieloma starszymi kolegami, udało mu się dojść do półfinałów; smażone w cukrze płatki róży herbacianej, między nimi kropla czekoladowego kremu, Ivo boi się trochę, by mu ktoś tego pomysłu nie ukradł. Wiadomo, jak to jest. Kto udowodni starszemu i sławnemu cukiernikowi, że to nie on pierwszy wpadł na połączenie herbacianej róży i kremu na bazie gorzkiej czekolady z odrobiną kardamonu i chili? Ostatecznie konkurs na deser przyszłości wygrał Francuz, Sebastian

Chevalier, z Francuzem niby nie wstyd przegrać, bo oni tę sztukę mają we krwi; co się Ivo naczytał o Francji, ich kulturze, Napoleonie, Marii Antoninie, co ciastka żarła zamiast chleba. Tam nawet gilotynowanie miało lekkość, styl i wdzięk. Sebastian Chevalier! Co za brzmienie, muzyka dla uszu, nie to, co Ivo Smith, a powinno być John, tak go nazwali rodzice, John IV Smith, ale Johna IV Smitha Ivo znieść nie mógł, cóż to za straszna potwarz być nie dość, że Johnem Smithem, to do tego czwartym z rzędu. Ivo zadręcza siebie i bliźnich w Calypso wspomnieniem Francuza, który wygrał berliński konkurs cukierniczy, bo jakoś tak łakomie na jego deser się patrzył, pytał, czy do kremu użył wanilii z Madagaskaru, czy z Indii, i czy on, tu nos do delikatnej kreacji zbliżył, dobrze czuje delikatną nutę migdałów, czy jednak to kardamonu nuta cicha. Ach, być takim mistrzem jak ten Francuz, z własną cukiernią, dla której nazwę od lat ma w głowie: Croissant du galant, czyli rogalik galanta. Mówiłem ci o tym? pyta Ivo, mówiłeś, ale możesz opowiedzieć jeszcze raz, odpowiada Dominika i pozwala nakarmić się truflową kulką o nowej recepturze. Ivo Francuzów bardzo podziwia, młoda Francuzka Monique uczyła ich na paryskim kursie sztuki glazurowania, Dominika mu ją przypomina, coś w ustach, coś w kolorze, tylko że tamta zawsze była jak z wybiegu, a to w różowej chanelce, a to w małej czarnej. Na glazurę najlepsze są morele z południa Francji, tu ważne są szczegóły, morela moreli nierówna. Francuzkę od glazurowania Ivo wspomina z zachwytem i gdyby miał w przyszłym życiu urodzić się kobietą, a dzięki buddyzmowi może w to wierzyć, za co jest wdzięczny samemu mistrzowi Guatamie osobiście, to właśnie taką,

Monique z Paryża. W kwestii ponownych narodzin w wersji żeńskiej młody cukiernik musi rozważyć zawiłą teologicznie kwestię, czy pragnienie inkarnacji we wcieleniu uważanym za niższe mieści się w ideale dobrego buddysty, który powinien dążyć do doskonałości. Pomyślę o tym potem, błaznuje Ivo i cytuje Scarlet O'Harę, która, oprócz Francuzek oczywiście, jest jedną z jego ulubionych postaci. Francuzki! Francuzki to ideał Ivo i gdyby nie kochał sztuki cukierniczej tak gorącą miłością, być może zająłby się projektowaniem ubrań, do czego, jak podejrzewa, też ma talent, i to prawdziwy. Ivo uważa, że gdyby Bóg miał coś przeciwko jego orientacji seksualnej, nie obdarowałby go tak hojnie talentami, urodą, pogodą ducha i umiejętnością zjednywania sobie ludzi. Bóg, błaznuje Ivo, jakkolwiek go nazwiemy, nie jest złym facetem. Mam mnóstwo szczęścia. Od dziecka! Ivo de Paris, właściciel cukierni Croissant du galant, oto jego przyszłość! Żaden Ivo Smith, a już na pewno nie John IV Smith, czy Junior, zwany tak przez rodzinę dla odróżnienia od ojca Johna Smitha Seniora, o nie, on będzie znany w branży po prostu jako Ivo z Paryża, właściciel Croissant du galant. Tylko żeby nikt mu nie ukradł pomysłu. Nie powiesz nikomu? Nie powiem, śmieje się Dominika i przewraca oczami w grymasie, który na mgnienie oka upodabnia ją do Jadzi, jakby jej matka we własnej osobie zajrzała do cukierni Calypso w Gelnhausen i stwierdziła, że istne fiksum-dyrdum się tu wyprawia. Ivo mówi, że gdyby pochodził z rodziny sławnych cukierników, jego marzenie o byciu na swoim już by się dawno ziściło; mógłby na przykład założyć własną czekolaterię jako część rodzinnego imperium.

Dominika łapie trop, który prowadzi w przeszłość jej cudownie odnalezionego bliźniaka, i pyta o jego rodzinę, co robią, jacy są, ale Ivo znów umyka jej zakosami w bezpiecznym kierunku przyszłości. Ach, Croissant du galant, Paryż, najelegantsze sklepy będą zamawiać u Iva świąteczne bomboniery, sama królowa brytyjska będzie chrupać jego czekoladki i nie dostanie po nich zatwardzenia. Rozkaże, czekoladki tylko z Croissant du galant, i może nawet zaprosi go kiedyś na herbatkę do pałacu Buckingham.

Ivo i Dominika odkrywają, że mają wspólną pasję oprócz słodyczy, pływanie, i każdą wolną chwilę spędzają na krytym basenie w Gelnhausen, gdzie najpierw przepływają kilkadziesiąt długości basenu szybką żabką, a potem moczą się w jacuzzi tak długo, aż ich skóra marszczy się, a oczy łzawią od chloru. Opowiadaj, mówi Dominika, opowiadaj, dopóki nie zrobię się głodna. Powiedz mi o swojej rodzinie, wszystko i dokładnie. Przyszłość Iva jest lukrowana, słodka, przeszłość jak z komiksu, okazuje się, że po chwilowym oporze ta historia też płynie wartko. Ivo pochodzi z miasteczka Harrison, miasteczko Harrison w stanie Arkansas, mówi. Tata, mama, dwie siostry i ja, John IV Smith, biały dom, duży ogród. Ojciec Iva, John III Smith, posiada w Harrison firmę Posejdon produkującą gadżety do wyposażenia łazienek i radzi sobie świetnie, bo nie inaczej radził sobie ojciec ojca, czyli John II Smith, i ojciec ojca ojca, John Pierwszy. Tylko ja, mówi Ivo, wyłamałem się i zamiast pójść w ojców ślady, zboczyłem. Miasteczko Harrison, w którym urodziło się kilka pokoleń Smithów, liczy niewiele ponad dziesięć tysięcy mieszkańców i prawie wszyscy są biali, ojciec Iva zawsze podkreślał, że to dobre miejsce do życia i spełniania amerykańskich marzeń. Pokazywał synowi domy tych, którym się udało, i przyczepy kempingowe nieudaczników, na jednych i drugich nadal powiewają sztandary konfederacji; John III Smith patrzył wymownie w oczy syna, jakby chciał zajrzeć do wnętrza jego czaszki i zobaczyć przyszłość świetlaną, wykonaną według ojcowskiego projektu. Jego oczy, mówi Ivo, przewiercały mnie na wskroś. Przebijały strzałami jak świętego Sebastiana! Oprócz jednej z największych w kraju grup Ku-Klux-Klanu i jej przywódcy, pastora Thomasa Robba, miasteczko Harrison niewiele więcej ma światu do zaoferowania, ale ojciec Iva uważał, że to wcale nie jest mało i świat, obojętny wobec tego miejsca, powinien je w końcu docenić. Ojciec Iva nie podziela radykalizmu pastora i nie jest rasistą, co to, to nie, prycha Ivo i naśladuje rodzica, nie jestem rasista, ja tylko popieram białych, tak jak czarni czarnych. Czy my, biali, nie możemy mówić, że jesteśmy dumni ze swojego koloru skóry? Myślałam, że Rycerzy Ku-Klux-Klanu już nie ma, że wyginęli jak dinozaury, dziwi się Dominika. Musisz przyjechać do Harrison i poznać moją ciocię Mary, która szyje togi, przekonasz się! Widziałeś ich? Rycerzy? Pewnie, że widziałem, moja droga. Gdy mały Ivo po raz pierwszy zobaczył Rycerzy Ku-Klux-Klanu w strojach roboczych, aż buzię otworzył ze zdumienia i zachwytu. Ojciec myślał, opowiada Ivo, że do mojej młodej główki trafiły nauki pastora Robba, ale ja, ja, moja droga, stałem jak rażony gromem z zachwytu! Z zachwytu? Oczarował mnie widok mężczyzn w białych sukienkach z kapturami, w nakryciach głowy jak kapelusz wróżki. Jakie to było piękne!

Pomyślałem, że ja też tak chcę. Miałem może pięć, sześć lat i dotąd widziałem tylko mężczyzn w dżinsach i flanelowych koszulach, a tu nagle białe suknie i ten nastrój, świeca w dłoni! A więc za wróżki mogą się przebierać nie tylko dziewczynki, nie wszyscy chłopcy muszą udawać nudnych kowbojów, generałów. Ivo wcześniej marzył o kostiumie małej syrenki, ale teraz pomyślał, że może jednak wróżka. Mężczyźni w białych sukienkach trzymali w dłoniach świece, płomyki rzucały świetliste cienie na ich poważne twarze, noc wokół była gęsta i ciepła. Co za noc, moja droga, wzdycha teatralnie Ivo. Byłem taki poruszony. Podniosłem wzrok na ojca. Czy te sukienki występują tylko w białym kolorze? O wiele lepiej wyglądałyby na przykład fioletowe, do tego trochę ozdób, jakieś falbanki, może boa? I buty! Tato, buty, które oni mają, w ogóle im nie pasują. Mój tata, John III Smith, krzywi się Ivo, był rozczarowany, do dziś pamiętam, jak na mnie ryknął; to był początek końca naszej ojcowsko-synowskiej miłości. John III Smith nie poddał się jednak bez walki i skoro przyuczenie do życia w męskości za pomocą Ku-Klux-Klanu nie udało się, postanowił za młodu wdrożyć syna do męskiej produkcji. Posejdon, czyż to nie piękna nazwa? Hala Posejdona była duża i jasna, ileż tam było cudów, moja droga, opowiada Dominice Ivo. Deski klozetowe z przejrzystego pleksiglasu, a w nich zatopione muszle i rozgwiazdy, małe rybki, drobiny brokatu, ażurowe wodorosty, ułożone w piękne kompozycje imitujące podwodny świat. Złocone z greckim wzorem dookoła puszczonym, w kolorze terakoty, sjeny palonej, a na to rzucone freski z Pompejów! Dalej anioły Rafaela! Wenus Botticellego! Ogród Moneta! Madonna

Leonarda! Bo to seria artystyczna Art In Your Bathroom, wytłumaczył John III Smith. Klapy i deski imitujące cętki geparda, pasy zebry, tygrysie pręgi, całe tygrysy rozpłaszczone, łypiące oczami, papugi wśród zieleni, małpy – to wszystko w serii afrykańskiej Exotica. Obok we wzory kwiatowe, lilie, orchidee, róże, róże w ogromnym wyborze, różowe, herbaciane, pąsowe, a jakie tulipany! żółte na różowym tle, białe na żółtym, różowe na błękitnym, błękitne niezapominajki na różowym, konwalie, stokrotki i bratki, jak prawdziwe, o mięsistych, lekko mechatych płatkach i ciemnych oczkach. No, którą byś chciał, synu? zapytał właściciel Posejdona. I którą chciałeś? ciekawa jest Dominika. Z bratkiem! Odpowiedź nieprawidłowa, bratka mu się zachciewa! Czemu nie z samochodem, z Supermanem, gamoniu? Czy choćby z tygrysem, słoniem jakimś? Bratek! Ręce człowiekowi opadają.

Na kolejne rozczarowania John III Smith nie musiał długo czekać, to dziecko o odstających uszach i chudych kończynach było najmniej udanym produktem, z jakim miał do czynienia, przy czym nie nadawało się ani do naprawy, ani, ze względów humanitarnych, nie można go było zutylizować. Na nic zdawały się ojca próby, syn wolał siedzieć w kuchni z matką i pomagać jej w pieczeniu szarlotki czy ciasta marchwiowego, ozdabiał je z przejęciem i fantazją, której brakowało rodzicielce. Gdy na czterdzieste urodziny małżonka tort podała małżonkowi przybrany pięknie żółtymi kleksami w kształcie róż, ojciec rodziny nabrał powietrza w płuca, by dmuchnąć. Piękny tort! Ten tort, mówi Dominice Ivo, był jednym z pierwszych dowodów mojego talentu! Różyczki na wierzchu to John dla tatusia specjalnie zrobił, pochwaliła mnie mamusia i z tatusia zeszło powietrze przeznaczone na świeczek zdmuchnięcie, jakby go kto nakłuł gwoździem, poczerwieniał jak zawsze przed atakiem astmy. To nie różyczki, sprostowałem, to bratki. Umiał się John III Smith zamachnąć, nie na darmo był w szkole kapitanem drużyny bejsbolowej, i w tym miejscu męskim pragnął po sobie widzieć syna; tort poszybował nad stołem, o włos minął wysoko spiętrzoną fryzurę matki, przeleciał nad etażerką zastawioną przez kolekcję słoni, wyleciał przez okno, gdzie omal nie trafił ogrodnika przycinającego żywopłot, nabrał prędkości, zwiększył wysokość i być może do tej pory krąży po orbicie okołoziemskiej, a generałowie amerykańskiej armii siedzą przed ekranami komputerów i myślą, ki diabeł tak w kółko lata? sprawka to musi być Fidela albo Husajna.

Od tej pory ojciec dostawał ataku astmy przy każdym starciu z synem, a niekiedy na sam jego widok; matka pędziła wtedy w poszukiwaniu inhalatora, którym po chwili zakorkowywała Johna III Smitha i naciskała pompkę z taką werwą, jakby chciała swego małżonka ślubnego napompować jak piłkę. Od tego dnia, gdy tort urodzinowy bratkami przybrany wyleciał przez okno schludnego domu państwa Smith, Ivo nie zamienił już wielu słów z ojcem, który najwyraźniej spisał go na straty. Co za szkoda, że ojcostwo jest interesem, którego nie obejmuje ubezpieczenie! Gdy młodsze siostry Iva nieco podrosły, został wygnany z kuchni, w której matka miała teraz bardziej odpowiednie towarzystwo. Skończyło się wspólne gotowanie; jakże on za tym tęsknił. Wyjechał do stanowego college'u i znalazł pracę w lodziarni Basket Robbins, dobre i to na początek, choć stanowczo nie zaspokajało coraz bardziej wybujałych ambicji Iva. W wolnych chwilach uczęszczał na wszystkie kursy kulinarne dostępne w okolicy, studiował książki na temat deserów, uczył się na pamięć nazw egzotycznych przypraw i kombinacji ingrediencji, o jakich wcześniej nawet nie słyszał, stał z notatnikiem przed witrynami eleganckich ciastkarni i zawsze zamawiał desery w etnicznych restauracjach. Na święta przyjeżdżał do domu i przywoził prezenty, misternie pakowane czekoladki z różowym pieprzem, serem camembert, gorzką pomarańczą; rodzina próbowała i pluła na cztery usta, fuj, co za ohyda, czy naprawdę nie mógłby dla odmiany zjeść Marsa? a Ivo czuł, jak bąbelkuje w nim dziwna satysfakcja, niczym wyrafinowany deser złożony z goryczy odrzucenia i słodyczy, jaką daje poczucie własnej wyższości wobec odrzucających. Co ty za gówno tu znów przywiozłeś? jego ojciec John III Smith wykrzywiał się przesadnie, rozdziawiał usta pełne przeżutej masy, wywalał język, by pokazać rozmiar swojego obrzydzenia, a Ivo już obmyślał, jak ubierze się następnym razem, może w fioletowe obcisłe spodnie, i jaki przysmak przywiezie, może szarańczę w cukrze, by jeszcze bardziej pogrążyć rodzinę. Synku, prosiła matka, nie denerwuj tatusia, on serce ma słabe, astmę, ale syn wiedział, że tylko ostateczne zdenerwowanie sprawi, iż John III Smith zrobi to, czego John IV sam uczynić nie jest w stanie, i wykopie go tak, że wyleci, tam gdzie rodzinna siła przyciągania przestanie działać. To, czego nie udało się dokonać ani za sprawą szarańczy w cukrze, ani japońskich krakersów z wodorostem, dokonało się za sprawą meksykańskiego ogrodnika Jesusa.

Jesus, ogrodnik Jesus, o Jezu, gdy Ivo o nim mówi, Dominika czuje, jak pikantny komiks pokrywa się różowym lukrem, takim, jakim w Calypso ozdabiają torty urodzinowe dla dziewczynek. To była miłość od pierwszego wejrzenia! Ty i Jesus? upewnia się Dominika. Tak! Ja i Jesus, moja droga. Ivo przyjechał w odwiedziny z plecakiem pełnym szarańczy w cukrze z azjatyckiego sklepu oraz własnoręcznie przyrządzonych smażonych fiołków z imbirem, by poinformować rodziców, że dostał stypendium na trzymiesięczny kurs we Francji w międzynarodowej akademii cukierniczej. Zobaczyć minę ojca, do którego dotrze okrutna prawda, że nie musi już dawać synowi pieniędzy i radość z tej zależności zostanie mu odebrana, żadnego więcej rzucania czekami, żadnych zabaw z cofaniem ręki. O tak, lubił sobie John III Smith żartować, opowiada Ivo, wymachiwał czekiem przed nosem syna marnotrawnego, jakby to była brzytwa, którą poderżnie mi gardło, albo nagle zamierzał się, markując cios, i mówił, uch ty, gnojku popaprany. Przećwiczył Ivo swój występ na rodzinnym łonie; kulminacją miało być przedstawienie planu, który teraz wydawał się bardziej prawdopodobny, wręcz w zasięgu ręki. Cukiernia w Paryżu! Croissant du galant. Zaproszę was na otwarcie, tak miałem powiedzieć na koniec, zaproszę was i przyślę bilety. Reakcja rodziny daleka była od wymarzonej; siostry parsknęły śmiechem, ojciec powiedział, jeszcze ci się, synu, wody do dupy naleje u tych żabojadów, i tylko matka szepnęła, jak miło. Jak miło, prawda? powtórzyła, szukając aprobaty u rodziny, ale jej córki już wstały od stołu i włączyły MTV, a mąż ukrył się za gazetą jak za plażowym parawanem, zza którego dochodziło jego astmatyczne sapanie. Matka i syn popatrzyli na siebie i matka chciała chyba po raz trzeci powtórzyć, jak miło, ale Ivo za bardzo bał się łez wzbierających pod powiekami, zrobił więc do rodzicielki głupią minę i wyszedł do ogrodu, gdzie Jesus podlewał właśnie trawnik. Widoczek jak z okładki harlequina, zachodzące słońce, kropelki wody, niebo w kolorze kremu poziomkowego i Jesus z wężem sikającym fontanną perlistych kropel, moja droga. Uśmiechnął się Jesus, oblizał usta, a potem już poszło; o Jezu! Ojciec nakrył ich w szopie na narzędzia, gdzie na stole używanym przez Johna III Smitha do majsterkowania kochankowie uprawiali sprawne i rytmiczne 69. Mało się nie udławiłem, moja droga, opowiada Ivo, gdy ojciec gwałtownie otworzył drzwi i wrzasnął. Zanim ojca powalił atak astmy, zdążył cisnąć puszką szarańczy w cukrze tak niefortunnie, że wyrżnęła w matki kolekcję porcelanowych słoni, powodując nieodwracalne spustoszenie w ich kruchej populacji, po czym wyrzucił syna z domu z zakazem powrotu. Zboczeniec pod jednym dachem z nim mieszkać nie będzie, tak mi powiedział, potwór. Moja obecność mogłaby wykrzywić siostry, które były jeszcze tak cudownie zwyczajne, nastolatki o włosach w kolorze kukurydzy, nieudolnie wyskubanych brwiach i ustach zlepionych błyszczykiem, jakby nażarły się malin. Od tej pory Ivo nie odwiedzał miasteczka Harrison i się tam nie wybiera, nie ma mowy; czasem wymienia listy z matką, krótkie i mało treściwe.

Jego wyrzucili, ogrodnika Jesusa zostawili jeszcze parę dni, żeby skończył strzyc żywopłot, dopowiada

Ivo. Żeby skończył strzyc żywopłot, powtarza Dominika niepewna, czy dobrze zrozumiała, tak, moja droga, potwierdza Ivo. Ivo może wrócić do domu, do Harrison, tylko wtedy, gdy znormalnieje, takie wieści przekazuje mu w zawoalowanej formie rodzicielka. Gdybym znormalniał, mówi Ivo i pożera banana w mlecznej czekoladzie, gdybym się ożenił. Na znormalnienie nie zapowiada się na razie; wprawdzie z ogrodnikiem Jesusem kontakt się urwał, ale Ivo ma serce jak koszary i teraz właśnie do koszar go ciągnie. Koło Gelnhausen stacjonuje amerykańska armia, w okolicznych pubach można spotkać żołnierzy, piją niemieckie piwo i mówią, że jak na europejskie, to nawet niezłe jest to piwko; nie takie jak w domu, ale ujdzie. Bije od nich zapach kąpieli i potu, męskiej młodości podszytej ledwo co minioną chłopięcością. Jeśli przyjdzie im pojechać w niedalekiej przyszłości do któregoś z krajów, które wydają się złożone tylko ze skał, piasku i wyjątkowo przebiegłych partyzantów o długich brodach, ich chłopięcość zostanie starta bez śladu, niekiedy razem z życiem. Piją więc piwo na zapas, mówią głośniej, niż trzeba, nieustannie klepią swoich kolegów po ramionach, jakby upewniali się, że nie są sami. W Gelnhausen jest dobrze, spokojnie, choć trochę nudno; amerykańscy żołnierze znajdują sobie dziewczyny, znajdują sobie chłopaków, to drugie znajdowanie przebiega w sposób mniej jawny, choć równie skuteczny. Kontakt nawiązuje się najpierw na odległość, a potem można go związać ciaśniej w ruinach zamku Barbarossy, który za dnia i nocą jest główną atrakcją turystyczną miasteczka. Ivo gotów jest zakochać się od pierwszego wejrzenia po raz trzeci, gdy przychodzi list od jego matki, która informuje go, że ojciec złożony astmą i chorobą serca jest w szpitalu, stan ciężki. Matka zdobywa się na bezpośredniość o wiele łatwiejszą listownie i gdy Johna III Smitha nie ma w zasięgu, z którego mógłby wrzasnąć lub rzucić czymś w jej kierunku. Jej zdaniem, w ostatnich latach głowa rodziny coraz szczelniej wypełniała się niechęcią do pierworodnego, który zawiódł na całej linii, i kto wie, czy to nie owa niechęć doprowadziła do zaburzenia wewnętrznej równowagi i beznadziejnej choroby. Senior chwycił się za serce, zaaplikował sobie kilka dawek spreju przeciw astmie i zmienił testament; o tym fakcie matka we łzach donosiła synowi. Jego część spadku trafi do kościoła białych chrześcijan i pastora, którego Ivo widział na własne oczy w białej todze. Croissant du galant albo Ku-Klux-Klan, w Calypso nikt nie miał wątpliwości, co jest lepszą inwestycją; ci w białych sukienkach to Scheiße, zgadza się także starszy cukiernik Helmut.

Co robić? Czy to Sara zasugerowała? A może tylko spojrzała najpierw na Dominikę, a potem na Iva tak, jakby w głowie rodził jej się plan, który po chwili dla całej trójki był oczywisty. Ivo klęka przed Dominiką, podaje jej niedojedzonego banana w czekoladzie i pyta, czy zostaniesz moją żoną? Dlaczego nie, odpowiada Dominika.

## VII

A więc to jest ten potwór, Dominika patrzyła na leżącego w łóżku niepozornego mężczyznę o miękkich rysach i bardzo jasnej cerze, to jest potwór nienawiścią ziejący, potężny Posejdon, właściciel wytwórni sprzętów łazienkowych? John III Smith był mniejszy, niż się spodziewała, i cichszy; zmniejszył się, wytłumaczył jej Ivo, o połowę skurczyła go choroba. Mam na imię Dominika, przedstawiła się, jestem żoną Iva, a amerykański teść łypał na nią podejrzliwie spod opuchniętych powiek. Polka? Polka. Chudzina! prychnął, prysły krople śliny, żona pospieszyła z chusteczką, ale została odgoniona jak mucha machnięciem dłoni. Głowa rodu Smith wpatrywała się w Dominikę załzawionymi oczkami, a reszta ciała głowy leżała unieruchomiona, ponakłuwana i podłączona do urządzeń monitorujących. Podejdź bliżej do tatusia, zachęciła syna pani Smith i Ivo zrobił krok w kierunku łóżka, zakołysał się na piętach, wrócił, gdzie stał. W momencie, gdy spotkał się wzrokiem z synem, John III Smith nabrał powietrza, jakby chciał coś jeszcze powiedzieć, ale tylko poczerwieniał i rozkasłał się, krztusił się i parskał przez dłuższą chwilę, aż w końcu wydusił, welcome in America.

Przy łóżku Johna III Smitha codziennie byli w komplecie, rodzina Smith niespodziewanie zasilona polską synową. Nie chcesz z nim porozmawiać sam na sam? pytała Dominika, ale Ivo upierał się, że nie ma o czym. Ojciec też nie wyrażał takiej chęci i ani przez chwilę nie byli sami, a gdy istniała taka groźba, pani Smith czuwała, by w razie czego rzucić się pomiędzy ojca i syna. Dwie siostry Iva szeptały ze sobą i przewracały oczami, aż widać im było tylko białka w otoczeniu na sztywno wytuszowanych rzęs, rzadko zwracały się do innych. Wyglądały jak osoby, które łączy posiadanie wspólnej tajemnicy, jakiegoś trupa, może nawet wspólnie utrupionego i zakopanego w ogródku; siostry, pomyślała Dominika, prawie bliźniaczki. Gdy działo się coś ciekawego, spoglądały na siebie i mrugały jednocześnie, jakby ktoś dawał im znak, że raz-dwa teraz, i już tęczówki uciekały im pod powieki, ich wymalowane, nadmiernie opalone twarze wyglądały jak szydercze maski śmierci. Rzucały Dominice taksujące spojrzenia, a jeśli już zadawały jej jakieś pytanie, to niezależnie od odpowiedzi kwitowały je unisono, mówiąc: naprawdę? albo to wspaniale! jakby fakt, że przy łóżku umierającego ojca poznały swoją nową szwagierkę, Polkę bez pieniędzy, pracy i biegłej znajomości angielskiego, rzeczywiście z jakiegoś powodu był zarazem niewiarygodny i wspaniały. Gdy Dominika spytała Iva, skąd tyle wspaniałości w jego siostrach na każdą porę dnia, poradził, by przy następnej okazji też powiedziała, że to wspaniale! albo naprawdę? tu tak po prostu się rozmawia. To wspaniale! rzuciła Dominika, gdy jedna z sióstr oznajmiła, że będzie padać, i szybko nauczyła się mówić, wspaniale! albo naprawdę? tonem dostosowanym do okazji; dzięki temu jej stosunki z siostrami Iva się poprawiły, a dalsze życie w Ameryce okazało się łatwiejsze. Matka Iva, kobieta, po której córki odziedziczyły skłonność do mocnej opalenizny i jeszcze mocniejszego makijażu, w zadziwiający sposób łączyła bierność charakteru i całe mnóstwo mało produktywnej aktywności. Była nieustannie w ruchu: poprawia coś przy łóżku chorego, klepie poduszkę z taką werwą, aż podskakuje głowa głowy rodziny Smith, nagle otwiera torebkę, wyjmuje kosmetyczkę i nakłada na usta nową warstwę pomadki z gwałtownym pośpiechem, ale już koniec malowania, teraz pędzi galopem w stronę okna, przez które wygląda tak, jakby na dole ktoś czekał niecierpliwie, by rzuciła mu klucze; zwrot przez rufę i biegiem do syna marnotrawnego, można by sądzić, że go uściska i może uścisk trafi się nawet nowej synowej, ale nie, pani Smith zatrzymuje się w pół drogi, jakby ktoś ściągnął jej cugle, i zaraz rzuca się w innym kierunku, niezmordowana, połyskująca zębami białymi jak lody Antarktydy.

Po kilku dniach spędzonych między szpitalem a domem państwa Smith Dominika zauważyła, że cała ta niezwykła aktywność matki Iva polega na wymijaniu członków rodziny, na ciągłym slalomie między ich ramionami, głowami, nogami, aby nikogo nie dotknąć, nie dopuścić do bezpośredniego kontaktu, czy, broń Boże, zderzenia. Aktywność pani Smith nie ustawała, gdy wracali do domu ze szpitala, w którym dogorywał John III Smith. Uwijała się, krzątała, śmigała po niezliczonych pokojach i korytarzach z szybkością światła, przed chwilą można by przysiąc, że szorowała na klęczkach sedes uzbrojona w żrący płyn i szczotkę, a już piecze ciasto marchwiowe, wydaje polecenia meksykańskiej gosposi, poprawia po niej, sieka cebulę, marynuje żeberka, hop, zmienia zasłony, prasuje, wygładza serwetki pod bibelotami, odkurza bibeloty, zamawia więcej bibelotów i serwetek z katalogu wysyłkowego, krochmali, pieli, skrobie patelnie, czyści grill w ogrodzie, obcina skórki przy paznokciach i za chwilę rzuca się z nożyczkami na suche listki fikusa beniaminka, aż w końcu pada na kanapę przed telewizorem, gdzie od razu zasypia, jakby wyczerpała się jej bateria. To tu, w miasteczku Harrison, Dominika pierwszy raz aż tak zatęskniła za matką, Jadzią Chmurą z Piaskowej Góry, pokazałaby jej dom państwa Smith i powiedziała, zobacz, mamo, tyle pokoi i tyle smutku, a ty myślałaś, że w domu wolnostojącym od razu byłabyś szczęśliwsza niż w mieszkaniu na Babelu. Zadzwoniła do niej, ale jak zawsze żadnej nie udało się powiedzieć tego, co i jak chciały.

Jadzia nie miała pojęcia, co naprawdę Dominika robi w miasteczku Harrison, w stanie Arkansas, i nie wiedziała o ślubie córki w niemieckim urzędzie, w obecności dwóch świadków i dwojga gości, wyglądającym zupełnie inaczej niż kościelny ślub na Jasnej Górze, z pompą, karocą i welonem, który sobie dla niej wymarzyła. To, co córka opowiadała, matka przerabiała po swojemu na historie nadające się do kolportowania na Piaskowej Górze. Do córki utyskiwała, znów fiksum-dyrdum i fiu-bździu, z jakimś homoniewiadomo na koniec świata musisz pociec, normalnych chłopaków w całym Enerefie nie było? A Krysi Śledź czy Lepkiej opowiada, że jej córka powsinoga pojechała z przyjaciółmi, bogaci Amerykanie, zaprosili ją do swojego domu, rezydencji jak w *Dynastii*, wszystko tam mają, prawdziwe salony, każde dziecko ma swój pokój, a kuchnia podobno razem ze stołowym, tylko wielka jak całe mieszkanie na Babelu. Wszystko Dominice opłacili, nic ją to nie kosztowało, za nic jej płacić nie dają, tylko fundują, to, śmo wciskają, żeby brała. Opowiada o tym wszystkim Jadzia w sposób, który opanowała do perfekcji, jakby się żaliła, zamartwiała, bo satysfakcja i duma to kuszenie złego losu, a ten tylko czeka, aż straci się czujność. Ach, żeby jej się z tego dobrobytu w głowie nie przewróciło, wzdycha Jadzia do Krysi Śledź. Mieszka sobie jej córka w amerykańskim domu jak królewna, je sobie za darmo, co chce, mówią, może z lodówki brać, i Jadzia tylko ma nadzieję, że jakichś świństw tam nie jedzą i czysto gotować potrafią. Czysto tam gotują? pyta swoje dziecko dzwoniące zza oceanu; patrz, czy nie paprzą, jak paprzą, nie jedz, w serwetkę i pod stół, to najlepszy sposób. Nie bój się o mnie, mamo, w Ameryce nie ma bakterii, ani jednej, mówi jej córka i Jadzia aż zwija się w sobie niczym liszka na ten prześmiewczy ton. Po drugiej stronie świata jej córka połączona z nią kablem jak pępowiną marzy, by kiedyś porozmawiać z Jadzią-nie-matką, która gdzieś musi przecież być pod zamartwiającą się Jadzią-matką ukryta. Jadzia woli prześmiewczy i niechętny ton córczyny niż brak tonu i milczący telefon, który po tylu latach bez telefonu stał się najważniejszym sprzętem w jej domu; tego, że pod Dominiką-córką jest Dominika-nie-córka, nie przyjmuje do wiadomości, dziękuję bardzo. Jadzia przeciera dla dezynfekcji słuchawkę spirytusem salicylowym i wącha mikrofon, czy nie został na nim ślad jej oddechu. Przecieranie staje się pucowaniem, gdy z telefonu przychodzi skorzystać jakaś sąsiadka, na przykład Krysia Śledź, jeszcze niepodłączona do linii. Do słuchawki kaszlała, ust nie zasłaniała. Nigdy nie wiadomo, jakie choróbska ludzie w sobie noszą, żali się Dominice i przestrzega córkę, by w tej Ameryce nosem oddychała, a nie buzią, to się mniej amerykańskich bakterii nawdycha.

Mimo iż jest to aparat bezprzewodowy, Jadzia tkwi ze słuchawką tuż przy nim jak przywiązana, boi się, że gdy odejdzie za daleko, połączenie z Ameryką zostanie przerwane, a ona pozostanie znów sam na sam ze swoją samotnością i ciszą. Jadzia spotyka pod

Babelem, na bazarku Manhattan, dawne koleżanki Dominiki z klasy, dzieciate, z platynowymi pasemkami, z życiem, w którym łatwo dopatrzeć się wad, ale tak poręcznym, tak prostym do pojęcia, przystającym do świata Jadzi Chmury. Powtarza Dominice za każdym razem, jak to dobrze, że taki los jej się ciekawy trafił, podróże po świecie, najpierw Eneref, teraz Ameryka, a jej szkolna koleżanka Iwona Śledź wróciła od kolejnego gacha na Babel i musi na kupie się gnieść w dwóch pokojach z matką, ojcem i małą Patrycją. Jedno na drugim tam siedzi, na głowie sobie siedzą, palca nie ma gdzie wetknąć, mówi córce, a jak do łazienki poszłam za potrzebą, to brud, smród i ubóstwo. Deska cała popryskana. Ręcznika się brzydziłam dotknąć i ręce w papier toaletowy wytarłam. Cud, że jakiejś zarazy z tego brudu nie dostali; taki ręcznik to prawdziwa wylęgarnia bakterii. Gdy Jadzia mówi na głos o mizerii państwa Śledź i ich córki, milknie wewnętrzny głosik, który czasem się odzywa i szepcze jej w środku, że tak naprawdę wolałaby mieć Dominikę blisko, nawet dzieciatą i nieszczęśliwie zaślubioną jakiemuś ofermie, który obsikiwałby deskę klozetową. Litania nieszczęść piaskowogórskich to jej broń przeciw złośliwym podszeptom duszy i po raz nie wiadomo który Jadzia Chmura wygłasza ją Dominice przez telefon. Krysia Śledź na ten przykład ciężko ma oj ciężko ci ma ona gnieżdżą się na kupie na kupie się gnieżdżą jedno na drugim ci mówię jak ciężko oj ciężko ma ona Śledź bez pracy kopalnię zamkli jak zamkli pracę stracił i ciężko oj ciężko ci mówię na kupie Iwona jak ciężko a tu komunia Pati się zbliża to kosztuje oj kosztuje wykosztowywać się trzeba że ciężko ci mówię a zamkli wyłożyć nie ma z czego ciężko ma ta Krysia Iwona ciężko ciężko ma Irenka Chłoryk nieszczęście nieszczęście goni jak ciężko mąż ją rzucił matka w wariatkowie same nieszczęścia mięśniaki na macicy ciężko drogo popękały wielkie jak pomarańcze sizofrenie ma ma ciężko krew po nogach nogami do przodu jak ciężko. Ty, córcia, w porównaniu z nimi to karierę zrobiłaś, podsumowuje Jadzia i przez jakiś czas jest spokojniejsza. Gdyby jeszcze Dominika poznała w tej Ameryce kogoś normalnego. Przyjechaliby do Wałbrzycha, dom sobie w Szczawnie Zdroju kupili albo się pobudowali. Jadzia krzyczy do córki, bo zawsze krzyczy do telefonu, może ty tam, córcia, kogoś poznasz normalnego! Rozglądaj się! Jakiegoś amerykańskiego lekarza, może dentystę albo ginekologa byś złapała, bo ci zawsze robotę mieć będą. Wystarczy spojrzeć na doktora Lipkę z Piaskowej Góry, znów ma nowy samochód metalik, dom wyremontował i miesiąc wcześniej trzeba dzwonić, żeby się zapisać. Matka Dominiki ma trochę nadziei, że oprócz homoniewiadomo są w Ameryce jacyś inni mężczyźni. Może są, ale na przykład ten syn Blake'a Carringtona z *Dynastii* też był homoniewiadomo, martwi się Jadzia Chmura; ojciec taki elegancki, męski, matka, Alexis, też nie żaden margines, a syn homoniewiadomo. Może to dlatego, że Blake i Alexis się rozwiedli? A może w Ameryce w ogóle ich więcej? Zresztą homoniewiadomo czy nie, zawsze można źle trafić. Wzdycha Jadzia do Krysi Śledź, żeby tylko moja Dominika sobie z jakimś ofermą albo łajdusem życia nie zmarnowała, i karmi się drobną złośliwą satysfakcją z faktu, że życie córki Krysi, fryzjerki Iwony, wygląda na zmarnowane bezpowrotnie. Oprócz kwestii ewentualnego zięcia Jadzię interesuje, jak w Ameryce urządzają domy, a zwłaszcza kuchnie, i sprawy kuchenne. Jak tam, córcia, mieszkają w tej Ameryce, dopytuje się. Jak mają na ten przykład kuchnię urządzoną? A przetwory, jakie przetwory tam, córcia, robią? Podpatrzyłaś coś? Jakieś przepisy? Pewnie wszystko można bez problemu dostać, bo zaopatrzenie mają lepsze. Korzystaj, córcia! Inne biedę klepią, a tobie taki los się trafił. Opowiadałam ci, jak Irenka Chłoryk ma ciężko?

Jadzia zaczyna przekonywać się do Ameryki; z tego, co mówi jej córka, w Ameryce życie mogłoby być łaskawsze i lżejsze niż na Piaskowej Górze, zwłaszcza gdyby poznać takiego Blake'a Carringtona, mężczyznę na poziomie, na jaki mężczyźni z Piaskowej Góry nigdy nie zdołaliby się wspiąć. Dla Jadzi *Dynastia* to po *Isaurze* najlepszy z seriali, świat pięknych kobiet, czystych rąk, prawdziwych mężczyzn, nie licząc jednego homoniewiadomo. Jadzia wspominała niechętnie, zaciskając usta w kurzą dupkę, swój jedyny romans, z Gutkiem Balcerzakiem, przewoźnikiem krasnali produkowanych przez wuja Kazimierza. Gutek! Pomniejszała go Jadzia w swoich wspomnieniach do rozmiaru sowiej wypluwki; kurdupel jeden, choćby się zesrał, nie sięgnąłby tego poziomu, co Blake z *Dynastii*. Gutek wystawił ją do wiatru, a być wystawionym do wiatru na Piaskowej Górze jest czymś wyjątkowo nieprzyjemnym, bo tu mocno wieje; najbardziej w przejściu między Babelem a drugim podobnym blokiem, gdzie w wyniku tajemniczego zbiegu okoliczności szaleje tornado niezależnie od pory roku i temperatury. Jadzia ma wrażenie, że wieje nawet bardziej niż za komuny; kobiety obciążają się siatami, właściciele psów biorą te mniejsze pod pachę, a matki ciaśniej przypinają dzieci w wózkach, choć zdarzyło się, że porwało całą spacerówkę z wcześniakiem i dwa spaniele, taka tragedia, i to przed samymi świętami. Piździ jak w Kieleckim po dożynkach! krzyczy Krysia Śledź, gdy spotykają się pod Babelem, a Jadzia z włosami wkręconymi w tornado drze się, co?! nie słyszę, Krysia, bo strasznie dui! Gdy dociera do bramy, przewiana do szpiku kości, z piaskiem w oczach i między zębami, ze starą gazetą na twarzy i liśćmi we włosach, w pionie utrzymuje ją tylko wiara, że są gdzieś miejsca, w których nie wieje zimny wiatr, są nasłonecznione ławeczki i zielone ogrody, piękne jak niegdyś ten w Zalesiu. Przeklęte bocianie gniazdo, strzeli w kalendarz na tym bocianim gnieździe i może wtedy w końcu Dominika przyjedzie do Wałbrzycha, ale będzie już za późno, za późno będzie, starą matkę do piachu wsadzą, rozczula się między szóstym a siódmym piętrem i łapie powietrze jak wigilijny karp tuż przed dekapitacją; znów zepsuła się winda. Po telefonach Dominiki Jadzi Chmurze roją się amerykańskie marzenia, są w nich domy ze schodami jak w *Dynastii*, ogrody, w których znad wielkich grilli unosi się aromatyczny dym, i pruski mur, który spodobał się Jadzi tak bardzo, że musi być wszędzie, gdzie jest pięknie. Wszystko, mówisz, pod kolor mają w domu? dziwi się opowieściom córki. To pewnie nieźle kosztuje, żeby tak dobrać, i po sklepach się trzeba nalatać. Pięknie musi wyglądać tak wszystko dobrane, jak ja bym sobie tak podobierała! Coś pięknego, mamo, zgadza się Dominika, by Jadzia, która na chwilę przestała matkować i pomyślała o sobie, miała trochę przyjemności z tego, co w rzeczywistości było mocno nieprzyjemne.

W domu państwa Smith z miasteczka Harrison w każdym pokoju tapety dobrano wzorem do obić na meblach, a te do dywanów, abażurów i serwetek ochraniających zagłówki foteli i kanap; w jednym pokoju wszystkie ramy obrazów i luster były zielone, w innym brązowe, różowe w sypialni głównej, master bedroom, jak mówiła pani Smith, seledynowe i błękitne w gościnnych, wszystko do wszystkiego musiało pasować; wszystko było przy tym w coś owinięte, wyłożone, dekoracyjnie oklejone; master bedroom is in dusty pink, powiedziała pani Smith do Dominiki, która zrozumiała, że się nakurzyło i znów będzie w użytku wielofunkcyjny odkurzacz. Zakurzony róż! Matka Iva przelatywała przez te straszne pokoje i poprawiała przesunięte o milimetr durnostojki, zdjęcia, na których wszyscy się uśmiechali tak szeroko, jakby sparaliżowało im twarze; jej ręce były precyzyjne, oko bezbłędne i z pewnością udałoby się jej wytapetować papierem w kwiatki wnętrze muszli klozetowej, gdyby podrzucić jej taki pomysł. Zabrałaby się do tego z podobną energią, z jaką co rano myła i modelowała swoje tlenione włosy, naciągała je na okrągłą szczotkę i suszyła powietrzem tak gorącym, że jego strumień wypalał dziury w ścianie łazienki, może dlatego Dominika znów wszędzie czuła zapach spalenizny. Matka Iva traktowała Dominikę podobnie jak resztę swojej rodziny, w końcu była jej synową, i wymijała ją w pełnym pędzie albo wycinała wokół niej kółko jak fryga, i już sypały się iskry, leciała dalej. Tylko raz matka Iva zamieniła z Dominiką więcej niż dwa zdania, gdy omal nie wpadły na siebie koło etażerki z kolekcją słoni. Tego, powiedziała, unosząc porcelanowego w kwiatki, dostałam w konkursie recytatorskim w szkole, bardzo ładnie recytowałam, ten mały różowy to prezent, a tamtego kryształowego sama sobie zamówiłam w katalogu wysyłkowym; i zanim Dominika odpowiedziała cokolwiek, pani Smith znikła na piętrze, skąd po chwili rozległ się dźwięk odkurzacza.

Nazajutrz po rozmowie teściowej z synową zmarł John III Smith, a zanim odszedł do nieba, bo tam idą dobrzy ludzie i obywatele z miasteczka Harrison w stanie Arkansas, zmienił testament i zostawił swojemu pierworodnemu wystarczająco dużo pieniędzy, by marzenie Iva o własnej cukierni stało się realne. Siostry dostały wytwórnię sprzętu łazienkowego Posejdon po połowie, pani Smith wolność, która bardzo ją przytłoczyła – po zejściu małżonka dostała na całym ciele wysypki i na pogrzeb tak grubo nałożyła sobie makijaż, że gdyby się bez przerwy nie ruszała, można by ją pomylić z nieboszczykiem. Tej nocy Dominika i Ivo, ulokowani przez panią Smith w błękitnej sypialni, gdzie każdy szczegół łącznie z mydłem w przylegającej łazience był błękitny, długo nie mogli spać. Dominika w błękitnej koszuli nocnej, spod której wystawały jej długie chude nogi, Ivo w błękitnej piżamie, patrzyli, jak za oknem ozdobionym błękitnym lambrekinem noc błękitnieje w świt. Pili kalifornijskie wino, ale Ivo mówi, że kalifornijskie wino to siki, wino powinno mieć apelację, bukiet, przede wszystkim powinno być francuskie; gdy otwiera kolejną butelkę, Dominika podsuwa kieliszek. I co teraz? pyta Ivo. Z czym? Z życiem. Pojedziesz do Paryża, otworzysz Croissant du galant, będziesz robić czekoladowy mus i pić francuskie wina z apelacją, odpowiada Dominika. A ty, my wify, moja żonko? Ja pojadę do Nowego Jorku, czeka na mnie Sara, znajdę jakąś pracę, czuję, że pobędę tam trochę, podoba mi się brzmienie słów Nowy Jork, Manhattan, Manhattan jak bazarek w moim rodzinnym mieście. Poza tym może spotkam się z rodziną dziadka z Pasadeny, może nie. A potem? Nie wiem. Nie lubię podejmować wyborów wcześniej, niż naprawdę trzeba, drogi mężu. Może odwiedzę Croissant du galant, może wrócę do Polski robić wino z wiśni i porzeczek. Nie ma czegoś takiego, jak wino z wiśni i porzeczek; wino, zapamiętaj to sobie, moja polsko żono, robi się z winogron. W Polsce jest, ignorancie. Nie ma. Jest! Szkoda, że to nie ty jesteś moją siostrą, wzdycha Ivo i opiera głowę na kolanach Dominiki, piłbym wino z wiśni i porzeczek, mówiłbym po polsku, proshe bartzo. Jeśli chcesz, będę twoją siostrą bliźniaczką, ale wtedy nie mógłbyś się ze mną ożenić. A kto powiedział, że nie? Bylibyśmy jak egipski cesarz i cesarzowa, pilibyśmy egipskie wino albo sprowadzali sobie z Francji, bo w Egipcie wiedzą co najwyżej, jak zrobić humus. Humus i falafel, halafel i fumus. Polecimy kiedyś do Egiptu ponurkować, będziemy jedli humus i falafel, będziemy pić francuskie wino; masz, napij się jeszcze. Halafel i fumus, mówi Dominika i pije z butelki. Będziesz podrywał chłopców o czarnych oczach i włosach jak smoła. I dupkach jak orzeszki! Orzeszki? Orzeszki. Ciebie porwie instruktor fitness z naszego pięciogwiazdkowego hotelu Paradis Palace, gdzie wszystko jest inclusive, to prawdziwy raj. Powie, ty bardzo piękna, ty być moja egipska żona, ty wskakuj na wielbłąd. Będę musiał się z nim pojedynkować! Na miecze. Na torty. Na wiersze! Wywiezie cię na pustynię na wielbłądzie, będziesz nosiła chustę, oczy malowała na czarno, mówiła salem alejkum. Urodzisz czternaścioro arabskich dzieci, salem alejkum, siedmiu synów i siedem córek. Jestem w jednej czwartej Żydówką, mówi Dominika, nie mogę salem alejkum, to byłby koniec świata, poza tym nie chcę mieć dzieci; głaszcze Iva po głowie, jego włosy są miękkie jak włosy Jadzi zaraz po umyciu. W błękitnej sypialni w miasteczku Harrison Dominika Chmura widzi nagle twarz swojej babki Zofii pod twarzą matki, widzi zaleski dom, który spłonął, czarne georginie o kwiatach tak wielkich jak głowa dziecka. Czy babcia wiedziała, że płonie, czy czuła ból, czy może tylko zapach spalenizny, straszny zapach spalonego mięsa poczuła po raz ostatni, a potem była już na zawsze bezpieczna? Płaczesz? dziwi się Ivo, nigdy nie widziałem, żebyś płakała. Chyba nie płaczesz po Johnie III Smisie? Ivo podnosi się i przytula Dominikę, głaszcze chude chłopięce ramię, plecy z kręgosłupem wyczuwalnym pod palcami jak sznur ceramicznych paciorków, które kupił jej kiedyś na jarmarku w Gelnhausen. Nie płacz, opowiem ci o Paryżu, opowiem ci o Croissant du galant, my wify. Jednak tej nocy to Dominika, która nigdy tyle nie pije, ma coś do powiedzenia. Co ty w ogóle rozumiesz? pyta, co ty wiesz na przykład o Piaskowej Górze? Nic nie wiesz. Tam niebo jest seledynowe, można wejść na dach Babela i poszybować jak na tureckim dywanie, salem alejkum, łapiesz się krawędzi i lecisz. Salem alejkum, mówi Dominika i zaczyna czuć, że jest pijana, bo błękitna sypialnia urządzona przez matkę Iva przypomina jej śnieżną jamę, w której zagrzebywała się jako dziecko w Wałbrzychu. Wałbrzych, mówi do Iva, Waldenburg, Leśne Miasto, co ty wiesz, amerykański mężu, o mieście na Ziemiach Odzyskanych? Czy wiesz, że czasem to miasto wydaje mi się piękne? Znałam tam, w Wałbrzychu, chłopca, przynosił mi rachatłukum, mówiłam ci? Ja ci zrobię karocę z czekolady. Usiądziesz sobie w niej i będziesz jadła lody czekoladowe, lody szampanowe, głaszcze ją Ivo, ale Dominika pierwszy raz po wypadku chce mówić o tym, z czym dotąd zmagała się bez słów. Co ty wiesz o palonych domach, zapachu spalonego mięsa, którego nie można się pozbyć, bo wsiąkł w skórę i włosy? Czuję ten zapach na mojej matce i nie mogę ani od niej uciec, ani do niej wrócić, gdy tylko zatrzymam się gdzieś na dłużej, zapach wzmaga się i muszę ruszać dalej. Ale to nie pomaga. Jakbym miała w środku coś martwego, kawałek martwej matki, materii, której nie da się wyrzygać, czasem wkładam palce do gardła i zmuszam się do wymiotów, ale to na nic. Jesteś gejem, którego nie akceptuje rodzina, i tyle, zdarza się, Sara ma swoją Czarną Wenus, co za historia, a ja? Jestem dziwadłem bez przydziału, bez specjalnych zdolności, nasionkiem chwastu. Będziesz sławnym cukiernikiem, pogodzisz się z rodziną, twoja historia ma happy ending i spotkasz niejednego Jesusa ogrodnika. To nie byłem ja, mówi nagle Ivo, to nie ja byłem z ogrodnikiem Jesusem. Dominika patrzy na niego i nie rozumie. Nie ty? W błękitnym pokoju zapada taka cisza, jakby znaleźli się pod wodą. Ivo siada na brzegu łóżka tyłem do Dominiki i powtarza, to nie byłem ja. Przyjechałem do Harrison po najdłuższej nieobecności, trzy miesiące, wtedy wydawało mi się, że to dużo. Wszystko było jak dawniej, rodzina pluła na słodycze, które przywiozłem, ojciec mówił, że znalazłem sobie gówniany zawód, kłóciłem się z siostrami, a matka biegała między nami rozgrzana do białości. Był nowy ogrodnik, to prawda, ogrodnik Jesus, ale przez ten dom przewinęło się tylu ogrodników i pomocników, że straciłem rachubę. Piękny Latynos, bardzo ciemny, miał takie włosy jak ty, gęste i wijące się tak, że nie wypadał wetknięty w nie długopis. Planowałem podczas tego pobytu porozmawiać z rodziną, byłem młody i pełen buntu, naczytałem się w college'u emancypacyjnych opowieści i chciałem zrobić teatralny coming-out. Dziesiątki razy wyobrażałem sobie tę sytuację: siedzimy przy kominku, ja wychodzę z szafy i następuje trzęsienie ziemi, tu-dum, katharsis. Nie rzucamy się sobie na szyję, nic z tych rzeczy, aż tak naiwny nie byłem i miałem przygotowane słowa, które powiem w drzwiach na pożegnanie. Ćwiczyłem przed lustrem, sama myśl o tym sprawiała, że popadałem w ekscytację. W pierwszy wieczór zabrakło mi odwagi, ojciec oglądał mecz w telewizji i obcinał sobie paznokcie u stóp, uznałem, że to nie najlepszy moment na oficjalne informowanie rodzica, że jestem gejem. Ale z nerwów nie mogłem spać tej nocy, było gorąco i wyszedłem do ogrodu, usiadłem na tarasie. W szopie paliło się światło. Poszedłem tam, sam nie wiem dlaczego. Zobaczyłem ich przez okno i w pierwszej chwili nie zrozumiałem. Ogrodnik Jesus stał, miał zamknięte oczy, jego twarz wykrzywiał grymas. Potem rozpoznałem mojego ojca. Klęczał przed Jesusem i poruszał się rytmicznie w tył i w przód, w tył i w przód, miał na sobie flanelowe spodnie i rozciągnięty biały podkoszulek, w którym sypiał. Mój mózg nie nadążał za oczami, co ty robisz, tato? usłyszałem w głowie głos małego chłopca, który chyba był mną. Może usłyszał to też mój ojciec, bo spojrzał w stronę okna, jego twarz była czerwona, usta wciąż uchylone. Wybiegł za mną, potknąłem się i przewróciłem, dopadł mnie i przydusił do ziemi, dyszał i powtarzał, synu, synu, synu. Nie powiedział nic więcej, bo chwycił go atak astmy. Udało mi się go zrzucić z siebie i uciekłem, tej nocy wyjechałem i nie wróciłem do Harrison przez sześć lat. Dręczy mnie, co chciał mi wtedy powiedzieć, gdy powtarzał, synu, synu, i omal mnie nie udusił, dręczy mnie, że chciałem być tak od niego inny, a okazało się, że jestem taki sam. Spróbowałem nawet być z jakąś dziewczyną, ale to na nic. Nieprawda, mówi Dominika, nie jesteś taki sam jak John III Smith, i wyciąga do Iva rękę, niezdarnie splatają się dłońmi. Napij się wina z winogron, Ivo nalewa do pełna i podnosi kieliszek do ust Dominiki. Pij, moja żono, za naszych zmarłych i żywych, za naszą podróż. Całują się w sposób, który ani w Dominice, ani w Ivie nie budzi pożądania, ale o nim przypomina. Mówiłam ci? pyta Dominika, znałam kiedyś chłopca, który przynosił mi do szkoły rachatłukum, znałam kiedyś księdza, który grał na gitarze i śpiewał, wyrwij muuurom zęęęby krat; teraz zaśpiewam ci to po angielsku na pocieszenie. Żonko, śmieje się Ivo, jego twarz jest bardzo jasna na tle błękitów, żonko, ciągle źle wymawiasz zęby po angielsku, popraw się. Kalifornijskie wino z piwniczki Johna III Smitha nie jest aż tak złe, chociaż bez apelacji, bo zmarły kupował je za życia w najbliższym supermarkecie na promocji. Gdy kończą trzecią butelkę, Ivo płacze i Dominika dopiero teraz dostrzega podobieństwo swojego męża-bliźniaka do zmarłego

Johna III Smitha. Zasypiają na małżeńskim łóżku i śpią na łyżeczki, Ivo śni o czekoladzie, wystawa świąteczna cała z czekolady, brawa, brawa, on sam elegancki, swobodny, wszystko to gdzieś daleko od Harrison; jego żona-bliźniaczka śni zapachy i kolory, białe schody, rozgrzane kamienie, świeżo przekrojone arbuzy tak wielkie, że w skorupce zmieściłoby się dziecko, chłopca z rachatłukum, zapomnianą przyjaciółkę, z którą na dachu betonowego wieżowca w Wałbrzychu recytowała wiersz o białej lokomotywie, skąd wzięła się w krainie śmierci. Rano Ivo i Dominika wyjeżdżają z Harrison żegnani przez panią Smith i siostry Smith, które nie wiedzą, że mąż i żona ruszają w różne strony.

Miało być na krótko, na początek, do czasu znalezienia czegoś lepszego, jednak Dominika została w tym marnym pokoju przy Siódmej Ulicy dłużej niż w jakimkolwiek miejscu do tej pory. Dominika czyta pani Eulalii Barron już od trzech lat, trzy lata czytania książek codziennie od dziewiątej rano do piętnastej z przerwą na lunch. To jej najdłużej wykonywana praca w życiu, nie licząc robienia zdjęć, czego Dominika nie uważa za pracę, mimo iż ostatnio dwa sprzedała jakimś turystkom na pchlim targu koło Tompkins Square; fotografie fasady domu naprzeciwko w padającym śniegu, które zrobiła ze swojego okna. Władzia? pyta znów Eulalia Barron i do tego już się Dominika przyzwyczaiła, od początku bywała Władzią albo Ickiem, ale tego lata staruszka woła też inne osoby. Mamo, mówi Eulalia Barron i jej źrenice robią się ogromne, jak u kota polującego w ciemności, mamo, musimy iść do konsula Sugihary, obudź się, mamo, będziesz grała *Sonatę księżycową* w Jokohamie; Eulalia nuci i Dominika rozpoznaje Beethovena. Pani Eulalio, mówi, otworzę okno, wpuścimy słońce, tak lubi pani słońce, a potem poczytam pani o syrenach, przecież dziś pora na syreny. Mamo, powtarza staruszka z dziecinnym uporem i Dominika po prostu siada koło niej i mówi z pamięci, bo czytała to już tyle razy: Wiemy, co niegdyś Grecy, Trojanie doznali nieszczęść, z bogów naprawy, na Ilionu polach, wiemy o wszystkich ziemskich dolach i niedolach. Dominika Chmura czuje, że czytanie dla pani Eulalii Barron dobiega końca, bo staruszka doszła do kresu swojej opowieści, ale nie wie jeszcze, że na drugim końcu świata do odejścia zbiera się inna starsza pani, jej babcia Halina, zwana Kolomotywą.

Gdy późną jesienią Eulalia Barron umiera cicho i spokojnie, przy dźwiękach *Sonaty księżycowej*, Halina Chmura, babcia Dominiki, ma operację, leży na stole jak mumia egipska, wysuszona i zżółkła. Poszła do lekarza dopiero wtedy, gdy nie mogła przełknąć nawet bułki rozmoczonej w mleku, a każde zaciągnięcie papierosem było torturą. Pomyślała, że z jedzenia może zrezygnować, mała strata, ale ból przy paleniu naprawdę jej przeszkadza, już nawet piętnaście tabletek z krzyżykiem dziennie nie daje mu rady. Czuję się, jakby mnie kto zjadł i wyrzygał, powtarzała Halina Chmura ulubione porównanie i do jej duszy spowitej dymem extra mocnych wkradał się lęk; nie żeby jakoś specjalnie chciało jej się żyć, ale jeszcze mniej chciało jej się umierać. Przyczesała więc resztki mysich włosów, których już od dawna nie farbowała na kasztan, kostuchy farbą nie oszukasz, odpowiadała na propozycję synowej, by udać się do fryzjera i trochę odmłodzić; włożyła sweter w twarzowym różu, prezent od Jadzi pod choinkę, i starą bistorową spódnicę, która przeleciała jej przez biodra, więc ją spięła w pasie agrafką. Poszła na ostry dyżur pieszo, bo musiałaby być w agonii, żeby wziąć taksówkę, a wtedy pewnie doszłaby do wniosku, że właściwie już nie warto. Rak gardła, wyrośnięty, tłusty, bardzo spodobał się lekarzom, co za okaz, trzeba go prześwietlić, pobrać próbkę, wyciąć, zbadać, a resztę, jeśli coś jeszcze zostanie z tej mikrej staruszki po wszystkich zabiegach, zaatakować chemią. Halina uważała, że naprawdę nie ma sensu, by tak sobie nią zawracali głowę, prześwietlali, operacje robili, latali koło niej w kółko jak z pieprzem; ona chciała tylko jakiś zastrzyk czy antybiotyk, żeby nie bolało przy paleniu, a co ma być, to będzie. Byleby tylko tak zaraz nie zeszła, bo chce jeszcze przedtem wnuczkę zobaczyć; skoro bez operacji umrze, niech tną. Wróciła do domu, spakowała sobie do reklamówki z napisem Hugo Boss koszulę nocną, sześć paczek extra mocnych, kapcie i szczotkę do zębów, i poszła powolutku w stronę przystanku. Halina Chmura zbierała wszystkie reklamówki, a te, które znajdowała w paczkach przysyłanych przez Grażynkę z Niemiec, były szczególnie ładne, kolorowe, żal wyrzucać. Wygładzała je i wkładała do szuflady, przydadzą się kiedyś, mówiła sobie, i proszę, ma jak znalazł. Do Jadzi Halina zadzwoniła już ze szpitala, coś mi tam mają wyciąć z szyi, jakieś gówienko, powiedziała synowej. Nic takiego, Jadzia, wytną i pójdzie do domu, ale jakby co, to w szafie jest album ze zdjęciami, w białą ściereczkę owinięty, pod nim płaszcz stary naftaliną przełożony, niech Jadzia nie wyrzuca, broń Boże, tylko podszewkę odpruje. Znajdzie tam trochę pieniędzy. To wszystko jest dla Dominiki, na swój pogrzeb odłożyła osobno, jest też coś dla Jadzi. Skąd? Ano ma, nazbierało się z tego, z owego, bo co ona tam wydawała na siebie, tyle co na papierosy. Chciała powiedzieć Dominice sama, ale jakoś tak wyszło, co będzie dziewczynie w Ameryce głowę truć; niech jej Jadzia też lepiej nie mówi, że babka w szpitalu. Jadzia odłożyła słuchawkę i popatrzyła na zbielałe kostki swojej uszkodzonej w młodości dłoni. Uświadomiła sobie, że ta zrzędliwa i tak mało wymagająca kobieta jest jej jedyną rodziną w Wałbrzychu i od lat była zawsze, gdy Jadzia jej potrzebowała. Jakże one umiały się nie zgadzać! Jaką wprawę miały w wytykaniu sobie błędów kuchennych! Z jaka maestrią się nie lubiły! Co ona zrobi bez Haliny Chmury? Komu powie, ale się mamusia zapuściła i kopci ciągle jak komin? Do kogo ponarzeka na ceny i pogodę? Wuj Kazimierz został posłem i czasem pokazują go w telewizji, rzadko się odzywa, jakby po wypadku Dominiki i spaleniu domu Zofii zaczął wstydzić się swojej rodziny, naznaczonej nieszczęściem, córka szasta się po świecie, a Halina jadła z Jadzią niedzielne obiady i wielkanocne jaja, Matko Boska, jak ona bez niej karpia na Wigilię zabije? Po co te papierochy tak kopciła, mówiłam jej, po co mamusia te papierochy tak kopci jak komin, Jadzia czuła pod powiekami zapowiedź nowego smutku. Nie ma szans, góra dwa miesiące, złośliwy rak w ostatnim stadium z przerzutami, powiedział lekarz i Jadzia rozpłakała się, bo nieunikniona śmierć kogoś, kogo się przez tyle lat nie lubiło, może być bardzo bolesna.

I po co mamusia tak te papierochy kopciła? naskoczyła na teściową, gdy ta tylko uchyliła sine powieki; zamiast sałaty sobie pojeść, kapusty kiszonej, to ciągle z papierochem. Jadzia stała nad łóżkiem teściowej w swoim wielkim futrze z nutrii, które przed laty kupił jej mąż Stefan w prezencie, przepłacił wtedy jak głupi, bo mu jakaś cwana baba wmówiła, że to norki. Było ciężkie i na nią za duże, ale jakoś żal się pozbyć, zawsze to naturalne futro, powtarzała sobie Jadzia przy każdych porządkach w szafie i nutrie doczekiwały kolejnej zimy. Halina dogorywała z rurką wychodzącą z szyi, zapadniętą szczęką i oczami tak matowymi, jakby przeleżały tydzień na piasku; mrugała powiekami, starając się zrozumieć, dlaczego koło jej łóżka stoi niedźwiedź, niedźwiedź, który tańczył w wiosce jej dzieciństwa, i dlaczego ten niedźwiedź mówi głosem jej synowej Jadzi. Chciała zapytać, Jadzia, to ty czy niedźwiedź? ale z jej ust wydobył się tylko suchy charkot, jakby ktoś ukruszył bryłę styropianu. Nikt nie liczył, że stanie na nogi, a już na pewno nie wróżono jej powrotu ze szpitala o własnych siłach, ale Halina Chmura przechytrzyła lekarzy i dziesięć dni po operacji pielęgniarka złapała ją w ubikacji z papierosem, którego dym wydobywał się przez Haliny usta, nos i dziurę w szyi. Prawie nic już nie jadła, ssała tylko kostki cukru i prosiła, by Jadzia kupowała jej w szpitalnym sklepiku coca-colę, a palone pokątnie papierosy nie mogły jej zaszkodzić bardziej, niż już zaszkodziły, więc lekarze tylko machali ręką. Po siedemnastu dniach Halina Chmura wyciągnęła sobie wenflon z nadgarstka, chrząknęła i wycharczała, że prosi o ubranie wyjściowe, bo już dziękuje za uwagę, ma to w nosie, idzie do domu. Schowała koszulę do reklamówki Hugo Boss i stanęła gotowa do drogi, zastrzegając synowej, że owszem, może ją odwieźć, ale autobusem, a nie taksówką. Jadzia spojrzała na niehigieniczną dziurę w szyi staruszki, na jej niezbyt czyste paznokcie i stojące przy łóżku kapcie, które były tak schodzone, że przypominały jakąś organiczną burą masę z odciskiem stopy, Matko Boska, westchnęła, co za wylęgarnia bakterii. Do mnie na Piaskową Górę mamusia pójdzie, żadne do domu, bez dyskusji. W pokoju Dominiki się mamusię ulokuje, tylko niech mamusia pali w łazience, broń Boże w pokoju, bo firany żółkną i smrodem przechodzą; i Halina nie zaprotestowała, bo nawet jej niewprawne szorstkie serce zrozumiało, że jest to dowód miłości. Nie, te kapcie już mamusia zostawi, Matko Boska, jakie szkoda, jakie szkoda, nowe u Ruskich mamusi kupię na Manhattanie. Tego samego dnia Jadzia zadzwoniła do Nowego Jorku, co robiła rzadko, bo straszliwie się bała, że ktoś coś do niej powie po angielsku i będzie wstyd; gdzieś usłyszała, w jakimś filmie pewnie, że w Anglii mówią zupełnie innym angielskim, pięknym i arystokratycznym, nie to co wulgarny angielski w Ameryce, i powtarzała tę mądrość córce, ach, bo ten amerykański angielski to taki wulgarny, nic zrozumieć nie idzie. Babcia Halina umiera, powiedziała Jadzia do słuchawki i rozpłakała się w ciszę, jaka zapadła nagle między Piaskową Górą i prawdziwym Manhattanem.

Babcia Kolomotywa dymem ziejąca! Dominika przestraszyła się nagle, że nie zdąży, i jej przygotowania do wyjazdu do Polski były pierwszą rzeczą po wypadku, którą robiła w pośpiechu, nie licząc nocnej ucieczki z Owocowego Raju. Poczuła, że letnia rzeka, w której żyła przez siedem lat, nie była jedynym rodzajem przepływu, a na Piaskowej Górze czas płynął inaczej. Sara mówiła jej, pora, żebyś pomyślała, co dalej, żebyś spróbowała z kimś być, a ona odpowiadała, że wystarcza jej samo bycie i na razie ma wszystko, co trzeba, ten mały pokój w East Village, dach, na którym może siedzieć nocami, czytanie książek pani Eulalii Barron, listy od Iva z Paryża, robienie zdjęć. Poza tym, i to uciszało przyjaciółkę najskuteczniej, ty też z nikim nie jesteś, Saro Jackson. Dominika pamiętała swój pierwszy plan na życie i tęskniła nie tyle za nim, co za tamtą pewnością, że szczęście było w zasięgu ręki, a przyszłość to droga do jakiegoś celu. Wynajęte mieszkanie w bloku na warszawskiej Chomiczówce, tak podobnej do Piaskowej Góry, i Adaś, mężczyzna, którego twarzy nie pamiętała za dobrze, bo tym, co ją w nim pociągało, był nie on sam, ale możliwość ucieczki od Jadzi i Wałbrzycha. Dopiero teraz, z perspektywy lat spędzonych w drodze, Dominika widziała, że ucieczka, która wydawała jej się tak doskonała i dobrze zaplanowana, prowadziła dokładnie w to miejsce, w którym powtórzyłaby los Jadzi. Niekiedy przypominał jej się dotyk Adasia, z perspektywy czasu nieporadny i nerwowy, inny od dotyku mężczyzn, których poznała po nim. Zakochaj się, szalej, mówiła jej zupełnie obojętna wobec mężczyzn Sara, podobnie mówił wiecznie zakochany Ivo, ale Dominika ani nie zakochiwała się, ani nie szalała, tylko po krótkich romansach zaprzyjaźniała się ze swoimi mężczyznami powierzchowną przyjaźnią tych, którzy spotykają się w drodze, i wkrótce siedziała z jednym czy drugim w barze Lucy's przy Tompkins Square, słuchając opowieści o konieczności ratowania wielorybów, planach wyprawy do Kambodży, by ocalić przed zadeptaniem Angkor Wat albo o przyszłości komunikacji internetowej. Można było odnaleźć podobieństwo łączące mężczyzn, z którymi Dominika spędzała cztery czy pięć, góra osiem tygodni, zanim znikali gdzieś tak łagodnie i niepostrzeżenie, że Sarze trudno było uwierzyć, że w ogóle się zdarzyli, nawet ich imiona rozpływały się w nowojorskim powietrzu jak dym. Byli wysocy i chudzi, żylaści i silni, ich twarze wyraziste, ale jeszcze niedokończone, jakby dopiero pojawił się na nich szkic tego, jakimi staną się ludźmi. Ubierali się w sportowe wygodne rzeczy i zbyt rzadko chodzili do fryzjera, mieli ważne sprawy do załatwienia w przyszłości i szczytne idee, nie wiedzieli, że to, co im się najbardziej podoba w Dominice, to nie jej oczy, usta albo długie nogi, ale fakt, iż w sposób oczywisty nic od nich nie chce i niczego nie oczekuje, a bierze dokładnie tyle, ile daje w zamian. Żaden z nich nie potrafił nazwać siły przyciągania, która kazała mu zbliżyć się do tej właśnie kobiety, tak pozbawionej kokieterii, o włosach jak jedwabista czapeczka w kolorze mocnego espresso, i szybko wpadali na zastępcze rozwiązanie, dopatrując się w Dominice podobieństwa do kogoś bliskiego i utraconego. Na przykład dla Węgra Andreasa była to Cyganka Jovranka, z którą bawił się w dzieciństwie spędzonym w nie najlepszej dzielnicy Budapesztu, zanim z całą rodziną wyemigrował do Nowego Jorku, gdzie jego przodkowie dorobili się majątku na produkcji parasoli. Pokazał Dominice dom na Lower East Side, to tutaj jego stryjeczny pradziadek, ożeniony ponoć z Polką o niemożliwym do zapamiętania imieniu na W, zaczął wyrabiać cieszące się powodzeniem parasolki z reprodukcjami dzieł wielkich mistrzów na czaszach. Dominika chodziła z Andreasem do barów gdzieś na Brooklynie, w których ciemnowłose kobiety tańczyły, mężczyźni palili papierosy i niekiedy tłukli talerze; chłopak wpatrywał się w nią intensywnie, jakby obecność innych Romów miała spotęgować podobieństwo Dominiki do dziewczynki sprzed lat. Martin z kolei, Anglik nielubiący Anglii, był wiecznym studentem, bo po każdej przerwie, jaką w studiach robił, by wyjechać do Afryki, Azji, na Islandię, wracał z nową pasją i czterokrotnie zmieniał kierunek na uniwersytecie. Gdy Dominika go poznała, zajmował się ekologią i pragnął uratować bałtyckie morświny. Plączą się w sieci, giną uduszone te biedne morświny, straszna rzecz, trzeba to ludziom koniecznie wytłumaczyć, mówił jej z przejęciem i pił piwo bezalkoholowe. Kiedyś myślano, że morświny bałtyckie to syreny, słyszałaś o tym? Po Martinie był Holender Gilbert, który wraz z grupą freegan żywił się tylko tym, co dało się znaleźć na bogatych nowojorskich śmietnikach pod sklepami, i organizował śmietnikowe wycieczki, tłumaczył wtedy niewtajemniczonym, że codziennie marnuje się w tym mieście kilkadziesiąt ton zdatnego do spożycia jedzenia, o, na przykład tu mamy cały worek świeżutkich bajgli i kartonik mleka sojowego. Gilbert uważał się za komunistę i wydawało mu się, że w kanciastych ruchach Dominiki, jej dużych stopach i braku zamiłowania do luksusu odnajduje podobieństwo do szwagra, jedynego członka jego rodziny, który nie należał do klasy średniej i którego w związku z tym podziwiał i idealizował. Gdyby Dominikę przycisnąć, co robiła czasem Sara, może przypomniałaby sobie niezwykłą symetrię włosów na jakimś męskim ciele, które wspinały się wąską równą linią wzdłuż brzucha i rozgałęziały, otaczając sutki tak, że ten włochaty kontur przypominał schemat kobiecych jajników z podręczników anatomii. Jajniki? Naprawdę masz na myśli jajniki, wariatko? sylabizowała Sara niepewna, czy Dominika nie pomyliła angielskiego słowa. Pamiętam też duże białe zęby, śmiała się Dominika, zęby z przerwą między jedynkami, bliznę na czole, bo bramę z wystającym gwoździem wiatr zamknął akurat wtedy, gdy mały chłopiec pędził na swoim pierwszym rowerku gdzieś po ulicy Budapesztu czy może Amsterdamu. Pamiętała opowieści, pępki, paznokcie, rowery, blizny, imiona matek, psa labradora, który wpadł pod pociąg, długopalczaste dłonie i nawet byłaby w stanie przypasować te części do konkretnych osób, ale nie miała nic przeciwko temu, by pozostawały w jej głowie niczym stos rozsypanych puzzli. Dominika wiedziała, że nie znalazła jeszcze nic, co mogłoby zastąpić utraconą magię liczb; była w środku pusta jak nieumeblowany dom, w którym byle jak postawiono parę sprzętów, stos książek i pudła. Dominika Wędrowna nie myśli o sobie: jestem taka czy inna, tylko od czasu do czasu przeprowadza inwentaryzację, podczas której interesuje ją przede wszystkim, co jest na drugiej szali, bo co jest na pierwszej, wie od dawna – siedzi tam Jadzia i matkuje. Sara, moja towarzyszka podróży i jej historia Hotentockiej Wenus, Dominika umieszcza przyjaciółkę jako przeciwwagę dla Jadzi; Ivo, mąż-bliźniak, który zawierzył mi przeszłość, wspierający mnie tak, jak ja go wspieram, pani Eulalia Barron i jej książki – Jadzia nadal jest cięższa, córka dorzuca więc przyjemność bez poczucia winy i wspomnienie pępków, paznokci, rowerów, blizn, ale to ciągle za mało, by Jadzię przeważyć. Dominika już wie, że ta podróż, która od siedmiu lat oddala ją od Piaskowej Góry, byłaby łatwiejsza, gdyby po prostu chodziło o ucieczkę przed tym wszystkim, odrzucenie swojego domu i zapomnienie o nim, tymczasem im Dominika jest silniejsza, tym bardziej pragnie swoją matkę zmienić, ruszyć z miejsca i zepchnąć z kursu matkowania na jakąś ciekawszą drogę. Kiedyś, przed wypadkiem, była ona, podrostek, i opowieść Jadzina, w którą matka wkręcała swoje wierzgające dziecię jak w wyżymaczkę: ślub na Jasnej Górze, ordynat jakiś lub dentysta, biały welon, wiśta wio! karocą do zamku Książ. Można było tylko uciekać, gdzie pieprz rośnie. Teraz coś mam, myśli Dominika, i gdy Jadzia jej zasuwa w słuchawkę starą opowieścią, córka nie pozostaje dłużna, ale siły nadal nie są wyrównane. Dlatego gdy dowiedziała się, że Halina umiera, oprócz żalu Dominikę ogarnął strach i znów poczuła zapach spalonego mięsa. To coś martwe w niej, o czym słyszeli tylko Ivo i Sara, sprawia, że czasem budzi się i do rana szarpią nią torsje, jak bulimiczką, którą nigdy nie była. Jadę na Piaskową Górę, powiedziała Sarze, i gdy w przeddzień podróży spojrzała w lustro, ze zdumieniem dostrzegła, że jej tęczówki, kiedyś nieodróżnialne od źrenic, błyszczą iskrami agrestowej zieleni oczu Jadzi.

Dominika wyprowadziła się z pokoju przy polskim kościele i zostawiła ubogie rzeczy do podziału; pani Hania wzięła lampę, będzie jak znalazł, gdy wróci do ojczyzny, pani Stenia malutką lodówkę, przyda się jak nic, gdy już ściągnie do siebie rodzinę, a tymczasem rzeczy trafią do pudeł w przedpokoju. Będę za cztery dni, mamo, powiedziała Dominika do Jadzi, która aż się zachwiała przy telefonie i odważyła się odejść ze słuchawką na tyle daleko, by klapnąć na kanapę. Za cztery dni po siedmiu latach, i to na same święta! Jak ona zdąży wszystko przygotować? Jadzię rozpierała radość i złość w wyrównanych proporcjach i było to tylko spotęgowanie normalnej chemii uczuć, jakie budziła w niej córka i wszystko, co z córką związane. Czasem dominowała radość, czasem złość, a gdy uczucia te osiągały stan drążącej równowagi, Jadzi bez przerwy odbijało się jak po bigosie i co rusz musiała zażywać raphacholin. Taka mnie zgaga bierze, zwierzała się Krysi Śledź, a ta radziła, by popiła wody z ogórków kiszonych, sposób sprawdzony i zdrowy, jej na wszystko pomaga.

Wody z ogórków u Jadzi był dostatek i często zanosiła sąsiadce słoik czy dwa; po wypadku Dominiki robienie przetworów, kiszenie i konserwowanie było dla niej sposobem radzenia sobie z czasem. Gdyby pozwalała mu po prostu płynąć, temu czasowi kalekiemu i pustemu, zmarnowałby się, bo co to za czas złożony z samotności i czekania? Zamarynowany dał się przechowywać i Jadzia Chmura czekała na lepsze okoliczności, w których można będzie go zużyć tak, jak się powinno, smakując, wysysając z niego słodycz. Jadzia czas kisiła i konserwowała, przesmażała z cukrem, pasteryzowała; zamykała czas hermetycznie w słoikach z napisem ogórki 1991, czarna porzeczka 1992, papryka 1993, buraczki z papryką 1994, truskawki w miodzie 1995, kapusta z kminkiem 1996. Ustawiała rzędy zakiszonych i zamarynowanych lat na półkach w piwnicy, gdzie brakowało już miejsca. Lśniące słoiki pokrywały się kurzem i pajęczynami, wieczka zaczynała nadgryzać rdza i dostawały się pod nie tak znienawidzone przez Jadzię bakterie. Zamarynowany czas niekiedy pokrywał się pleśnią i gnił. Nie nadążała ze zjadaniem tego wszystkiego, bo ile samotna starsza pani jest w stanie zjeść ogórków, ile wypić kompotów z truskawek, soku z jeżyn, a tu przychodziła wiosna, raz-dwa i już lato, i trzeba było kisić nowe ogórki, gotować i smażyć świeże owoce, wybierane starannie na bazarku Manhattan na Piaskowej Górze. Zamarynowane, przesmażone i ukiszone lata były dla Jadzi Chmury okazją do czekania i do wspominania zmarłych, męża Stefana, który ogórki do wszystkiego mógł, trach, trach, chrupał do śniadania, obiadu i kolacji, albo grzybki, grzybki też, do wódki najchętniej niestety; matki Zofii, co na słodkie była łakoma jak dziecko, taki soczek to prawie sam, ledwo rozrobiony by sączyła całą zimę i zszedłby do ostatniej butelki, nie mówiąc już o ojcu Jadzi, tym prawdziwym, Maćku Maślaku, bohaterze wojennym, który do ziemniaków zawsze musiał mieć kiszoną kapustę, bo tyle na temat jego obyczajów kulinarnych zdołała się dowiedzieć, a więcej dowiedzieć się nie było już od kogo. Jadzia Chmura w pokorze przyjmowała fakt, iż czas poddany konserwacji jednak ulega zmianie, tak jak truskawka z kompotu różni się od surowej, ale to cena, jaką trzeba zapłacić za możliwość zachowania przeszłości w słoikach. Lepsza taka niż żadna! Schodziła do piwnicy, tupiąc głośno nogami, by wypłoszyć szczury, otwierała kłódkę i odsuwała zasłonkę zrobioną ze starej story; ile tam tego było! Równo stojące rzędy słoików koiły jej serce i przynosiły spokój, były dni, gdy warzywa i owoce w przetworach wydawały się Jadzi jedyną pewną rzeczą na świecie. Nietknięte maliny 1995, powidła 1994, jagody z tego samego roku, wciśnięte z tyłu dolnej półki i, o, jeszcze jedne grzybki z 1990, same łebki prawdziwków; Jadzia wytarła wieczko słoika z kurzu i ucieszyła się, że Dominika tego wszystkiego spróbuje. Jadzia będzie otwierała dla niej kolejne słoiki, tak jakby otwierała te lata, gdy jej córka jeździła po świecie, a ona siedziała na przeklętym bocianim gnieździe; tu mamy 1990, tu 1991, tu 1992, wyjątkowo wtedy obrodziły czereśnie, i tak dalej, w przyrodzie nic nie ginie, a już na pewno nie u praktycznej Jadzi Chmury z Piaskowej Góry. Jadzia przyniosła kosz słoików, otworzyła dla Haliny kompot czereśniowy 1995 i zaczęła przygotowania do świąt z taką werwą i rozmachem, jakby miała gościć dwanaście osób przez miesiąc.

Dominika przyjeżdża! chwaliła się wszystkim znajomym z Piaskowej Góry, ma już papiery amerykańskie i przyjeżdża na święta; teraz może sobie po całym świecie bez wiz żadnych jeździć. Mogłaby, gdzie by chciała, do Paryża, na Wyspy Kanaryjskie, a do Wałbrzycha przyjedzie, z matką się zobaczyć. Sama? gasiła ją niewinnym pytaniem Lepka, ale Jadzi, w miarę jak przybywało lat, ubywało łagodności i już nie dała sobie w kaszę dmuchać. A po co jej przydupas? Lepiej sama, niżby miała se takiego wziąść, co weźnie dupę w troki i na wojnę pojedzie jak pani syn. Niektórym się pośpieszyło, brały pierwszych lepszych i co z tego mają, gówno w papierku. Nic nie było w stanie zbić jej z tropu kupowania, planowania, upychania do lodówki gór jedzenia. Halina była zbyt słaba, by pomóc Jadzi w wielkich przygotowaniach; leżała w pokoju Dominiki albo siedziała w ubikacji i paliła papierosy, a synowa przelatywała koło niej, jakby ubyło jej kilogramów i lat. Zawsze oszczędna i gospodarna, Halina wymyśliła, że dobrze byłoby już teraz kupić trumnę; mogą ją przecież trzymać w kącie koło okna, zasłoną się przykryje. Potem, zwłaszcza jakby na święta przyszło ją chować, wszystko będzie na łapu-capu i zedrą z nich skórę. Zwlokła się Halina Chmura z łóżka i pod nieobecność synowej zadzwoniła do zakładu pogrzebowego Hades, a gdy po południu Jadzia otworzyła drzwi, dwóch mężczyzn zapytało, gdzie nieboszczka? i awantura była jak za najlepszych lat. Jaki wstyd, Jadzia, wstyd to kraść, a nie umierać, gdyby mogła kupić trumnę za życia, umarłaby spokojniejsza, rzęziła Halina. Czy Jadzia nie pamięta, co było, jak Stefana chowały? Łapiduchy wycykały je co do grosza, a ile na same wieńce poszło, tłumaczyła synowej. Halina nie mówiła Jadzi, że ból, który czuje, nie daje się już oszukać i nie odpuszcza jej nawet po podwójnej dawce tabletek zażywanych w tajemnicy, ale uparła się, że doczeka do przyjazdu wnuczki. Pozwoliła sobie nawet zafarbować resztkę włosów papką z henny kupionej od Ruskich na Manhattanie, miały być kasztanowe, a wyszły ogniście czerwone; o Matko Boska, przestraszyła się Jadzia, ale Halinie spodobała się nowa fryzura, bo widziała wyraźnie już tylko jaskrawe kolory. Rano w Wigilię nakręciła ogniste włosy na metalowe wałki, których używała od pół wieku, i mimo iż prześwitywała jej łysa głowa, uznała, że dobrze prezentuje się na przyjazd wnuczki. Zadowolona z siebie, łyknęła garść tabletek i zapaliła extra mocnego, bo ból wgryzł się w nią ze zdwojoną siłą.

Gdy niemal wszystko było gotowe, Jadzia poleciała do rybnego po karpia, karp musi być żywy, to rozumie się samo przez się, żywy karpik najlepszy i do galarety, i do smażenia, i po żydowsku. Kiedyś trzeba było kupować karpia tydzień przed świętami, w kolejce się nastać, aż nogi w dupę wchodziły, a potem do Wigilii mycie w misce, bo w wannie karp. Teraz wystarczy dzień wcześniej wyjść i jeszcze wybrać można mniejszego czy większego, a jak się chce, to zabiją na miejscu i wypatroszą. Francja elegancja i demokracja, wzdychała Jadzia. Nie chciała jednak, by karpia trzaśnięto na stoisku rybnym w Realu, bo w jej domu karp zabijany był tuż przed dalszą obróbką; w moim domu, deklarowała z powagą, karpika zabija się w ostatniej chwili, osolone dzwonka muszą podskakiwać, wtedy widać, że ryba jest naprawdę świeża. Kiedyś zabijał Stefan, a przez kolejne dziesięć lat po jego śmierci Halina; Jadzia uważała, że jest na to za delikatna. Od zabijania są mężczyźni, powtarzała, a jak mężczyzny zabrakło, obowiązek przejęła teściowa, która z racji starości wydawała się kobietą mniej niż ona. Halina, ta to umiała karpia rąbnąć, raz a dobrze, prosto w ciemiączko, Stefan zawsze bił za słabo i musiał poprawiać, szkoda mu było, mówił, i całą podłogę w kuchni trzeba było myć, bo ryba uciekała po niej z rozbitą głową. Mała Dominika najpierw karmiła rybę okruchami chleba, a gdy przychodził moment egzekucji, darła się, że jak można zabić stworzenie, któremu narobiło się nadziei, i wybiegała z domu, trzaskając drzwiami. Fiksum-dyrdum i fiu-bździu, przewracała oczami Jadzia i nigdy nie przyjęła do wiadomości, że jej dziecko nie chce jeść takiej pysznej rybki w żadnej postaci. Ciekawe, kiedy ona w końcu przyjedzie? Zwariować można z tego czekania; Jadzia była tak nasączona czekaniem na córkę jak wielka szynka w jej lodówce ziołową marynatą. Mamo, samolot się spóźnił, był alarm na lotnisku, będę w samą Wigilię, Dominika nieźle nastraszyła Jadzię; Matko Boska, alarm na lotnisku, zepsuło się co? Nie, nie, myśleli, że bombę ktoś podłożył w toalecie. Zwariować można z tym dzieckiem, Jadzia do świtu nie zmrużyła oka, bo gdy tylko ogarniała ją senność, nagła eksplozja jak z filmu wojennego, których nie znosiła, rozpryskiwała ciemność pod jej powiekami.

W Wigilię, tuż przed zamknięciem sklepów, wyszła, by kupić jeszcze trochę słodyczy, bo a nuż trzy pudełka ptasiego mleczka, kilo mieszanki wedlowskiej, cztery krążki chałwy i sześć czekolad o różnych smakach będzie za mało dla jej córki cukrolubnej. Przy okazji poprosi Waldka, co był kiedyś górnikiem, a teraz robi za ochroniarza w supermarkecie, żeby po robocie wpadł i karpia trzasnął, bo Halina już temu nie podoła. Zaczynał chwytać mróz, asfalt lśnił jak posypany szkłem, Jadzia mocniej naciągnęła stary beret, pochyliła głowę w podmuchu lodowatego wiatru. Córka przysyłała jej takie ładne rzeczy, pytała, i jak ci się je nosi, mamo? a matka odpowiadała, że piękne, trzyma na specjalne okazje, bo szkoda je nosić na kole domu. Gdyby jeszcze używane, ale wszystkie z metką, którą jakoś żal urywać.

W połowie drogi do Reala zamyślona nad karpiem i życiem Jadzia Chmura wpadła na Leokadię Wawrzyniak, matkę księdza Adasia, której na Piaskowej Górze nie widziała od lat. Pani tu? A ja właśnie do pani na chwilkę, powiedziała Leokadia, że w Wigilię zastanę, pomyślałam, czasu dużo nie zajmę. A jak to powiedziała! Jakby z góry patrzyła na czubek głowy Jadzinej. Do mnie? zdziwiła się Jadzia, jak to do mnie? Nigdy przedtem nie rozmawiała z Leokadią, ale pamiętała ją z czasów, gdy ksiądz Adaś był w Wałbrzychu i romansował z Dominiką. Łajdus, nie ksiądz, się okazało. Raz minęły się na plebanii, niedługo po całej awanturze, i Jadzia wrogość Leokadii poczuła tak wyraźnie, jakby ktoś uderzył ją w twarz, aż jej się niedobrze zrobiło i za rogiem zawstydzona swoją słabością splunęła gorzką śliną. Niewiele się zmieniła Leokadia Wawrzyniak, potężna, jakby z dwóch dętek do tira złożona, jedna w piersiach, druga pośrodku, fryzura elegancka, zwieńczona czapą z lisa, z lisa futro srebrnego, buty w szpic, w uszach błysk złoty. Kawał baby, pomyślała Jadzia i wyprostowała plecy, mocniej zacisnęła palce na rączce chińskiej torebki nabytej jesienią na Manhattanie, jak skórzana, z diamencikami, kieszonkami. Jak to do mnie, a po co pani do mnie? Już pani wie, po co do pani, z godnością na to Leokadia, wciąż z góry. Co po co, że wiem? Po co do mnie, chcę wiedzieć, a nie, że wiem, po co, bo nie wiem, po co, odrzekła roztropnie Jadzia, która domyśliła się od razu, że do Leokadii dotarła wieść o przyjeździe Dominiki. Leokadia powietrza nabrała, niech pani nie udaje, że nie wie, po co, jak każdy wie. Że po co, się pyta, jakby nie wiadomo było, po co! Jadzi kolej. A pytam, bo jak pani mówi, że wiem, po co pani do mnie, to ja się pytam, skąd pani wie, co ja wiem, jak ja chyba lepiej wiem, co wiem, a czego nie wiem, i mówię pani, że nie wiem, po co. To niech pani mówi, po co, bo czasu nie mam. Sama się Jadzia zdziwiła potoczystości swej wymowy i jakby silniejsza się poczuła, harda; nie da się tej niemiliźnie przyjezdnej, w lisy odzianej. Ale wróg też nie ułomek; jak wróg jest babą, to jak się mówi?

dziwna wątpliwość pojawiła się w głowie Jadzi na co dzień nieskłonnej do lingwistycznych zagadek. Leokadia się nadęła, a pierś miała pojemną, w końcu na śpiewaczkę operową warunki zmarnowała, ryknęła; Adasia zmarnować nie pozwoli, bo tylko on jej został. Pani się nie pyta, po co, pani tej swojej, jak przyjedzie, pilnuje; wypaliła, huknęło, rozszedł się zapach prochu. Adaś pod Wrocławiem proboszczem jest, a biskupem zostać może, z Bożą i matczyną pomocą. Taki syn to skarb. Pani pojęcia nie ma. Ani syna! Jadzia, która od lat cierpiała na uderzenia gorąca, poczuła, że to uderzenie, które właśnie promieniuje z jej podbrzusza, ma siłę sztormu, ale nie powala jej, nie osłabia, lecz napełnia czymś gorącym i silnym. Strumyki gorąca dotarły aż po koniuszki palców jej uszkodzonej prawej dłoni, poruszyła nimi dla pewności, działały, hardziały, jak wtedy, gdy rodziła. Nie uciekła Jadzia Chmura, żeby potem przez całe miesiące zatruwać się złością i układać przemowy, których nigdy nie wygłosi w odpowiedzi na doznaną przykrość. Nie bała się wrogowej, wróżycy, wrogini! Ha! Prychnęła śmiechem w pierś Leokadii, w gniew się przekuwała babska złość. Biskupem dupem wielkim strupem! Aż się Leokadia zgięła, hardość Jadzi ugodziła ją w brzuch jak z buta. Pani sama lepiej synka pilnuje, pod spódnicę se pani go wsadzi, tylko żeby nie zaśmierdł, zaszarżowała Jadzia Chmura. Moja Dominika by go do butów czyszczenia nie wzięła. Moja Dominika ma narzeczonego w Ameryce! Gołodupca w kiecce jej nie trzeba, tchórza! Jej śmiech jak bomba pełna gwoździ w Leokadii rzucony twarz, punkt dla Jadzi. Leokadia ugięła się lekko, ale odzyskała pion; słabiznę zasłoniła torebką skórzaną. Chciała śmiech szyderczy Jadzi zmałpować, ale wyszedł jej cienki pisk mysi, spod lisiej czapy popłynął pot. Minę więc postanowiła przybrać pełną pogardy i wyższości, ale jakoś nie trzymała się jej twarzy ta mina, spływała jak maseczka ze śmietanki i twarożku, którą nakładała co piątek dla urody. A to co? Zęby panią bolą, że się tak krzywi jak na sranie? uprzejmie spytała ją Jadzia. Co za chamka z pani! Jaka matka, taka córka. Ja panią ostrzegam po dobroci! rzuciła Leokadia, ale słabiutkie to było, jakby pluła łupinami słonecznika. Ha! Jadzia czuła, jak moc w niej rośnie, oto dziś przyjeżdża jej piękna córka, co ma narzeczonego w Ameryce, a nawet jak jeszcze nie ma, to sobie znajdzie, będą razem w narzeczonych przebierać, wybierać, czy taki, czy siaki, najlepszego jej wybrać pomoże, doktora, dentystę, ordynatora. A potem bryczką w konie zaprzężoną na wesele w zamku Książ! Jak będą chciały, to sam Seweryn Krajewski na weselisku zaśpiewa. Inżynierowa wielka krowa, w myśli sobie Jadzia rymnęła, a na głos ryknęła, po dobroci to do paproci! Wyżej sra, niż dupę ma! i znów się roześmiała tak, że przechodząca obok Lepka wytrzeszczyła oczy i stanęła w rozsądnej odległości, gdzie zebrała się już spora grupa obserwatorów. Coś się stało? A stało! Chmura matce naszego romansowego księdza tak przysrała, że ho, ho. Jadzia? zdziwiła się Lepka. A Jadzia. Po dobroci to do paproci, powtórzyła Jadzia Chmura waleczna, srali muchy, będzie wiosna! Jak Dominika będzie chciała tego pani maminsynka zasrańca zobaczyć, to ja jej nie powstrzymam. Idź, powiem, córcia, jedź do Wrocławia, na mszę południową wejdź, kiedy ludzi najwięcej, i powiedz, jak przez niego omal nie zginęłaś. Przy ludziach powiedz, jak ci babkę i dziadka spalili, a on nawet się słowem nie odezwał, dupę w troki wziął, na groby nie przyjechał, na dupie w Watykanie siedział i pierdział w stołek. Sama z nią pojadę i palcem pokażę, to on, patrzcie, ludzie. Powiem, co myślę o chłopie, co ma krowie cycki zamiast jaj. Pierwszy roześmiał się Lepki; patrzcie, patrzcie, fajna babka z tej Chmury, choć na co dzień Smerf Maruda, zawtórowali mu basem Lepka i Zdzisio Śledź. Pypciowie przechodzili właśnie z wielkimi reklamówkami z Reala, w jednej karp podskakiwał w agonii, w drugiej szkło, podeszli, co się dzieje, zapytać, a Lepka im na to, krowie cycki zamiast jaj. Ale jaja, ucieszył się Pypeć. Jakie jaja, krowie cycki! krzyknęła Lepka. Ten przyjazny śmiech sąsiadów był jak mur, o który Jadzia Chmura, harda i odważna, oparła się, by przygotować do kolejnej rundy. Krysia Śledź zbiegowisko zobaczyła z balkonu, gdzie bigos świąteczny w garze wystawiała, zbiegła w kapciach; nie daj się, Jadzia! Wzięła się pod boki Jadzia, wściekłe spojrzenie Leokadii wytrzymała. Ha! Hołota! Zapiszczała Leokadia, hołota z blokowiska! Plebs! Godności szaty kapłańskiej nie uszanowała, tak ją pani wychowała, że nie uszanowała. On szatę to do tego zdejmował, coby mu się nie popaćkała, zauważył Zdzisio Śledź, a Pypeć klepnął go w ramię. Zbałamuciła mi dziecko, com na własnym łonie, Leokadia zawyła i z uszu poszła jej para. Nie pozwolę! zapiszczała, po trupie moim! A wie pani co, wycedziła Jadzia z jadowitą słodyczą, ja mam radę dla pani, pani mu na supełek zawiąże, wodą święconą pokropi i będzie spokój. Śnieżek zaczął prószyć, a kto się na śnieg nie cieszy, gdy święta; Jadzia poczuła, jak śnieżynka osiada jej na rzęsach i gorącą spływa łzą. Płomienna fala przelewała się w niej jak morze, w którym żyją piękne stworzenia o wielkich oczach, ostrych szczękoczułkach i ząbkach jak u bobrów, złośliwych parzydełkach. Wcześniej znała tylko zatrute morza sargassowe, gdzie było to żywe morze? pomyślała, czemu tak późno? Leokadia ostrzelana, lecz żywa, krok do przodu postąpiła i dźgnęła Jadzię palcem perłowym szponem zakończonym. Po moim trupie! futro pod szyją rozpięła, zaraz tu wytnie Rejtana i lisa srebrnego uświni w błocie. Ja mego syna żadnej kurwie zmarnować nie pozwolę. Kurwa i Żydowica! wrzasnęła Jadzi w beret i przegięła. Jadzia nigdy nie zrozumie, skąd wzięła siłę i odwagę, ale jej prawa ręka zaciśnięta na torebce plastikowej nagle wystrzeliła zamachem szerokim, godnym miotacza, olimpijczyka greckiego; cała Jadzia, metr sześćdziesiąt w berecie, wyskoczyła w górę i przywaliła Leokadii w lisią czapę. Czapa spadła, Leokadia zachwiała się, weszła w przechył, łup, padła. Ale ją jebła, z podziwem skomentował Józek Sztygar; ale już, już podnosi się Leokadia, jeden cios chińską torebką od Wietnamczyka to za mało, by mamę-smoka powalić, tu trzeba mieczy, broni palnej, baranów siarką faszerowanych. Uważaj, Jadzia! Z poziomu na czworaka się Leokadia wspięła, najpierw tylne nogi ugięła, tyły w stronę grupy gapiów wypięła, przednie łapy wyprostowała, wstała. Trafiła ją Jadzia złotym okuciem w łuk brwiowy, choć nie celowała, i matczyną krwią się zalała Leokadia, okiem krwawym i strasznym łypała, zawarczała. Bokiem niezgrabnie ruszyła i z byka zaatakowała, ona wagi ciężkiej, Jadzia co najwyżej koguciej. Trzym się, Jadzia! Jadzia unik zrobiła, zachwiała się, upuściła torebkę i łokciem Leokadii zarobiła w nos, poszła krew, beret spadł. Krwi smak Jadzia na ustach poczuła, oblizała się, co za smak, jak tatar, podniosła torebkę, się zaparła. Straszny wzrok Jadzia Chmura miała, jakby ogień się w nim odbijał, jakiś płonący dom, kwiaty o czarnych łebkach w ogniu gorejące, czyjś strach. Mocniej chwyciła ucha torebki, wrzasnęła, broń się, cipo na kaczych łapach, i ruszyła. Cipa na kaczych łapach? Leokadia zrobiła krok w tył i poczuła, że złamał jej się obcas u lewego buta, pani sobie uważa, zapiszczała, bo Jadzia torebkę rozhuśtała nad głową jak nunczaku, to już nie Jadzia, to Bruce Lee, chińskich diamencików w powietrzu błysk, ogień, świst, zamęt, wir! Pierwszy cios trafił Leokadię w ramię, drugi w ucho, poprawiony trzecim precyzyjnie, łup, jeszcze raz łup i łup. Milicja! rozdarła się matka Leokadia, milicja, ratunku, na pomoc! Milicja poszła w pizdu, roześmiała się Krysia Śledź, teraz policję mamy, se pani może wołać do śmierci usranej, bo dzielnicowy u proboszcza na śledziku. Pani se zawoła synka biskupa! poradził złośliwie Pypeć. Dupa biskupa! poparł go Józek Sztygar. Łup, dostała Leokadia torebką w czoło i łup, drugie ucho, łup, nunczaku w pierś bujną, łup, w brzuch. Nogi z dupy powyrywam, jeszcze raz tu zobaczę! Won mi, od mojej córki wara! Łup ją w nos dla sprawiedliwości za swój nos krwawiący, poprawione pod oko, co za precyzja, oko za oko, krew za krew. Won! Leokadia sromotnie pokonana zrobiła zwrot i kuśtykając, rzuciła się do ucieczki, a Jadzia biegła za nią jeszcze przez kilkanaście metrów i okładała po plecach, won, bo nogi z dupy. Won, cipo na kaczych łapach! Jeszcze raz na Piaskowej Górze zobaczę, to tak przyleję, że rodzony synek nie pozna! Won! darła się Jadzia, aż Leokadia znikła w śnieżnej perspektywie pasażu pod Babelem. Oklaski przywitały Jadzię zwycięską, poklepywali ją po łopatkach, wesołych świąt życzyli, wesołych świąt i szczęśliwego nowego roku; chyba pierwszy raz sąsiedzi ze znienawidzonego przez nią Babela wydali jej się tacy ładni, nawet jednoręki i bezzębny Józek Sztygar, którego uścisk odwzajemniła, zapominając na chwilę o bakteriach. Krysia Śledź podniosła Jadzi beret, podała jej chusteczkę do otarcia krwi, otrzepała płaszcz, ale jej przypierdoliłaś, powiedziała z podziwem, gdy jechały windą na dziewiąte. A jak! potwierdziła Jadzia nabuzowana, się stawiała, niemilizna jedna, to co miałam robić, na głowę dać se nasrać?

Gdy zwycięska Jadzia weszła do mieszkania, poczuła zapach dymu wydobywającego się zza drzwi ubikacji. Otworzyła je i zobaczyła teściową, wychudzoną i malutką niczym osesek, jak siedzi na zamkniętym sedesie z kolanami pod brodą i zaciąga się extra mocnym tak, jakby ssała pierś. Przebrała się już do wigilijnej kolacji, włożyła nowy sweter w fioletowo-czerwone wzory, który jej Jadzia kupiła na Manhattanie, chyba nawet spróbowała pomalować sobie brwi, bo dwie czarne krechy przecinały jej czoło linią krzywą wyżej, niż chciała natura. Przestraszyła się Halina na widok rozczochranej Jadzi, popatrzyła zdumiona na krew zakrzepłą pod jej nosem. Jadzia? już kończę, wycharczała. Niech mamusia idzie do stołowego, siądzie se koło choinki i zapali jak człowiek, nogi wyciągnie, na pufie se oprze. Się potem wywietrzy. Do stołowego? Matko Boska, pomyślała Halina, wlokąc się po ścianie w kierunku pokoju, skąd mrugały światła choinki, czyżby jej synowa znów zwariowała, jak po porodzie? A może gorzej, pić zaczęła? Jadzia, skąd ta krew? Przewróciłaś się? Niech się mamusia nie martwi, z Leokadią Wawrzyniak się pobiłam pod Babelem. Jak to się pobiłaś? Podskakiwała, Dominice ubliżała, to ją jebłam. Ja to nic, ją by mamusia zobaczyła, cipę na kaczych łapach, zaśmiała się Jadzia, aż zadrżały kryształy na meblościance. A czym ją jebłaś, Jadzia? A torebką! Zwariowała jak nic! zdecydowała Halina i korzystając z okazji, zapaliła sobie następnego papierosa w stołowym. Ale to nie był koniec niespodzianek, jakie Jadzia miała w zanadrzu na wigilijne popołudnie.

Weszła do łazienki, wymyła twarz, przyłożyła sobie na chwilę mokry ręcznik do nosa, pociągnęła usta perłową szminką, przeczesała ondulację świeżo nakręconą z powodu świąt i przyjazdu córki. Ukucnęła przy wannie, gdzie pływał karp. Co się go nawybierała w Realu, naprzebierała, ten za chudy, ten za tłusty, ten jakiś niewyraźny, pan mi tamtego, co się tak rzuca, pokaże, nie, nie tego zdechlaka, co mi pan tu wciska, o, tamtego, ale bysior, biorę. Na Babel leciała, mało nóg nie pogubiła, żeby nie zdechł jej po drodze. Karp podpłynął i spojrzał na Jadzię, do powierzchni wody pysk przybliżył, jakby chciał jej coś powiedzieć. I co, durny, pożyłbyś jeszcze? spytała Jadzia. Nie odpowiedział, ale wyglądał na zainteresowanego dalszym rozwojem wypadków. Co miałbyś nie chcieć, odpowiedziała za karpia Jadzia, wszyscy chcemy. Podniosła się i wzięła wiadro plastikowe, w którym stał mop, zdaniem Jadzi jedna z największych zmian, jakie wniosły w jej życie demokracja i kapitalizm. Gdy coś się Jadzi podobało, mówiła, wiadomo, demokracja, albo, wiadomo, kapitalizm, z odpowiednio afirmatywną intonacją. Bo też nie umywa się szmata do mopa, jeśli chodzi o mycie podłogi; nuciła sobie piosenkę z reklamy, gdy mopowała, wolę mopa, wolę mopa, nie chcę pełzać po podłogach, mopa, mopa, mopa wolę. Różnorodność środków do czyszczenia, wybielania, szorowania, odplamiania, dezynfekcji i nabłyszczania nadała higienicznej pasji Jadzi nowy wymiar, bo teraz dopiero Jadzia-eksterminatorka miała pole do popisu w swojej walce z bakteriami i wirusami. Domestos, ace, gdzie tam do nich zwykłemu octowi! Przepłukała wiadro i wyłowiła nim karpia, ciężkie było. Dziwne, pomyślała Jadzia Chmura, karp to karp, ale że woda, przezroczysta jak powietrze, tyle waży. Mamusia sobie popali, potem ma tu colę, soczek wiśniowy, se wypije, ja zaraz wracam, rzuciła w drzwiach. Jadzia? Halina była już poważnie zaniepokojona, gdzie cię niesie? Zaraz Dominika może przyjechać, a ty gdzieś ciekniesz, wycharczała. Z karpiem w wiadrze? Jadzia? Się mamusia nie martwi, zaraz wracam, tylko karpia wypuszczę, i już jej nie było.

Jak nic, znów zwariowała, myślała Halina, odpalając papierosa od papierosa, i uśmiechnęła się do siebie. Zwariowała jej synowa, ale jakoś lepiej niż wtedy, dwadzieścia sześć lat temu, gdy albo leżała i gniła, albo sprzątała i prała. A Jadzia biegła w dół przez Krzaki, które w ostatnich latach trochę uporządkowano, porobiono ścieżki, postawiano ławki, biegła w kierunku jeziorka topielicy-pajęczycy. Już nie pompowano tam wody z kopalni, bo nie było kopalń; oczyszczono zbiornik i zrobiono dookoła skwer, posadzono wierzby, forsycje, iglaki. Były tam łabędzie i kaczki, karpie, które karmiło się z mostku, raz widziała nawet żółwia z czerwonymi paseczkami na łebku, ale nie była pewna, czy jej się nie przywidziało, bo żeby żółw w Wałbrzychu? O tej porze nikogo, pustka, tafla wody zlewała się z ciemniejącym powietrzem, pierwszy śnieg tej ciepłej zimy zmiękczał kontury, łabędź przepłynął w ciemności jak ulepiony z waty. Jadzia zatrzymała się na brzegu wody, popatrzyła na karpia, karp na nią, postawiła wiadro, podniosła twarz ku niebu, jak zawsze zimą było seledynowe. Ten kolor przypominał jej robaczki świętojańskie, które jako dziecko obserwowała w zaleskim ogrodzie; mamo, pomyślała Jadzia, szkoda, że cię tu nie ma. Otworzyłabym ci sok jeżynowy, malinowy, popiłabyś sobie z herbatą po kolacji, zaraz przyjedzie Dominika, zobaczyłabyś, jak wyrosła, jaka z niej światowa panna. Pochyliła się Jadzia, podniosła wiadro i chlusnęła wodę z karpiem do jeziorka topielicy-pajęczycy, które właśnie zaczynało pokrywać się cieniutką skórką lodu. W tym roku zamiast karpia będą kostki z mintaja, zaśmiała się, patrząc na rozchodzące się w gęstniejącej ciemności kręgi. Pewnie się przesłyszała, ale przez chwilę spod powierzchni wody dobiegał śpiew w jakimś nieznanym języku. Zdążyła Jadzia wrócić z pustym wiadrem na Babel, wywietrzyć, nakryć do stołu, a nawet poprawić krzywo narysowane brwi teściowej, gdy zadzwonił dzwonek i w drzwiach stanęła jej córka, Dominika.

## VIII

Mogę ci opowiedzieć historię Sary, mówi Dominika do Małgosi Lipki, która chce dowiedzieć się, co przyjaciółka robiła przez te lata. Siedzą na dachu Babela oparte plecami o komin, tak jak w czasach szkolnych, pada śnieg, zimno, powierzchnia dachu lśni srebrzyście. Coś srebrnego dzieje się w chmur dali, pamiętasz? Chmurdalia, uśmiecha się Dominika, jak mogłabym zapomnieć o Chmurdalii, przecież nie straciłam pamięci, ja tylko nie umiem już liczyć. Coś srebrnego dzieje się w chmur dali. Wicher do drzwi puka, jakby przyniósł list. Myśmy długo na siebie czekali, recytuje Dominika. Pamiętam też, że chciałyśmy ją znaleźć, Chmurdalię. I co, pyta Małgosia, znalazłaś? Dominika wzrusza ramionami.

Opowiedz mi o Sarze, skoro nie chcesz o sobie, ja już wszystko ci powiedziałam, prosi Małgosia i czuje, że przez ten czas, który upłynął od rozstania, Dominika zmieniła się o wiele bardziej niż ona. Historia Małgosi jej samej wydaje się prosta i nieciekawa, naciąga głębiej czapkę i uśmiecha się do przyjaciółki. Opowiedz mi o Sarze, twojej towarzyszce podróży, prosi i wie, że to, co czuje, w połowie składa się z zazdrości. Minęło siedem lat, Małgosia patrzy na twarz swojej pierwszej miłości nie miłości, która nigdy nie wyszła poza co by było gdyby i gdyby tylko, poza jakieś Chmurdalie na dachu Babela, pod obłokami, które pędziły jak szalone po winie Ciociosan wypitym prosto z butelki, ciepławym. Dominika jest teraz taka, jaką Małgosia stałaby się być może, gdyby miała odwagę nie robić wszystkiego według rozsądnego planu, najpierw szkoła, potem studia, dobra praca, oszczędności, kochanki nazywane partnerkami i następujące po sobie bez większych wstrząsów, tydzień dyskomfortu po zerwaniu, miesiąc lekkiego przygnębienia. Kolejne podobne do siebie kobiety, wykształcone, drobne i kościste, mówiące zdaniami podrzędnie złożonymi, cytujące z pamięci Jeanette Winterson. Pojawiają się w życiu Małgosi wówczas, gdy akurat bardzo potrzebują pomocy, a ona matkuje im z oddaniem i robi rano śniadania, których jej matka nigdy nie przygotowywała, wieczorem zapala świece do kolacji podanej na efektownie ozdobionym stole, przy jakim nigdy nie siadała w dzieciństwie. Jakimś cudem znajduje czas na pranie i prasowanie, a między ubrania wkłada aromatyczne woreczki ziół. Jest gotowa bronić swoich kolejnych partnerek przed homofobicznymi pracodawcami, toksycznymi byłymi miłościami i nietolerancyjnymi rodzicami, nawet gdy jej o to nie proszą. Umawia je na wizyty u terapeuty i trzyma za rękę u dentysty, jest zawsze czujna i gotowa do pomocy, gdy jej potrzebują i gdy myśli, że tak jest. Gdy jednak kobiety, którym Małgosia matkuje, już wydobrzeją z załamania, agorafobii czy anoreksji, gdy już zdecydują, że wolą opiekować się sierotami w Kambodży niż pisać doktorat, albo rozwiążą dylemat: powołanie czy pieniądze, znikają. Mówią, że je tłamsi i przydusza nadopiekuńczością, że jest jak matka, która daje za wiele, i Małgosia znów zostaje sama. A ty? pyta Dominikę, ja lubię być sama, odpowiada Dominika, nie mam partnerów, miewam tylko towarzyszy podróży. Opatulone w grube kurtki, szale i czapki, palą na spółkę skręta z marihuany, pada śnieg i tak jak przed laty czuć w nim węglowy pył, Dominika wystawia język i łapie śnieżne płatki. A więc lubisz być sama? upewnia się Małgosia. Tak. Dominika ma różowy, śmieszny język; czuje, że Małgosia się jej przygląda, i zwija go w trąbkę, jakby dawała znak, że to ciągle ona, prawie taka jak przed laty. Gdzie teraz jest ta twoja Sara? pyta Małgosia. Sara została w Nowym Jorku. Tamtejszy śnieg nie może się równać z wałbrzyskim, prawdziwy śnieg powinien mieć lekki posmak węglowego pyłu, mówi Dominika. Ale to się wie, gdy się stąd wyjedzie. W East Village, gdzie mieszkałam, pada żółty śnieg śmierdzący sikami, pisarze od rana ustawiają się w kolejkę do bezdomnych z zasikanego Tompkins Square, by wycisnąć z nich jakąś historię. Są nawet komitety kolejkowe jak u nas za komuny, pisarze robią listę, kłócą się, pan tu nie stał, gdzie się pan wpycha, won na koniec, cwaniaku. Zwłaszcza nowi nieźle muszą się nastarać, żeby w ogóle się wkręcić, a jak już się dopchają do jakiegoś bezdomnego, to tamten jest tak wyczerpany, że gada byle co. Bezdomni z Tompkins Square nocami grzebią po śmietnikach, widziałam nieraz z okna, jak rozwalali gazety i książki związane na makulaturę, by znaleźć coś ciekawego w jakimś tabloidzie albo starej powieści, bo za historię dostają od pisarzy parę dolarów. Poza tym w cukierni na Pierwszej Alei robią pyszny czekoladowy placek z wiśniami, ale Ivo mówi, że piecze lepszy, a to jest gówno, nie placek, jego zdaniem Amerykanie potrafią co najwyżej zrobić hamburgera. Kim jest Ivo? Dyplomowanym cukiernikiem, mieszka we Francji, marzy, by otworzyć cukiernię o nazwie Croissant du galant, odpowiada Dominika. Rogalik galanta? Dokładnie. Gej? Owszem. Więcej Małgosia nie dowie się na razie ani o ludziach, których Dominika poznała po drodze, ani o miejscach, w których mieszkała. A więc śniegiem odpowiada na śnieg; kiedy pada w Londynie, wszyscy wpadają w panikę, stają autobusy, zamyka się szkoły, w szpitalach mamy pełne ręce roboty. Katastrofa żywiołowa, piszą w gazetach, zasypało nas na biało, ratunku, Brytania w stanie klęski. Masz rację, żaden śnieg nie umywa się do wałbrzyskiego węglowego, Małgosia niezdarnie poklepuje Dominikę po ramieniu. Dobrze, że się spotkałyśmy, mówi po chwili, myślałam o tobie, nie znałam twojego adresu. Bo ja nie miałam adresu, śmieje się Dominika. Gdybyś wysłała list, przyszedłby już do kogoś innego, zrobiłoby się zamieszanie, gdyby ten ktoś pomyślał, że jest mną. Wyobrażasz sobie? Ale ty mogłaś pisać, o tym, gdzie jesteś, co robisz, upiera się Małgosia, zostawiłam adres twojej mamie. Nie miałam o czym, raz byłam tu, raz tam, żadnych Chmurdalii po drodze. Dobrze, że się dowiedziałam o twoim przyjeździe, mówi Małgosia. Myślę, że dobrze, zgadza się Dominika i wydmuchuje chmurkę dymu. A teraz tu jesteś, Małgosia kładzie się na śniegu i zamyka oczy; Dominika także opada na plecy. Robimy orła? Robimy! Ramionami i nogami wymiatają śnieg, dwa orły na dachu Babela. Orlice bez korony, mówi Małgosia, ale lotne.

O przyjeździe Dominiki Małgosia dowiedziała się od ojca; między zdaniem poświęconym stanowi matki, który od zawsze był beznadziejny, a zdaniem na temat stanu medycyny, który nieco się w Polsce poprawiał, doktor Lipka powiedział swojej córce lekarce, że podobno Dominika Chmura przyjedzie do Wałbrzycha na święta. Jej matka lata jak z pieprzem i wszędzie opowiada, moja córka przyjeżdża z Ameryki, świetnie jej się powodzi, dolary, narzeczeni, samochody, opowiadały mu pacjentki. Doktor Lipka był ciągle w tym samym miejscu na Szczawienku, jego jedynaczka, Małgosia, córka, z której powodu czuł mieszankę dumy i niechęci, tak wybuchową że ciągle mu się odbijało i musiał przepraszać pacjentki, była na ogół w Londynie. Ta, jak jej tam? zacukał się więc do słuchawki, choć dobrze pamiętał, ta Chmura, co po wypadku znikła jak kamfora, podobno przyjedzie, jej matka lata po Piaskowej i gada cuda-niewidy. Dominika? Jakże doktora Lipkę irytował ten głęboki, spokojny głos córki, jak za tym głosem, który teraz załamał się leciutko, tęsknił. Znał jojczący głos żony, która mimo ilości spożywanych psychotropów i alkoholu wciąż żyła, ale kto wie, może żyła właśnie dlatego; znał głosy pacjentek, przerażonych ciążą, guzem, radosnych, że ciąża, że nie guz, ale głos jego córki nie przestawał go zdumiewać pomieszaniem kobiecości i męskości, które w jego świecie były rozdzielone. Dominika, powiedziała jego córka, ona ma na imię Dominika, tato. Dominika, prawda, potwierdził doktor Lipka, jakby dopiero teraz przypomniał sobie imię długonogiej dziewczyny, z którą w szkole przyjaźniła się jego Małgosia. Widział, jak na nią patrzyła! On mógłby tak patrzeć na dziewczynę, ale nie jego córka, popieprzony świat. Myślał, że po studiach medycznych Małgosia wróci do Wałbrzycha i najpierw popracują razem, a potem ona przejmie gabinet, a właściwie nie myślał, tylko marzył, i jako człowiek przyzwyczajony do tego, że marzenia nie są po to, by się spełniać, szybko pogodził się z wyborem córki i wpasował go w swój świat. Doktor Lipka miał swoje przyjemności, miał kolegów lekarzy z Wrocławia, Opola, Świdnicy, z którymi kilka razy w roku jeździł na polowania, były imprezy organizowane przez firmy farmaceutyczne, były hostessy, młode, często chętne, bo teraz jak elegancja, to hostessy, a jak stary burdel, to wystarczą kelnerki. Opowiadał na polowaniach, moja córka robi karierę u Angoli, tam to mają sprzęt, a jak płacą, koloryzował, jak tam za miesiąc płacą lekarzom, to głowa mała, u nas by żył przez rok i żarł frykasy. Fakt, iż córka została lekarką, był jedyną rzeczą, jaka ich łączyła, i rozmawiali jak dwoje wędkarzy, którzy spotkali się przypadkiem nad stawem. No jak tam? pytał ojciec, a córka odpowiadała, jakoś idzie, albo, niespecjalnie, gdy szło akurat gorzej. Nigdy nie rozmawiali o życiu prywatnym, a najbardziej osobiste pytanie, jakie doktor Lipka zadawał jedynaczce, brzmiało właśnie, no jak tam? Ona pytała o matkę przemieszczającą się między szpitalem psychiatrycznym, odwykiem a domem i mało komunikatywną; po staremu, odpowiadał wtedy doktor Lipka i nie było już o czym mówić, tym bardziej że zwykle do rozmowy włączał się wtedy wrzask matki z głębi domu i lekarz musiał odwrzasnąć, by się zamknęła. Doktor Lipka odwiedził córkę w Londynie i udawał, że podoba mu się to miasto, w którym po godzinie dostał bólu głowy, bo za dużo było ludzi, zapachów i rzeczy nieznanych, rzeczy dziwnych, przemykających zbyt szybko i pod prąd przyzwyczajenia. Udawał jednak, że czuje się tam jak ryba w wodzie, i radośnie witał znajome drogowskazy, które mogłyby go w tej wielkoświatowości własnej potwierdzić, o, Johnny Walker! na reklamę whisky, o, księżna Diana! na portret księżnej Diany, o, nasi! na Polaków, a córka mocniej ściskała jego ramię, żeby jej się nie zgubił ani nie wpadł pod samochód. Małgosia przez te lata tylko dwa razy przyjechała do Polski, zawsze w pośpiechu, w drodze z ważnego skądś do jeszcze ważniejszego dokądś, między którymi Wałbrzych był niczym kłopotliwa stacja przesiadkowa, na której trzeba chwilę poczekać, pijąc niesmaczną herbatę w barze. A więc Dominika przyjeżdża, powiedziała jego córka, i ten ton wykraczający poza ich rutynowe jakoś, po staremu, jednocześnie zirytował ojca Małgosi i ucieszył. Nie zdziwił się, bo czekał na tę wiadomość; Małgosia zadzwoniła trzy dni przed Wigilią, u mnie jakoś idzie, przylecę na święta, tato, powiedziała, przylecę was odwiedzić. Nie musisz po mnie wyjeżdżać, wynajmę samochód we Wrocławiu; nie to nie, oczywiście musi być na jej, musi pokazać, że ją stać na fanaberie, bo na cholerę wynajmować samochód, płacić, jeśli on może przyjechać swoim. Małgosia wyjechała do Anglii na stypendium po trzecim roku medycyny, wkrótce usłyszeli, że tam skończy studia, nie wraca, da sobie radę, niech się o nią nie martwią. Zawsze tak mówiła i zawsze dawała sobie radę, w jakiś sposób ta słowność upodabniała ją do matki alkoholiczki, która, odkąd ją doktor Lipka pamięta, mówiła, że nie da sobie rady, i rzeczywiście. Doktor Lipka pomyślał, że córka właściwie nigdy o nic go nie prosiła i że to już się nie zmieni, bo przegapił okazję, gdy mógł jej cokolwiek dać. Zresztą nic oprócz pieniędzy nie przychodziło mu do głowy; została lekarką i ten fakt wydawał mu się całkiem naturalny, nawet nie pomyślał, iż on, ojciec we własnym mniemaniu nieudany, mógł stanowić dla niej inspirację. To jego wina, że jest taka. Jego żona nigdy do niczego się nie nadawała, ale on mógł jakoś, coś, coś mógł, do diabła. Taka, mówił i nigdy przez gardło nie przeszło mu słowo lesbijka, a gdy czasem stracił czujność i już prawie formowało się w jego ustach, rozpłaszczał je między językiem i podniebieniem, miażdżył zębami i podśpiewywał sobie pod nosem, popijając whisky, linijka, świnijka, gzijka, ka, i łyk, grzechot kostek lodu. Od paru lat to straszne słowo atakowało go znienacka z telewizji, z gazet, włączał swój nowy wielki odbiornik, brał gazetę, a tu syk lesssbijki już wspinał mu się po łydce i pełzł w górę pod nogawką domowych dresików, jeszcze chwila i będzie nieszczęście. Próbował doktor Lipka coś czytać o lesbijkach i gejach, jak to się teraz mówiło, ale ciśnienie mu skakało przy takim czytaniu i kręcił głową, co za czasy. Małgosia dostała dobrą pracę u Angoli, robi doktorat, tak mówił znajomym, którzy potem i tak po cichu sobie powtarzali, że uciekła od matki wariatki, wytrzymać nie mogła, po co ten Lipka pieprzniętą babę w domu trzyma, do Stronia wysłać, normalną znaleźć. Poza tym wiadomo, że ta córka to homoniewiadomo. Inaczej dawno za mąż by wyszła, lekarka z posadą w Londynie chłopa długo szukać nie musi. Gdy doktor Lipka dzwoni do córki, czasem włącza się automatyczna sekretarka po angielsku, czasem włącza się po angielsku jakaś inna kobieta zamiast Małgosi i spłoszona jego nieporadnym słownictwem woła, Margo! Margo! albo Margo nie ma, ja jestem Kejt, Dżen, Dżil, bardzo mi miło; Kejt, Dżen, Dżil, Dupadil, wykrzywiał się do słuchawki doktor Lipka, któremu miło wcale nie było. Margo, też mi imię dla córki, Margo, Kejt, Dżen, Dżil, wery najs, mi tu. Mi tu kaktus prędzej wyrośnie, niż mi będzie miło.

Małgosia tej zimy przywiozła jeszcze więcej prezentów niż poprzednio, jakby chciała za nimi ukryć prawdziwy powód świątecznej wizyty w Wałbrzychu, i nie mówiła już w drzwiach, że tylko na chwilę, że zaraz gdzieś poleci albo wyskoczy. Opsikiwała zamroczoną matkę perfumami Diora, aż się rodzicielce chrapy rozdymały na zapach alkoholu, rozkładała wokół pakunki i płytki ze zdjęciami, na których przechowywała miniony czas, tak jak Jadzia Chmura swój w słoikach z przetworami; na tej są zdjęcia jej i Kate z nurkowania w Belize, co za woda, jaka widoczność, tu z wyprawy do Afryki z Jenn, weszłam na Kilimandżaro, ciężko było, ale weszłam, spanie po drodze w namiotach, wyobraźcie sobie szron, mało tyłek mi nie odmarzł, a tu trochę muzyki, japońskie bębny, Jenn była pół-Japonką, gdzieś mam całą płytkę z Kioto, śpiewy Berberów, prawdziwa rzadkość, z Jenn na Saharze, a może najpierw chcą jednak spróbować marmite? o, tu w słoiczku, straszne świństwo, jak maść ichtiolowa z solą, przywiozłam na spróbowanie, bo spróbować można z ciekawości, tu krawat, japońskie bębny, śpiewy Berberów, Sahara, Kioto, Belize, marmite, Kilimandżaro. Doktor Lipka pomrukiwał coś ni to twierdząco, ni to przecząco, a Małgosia niezrażona ciągnęła opowieść, jak byłam z Jill w Toskanii, jaka pizza, pasta z pesto, apaszka, z pieca na prawdziwe drewno; zaraz im tosty zrobi z marmite, a może puści im film, na którym ona i Jenn, Kilimandżaro, ona i Kate, taka mgła, że nic widać nie było, i szron, szron, czy o szronie mówiłam? Ojciec patrzył na Małgosię i widział swoje oczy, żywe, brązowe, swoją przysadzistą postać, włosy w takim samym kolorze zgniłych liści, ale tam, gdzie u niego miękkość, córka jest twarda, duży biust, lecz poniżej żadnych fałdek, żadnych zwisów po bokach, mocne ciało zapakowane w dżinsy i koszulę, rzemykowe bransoletki poowijane wokół nadgarstków i, do stu diabłów, tatuaż. Podwinięte rękawy, przedramię pokryte mapą pieprzyków, może mógł wyczytać z nich przyszłość, gdy była mała, i byłby przygotowany na te wszystkie Kejt, Dżen, Dżil, marmite, Kilimandżaro, szron na tyłku, pasta z pesto. Małgosia posiedziała chwilę, wklepała matce w czoło krem odżywczy, który niestety nie ma mocy odżywiania mózgu, obejrzała nowy ultrasonograf w gabinecie ojca, a siedziała, wklepywała i oglądała tak, jakby już biegła w górę przez Krzaki do tamtej dziwnej dziewczyny z Piaskowej Góry. Doktor Lipka pamięta jak dziś ten dzień, gdy jego Małgosia i proboszcz Postronek znaleźli Dominikę po wypadku. Wszystko umiała, gówniara, zrobić, jakby już lekarzem była, a ledwo na studia się dostała. Udrożnienie dróg oddechowych, odpowiednia pozycja ciała, usztywnienie karku, mówili mu, że sanitariuszy po kątach poustawiała, bo dwóch młodych szczyli przyjechało, co mniej wiedzieli niż ona. Ledwo to od ziemi odrosło, a już! Inna darłaby się, piszczała, że krew, że ogień, ojejku jejku, a jego osiemnastoletnia córka licealistka ratowała życie tej dziewczyny. W „Trybunie Wałbrzyskiej" o tym napisali ze zdjęciem, a doktor Lipka do dziś przechowuje wycinek. Małgosia wzruszyła ramionami, gdy wychodziła zobaczyć się z Dominiką, i ojciec nie wiedział, czy była w tym niechęć, czy bezsilność, więc powtórzył gest córki i ich porozumienie wędkarzy zostało podtrzymane.

Małgosia pobiegła przez Krzaki, tak jak tamtego lata, gdy uratowała przyjaciółkę z jeziorka topielicy-pajęczycy; wspięła się z Dominiką na dach Babela, który pod seledynowym niebem dryfował przez noc jak transatlantyk. Były teraz wyżej niż cała Piaskowa Góra; w oknach mrugały światełka choinek i telewizorów, ale to życie wewnątrz kabin toczyło się w innym wymiarze. To co z tą Sarą? pyta Małgosia. Opowiedz mi wszystko, opowiedz mi coś szalonego, Dominiko Chmuro.

Sara jest potomkinią Hotentockiej Wenus, zaczyna Dominika, a nawet jeśli nie jest, to mogłaby być. Słyszałaś o Hotentockiej Wenus? Słyszałam, odpowiada Małgosia i myśli, że tylko Dominika Chmura mogła przywieźć taką historię na Piaskową Górę, zamiast nieślubnego dziecka, zagranicznego narzeczonego, którego tak pragnie starsza pani Chmura, czy choćby starego samochodu z Niemiec. A więc wiesz, jak Wenus wyglądała, ciągnie Dominika, i możesz sobie trochę wyobrazić Sarę, ale uważaj, żadna z niej niema muza Baudelaire'a, Sara Jackson mówi biegle w trzech językach, pachnie paczuli, ma żółte oczy i bardzo silne dłonie, gdy po wypadku byłam słaba jak mucha, podnosiła mnie w górę i mówiła, idziemy, dziecko, idziemy. Gdyby Baudelaire przesadził z recytowaniem poezji, Sara ziewnęłaby i powiedziała, że woli prozę i jak ma jej coś ciekawego do opowiedzenia, to proszę bardzo, jeśli nie, to ona ma go w nosie i idzie na piwo. Poza tym mężczyźni, poeci czy nie, nie interesują jej, bo Sara, opowiada Dominika, nade wszystko lubi opowieści. Jej prababka Destinee ciągle opowiadała o Czarnej Wenus. To była nie byle jaka historia, bo Wenus, aktorka prowadząca światowe życie, nie tylko posiadała kolekcję garderoby, jakiej nie widywano na Brooklynie, ale latała na żyrandolu, na kryształowym, wyobraź sobie. Gdy się znudziła, zmęczyła, hop, chwytała się żyrandola i leciała do Paryża, do Londynu, do

Afryki, tak jak my na dachu Babela do Chmurdalii. Sara uwielbiała tę historię, żyła w tej historii o wiele bardziej niż w codzienności. Sara opowiadała, opowiada Dominika, że weszła raz na krzesło, miała wtedy może z siedem lat, wspięła się na palcach, złapała się klosza i wyrwała całą lampę z sufitu, kable poszły w diabły i przez cztery dni nie było w domu światła. Babka La-Teesha mało się nie wściekła, bo za elektryka musiała zapłacić. Sara opowiadała, opowiada Dominika, że potem szukała tego uczucia, jakie może dać bujanie się na żyrandolu ponad głowami, ponad miastami i morzami, ponad kontynentami, i odnalazła je na karuzeli łańcuchowej, na której potrafiła przelecieć się sześć razy z rzędu, do tej pory uwielbia wesołe miasteczka. Po prababce Destinee Sara odziedziczyła Biblię, a w niej znalazła starą zniszczona kartkę z wizerunkiem Wenus, wyglądającą trochę inaczej niż w opowieści, bo o wiele bardziej podobną do kobiet, wśród których Sara dorastała na Brooklynie, niż do jakichś aktorek z Paryża. Kobieta o pełnych kształtach, w kolorze dobrze wypieczonego chleba, złożona z okrągłych, jędrnych części, o wystających pośladkach i solidnych udach. Na obrazku, który tak oczarował Sarę, była karykatura Saartjie Baartman, kobiety z plemienia Khoi-Khoi, pokazywanej w XIX wieku w miastach Europy jako egzotyczna osobliwość i brakujące ogniwo między małpą a człowiekiem; personifikacja czarnej i dzikiej Afryki wystawiona na spojrzenie białej i cywilizowanej Europy. Mała Sara tego oczywiście nie wiedziała i dzięki opowieści Destinee nadała wizerunkowi zupełnie inne znaczenie, dla niej to po prostu była Wenus, aktorka z Paryża, latająca na kryształowym żyrandolu, silna, wolna i piękna. Kobieta na wizerunku, potężna niczym królowa, obnażona, z papierosem w ustach, wydawała jej się niesamowita, emanowała mocą i czułością jednocześnie. Sara wyobraziła sobie, że taka mogłaby być jej matka Shaunika, gdyby nie umarła, ona sama może taka stać się i wyruszyć w świat, to była kusząca perspektywa. Sara opowiadała, opowiada Dominika, że z małej i chuderlawej dziewczynki o klatce piersiowej jak klatka dla papugi szybko stała się bardzo kobiecą nastolatką, rzeczywiście coraz bardziej podobną do postaci ze starego obrazka. Na ilustracji, którą Sara odziedziczyła po prababce, napisy są zatarte, rysunek ledwo widoczny, i gdy nauczyła się czytać, zgadywała, co jest napisane w dymku nad głową Wenus i pod jej stopami. Love and Beauty. Saartjee the Hottentot Venus, to dało się odcyfrować, ale już niewiele więcej; Take care of... tyle było widoczne w obłoczku, który przechodził w jakąś tłustą plamę, i Sara opowiadała, opowiada Dominika, iż była pewna, że Wenus przekazuje jej w ten sposób wiadomość, której sens powinna odkryć. Dbaj o... o co? Na wszelki wypadek Sara otaczała odtąd troską wszystko, co jej zdaniem potrzebowało opieki, i raz jakaś staruszka, którą chciała przeprowadzić przez ulicę na Brooklynie, walnęła ją laską i złamała nos, bo myślała, że mała Murzynka próbuje zwędzić jej torebkę. Sara opowiadała, opowiada Dominika, że jej dziadek, Johnny Torba Pełna Niespodzianek, podczas jednej z krótkich wizyt przyniósł papugę, wielką jak kura i osowiałą, zachowywała się, jakby była naćpana, co zważywszy na kręgi, w jakich się obracał pan Johnny, było zresztą wysoce prawdopodobne. Papuga była jaskrawoczerwona jak wnętrze papai i miała trochę wyleniały łeb, którym z uporem tarła o pręty klatki. Johnny znikł, podprowadzając im nowe żelazko, i babka La-Teesha, wściekła i rozgoryczona, miała ochotę w ślad za nim wysłać tego wielkiego ptaka, i to najlepiej kopniakiem w dupę. Jednak Sara uparła się, że zaopiekuje się papugą, mówiła do niej, głaskała, karmiła jakimiś papkami, aż zwierzę wydobrzało, rozpostarło skrzydła i rozdarło się: vie de merde! Ptaszysko płci nieznanej i takiegoż pochodzenia mówiło po francusku, czego nikt na Bed-Stuy nie potrafił sobie wytłumaczyć, ale Sara uznała to za znak. Zaopiekowała się papugą, a ta mówi po francusku, Wenus była aktorką w Paryżu, opowiadała Sara, opowiada Dominika, to układało się w jakąś całość, której sens domagał się zrozumienia. To wtedy Sara wymyśliła sobie, że zostanie pielęgniarką albo rehabilitantką, będzie troszczyć się o pacjentów po wypadkach, operacjach tak jak o papugę i dzięki jej umiejętnościom wrócą do zdrowia. Jedyną istotą oprócz papugi, która chciała słuchać opowieści Sary o Wenus, był właściciel sklepu American Values, polski Żyd Icek Kac. Babka Sary, La-Teesha, mówiła, że jak na Żyda, to porządny z niego człowiek, pewnie w poprzednim życiu był czarny, i grzebała w koszach z przecenionymi towarami, wymieniając z Ickiem uwagi o polityce i pogodzie, dwóch rzeczach, na które nie miała żadnego wpływu. Sara odnosiła wrażenie, że babkę i Icka coś łączy, nie, nie romans, coś o wiele głębszego i bardziej pokrętnego, ale była za mała, by to zrozumieć. Zaczęło się od tego, że kiedyś, gdy poszła tam z babką na zakupy, Icek chciał jej dać lalkę, taką, jak to lalki, plastikową różową blondynę, a ona zapytała, czy ma inne, bo chciałaby lalkę przypominającą Czarną Wenus. Czarna Wenus? zamyślił się Icek Kac, może znajdziemy, ale musisz mi o niej więcej opowiedzieć. Pierwszy raz ktoś pragnął jej opowieści! Opowiadała Sara, opowiada Dominika, że zaczęła przychodzić do Amerykańskich Wartości i pomagać przy układaniu towarów, segregowaniu poplątanych biustonoszy i skarpetek, nalepianiu cen wypisanych na jadowicie różowych karteczkach, a Icek Kac nie dziwił się najbardziej nawet nieprawdopodobnej historii o Wenus, jaka przychodziła jej do głowy. Kryształowy żyrandol? dlaczego nie, a czy wie, z czego robi się kryształki? czy wie, że to specjalnie spreparowane szkło? Afryka, niech będzie Afryka, a czy chciałaby zobaczyć wielką mapę świata? znajdą na niej Afrykę, a w Afryce białą plażę, gdzie Wenus mogła przyjść na świat i urządzać przyjęcia. Jeśli ktoś rozumiał potrzebę opowieści nękającą Sarę, to był to właśnie Icek Kac, podrzucał jej delikatnie i niepostrzeżenie nowe fakty, z których Sara tkała opowieść o Wenus i jednocześnie swoją przyszłość; do dziś nie jest pewna, opowiadała Sara, opowiada Dominika, ile Icek wiedział, czy znał historię Hotentockiej Wenus, zanim go o nią zapytała. Od niego dowiedziała się, że słowo Hotentot jest obraźliwe, i nauczyła się oryginalnej nazwy plemienia, z którego Wenus pochodziła, Khoi-Khoi. Hotentot, jąkała, tak holenderscy kolonizatorzy nazywali Khoi-Khoi, bo nie mogli ani zrozumieć, ani nauczyć się języka, który wydawał im się barbarzyński i brzydki. Znasz najdłuższe słowo po niemiecku, pyta Dominika Małgosię, Nie? Hottentottenstottertrottelmutterbeutelrattenlattengitterkofferattentäter, czyli zabójca hotentockiej matki głupka i jąkały umieszczony w kufrze z plecionki przeznaczonym do przechowywania schwytanych kangurów. To nasz Tuwim wymyślił, a Icek Kac je znał i nauczył Sarę, która ma wielki talent do języków. Sara pokazała Ickowi wizerunek Hotentockiej Wenus jeszcze bardziej zatarty i zniszczony od ciągłego oglądania, a właściciel American Values nie powiedział, słuchaj, głupiątko, ten obrazek to karykatura, twoja Wenus była niewolnicą, a nie aktorką, pokazywano ją w klatce jak zwierzę. Nie, zamiast tego, dbaj o nią, powiedział, jest bardzo piękna; i dał Sarze tekturową teczkę w truskawki, gdzie karykatura Hotentockiej Wenus spoczywa do tej pory. Icek Kac, opowiadała Sara, opowiada Dominika, pokazywał jej obrazki z brytyjskich gabinetów osobliwości, były tam karły, albinosi, kobieta z piękną falistą brodą, wielkolud o smutnej twarzy, ciała nietypowe, zniekształcone, dzikie, jakby chciał ją przygotować na coś, co dopiero miało nadejść.

Gdy Sara dorosła, zaczęła szukać innych śladów Wenus, inkrustowała szaloną opowieść babki Destinee faktami z życia Saartjie Baartman. Opowiadała Sara, opowiada Dominika, że Saartjie Sarah Baartman urodziła się w roku 1789 na południowym wybrzeżu Afryki w plemieniu Khoi-Khoi; jej prawdziwe imię nie jest jednak znane, a to, pod którym przeszła do historii, zostało jej nadane przez białych. Portugalczycy odkryli te ziemie już na początku XVII wieku i od tego momentu zaczęła się tam cywilizacja, która dla Khoi-Khoi oznaczała głównie syfilis, niewolnictwo i inne białe choroby, łącznie z białą religią, która okazała się dla tubylców najbardziej śmiertelna. Saartjie wychowywała się na Wschodnim Przylądku, nad rzeką Gatmoos, jej Khoi-Khoi byli pasterzami bydła i owiec, wędrownym ludem, przemieszczali się wzdłuż wybrzeża ze swoimi stadami. Saartjie straciła rodziców, gdy jej plemię zostało zaatakowane przez białych osadników. Nie wiadomo, gdzie przebywała i co robiła potem osierocona dziewczynka, ale to wtedy nadano jej białe imię Sarah i białe nazwisko Baartman. Saartjie to afrykanerska wersja Sary, oznacza małą Sarę i wyraża raczej podporządkowanie nazywającemu niż jego czułość, bo w tej historii w ogóle niewiele jest troski i czułości. Kolejna pewna rzecz na temat Saartjie to jej służba u holenderskiego farmera nazwiskiem Caesar. Jest prawdopodobne, że zanim tam trafiła, została przyuczona do prac domowych w jakiejś szkole misyjnej, i wtedy odebrano jej pierwsze imię, którego nigdy nie miała odzyskać, bo wydawało się tak nic niewarte, że nikt go nie przechował. Nie wiemy, czy była dobrze traktowana przez Caesara i jego rodzinę i jak wyglądało jej życie. Ja, mówi Dominika, gdy Sara opowiadała mi tę historię, wyobraziłam sobie dom otoczony werandą, jest samo południe, okna zasłonięte, cisza, a wokół drga powietrze tak gorące, że wszystko, co żywe, ucieka w poszukiwaniu cienia pod rozpalonym do białości niebem. Wewnątrz żona Caesara, ponura kobieta o sinawej cerze i wielkich dłoniach, przeklina Afrykę i los, który każe jej mieszkać na tej bezbożnej ziemi, tak gorącej, że można w niej gotować jajka. Z tego martwego domu na pustkowiu wychodzi młoda Murzynka, ma bose stopy, niesie na głowie kosz z upraną bielizną, zatrzymuje się nagle i patrzy tak, jakby wiedziała, że ten biały żar zapowiada coś innego, paryski śnieg, londyńską mgłę. Kolejna pewna data to rok 1810, gdy Saartjie zostaje sprzedana bratu farmera, Hendrickowi, który ma ziemię w pobliżu.

Może sam wpadł na ten pomysł, może ktoś mu to podpowiedział, ale wkrótce potem postanawia on opuścić Afrykę razem z Saartjie. Lord Caledon wydaje awanturnikowi pozwolenie na wywiezienie dziewczyny z Afryki; podobno nie wiedział, biedny, w jakim celu Hendrick zabiera młodą Murzynkę do Londynu, i było mu potem wstyd. Ale stało się. Na statku, którym płynęła z Kapsztadu dwudziestoletnia Saartjie, były prawdopodobnie inne egzotyczne zdobycze martwe i żywe, możemy je sobie wyobrazić, szalejący w klatce lew, skóra zebry, kły słonia. Jak mogła wyglądać morska podróż Holendra Hendricka i Saartjie, która miała wkrótce zostać Hotentocką Wenus? Wyobrażam sobie, mówi Dominika, że ubrana po europejsku stała i patrzyła na ocean, znikające na horyzoncie brzegi Afryki i zaczynała rozumieć, że nigdy tam nie wróci, ale nie może utracić nadziei na ten powrót, bo wtedy nie będzie miała już nic. Co pomyślała, gdy zobaczyła Wielką Brytanię? Kraj, który nie miał nawet nazwy w języku khoi-khoi? Jaki zapach miała dla niej ziemia tak inna od wszystkiego, co znała? Czy podczas podróży Hendrick rozmawiał z nią, a jeśli tak, to o czym? Obiecywał jej wspaniałe życie w Europie? Traktował ją pogardliwie? Z niechęcią? Pożądaniem? Sypiał z nią? Sypiał, mówi Małgosia, nie oparłby się, musiał na własne oczy zobaczyć, co ona tam ma, przekonać się, jaka jest w dotyku, jak smakuje, a im mniej ją rozumiał, tym bardziej jej nienawidził. Mogli rozmawiać, podpowiada Dominika, bo Saartjie mówiła biegle po holendersku, i to kolejny znak, że pewnie była w szkole misyjnej; ale mogli też milczeć. Może Hendrick, zadowolony, że udało mu się wywieźć Saartjie z Afryki, prawie się do niej nie odzywał, może rozmowę z czarną dziewczyną uważał za coś poniżej godności, a wstyd z powodu tego, co zrobił, szedł w zawody z zadowoleniem na myśl o przyszłych zyskach. Być może już liczył pieniądze, jakie zarobi na Saartjie, i patrzył na jej wypukłe pośladki, które wyrastały poniżej kręgosłupa jak wielki mięsisty kwiat. Im bardziej otłuszczone były pośladki kobiety Khoi-Khoi, im bardziej wystające, tym uważana była za piękniejszą przez współplemieńców. Steatopygia, mówi Małgosia, tak w języku medycyny nazywa się zwiększony przyrost tkanki tłuszczowej na pośladkach, który cechuje między innymi kobiety Khoi-Khoi i Pigmejki. Za klasyczną steatopygię uważa się przyrost pod kątem 90 stopni, wyobraź sobie, i z tego punktu widzenia neolityczne figurki kobiece, na przykład Wenus z Willendorfu, nie mają klasycznej steatopygii, bo im przyrasta pod kątem 120 stopni. Wszystko potrafimy zmierzyć, nawet normalny i nadmierny przyrost tyłka, a jako punkt odniesienia służy nam nasza biała dupa. Nadmierny tyłek Sary, opowiada dalej Dominika, miał stać się atrakcją stolicy ówczesnego świata, pięknego Londynu, ale nie tylko tym szczegółem urody Saartjie zamierzano przyciągnąć gawiedź spragnioną egzotyki i dzikości. Prawdziwy skarb Hotentockiej Wenus krył się między jej nogami; Sara-Saartjie była prawdziwą kopalnią cudów i gdyby nie konieczność zachowania pozorów, Hendrick Caesar pewnie już na statku zdarłby z niej ubranie, by inkasować zapłatę za wystawienie na pokaz jej hotentockiego fartuszka, jak to ładnie nazwano. Starsze kobiety Khoi-Khoi obciążały kamykami wargi sromowe dziewczynek, by były jak najdłuższe; takie uważano za piękne. Sinus pudoris, mówi Małgosia, na to też mamy nazwę, i to nie jedną, nie myśl sobie, reprezentuję starą profesję lekarzy, a jednym z naszych głównych zajęć jest od wieków dzielenie ciał na normalne i nienormalne, co zresztą niektórym medykom zawsze wydawało się bardziej interesujące niż leczenie. Sinus pudoris to nadmiernie, bo jakże inaczej, wydłużone wargi sromowe kobiet Khoi-Khoi. Zasłona wstydu, tablier, czyli fartuch po francusku, Hottentot apron w języku Szekspira. Jakże myśl o tym musiała rozgrzewać Londyńczyków w ponure listopadowe wieczory. Dzika Afryka, jej dzika cipka, ach, zobaczyć to na własne oczy! Sara opowiadała, opowiada Dominika, że po przyjeździe do Londynu Hotentocką Wenus pokazywano w klatce; miała być dzika, czarna, miała potrząsać swoimi wielkimi pośladkami, które tu nie były piękne i godne pożądania, a jeśli nawet, to nie takiego, które wolno byłoby okazywać przez miłość i troskę. W roli dziwadeł występowały też inne stworzenia: syjamskie bliźniaki połączone biodrami i pięknie tańczące przy dźwiękach pianina, dziewczynka o czterech nogach, chłopiec albinos o tak cienkiej skórze, że światło prześwietlało go na wskroś i można było zobaczyć wnętrze jego ciała, rzeki i dorzecza krwiobiegu, ukwiały jelit, bijące serce. Kto jeszcze? pyta Małgosia. Człowiek-słoń o twarzy pokrytej naroślami jak stary kamień, dziecko całe obrośnięte futrem i najbrzydsza kobieta świata, która mimo tego miała wielu adoratorów, człowiek-guma, wielkolud o głowie jak jajko i umyśle radosnego trzylatka. To była nowa rodzina przodkini Sary Jackson, mojej przyjaciółki, opowiada Dominika. Hotentocka Wenus miała odgrywać w tym towarzystwie dziką kobietę, brakujące ogniwo między małpą a nami, proszę państwa, oto małpa, która miesiączkuje. Hotentocka Wenus była w klatce półnaga, z odkrytymi piersiami, ale z cipką zasłoniętą dla przyzwoitości jakimiś spódniczkami niby-afrykańskimi, paciorkami, skórami dzikich zwierząt, które podsuwały widowni domysł, że je za pomocą własnych pazurów rozszarpała i pożarła, jak na dzikuskę przystało. Wystawiona na pokaz, odarta z człowieczeństwa, a jednak tam zakryta, jakby goła cipka była bardziej nieprzyzwoita niż wystawianie w klatce czarnej kobiety. Opowiadano o niej żarty, śpiewano piosenki, gawiedź zastanawiała się, z czego zrobione są jej pośladki. Mięśnie? tłuszcz? kość? Co czuła, patrząc na twarze gapiów? Co oni czuli? To dlatego Sara pozowała nago studentom akademii sztuk pięknych we Frankfurcie, chciała doświadczyć takich spojrzeń na własnej skórze i jeszcze lepiej zrozumieć Wenus; studenci skarżyli się jednak, że ich trochę deprymuje swoim spojrzeniem. Miała jeszcze jeden powód, by podjąć ten eksperyment, moja przyjaciółka Sara, która ma ciało budzące pragnienie tak wielu mężczyzn i, tak, również wielu kobiet, sama nigdy nie czuła pragnienia i nie zna jego smaku. Sara opowiadała, opowiada Dominika, że dlatego musi dotrzeć do samego początku swojej opowieści, która jest jednocześnie opowieścią Hotentockiej Wenus. Sara opowiadała, opowiada Dominika, że jej przodkinię oglądały w Londynie praczki i robotnicy portowi, profesorowie i pisarki, damy z towarzystwa i damy z ulicy, Jane Austen i znany abolicjonista, dzieci i staruszkowie. Wtedy powstała jej karykatura, która nie wiadomo, w jaki sposób znalazła się w posiadaniu Destinee, prababki Sary, niepiśmiennej służącej z Południa Stanów. Hendrick Caesar miał rację, jego Saartjie stała się sławna, wkrótce zabrał ją na tournée po miastach i miasteczkach, bo na prowincji też chciano zobaczyć Hotentocką Wenus. W Wielkiej Brytanii od 1807 roku obowiązywał zakaz handlu niewolnikami, ale niewolnictwo zostało zniesione dużo później, teoretycznie nie można było więc Wenus sprzedać, ale można było ją wykorzystywać. Grupa abolicjonistów próbowała pomóc Hotentockiej Wenus, napisano petycję, namówiono ją, by zeznawała przed sądem. Saartjie powiedziała, że wszystko dzieje się za jej zgodą i że ma świadomość swojej sytuacji, nie czuje się ani wykorzystywana, ani poszkodowana finansowo. Sara opowiadała, opowiada Dominika, że zastanawia się nadal, dlaczego Wenus to zrobiła. Miała jakiś własny cel? Nie chciała, by znów ktoś sobie ją przywłaszczał i używał jako przykładu? Z przekory? W poczuciu, że to, co jej zrobiono, jest nieodwracalne i nie ma powrotu do dawnego życia? Z Wielkiej Brytanii popłynęła do Paryża, jak cyrkowe zwierzę odstąpiona innemu właścicielowi. Jak ją do tego przekonano? Podobno wtedy już dużo piła, alkohol musiał być dla niej odkryciem, bo po nim nie czuła zimna aż tak dotkliwie. Rok 1814 w Paryżu, centrum nowoczesnej nauki, Hotentocką Wenus zainteresował się profesor Georges Leopold Cuvier, zwany Napoleonem nauki, a także inni przedstawiciele naturalizmu i rodzącej się teorii ras. Sara opowiadała, opowiada Dominika, że organizowano osobne pokazy tego żywego eksponatu w Muzeum Historii Naturalnej specjalnie dla szacownego świata nauki. Wyobrażam sobie, mówi Dominika, postument, na którym jak na scenie stoi Hotentocka Wenus, pozuje, tak jak Sara pozowała studentom malarstwa, ale nie odwzajemnia spojrzenia widowni; jej twarz jest jak zamknięta pięść, wokół krzesła i panowie o poważnych minach, wskazuje na nią mistrz ceremonii, szanowni koledzy, drodzy zebrani, oto przedstawicielka rasy znajdującej się na niższym szczeblu ewolucji, brakujące ogniwo. Patrzcie! drodzy koledzy, wytężcie wzrok, oto dowód na poparcie mojej teorii. Nadmierne pośladki! Przyjrzyjcie się, podejdźcie bliżej, jeszcze bliżej. Zwróćcie uwagę na kąt, równe 90 stopni! Skrzypi węgiel po papierze, rysownicy uwieczniają Wenus, starając się nie przegapić żadnego szczegółu i właściwie oddać kąt. Czy można być jednocześnie bardziej widocznym i niewidocznym? Chyba trochę potrafię wczuć się w jej sytuację, mówi Małgosia. Sara opowiadała, opowiada dalej Dominika, że jeśli jest cień prawdy w historii prababki Destinee, to właśnie wtedy Wenus mogła poznać Napoleona. Powrócił z Elby na swoje ostatnie sto dni wątpliwej chwały, kurdupel o schorowanym żołądku i ciągłym apetycie na kobiety, na podbijanie krajów, na wojenki. Interesował się koncepcjami Cuviera i można przypuszczać, że teoria ras była mu bliska, bo nie mogło być inaczej w przypadku kogoś, kto chciał przecież panować nad światem. Niewykluczone, że tam był, stał w cieniu i patrzył, gładził się po żołądku i bekał, może poczuł niezaspokojone pragnienie podboju Afryki i jego wzrok zatrzymał się na ciele Wenus. Afryka! Gdyby tak należała do niego, tylko do niego! Sara opowiadała, opowiada Dominika, że wyobrażała sobie ich spotkanie. Jak? pyta Małgosia. Właściwie mamy tylko to, wyobrażenia, więc wymyśl swoją wersję spotkania Wenus i Napoleona Bonaparte, odpowiada Dominika i wydmuchuje chmurkę dymu w wałbrzyskie niebo, z którego na dach Babela coraz gęściej prószy śnieg. Proszę bardzo, mówi Małgosia. Myślę, że Napoleon chciał jej dotknąć, obejrzeć spokojnie w samotności. Nie potrzebował świadków, nie dla tego podboju. Może nie wiedział, czy skończy się na oglądaniu, a może od początku wiedział. Przyprowadzili mu ją, przywieźli zakrytą dorożką, w takich historiach zawsze są zakryte dorożki, prawda? Potem schody, kręte i ciemne schody dla służby, szpiegów i kochanek; taka historia nie może obyć się bez bocznych schodów. Ktoś prowadził Wenus pod ramię i tłumaczył jej nerwowym szeptem, że zaszczyt, sam Napoleon, że oczekują po niej godnego zachowania, ktoś inny usłużnie podawał jej butelkę z alkoholem, co mogła pić, może rum? A może absynt seledynowy jak wałbrzyskie niebo? Piła więc z butelki wielkimi łykami absynt lub rum i dzięki temu, że nikt nigdy nie patrzył jej w oczy, nie zauważono, że jest pijana, że uśmiecha się tak, jakby planowała lot na kryształowym żyrandolu. Potem były drzwi, ukłony, półmrok pokoju o zasłoniętych ciężkich storach. Powinny być aksamitne, prawda? Prawda, aksamitne, w kolorze wina, zgadza się Dominika, do tego złote chwosty, w takich historiach z dorożkami i bocznymi schodami nie wolno zmieniać zasłon. Drobny mężczyzna z resztką włosów zaczesanych na pożyczkę stał oparty o... O co? O kominek, podpowiada Dominika, oprzyjmy Napoleonka o kominek. Tak, mówi Małgosia, stał oparty o kominek, a płonący z tyłu ogień sprawiał, że na ścianie odbijał się jego wielki cień. Wenus widziała to już nie pierwszy raz, jakiś pokój, czekający mężczyzna, aksamitne zasłony, zaczęła się rozbierać. Naga i pachnąca rumem, a może absyntem, chciała mieć to już za sobą, myślała o tym, by wrócić do swojego pokoju, zanurzyć się w kąpieli i wypić nową butelkę rumu, którą po drodze kupi, rumu albo absyntu. Napoleon podszedł do Wenus i stanął w tej swojej pozie z obrazów Davida, taki śmieszny, wystrojony przy jej nagości, z zadartą brodą, by wydawać się wyższym. Wenus nie była wysoka, ale bogactwo jej ciała sprawiało, że zmniejszył się jeszcze bardziej, jakby już przeczuwał swoje Waterloo. Ach, gdyby tak miał konia, mógłby konno ją objechać, tę krągłą kobietę o żółtych oczach. Postał i podumał, obszedł ją dookoła, bo konia nie było, niestety; patrzył. Płonął ogień, ale od kamiennej posadzki ciągnął chłód, Wenus odpowiedziała na spojrzenie bladego mężczyzny, który nie różnił się od innych bladych mężczyzn, jakich spotykała w kolejnych zimnych pokojach Paryża. Mówili jej, że to najpiękniejsze miasto świata, idioci, którzy o pięknie nie mają pojęcia i nie potrafią nawet nauczyć się jej języka. Dobrze wiedziała, co znaczy gest mężczyzny, chciał się przyjrzeć, wszyscy zawsze chcieli zobaczyć, co za cud ma między nogami. Już napasł oczy jej pośladkami, pora na deser. Ta poważna mina, ściągnięte brwi, gdyby mogła opowiedzieć to innym kobietom ze swojego plemienia, tarzałyby się ze śmiechu po piasku, i Wenus też nagle zachciało się śmiać. Mały cesarz nie przywykł do sprzeciwu, zwłaszcza teraz był nieco drażliwy, gdy zwiał z Elby i ważyły się jego losy. Powtórzył, by rozsunęła nogi, ale Wenus nie przestawała się śmiać. Od lat tak się nie śmiała! Nagle rzuciła się na niego, a może tylko zrobiła krok do przodu, krok w gniewie, i zamroczona alkoholem upadła, przygniatając sobą cesarza. Cesarski nos między piersiami Wenus, ciężar jej bioder i pośladków na cesarskim torsie, nie mógł, biedaczek, złapać tchu. Lubił swoją ukochaną Józefinę troszkę niedomytą, Józefino, nie myj się, nadchodzę, taką wieść przysyłał przez posłańca, gdy wracał z wojen, a tu nagle zapach rumem zaprawiony, rumem, a może absyntem, Napoleon chciał się wyrwać, ale gdzie tam; gdy spróbował unieść głowę, Wenus złapała go za grdykę zwinną ciemną ręką. Spojrzała na niego z góry, jej oczy były żółte, płonął w nich ogień, w jej żyłach płonął rum, absynt seledynowy; chcieliście, bym była dzika, proszę bardzo. Poddusiła cesarza z wprawą, aż mu oczy wyszły z orbit i przestał się bronić, jeszcze tylko nogami w butach skórzanych przebierał, a ona nie przestawała się śmiać. Na nic Napoleonka podrygi rozpaczliwe, Wenus ścisnęła udami jego boki, aż zaskrzypiało, przecież o to chodziło temu cherlakowi w białych spodniach, co wystroił się jak do cyrku, chciał ją zerżnąć, więc skąd nagle to, ach, puść mnie, puść, ratunku. Roześmiana szaleńczo Wenus rozpięła pierwszy guzik jego spodni. Oczy wytrzeszczył, czoło mu się spociło, sapnął. Tititi, zagulgotała do niego, poszła reszta guzików, znalazła, dosiadła, aaaach, jęknął, co za tempo, co za gorąc, to jakby znów pod piramidami, ach, czterdzieści wieków patrzy na was, to jakby Austerlitz, a nawet lepiej, achachachaaa. Acha, śmieje się Dominika, to wtedy Wenus zaszła w ciążę, bo niestety jednak dała się przechytrzyć małemu cesarzowi. Wtedy, zgadza się Małgosia, jakby sama za tę ciążę Wenus była odpowiedzialna. Co dalej? Teraz twoja kolei, Dominiko Chmuro, ja jestem lekarką, nie pozwoliłabym Wenus umrzeć, a obawiam się, że musi. Wenus była już chora, kasłała i pluła krwią, podejmuje wątek Dominika, prawie nie jadła, żyła rumem, absyntem i kandyzowanymi owocami. Sara opowiadała, opowiada Dominika, że szybko wpadła na pomysł romansu Wenus z cesarzem Francuzów. Gdy była bardzo młoda, szła śladem opowieści prababki i roiła sobie, że Napoleon kochał Wenus do szaleństwa, że była jego prawdziwą miłością ukrywaną przed okrutnym światem. Ach, wzdycha Małgosia. Właśnie, mówi Dominika, z tego się wyrasta. Sara szybko doszła do wniosku, że jeśli w ogóle się spotkali, musiało to wyglądać inaczej, a miłości nie było w planie. A więc zaszła w ciążę i dziecko było pra-pra- twojej Sary z Nowego Jorku, mówi Małgosia, dziecko Wenus i Napoleona. Dziewczynka? Chłopiec? Dziewczynka, śmieje się Dominika, pasuje mi tu dziewczynka, ale może niech będzie dla odmiany chłopiec? Dobrze, opowiada Małgosia, nie dyskryminujmy chłopców, chociaż z drugiej strony, Napoleon miał już dwóch synów. I to nieudanych, dodaje Dominika, dziewczynka? Dziewczynka. A więc Wenus urodziła w Paryżu dziewczynkę, córkę Napoleona, był rok 1816. Napoleon rozniesiony tymczasem w pył pod Waterloo został zesłany na Wyspę Świętej Heleny u wybrzeży Afryki, gdzie dokonał żywota podtruwany cyjankiem. Dzieckiem zaopiekowała się po śmierci Wenus jej pokojówka i jedyna przyjaciółka. To ona towarzyszyła jej do końca. Kim była? Jak to kim, mówi Dominika, albinoską o różowych oczach i włosach delikatnych jak kaczy puch, długich do kolan, zaplecionych w warkocz, drobną i chudą, z paznokciami jak muszelki. Wenus uprosiła swojego właściciela, by wykupił ją z jakiegoś nędznego teatrzyku, gdzie albinoskę pokazywano dla pieniędzy w akwarium, z doczepionym syrenim ogonem. Pochodziła z Ukrainy, miała na imię Olena, dodaje Małgosia; Olena, oczywiście, zgadza się Dominika, syrena Olena. Wysokie kości policzkowe, wąskie oczy, złoty ząb. Najpierw była pokojówką i dozorczynią Wenus, potem przyjaciółką. Spały razem przytulone na łyżeczki, bo w pokoju Wenus było tak zimno, że szron osiadał na rzęsach; zima 1815 roku należała do najzimniejszych w historii. Śpiewała jej ukraińskie dumki ta Olena i grała na bandurze, parzyła herbatę w starym samowarze, a Wenus dolewała do filiżanki rumu i opowiadała o Afryce. Olena podawała jej lekarstwa, które nie pomagały, brała w sklepie na rogu masło i jajka na kredyt, bo kazał nimi karmić Wenus francuski lekarz. Człowiek, który kupił Wenus od Hendricka Caesara, od dawna się nie pokazywał, bo chora Wenus nie przynosiła zysków, tylko kłopoty, upijała się i klęła, pluła krwią i co rusz dostawała ataków wariackiego śmiechu, a do tego przytyła. Przez ostatnie miesiące Wenus i Olena żyły w Paryżu pozostawione same sobie i klepały biedę. W końcu albinoska zastawiła w lombardzie bandurę, bo już nic innego nie miały do sprzedania. Marzyły, że pojadą razem do Afryki, kupią dom, będą hodować zwierzęta, koło tarasu posadzą bugenwille tak jaskrawoczerwone, że trzeba będzie je codziennie podlewać, by nie wznieciły pożaru. Usiądą sobie na fotelach bujanych, pokołyszą się, pośpiewają, tylko bandurę trzeba będzie przedtem wykupić z lombardu. Nikt prócz Oleny nie wiedział, że Wenus jest w ciąży, i tylko ona była przy porodzie, ona w końcu widziała śmierć Hotentockiej Wenus, Saartjie Baartman, pierwszego stycznia 1816 roku. Wenus miała dwadzieścia siedem lat i umarła o wiele dalej od Afryki niż Napoleon, co za paradoks. Olena umyła martwą Wenus, ubrała w najładniejszą sukienkę ze szmaragdowego aksamitu i ulubione koronkowe rękawiczki, zaśpiewała jej po raz ostatni, opatuliła noworodka, włożyła do kosza, wymknęła się w noc. Sara opowiadała, opowiada Dominika, że każda jej historia dochodziła do tego momentu, gdy ktoś wymykał się w noc z dzieckiem Wenus i Napoleona. My już wiemy, że dziecko było dziewczynką, i myślę, że Olena dała jej ukraińskie imię, bo takie uważała za najpiękniejsze. Oksana, decyduje Małgosia, znałam kiedyś bliżej jedną Oksanę, kiedyś ci o niej opowiem. A więc Oksana, córka Napoleona i Hotentockiej Wenus.

Następny wątek zaczyna się już w Stanach, w Alabamie, gdzie, opowiadała Sara, opowiada Dominika, prababka Sary, Destinee, pracowała w domu plantatora bawełny. Mogła być wnuczką Oksany. Tak! potwierdza Małgosia, nikim innym. Destinee nie była niewolnicą, ale nie była też wolna, bo nie umiała ani czytać, ani pisać, więc skupiła się na prasowaniu, w którym osiągnęła ponoć mistrzostwo, i na opowiadaniu, w którym też nie miała sobie równych; szalona opowieść o Czarnej Wenus to wszystko, co przekazała Sarze. Sara opowiadała, opowiada Dominika Małgosi, że Destinee nie pamiętała swoich rodziców, nic oprócz walizki jej nie zostawili, a i ona przepadła gdzieś po drodze. Walizka oklejona nalepkami, tyle zostało w pamięci Destinee, i może te nalepki z podróży, których nie umiała przeczytać, kryły odpowiedź na pytanie, skąd wzięła się w Alabamie.

Ciało Wenus poddano sekcji w Muzeum Historii Naturalnej; mistrzem ceremonii był baron Cuvier. Szkielet Wenus wypreparowano i opatrzono podpisem, do słoja z formaldehydem trafiły genitalia Saartjie, dziwny różowawy kwiat. W dokumentach z sekcji zwłok nie ma słowa o porodzie. Może ukryto ten fakt, skoro nie znaleziono dziecka? Może komuś zależało na ukryciu? Szkielet, mózg i genitalia zostały w Muzeum Historii Naturalnej w Paryżu, gdzie zwiedzający mogli nareszcie napatrzeć się do woli na to, czego za życia Wenus nie chciała pokazać. Sara opowiadała, opowiada Małgosi Dominika, że dowiedziała się o tym od Icka, gdy miała kilkanaście lat i była w liceum. Może w ten sposób chciał utwierdzić ją w pragnieniu wydostania się z Bed-Stuy? Skoro został jakiś ślad po Wenus, Sara powinna przecież pojechać do Paryża i zobaczyć go na własne oczy, jakkolwiek dziwne i niebezpieczne takie przedsięwzięcie wydawałoby się jej babce La-Teeshy. Icek Kac popełnił samobójstwo, gdy Sara była w ostatniej klasie, a zrobił to tak, jak robił wszystko, cicho i nie kłopocząc nikogo. Znaleziono go martwego w pokoju wylepionym od podłogi po sufit zdjęciami; takie wieści przekazywano sobie na Bed-Stuy z ust do ust. Po śmierci Icka Kaca Sara zdecydowała, że będzie dalej się uczyć; babka La-Teesha załamywała ręce, że spotka ją los taki jak matkę, ale Sara uparła się i jako jedna z nielicznych dziewczyn opuściła Bed-Stuy, by studiować w college'u na Manhattanie. W wolnym czasie chodziła na seminaria na Uniwersytecie Nowojorskim i w New School, grzebała w bibliotekach i archiwach w poszukiwaniu śladów Wenus. Babka La-Teesha myślała, że Sara wpadła w złe towarzystwo, a ona siedziała w bibliotece, łaziła po wydziałach studiów afrykanistycznych i szukała kogoś, kto ją naprowadzi na drogę pewniejszą niż jej urwane ścieżki. Przekonała się, że jest więcej zainteresowanych historią Hotentockiej Wenus, i że głównie są to kobiety, profesorki, kelnerki, poetki, pielęgniarki, w Nowym Jorku, Paryżu, Monachium i licho wie, gdzie jeszcze. Po ukończeniu college'u Sara zaczęła podróżować; raz pracowała w wyuczonym zawodzie rehabilitantki, raz robiła coś zupełnie innego, nigdzie nie zagrzała miejsca. To dlatego trafiła do tej wiochy pod Monachium, gdzie leżałam po wypadku i dzięki temu się poznałyśmy. Sara cierpiała, zostawiając babkę La-Teeshę umierającą z niepokoju, ale zew Hotentockiej Wenus okazał się silniejszy, i do tej pory jest w drodze. A rodzice Sary? pyta Małgosia, co z jej ojcem, matką? Jej ojciec jest nieznany, a matki Sara nie miała, odpowiada Dominika, ale zanim uściśli tę dziwną informację, Małgosia zaprotestuje, że nie można nie mieć matki. Nawet ona ma! Sara opowiadała, opowiada Dominika, że jej matka, Shaunika, została zamordowana, zanim ją urodziła; przyjście na świat Sary i morderstwo popełnione na jej matce zbiegły się w czasie tak, że nie da się stwierdzić, co zdarzyło się przedtem, co potem. Opowiadała Sara, opowiada Dominika, że w tę noc były zamieszki na Brooklynie, a jej matka, Shaunika, poleciała gdzieś po zmroku; babcia La-Teesha nic więcej nie chciała jej opowiedzieć, bo nie jest tak gadatliwa jak Destinee. Shaunika miała narzeczonego, Demarco, który dawno temu zniknął z Bed-Stuy, może to on jest ojcem Sary, może nie, w każdym razie szukał Shauniki tamtej nocy razem z La-Teeshą, ale bez skutku. Żyd Icek Kac, właściciel sklepu z tanimi towarami, pozwolił im się schować w magazynie, gdy goniła ich policja. Sara opowiadała, opowiada Dominika, że babka La-Teesha o tej nocy spędzonej z Ickiem mówiła tylko, ach, co ten Żyd naopowiadał, nic więcej nie dało się z niej wyciągnąć, jakby jego historia osiadła w niej w innej postaci niż słowa. Matkę Sary, Shaunikę, znaleźli rano w parku z rozprutym brzuchem, pustym jak wyjedzony arbuz; w krzakach nożyczki, zakrwawione szmaty. Twarz miała nienaruszona, ale ranę na głowie, jakby ktoś uderzył ją z tyłu, mocno, ale za słabo, by zabić. Rana na głowie i rozpruty brzuch, żadnych innych obrażeń, nie licząc połamanych paznokci, bo broniła się przed przemocą. Musiała upaść i wtedy jej to zrobili. A może raczej zrobiły. Sara opowiadała, opowiada Dominika, że policjanci nie szukali sprawców zbyt gorliwie, bo co kogo wtedy obchodziła martwa czarna dziewczyna.

Dziecko znaleźli na stacji kolejowej Pensylwania; ktoś w końcu zauważył porzucony wiklinowy kosz i usłyszał płaczące niemowlę, jakiś mężczyzna, który znikł, nie podając swojego nazwiska, bo pewnie nie chciał robić sobie kłopotu, a młody dyżurny na posterunku nie zapamiętał jego wyglądu, tyle że był w kapeluszu. Podobno, ale co do tego też pewności nie było, ktoś widział dwie czarne dziewczyny z tym koszem, ale może tylko podobnym. Skąd więc wiadomo, że to ona, że Sara to Sara, dziecko z brzucha Shauniki? pyta Małgosia. Do końca nie było wiadomo, opowiadała Sara, opowiada Dominika. W koszu znaleźli tylko jakiś zielony szal, noworodek miał źle zawiązaną pępowinę, infekcję ucha i umierał z pragnienia. Lekarz ocenił, że dziecko przyszło na świat w ciągu ostatnich kilkunastu godzin. La-Teesha, którą wezwano na policję, przysięgła, że tę zieloną szmatę rozpoznaje, oczywiście, szal należał do jej córki, sama go dla niej kupiła na przecenie w sklepie Icka Kaca American Values, mogą jechać na Bed-Stuy, zapytać, i jest pewna, na Biblię przysięgnie, że tamtej nocy Shaunika miała go ze sobą. To ten sam szal, dziecko z kosza to jej wnuczka, córka Shauniki. Niewykluczone, że dano jej dziecko, nawet jeśli cała sprawa budziła wątpliwości, być może ktoś rozsądny pomyślał, że lepiej ominąć parę przepisów i dać czarnego noworodka kobiecie, która go chce, bo prędko druga okazja może się dzieciakowi nie trafić. Podejrzane, dwie dziewczyny z gangu, z którymi Shaunika miała na pieńku, znikły z dzielnicy, przesłuchania ich rodzin nie naprowadziły na żaden ślad, kamień w wodę; sprawę umorzono.

La-Teesha wróciła do domu z wnuczką, która po kilku dniach w szpitalu nabrała sił i nie było wątpliwości, że przeżyje; imię wybrała dla niej prababka, Destinee. Mała Sara darła się jak opętana i przez pierwsze tygodnie tylko prababka umiała ją uciszyć, a skoro dzieciaka bardziej uspokajały słowa niż butelka z mlekiem, to pewnie już wtedy zaczęła jej opowiadać o Wenus i naszpikowała ją tymi historiami jak goździkami cebulę. Gdy Sara dorosła, postanowiła, że odwiedzi wszystkie te miejsca, w których Wenus była lub mogła być, i ruszyła w podróż szlakiem niesprawdzonych domysłów i podejrzeń. Niekiedy zatrzymywała się gdzieś na dłużej, by zarobić na dalszą podróż. Gdy ją poznałam w szpitalu w Monachium, mówi Dominika, trwała walka o to, by szczątki Wenus, ukryte w magazynach Muzeum Historii Naturalnej w Paryżu, pochować w jej ojczyźnie. Sara chciałaby, opowiada Dominika, by grób jej praprababki z plemienia Khoi-Khoi, znanej jako Hottentocka Wenus, był w pobliżu rzeki

Gatmous, pod afrykańskim słońcem. Marzy o chwili, gdy tak się stanie, a ona amerykańska praprawnuczka, pojedzie tam, by złożyć hołd swojej przodkini. Czy Sara nie chciała znaleźć tych, którzy zamordowali jej matkę? pyta Małgosia. Nie, Sara mówi, mówi Dominika, że dzięki tej historii chce się nauczyć kochać, a nie mścić.

## IX

Halina Chmura wiedziała, że wszystko się kończy, i jako że nigdy nie należała do osób rozmyślających na temat sensu życia, od zawsze przekonana, że ma ono kierunek, dla wszystkich ten sam, ale sensu mu brak, wzdychała tylko, ano tak, porobiło się, czuję się, jakby mnie ktoś zjadł i wyrzygał, i wypuszczała dym. Gdyby jej wychudzone ciało nie wystarczyło jako dowód zbliżającej się śmierci, zdradziłyby ją te wątłe strużki dymu; zdrowa potrafiła tak się zaciągnąć i dmuchnąć, że dymna rzeka, przelatując przez mieszkanie, porywała ze sobą ogłupiałe muchy, skrawki materiałów i drobne przedmioty, których potem trzeba było szukać po kątach. Zdarzyło jej się trafić dymną strugą w Jadzię, a wtedy ta darła się, fuj, ale mamusia smrodzi tymi papierochami! i wymachiwała rękoma, jakby tonęła; czy mamusia musi mnie tak wkurzać? Teraz dym papierosów wylewał się z sinych ust Haliny jak wilgotna ektoplazma; staruszka co chwilę zanosiła się kaszlem, a po ataku łapała powietrze z wybałuszonymi oczami i Jadzia zamierała w przerażeniu. Teściowa jednak w końcu wracała do życia, a jej załzawione od wysiłku oczy szukały Dominiki.

Przetrwała jakoś święta, ale zaraz po Nowym Roku położyła się na kanapie w stołowym i wycharczała do synowej, żeby się nie wkurzała, ale już raczej nie wstanie. Co za szkoda, że jednak nie kupiły trumny, gdy jeszcze Halina była na chodzie, bo samą Jadzię jak nic oszwabią i na trumnie, i na pochówku. Nie daj się wycyckać, Jadzia, przestrzegała synową szeptem przypominającym szelest suchych liści. Nie mogła już prawie mówić i żal jej było, że nie opowiedziała wnuczce o Wowce, treserze z wędrownego cyrku, o proroczym locie na skórze, podczas którego zobaczyła niedźwiedzia, i że nikogo tak jak wnuczki nigdy nie kochała. Dominika brała jej dłoń w swoje ręce, gałązkę, w której przestały krążyć soki, i mówiła, moja babcia Kolomotywa, nikt nie robił takich pysznych kanapek ze śmietaną i cukrem jak ty, a pamiętasz, jaką piękną sukienkę mi uszyłaś z farbowanych na czerwono pieluszek? pamiętasz, jak mi o hrabinie Wielkopańskiej opowiadałaś, kłamczucho? Małgosia przychodziła i robiła staruszce zastrzyki, zaglądała w oczy i do gardła, a ona oganiała się, nienawykła, by specjalnie do niej do domu panią doktor fatygować, i próbowała wcisnąć jej do ręki jakieś pieniądze w obawie, że Dominika się wykosztowuje. Gdy któregoś styczniowego wieczoru ból stał się nie do zniesienia i Halina płakała bezgłośnie, jakby jakaś straszna siła wyciskała jej łzy z oczu, Dominika zadzwoniła do Małgosi, coś poszeptały, wyszła na chwilę i wróciła z małym pakunkiem w dłoni. Zrobię ci, babciu, pysznego papieroska z zagranicznego tytoniu, powiedziała i po chwili zapaliła staruszce grubego skręta. Halina zaciągnęła się na próbę bez przekonania, bo papierosek Dominiki przypominał jej te, które w stanie wojennym kupowało się na wagę w samie na Piaskowej Górze, połamane barachło faszerowane śmieciami i mysim gównem, ale smak, który poczuła, był inny, drzewny, słodko-gorzki, piękny. Łakomie wciągnęła w płuca aromatyczny obłok, aż zaświstała jej dziura w szyi. Przyssała się i nie puściła do końca, Dominika musiała jej wyjąć niedopałek z dłoni, żeby się nie poparzyła i nie podpaliła pościeli. Ból ustąpił, cofnął się i przyczaił, Halina spojrzała na wnuczkę rozszerzonymi źrenicami i uśmiechnęła się; niedźwiedź, powiedziała, nuże tancawać, swołocz. Uczyli go tańczyć na rozgrzanych węglach, tego niedźwiedzia. Patom tancawał zawsze, gdy słyszał muzykę, wychrypiała, kak on tancawał. Na jej policzkach w kolorze pakowego papieru pojawił się rumieniec. Niedźwiedź? Dominika usiadła na brzegu łóżka i wzięła babcię Halinę za rękę. Jaki niedźwiedź, babciu? Halina nie odpowiedziała jednak, bo już nie było w niej słów, i gdy Dominika skręciła jej kolejnego papieroska z najlepszej holenderskiej marihuany, przemyconej przez Małgosię z Amsterdamu, uśmiechnęła się tylko jeszcze szerzej. Już nie miała siły go trzymać, więc Dominika podniosła skręta do zapadniętych ust babki, które chwyciły go łakomie i ze wszystkich sił wciągnęły solidną porcję dymu. Halina Chmura widziała swoją wnuczkę i nie istniało nic, co pragnęłaby zobaczyć bardziej, za głową wnuczki, odbite w meblościance na wysoki połysk, widziała inne rzeczy, piękne i straszne, tańczącego niedźwiedzia, syna Stefana, któremu podmieniła ojca i metrykę, wielkie uszy męża, Władka, z kępkami jakby niedźwiedziej sierści, taflę lodu czarniejszą od nocy i trzy dziewczyny z wioski jej dzieciństwa, ich twarze rozpalone mrozem, na rzęsach kropelki topniejącego śniegu. Aldonia, córka popa, dziwnie podobna do Grażynki Rozpuch, zaczyna recytować i jeszcze chwila, jeszcze chwila, już; Halina zamyka oczy, a końska skóra unosi się w powietrze i ją porywa, wiatr pachnący czymś dalekim i nieznanym owiewa jej twarz. Babciu Kolomotywo, płacze Dominika, co z tym niedźwiedziem?

Pochowały Halinę koło męża Władka w czekającej na nią od dawna kwaterze, tylko datę po zm. trzeba było dopisać, dwa kroki od grobu Stefana i bliźniaczej siostry Dominiki, martwo urodzonej Pauliny, której grób wyglądał jak bombonierka. Dominika patrzyła na zadbane płyty lastriko, na wypolerowane na krzyżach Chrystusiki i sztuczne kwiaty, bo, mówiła Jadzia, na zimę sztuczne na groby kupuję na Manhattanie czy w Realu, a jakie teraz sztuczne, córcia, nie to, co kiedyś, mówię ci, jak prawdziwe, i róże, i gerbery, fiołki, tulipany, co chcesz, nawet konwalie. Nie poznasz bez dotykania, to i zmarły nie pozna. Żywe to pamiętać trzeba, żeby krótko przyciąć, żeby nie ukradli na handel, a sztucznych nie zabiorą, się im nie opłaca. Latem bułkę słodką po drodze kupię, sobie zjem, oranżadą popiję i tak siedzę przy grobach, córcia, jak ty latasz po świecie. Dominikę zdziwiła liczba osób, które przyszły na pogrzeb Haliny, pamiętała tylko niektóre. Cieszyła się, że nie przyjechał wuj Kazimierz, którego nie widziała od lat i nigdy nie lubiła. Wyjechał do Warszawy, o tym wiedziała cała Piaskowa Góra; Kazimierz Maślak był nawet posłem partii rolniczej, bo chociaż nigdy nie uprawiał ziemi, mógł się wykazać chłopskim pochodzeniem. Przez całą komunę się go wstydził, a teraz się przydało! Jaki to się elegancik zrobił, opowiadała Jadzia, gęba wygolona do połysku, a brązowa jak u Murzyna, krawancik, koszulka i panisko zgrywa, a mordą to tak ci kłapie w telewizorze, jakby całe życie nic innego nie robił. Zrozumieć, co gada, nie idzie, ale ludzie go słuchają, oj, słuchają. Przysłał na wieniec, trzeba mu przyznać, ale my już go nie obchodzimy, córcia, podobno babę młodą tam ma i w nią wszystko ładuje, stary cap. Mieszkańcy kamienicy na Szczawienku stawili się za to prawie w komplecie, nieco bardziej zużyci przez życie, ich wyrośnięte dzieci ze swoimi dziećmi, dawne klientki, dla których Halina szyła w zgrzebnych czasach PRL-u kreacje na bale zakładowe i bluzki do pracy ze strzelającego iskrami poliestru, ekspedientka z dawnego warzywniaka, na którego miejscu jest teraz szmatland Kupciuszek. Niektórzy przyszli na pogrzeb pewnie tylko ze względu na Dominikę, chcieli zobaczyć tę dziwną dziewczynę romansującą kiedyś z młodym księdzem, o którym marzyła niejedna parafianka z Piaskowej Góry i Szczawienka. Młody piękny ksiądz, jak on się rumienił, do tej pory wspominano, na gitarze grał i jak zaśpiewał *Czarna Madonno*, to aż gęsia skórka wychodziła. Wypadek, w którym zginęły dwie nastolatki, a który Dominika cudem przeżyła, obrósł w Wałbrzychu legendą i chociaż dawne jeziorko oczyszczono, a jego okolicę zamieniono na park, dzieci i dorośli do dziś wypatrują w wodzie szczątków Jagienki Pasiak, której nie znaleziono w spalonym do cna małym fiacie. Jakby wyparowała; tylko stopiony zegarek po niej został i nadpalona legitymacja szkolna. Podwójny pogrzeb odbył się na tym samym cmentarzu, na którym teraz chowano Halinę Chmurę, ale wszyscy wiedzieli, że jedna z trumien, ta bogata i złocona, jest pusta. Jedni mówili, że Jagience udało się wydostać i uciekła, wróci, żeby się zemścić na Dominice, inni, że jak tam mogła uciec, z takiego piekła nikt by nie uciekł, anieli ją prosto do nieba zabrali, bo zginęła niewinnie, taka śliczna blondyneczka. Jeszcze inni uważali, że wprawdzie Jagienka nie zginęła, ale wyszła z tego okrutnie poparzona, jedna wielka blizna, zamiast dawnej Jagienki potwór z dzikiego mięsa. Ktoś, chyba Krysia Śledź, przysięgał, że ją widział, na wczasach była w Dziwnowie, twarz zakryła, uciekła, na sto pięćdziesiąt procent ona. Rodzice Jagienki po całej aferze wyprowadzili się z Wałbrzycha i to był dla niektórych argument, no tak, wyjechali, żeby się córką z dala od Wałbrzycha zająć, wszystko jasne. Do Enerefu na operacje plastyczne ją wywieźli i teraz Jagienki nikt by nie poznał, bo odmieniona, wypiękniona jak ta Stefani z *Powrotu do Edenu*, którą krokodyl uszkodził, a dobry doktor naprawił. Dominika czuła na sobie oczy żałobników, ciekawe, podejrzliwe, czasem wyraźnie nieprzyjazne, jakby złe, że nie znajdowały odpowiedzi na swoje pytania i że po tych latach spędzonych poza Wałbrzychem nadal jest zagadką. Wciągała w płuca powietrze przesiąknięte węglową wonią śniegu, kwiatów i czegoś nieokreślonego, zapaszku, jaki czasem zostaje w windzie po starych ludziach, którym nie udało się w sklepie dostać tego, co chcieli. Kobiety w futrach jak stogi siana, w małych włochatych kapelusikach, w kozaczkach, których obcasy grzęzły w śniegu, mężczyźni z czapkami w dłoniach, jakieś dwie z tak samo ufarbowanymi włosami, w paski jasne i ciemne, jak przejście dla pieszych, Dominika rozpoznała w nich szkolne koleżanki z Babela, Aldonę i Dankę. Modesta Ćwiek, krawcowa z Piaskowej Góry i rywalka Haliny do tytułu najlepszej specjalistki od kreacji codziennych i wyjściowych, teraz, gdy tyle tanich chińskich poliestrów i zachodnich szmatlandów, bezrobotna, co rusz wycierała skrajem szala wielkie okulary o podwójnych szkłach. Śmy szyły na wyścigi, to były czasy, szepnęła do męża Ćwieka; to se ne wrati, mamuśka, szeptem odparł Ćwiek. Szepty, Dominika słyszała je, a raczej czuła, rozszeptali się żałobnicy; w śpiączce była ta Chmura, rok spała, a gdzie tam rok, wszystkiego siedem miesięcy, te bogate Żydy z Ameryki jej pomagają, kto wie, co ona tam robi, o co w tym chodzi? A ta Grażynka, pamięta pani, co się puszczała na lewo i prawo? Żadne Żydy, pani mówię, oni tam akurat nie swojemu pomogą, tej Chmurze Grażynka robotę nagrała, pałac, nie dom ma w Enerefie, z balkonikami, kolumienkami, dwoma garażami, w dupie jej się poprzewracało, pani patrzy, na pogrzeb nawet nie przyjechała. A tam, przyjechać miała, pani by akurat przyjechała? Bała się, że zaraz skakać koło niej zaczną, w tyłek jej wchodzić, Grażynka to, Grażynka tamto, śmo, załatw pracę, przyślij zaproszenie, tego wciśnij na budowę, tą do truskawek czy do sprzątania. Ma zapraszać, żeby jakaś młodsza jej się koło chłopa w trymiga zakręciła? Pan Bóg daje kupca, a diabeł faktora! Się babie udało, oj, udało, takiego Niemca złapać, mój Boże. A ta Chmura stara panna. Bo to fidrygoł był zawsze, fiksum-dyrdum, proszę panią, kaczka dziwaczka. Ta homoniewiadomo od doktora Lipki, pani patrzy, znów koło niej, że tego nie wyleczą jakoś; lekarzem jest podobno jak ojciec, ale, proszę panią, co to za ginekolog baba, ja bym nie poszła, żeby mi baba tam grzebała, a pani? A w życiu, baba na pediatrę to jeszcze, czy dentystę, ale żeby baba babie, to, proszę panią, nie tego. Tej Chmury matka, ta mała gruba w nutriach, to podobno zwariowała, słyszała pani? pod Babelem jakąś dziewczynę, proszę panią, napadła, pobiła w samą Wigilię. Co pani powie? Jadzia też czuła zwrócone ku nim spojrzenia, zasysała się w sobie, ściągnęła usta w kurzą dupkę, jakby się bała, że wciśnie się przez nie ciekawość żałobników. Wzięła córkę pod rękę i trzymała ją tak, jakby zasłaniała się swoim dzieckiem i go broniła, patrzcie, mam córkę, wcale nie jestem sama i nie umrę sama; i wara mi od niej, bo jak Leokadię pogonię. Jak to jest, zadumała się Jadzia, że ci sami sąsiedzi raz, brawo, Jadzia, Jadziunia, ale księżą matkę pogoniłaś, głupią krowę, a potem gotowi rzucić się i zadziobać każdego, kto trochę odstaje? W swoich nutriach Jadzia wyglądała jak niedźwiedź i Dominika myślała właśnie o niedźwiedziu, dlaczego jej babcia przed śmiercią widziała tańczącego niedźwiedzia, skąd nagle niedźwiedź w opowieści babcinej, skoro nie ma go w albumie, źródle wszystkich znanych jej historii? Dominika uśmiechnęła się na wspomnienie zdjęć, które podczas świąt, ostatnich w życiu Haliny Chmury, zrobiła jej na tle choinki. Poczekaj, poprosiła staruszka, poczekaj, się trochę podpicuję, i poczłapała do drugiego pokoju, skąd po piętnastu minutach wyszła w tureckim swetrze w czerwono-fioletowe wzory i niebieskiej apaszce, jej ogniste włosy sterczały na wszystkie strony, a usta, pociągnięte różową pomadką Jadzi, uśmiechały się szelmowsko. Matko Boska, ale se mamusia fontazia pod szyją wywiązała, do cyrku się mamusia szykuje czy co? przewróciła oczami Jadzia, Dominice jednak podobała się babcia ognistowłosa z kokardą, z której jej twarz wyrastała jak uschnięty kwiatowy pączek. Gdy po śmierci Haliny Dominika oglądała stary album, przedmiot swojej dziecinnej fascynacji, zobaczyła na ostatniej stronie wykonaną przez siebie fotografię, podpisaną, Ja, Halina Chmura na świenta 1996, i zdała sobie sprawę, że to jedyny portret babci, jaki zna, bo na nielicznych rodzinnych fotografiach Halina była w tyle, zamazana i niewyraźna. Dominika Chmura wiedziała już, że ten album po babci Kolomotywie jest pierwszą rzeczą użytku niecodziennego, którą odtąd będzie zawsze wozić ze sobą i której będzie strzec.

Śpiewny głos księdza, grubego Michała, którego przysłano na miejsce Adasia, uciszył plotkujących żałobników, Jadzia mocniej ścisnęła ramię Dominiki, westchnęła ciężko z głębi nutrii, w imię Ojca i Syna, matek i córek, dodała szeptem Małgosia. W imię Ojca i Syna, powtórzyli żałobnicy, i Ducha Świentego, amen. Oczywiście wtedy musiała pojawić się Grażynka, równo z amen, zaszumiało, zjeżyły się futra kobiet. W czarnym kapeluszu, butach wysokich za kolano, połyskliwych, Matko Boska, ale się odpierdoliła, szepnęła Lepka, jak Alexis. Wyfiokowana. Odpindrzona. Wypacykowana. Odwalona, że nie ten-tego. Odsztafirowana. Gwiazda ze spalonego teatru. Stara kurwa. Szczęściara. Z futer pań zgromadzonych wokół trumny Haliny Chmury strzelały iskry. Bo też te buty na szpili niebotycznej kurewskie, lśniące jak rybia łuska, kapelusz nie z tej bajki, co bardziej niż buty denerwował, bo takiego nikt w normalnym życiu nie nosił, kapelusz z rondem szerokim jak balia, z woalką. Wołalka, westchnęła Jadzia, cała Grażynka, żeby tak się spóźnić i wyskoczyć na pogrzeb w wołalce jak diabeł z pudełka. Spod woalki czarnej, kropkowanej usta jaskrawe czerwienią błyszczały, niżej płaszczyk obcisły, a widać, że drogi, guzik pod szyją rozpięty, panowie i panie wzrok zapuścili w pęknięcie, dziwka dziwką zostanie, co za kobieta, co za kobieta. Ile to ona ma już lat, liczyły szeptem kobiety, co za kobieta, szeptało w mężczyznach, chrząknął zakłopotany ksiądz, co nagle męsko się poczuł, a nie księżowsko. Grażynka szła jakby nie po cmentarnej alei, ale po czerwonym dywanie, głowa w górze, pierś do przodu, w jednej dłoni bukiet róż taki, że musiał kosztować majątek, bo ze sto ich było i same karminowe, pod kolor jej ust, żeby tak na pogrzeb takie czerwone, mój Boże, w drugiej torebka, że człowiek by na bazarku nie spojrzał, bo prosta, bez ozdób, tylko przepikowana i łańcuszek złoty, a jakoś jednak elegancka, pomyślała Jadzia. Zdobyła się na uśmiech powitalny, ale Grażynka nie była kobietą, której uśmiech wystarczy, podniosła woalkę i wycałowała Jadzię, zaraz potem Dominikę i Małgosię, zostawiając na ich policzkach krwawe odciski, proszę sobie nie przeszkadzać, rzuciła do księdza; Matko Boska, szepnęła Jadzia. W Imię, Ojca i Syna, powtórzył ksiądz nieco wytrącony z rytmu nagłym pojawieniem się tych butów z rybiej łuski, piersi, ust; w imię Ojca i Syna, żegnamy dziś naszą siostrę Halinę Chmurę, zagaił śpiewnym głosem, który Dominice przypomniał inny księżowski głos. Jak to było dawno, pomyślała i uśmiechnęła się do Grażynki. Gdy na trumnę spadły pierwsze grudki ziemi, Jadzia wzdrygnęła się i szepnęła do córki, a wiesz, ja sobie tak ostatnio myślę, żeby się jednak dać skremować. Jak człowiek się zastanowi, to nawet jakoś higieniczniej, chociaż źle się kojarzy.

Jeszcze na stypie miała Jadzia co ze sobą zrobić, bo zawsze potrafiła odnaleźć się w sytuacjach, w których trzeba przygotować i podać jedzenie. Konieczność zachowania kolejności rzeczy utrzymywała ją w koleinach i ten porządek, mięso, tłuczek, jajko, mąka, bułka, patelnia, talerz, pozwalał jej toczyć się bezpiecznie po torze życia. Podawała talerze, odnosiła talerze, myła i niczego nie pozwoliła sobie odebrać w tej krzątaninie, nie, nie, dam sobie radę, przeganiała chętne do pomocy, naprawdę nie trzeba. Ze zgrozą powtarzała córce plotkę przekazaną jej przez Krysię Śledź, że gdy zmarł mąż właścicielki kwiaciarni z trzeciej bramy, ta, zamiast sama przygotować przyjęcie, wynajęła firmę. Firmę, Jadzia obracała w ustach słowo niby znane, ale ciągle jakoś obce, jak demokracja, kapitalizm, mop, domestos. Obcym ludziom dała się po domu kręcić, nie wiadomo, jakie jedzenie, czy czyste, samochodem firmowym przywozić, Jadzia nigdy by na to nie pozwoliła; ona wszystko zrobiła sama, jak dawniej, do czwartej rano na nogach, żeby zdążyć. Dominika chciała jej pomóc, ale ją ścierą z kuchni pogoniła, bo też to jej pomaganie, zaraz jakieś fiksum-dyrdum wymyśli, oliwki, surowizna jak dla królika, kto to będzie jadł. Zdążyła! z satysfakcją patrzyła na znikającą sałatkę warzywną z majonezem, talerze wędlin, drżące kopczyki galaretki drobiowej, koreczki z żółtym serem, ogórkiem i szynką konserwową wbite w połówkę jabłka, nad którymi jej córka pochyliła się z aparatem fotograficznym jak nad egzotyczną rośliną.

Udało się przyjęcie, westchnęła Jadzia, nikt nie powie, że żałowała wydatków na teściową, nikt nie obgada, że chytra ta Chmura, że głodno było, byle jak.

Odganiała od siebie myśl o zbliżającym się wyjeździe Dominiki i gdy skończyło się sprzątanie po stypie, wynalazła sobie sto nowych robót; mówiła o nich tak, jakby perspektywa uszycia nowych firan do kuchni albo zrobienia nalewki pomarańczowej, na którą przepis właśnie znalazła w „Poradniku Domowym", miała w jakiś cudowny sposób przekonać jej córkę do pozostania w Wałbrzychu. Wiedziała jednak, że to się nie uda, i czuła, jak zmienia się aura otaczająca Dominikę, jakby córka pokrywała się niemożliwą do przeniknięcia warstewką lodu; jej dziecko znów ciągnęło w świat. Co ja mam ze sobą zrobić; mówiła Jadzia jakby o jakimś obcym ciężarze, który niosła taki świat drogi w nadziei, że się przyda, a teraz tylko przeszkadza. Patrzyła na swoją córkę wyblakłymi oczami w kolorze agrestu i mrugała rzęsami, które od lat tuszowała na zielono. Już ją ciągnie w świat, latawca, powsinogę! Zobaczyła Dominikę szepczącą coś z Małgosią, dobiegły ją rozmowy, które jej córka prowadziła przez telefon po angielsku i rozumiała tylko imiona Sara albo Ivo; coś się działo, Jadzia Chmura czuła to i chwytała się za serce opanowanym do perfekcji, melodramatycznym gestem. Zaraz znów utraci córkę i zostanie sama w zagraconym ozdobami mieszkaniu, które nagle wydało jej się takie wielkie i puste. Całe dwa pokoje z kuchnią i ona jedna, wytrącona z toru matkowania i zaklinowana na bocznicy. Wertowała zaciekle przepisy na przetwory, które zacznie robić już wiosną; taki szczaw, na ten przykład, niby wszystko w sklepach jest, ale co własny szczaw, to własny, będzie wiedziała przynajmniej, że porządnie opłukany, czyściutki. Przyjedzie znów Dominika, zrobi się szczawiówkę z jajkiem. Może kogo przywiezie ze sobą, będzie dla gościa tradycyjna polska zupa. A do drugiego sałatka z buraków i papryki, nowość, jakiej się nauczyła niedawno i z rozpędu zrobiła piętnaście słoików, a rąk buraczkowych przez tydzień nie mogła domyć i wyglądały jak obdarte ze skóry. W życiu Jadzi brakowało równowagi, bo ubywało jej żywych, a przybywało martwych, do których właśnie dołączyła teściowa Halina Chmura. Miała groby w Zalesiu i groby w Wałbrzychu; inni mieli przynajmniej wnuki, które jakoś równoważyły umieranie dziadków i babć, ona tylko córkę fiksum-dyrdum i kartki od rodziny z Ameryki, której za rodzinę nie uznawała.

Mój jedyny wierny towarzysz to telewizor, mówiła Jadzia melodramatyczna, a Dominika uśmiechała się wtedy tym uśmiechem, który tak podobał się mężczyznom, krzywym, niezachęcającym, a jednak obiecującym ciepło, i wstawała, by przyciszyć ryczący odbiornik. Podgłośnij, protestowała Jadzia, chociaż wszystkie wiadomości kwitowała podobnie jak jej zmarły mąż, Stefan. Kłapią mordami tylko, mordami kłapią, demokracja, fiu-bździu, cuda-niewidy obiecują, a co jeden to gorszy łajdus i fidrygoł. A ja ci mówię, córcia, o jedno im chodzi, jak już się do żłobu dorwą. Jadzia nabierała powietrza, jakby miała zanurkować, i na pełnym wydechu oznajmiała, żeby kałdun napchać za państwowe, im chodzi. Stary radziecki telewizor Jadzi pokazywał świat w zieleniach pleśni i czerwieniach wątroby; oczy ludzi wyglądały jak zapadnięte oczodoły trupów, ich usta były sinymi dziurami i kłapały zębami waranów z Komodo; a tam, warto mi nowy kupować, machała ręką Jadzia i wzdychała z masochistyczną satysfakcją. Mi to już miarę na jesionkę trzeba zdjąć, bo strzelę niedługo w kalendarz na tym bocianim gnieździe, a nie nowy kolor, córcia, kupować. Włączała odbiornik na Teleekspres, by skomentować wygląd prezenterki zbyt wyfiokowanej, wydekoltowanej lub przeciwnie, ulizanej jak ciotka klotka, i pozostawał włączony aż do chwili, gdy szła się myć. Mimo większej liczby programów Jadzia uważała, że kiedyś, ach, kiedyś to były seriale, taka *Isaura* na ten przykład, człowiek doczekać się nie mógł, a teraz same głupoty puszczają, rzadko, żeby coś lepszego, jak *Dynastia*. Głupoty, córcia, nie wiadomo, o co chodzi, nic z tego normalny człowiek nie zrozumie, a ile świństw różnych, kiedyś tego nie było, córcia, mówię ci. Kiedyś w ogóle mało było, przypominała jej Dominika; mało, ale starczało, upierała się pani Chmura. Gdy psuł się obraz, Jadzia mamrotała, to cholerne pudło, podchodziła do ekranu i przywalała z góry w obudowę, podskakiwał usadowiony na niej piesek z porcelany i drżały szyby meblościanki. Waliła tak długo, aż za sprawą jej zabiegów, a może sam z siebie, ruski kolor wracał do formy. No! groziła mu palcem Jadzia, cofała się, nie spuszczając groźnego spojrzenia z ekranu, i sadowiła na powrót w gnieździe wysiedzianym przez jej dawno zmarłego męża. Klepała obok siebie w kanapę, by Dominika wróciła na miejsce córki, sięgała po kolejne ciasteczko, po czekoladkę. Po kilkunastu minutach obraz znikał i wszystko zaczynało się od początku.

Dwa tygodnie po pogrzebie Haliny Dominika kupiła nowy telewizor i cierpliwie tłumaczyła niechętnej wobec technologicznych nowinek matce, jak za pomocą pilota włącza się go, zmienia programy i wyłącza. Jadzia z przesadną zamaszystością celowała pilotem w ekran i z niedowierzaniem kręciła głową, że od razu jest głos i obraz. Wyłancza się tym samym? Tak, mamo, wyłącza się tym samym. Nie pozwoliła wyrzucić starego odbiornika, ale wcisnęła go pod nieużywane biurko w dawnym pokoju Dominiki, gdzie przez lata przybyło rupieci gromadzonych na czarną godzinę, wszelki wypadek i na zaś. A po co się na mnie wykosztowałaś, marudziła, po co na starą babę tyle wydawać, ale już wieczorem tego samego dnia Dominika słyszała, jak jej matka mówi do Krysi Śledź na korytarzu, a moja mi nowy kolor kupiła. Zarabia w tej Ameryce, to co tam dla niej matce nowy kolor kupić, szast-prast, skoczyła do marketu i kupiła. I to nie żadne dziadostwo krajowe czy ruskie, ale japoński. Fakt, iż Jadzia owinęła pilot przezroczystą folią spożywczą, nie zdziwił Dominiki, od razu zrozumiała logikę matczynego działania; każdy głupi zauważy, że w ten sposób jest higieniczniej i mniej się niszczy. Jadzia uwielbiała folię spożywczą, podobnie jak wszystkie nowoczesne środki pomagające w utrzymaniu czystości; podobała jej się lśniąca przejrzysta materia pokrywająca rzeczy ochronną warstwą jak błoną płodową i gdyby coś tak cudownego dało się kupić w zgrzebnych czasach, kiedy Dominika była małą dziewczynką, matka owinęłaby ją folią od stóp do głów. Tego wieczoru Dominika patrzyła, jak Jadzia zmienia kanały z nowo odkrytą pasją, i wiedziała, że to jeden z ostatnich wspólnych seansów na Piaskowej Górze, bo pragnienie podróży i ruchu wzbierało w niej jak fala. Nie mogła ani tu zostać, ani ruszyć stąd Jadzi; pozwoli więc dalej nieść się wiatrom, oto, co zrobi. Nazajutrz Małgosia wracała do Londynu i prosiła Dominikę, jedź ze mną, możesz zatrzymać się w moim domu, Jill nie będzie miała nic przeciwko, potem zastanowisz się, co dalej.

Nocą Dominika stała w oknie pokoju, w którym spędziła dzieciństwo, i patrzyła na wzgórza otaczające pierścieniem Wałbrzych; za nimi był świat, Sara, Ivo, Małgosia, wszystkie poranki świata i miejsca, do których jeszcze nie dotarła. Gdzieś tam była może Chmurdalia. Nie wiedziała, że za drzwiami pokoju stoi Jadzia w różowej koszuli nocnej i wstrzymuje oddech, by córka nie odkryła, że sterczy w ciemności tylko po to, by przez chwilę pobyć blisko swojego dziecka, które znów jej się wymyka. Gdy zadzwonił telefon, obie się przestraszyły. Gdyby Dominiki nie było, Jadzia od razu pomyślałaby, że wypadek, nagła śmierć, złamany kręgosłup, pożar, zgliszcza, ale przecież słyszała kroki córki w pokoju obok, a nie miała na świecie już nikogo innego, kto mógłby jej umrzeć. Pogalopowała więc do łóżka, by udawać, że śpi, a Dominika odebrała telefon, mówiąc do słuchawki to swoje halo już nie polskie, co bardzo denerwowało Jadzię, tym bardziej że reszta rozmowy też odbyła się po angielsku. Z Nowego Jorku dzwonił Leo Barron, były mąż pani Eulalii, który zajmuje się jej sprawami spadkowymi, staruszka zostawiła Dominice jakąś pamiątkę i list. Pamiątkę? Trudno było poznać co, bo opakowane. Obie rzeczy wysłano kurierem do Polski, już powinny dotrzeć na miejsce, jak nie dziś, to jutro. Dominikę zdziwił niespodziewany spadek, bo wiedziała, że pani Eulalia Barron nie ma nic prócz książek, a te zapisała bibliotece, nawet mieszkanie, w którym niewiele oprócz książek było, nie należało do niej. Matko Boska, żeby tylko na poczcie nie ukradli, zatroskała się Jadzia, gdy Dominika powiedziała jej o przesyłce, i do momentu jej nadejścia po dwóch dniach nie mogła przestać o niej myśleć. Co to będzie? I czy da się spieniężyć? Może staruszka ukrywała jednak coś cennego w szafie, tak jak ich Halina, która pod workiem z cukrem chomikowanym na wypadek następnego stanu wojennego trzymała marki niemieckie. A w takim Nowym Jorku to pewnie więcej da się zachomikować niż w Wałbrzychu, i do tego staruszka była bezdzietna, nikt z niej pieniędzy nie ciągnął. A więc co? Coś z biżuterii? Futro z norek? Mogłaby Dominika część wydać na życie, najlepiej tu, na Piaskowej Górze, a część włożyć na książeczkę, kalkulowała sobie Jadzia. Wyobrażała sobie coś pięknego, lśniącego, jak nie biżuteria i futro, to może wyjątkowo okazały kryształ albo srebro rodowe; nigdy wprawdzie nie widziała ani tym bardziej nie posiadała żadnego srebra rodowego, ale lubiła dźwięk tych słów znanych jej z filmów i harlequinów, niosących wyobrażenie czegoś romantycznego i możliwego do spieniężenia zarazem. Srebra rodowe, ordynaci, futra z norek, karoce, welony ślubne to były rekwizyty Jadzinej wyobraźni dobre na każdą okazję; z ręką na sercu i wypiekami na twarzy obserwowała, jak Dominika odpakowuje przesyłkę. Ostrożnie! ostrzegała ją, ostrożnie, bo upuścisz i pisz pan przepadło. W paczce był stary nocnik, jego uszko zalśniło resztką pozłoty. Nocnik? Jadzia popatrzyła na córkę z niedowierzaniem i pochyliła się nad stołem, wygląda zupełnie jak nocnik, co to za fiksum-dyrdum? Zajrzała do środka i z obrzydzeniem podniosła do światła, powąchała, nocnik i do tego używany. Ale może on chociaż ze srebra? Dominika wzięła od matki naczynie i przypomniała sobie, stało na parapecie w pokoju Eulalii Barron, rosła w nim wielka paproć, której młode listki zwinięte były spiralnie jak ślimaki i niekiedy wplątywały się Dominice we włosy. Oprócz naczynia był list.

Droga Dominiko, pisała Eulalia Barron, a litery przypominały Dominice głos staruszki, cienki i drżący. Droga Dominiko, przedmiot, który dostałaś, jest dokładnie tym, na co wygląda. To stary nocnik, nocnik Napoleona Bonaparte. Widzisz, ja nie mam już nikogo i sporo w tym mojej winy. Postanowiłam opowiedzieć swoją historię Tobie, bo myślę, że należysz do osób, które potrafią zachować opowieść przy życiu. Opowieści wymagają ludzkiej dbałości jak paprocie, trzeba je karmić, zapewnić im światło. Czy mówiłam ci, że przypominasz mi trochę Władzię Dziurską, dziewczynę, która czytała mi książki, gdy byłam małą dziewczynką w Krakowie? Na pewno Ci mówiłam. Starzy ludzie lubią jednak powtarzać wszystko wiele razy, nie dlatego, że zapominają, ale ze strachu, że młodzi zapomną o nich. A jesteśmy tym, co pamiętamy, Dominiko. Podobieństwo, o którym piszę, to nie sprawa wyglądu, bo nasza Władzia Dziurska była niską, pulchną blondynką o zbyt długich ramionach i zielonkawych oczach. Łączy Was co innego, dostrzegłam to już wtedy, gdy po raz pierwszy czytałaś mi fragment *Odysei* o syrenach. Tak jakbyś pojawiła się u mnie w Nowym Jorku, by przypomnieć mi Władzię i w jednej opowieści połączyć moją przeszłość z Twoją przyszłością. Dzięki Tobie moja historia pozostanie żywa. Nocnik Napoleona, który Ci zostawiam, dostałam od mojego przyjaciela, bo chyba mogę tak go nazywać, Icka Kaca, polskiego Żyda, który miał sklepik na Brooklynie. Na pewno mówiłam Ci o nim, choć sama wiele nie wiedziałam. Nasza przyjaźń z Ickiem nie polegała na wymienianiu imion, faktów i dat, ale na wspólnocie doświadczenia – oboje żyliśmy w przeszłości. Ocaleni nie są panami pamięci, bo nie mogą odgonić wspomnień, i to nas łączyło, mnie z Ickiem Kacem. Poza tym byliśmy małomówni, nie potrzebowaliśmy ważnych słów, a nieważne nie wydawały nam się warte wysiłku. Wiem tylko, że Icek dostał nocnik Napoleona w Polsce od kobiety, którą kochał, utracił i której szukał przez całe życie; nie wiem, jak miała na imię. Tylko jedną znam nazwę z jego opowieści, Kamieńsk. To małe miasteczko w centralnej Polsce między Piotrkowem Trybunalskim a Częstochową, może kiedyś zawiedzie Cię tam los, Dominiko. Ja nigdy w Kamieńsku nie byłam. Poznaliśmy się z Ickiem Kacem w Metropolitan Museum, gdzie, jak wiesz, przez lata pilnowałam ekspozycji w dziale starożytności. Naszej przyjaźni z Ickiem wystarczało wspólne przyglądanie się mumiom egipskim i tylko raz, właśnie przy mumiach, Icek powiedział mi o przechowywanej przez siebie pamiątce z przeszłości, o nocniku Napoleona. Po śmierci Icka Kaca dostałam tę śmieszną rzecz w spadku, wyobraź sobie. I nic więcej, słowa wyjaśnienia, co mam z tym fantem zrobić. Zrozumiałam, że Icek w ten sposób prosił mnie, bym przechowała jego historię, a mogłam to zrobić, tylko włączając ją we własną. Co za paradoks, że pamiątka po Napoleonie, który był antysemitą, trafiła do mieszkania Żydówki. Zauważyłaś? Robi się nas więcej w tej opowieści, na którą teraz składa się moja historia, historia Icka Kaca, Twoja i nocnika Napoleona. Kto wie, co będzie dalej! Ja użyłam nocnika jako doniczki i dopiero gdy się pojawiłaś, pomyślałam, że być może Icek miał jeszcze jakiś plan czy przeczucie. Nigdy nie należy lekceważyć przeczuć, Dominiko. Poprosiłam dawnych znajomych z muzeum, by sprawdzili wiek nocnika, i okazało się, że jak najbardziej mógł być w posiadaniu cesarza Francuzów. Tego typu eleganckie nocniki produkowano na początku dziewiętnastego wieku w Łodzi, w manufakturze Dionizego Kołka, i ponoć były przez pewien czas bardzo modne, bo paniom podobały się sceny malowane na pokrytej złotem powierzchni. Nie sposób już powiedzieć, co przedstawiały, choć wydaje mi się, że widać tu zarys jakichś zwierząt i kwiatów. Robię dziś to, co, jak sądzę, powinnam zrobić, zapisuję Ci tę pamiątkę w poczuciu zbliżającej się śmierci, którą zapewne poprzedzi utrata jasności umysłu. Możesz zrobić, co chcesz, a ja mam dziwną pewność, że zrobisz dokładnie to, co powinnaś. Odnoszę wrażenie, że podobnie jak ja w młodości, nie masz potrzeby celu, ale posiadasz zdolność odróżniania podróży od dryfowania, Dominiko wędrowna. Starzy ludzie wiedzą, że życie nie biegnie po linii prostej, choć może się wydawać, że akurat oni mają przed sobą tylko jeden kierunek, i to prostą drogą. Nic bardziej mylnego. Życie dzieje się zwykle w przeszłości, teraźniejszości i przyszłości jednocześnie, a mój problem polegał na tym, że podobnie jak Icek umiałam poruszać się tylko w tej pierwszej. Historia, którą dla Ciebie piszę, jest próbą wyjścia z przeszłości – zostawiam ją Tobie, bo masz całą przyszłość przed sobą. Możesz tę opowieść przeczytać kiedyś komuś na głos, tak jak mnie czytałaś książki. Możesz ją po prostu tylko pamiętać. Wybacz, że nie zachowam chronologii i zaczną od tego, od czego ma ochotę zacząć każdy wygnaniec, od momentu, w którym wszystko jednocześnie zaczęło się i skończyło. A więc posłuchaj, Dominiko, posłuchaj jeszcze raz opowieści starej kobiety. Uciekłam z Polski, z Krakowa, z moją mamą, Aliną, pianistką i tatą, Feliksem Meiselsem, prawnikiem, okrężną drogą przez Litwę, Rosję i Japonię; pani Eulalia Barron zaczęła opowieść od nowego akapitu, a Dominika przerwała czytanie listu, by zawołać Jadzię.

Chodź, mamo, przeczytam ci opowieść pani Eulalii Barron! Jadzia, która od kilku minut krążyła wokół Dominiki pochylonej nad listem, ciekawa do granic możliwości, co z tego wszystkiego wyniknie, usiadła i splotła dłonie na pokaźnym brzuchu, który nazywała oponą. Ponad nocnikiem Napoleona spojrzała na swoje dziwne dziecko; jak jej ładnie włoski podrosły, pomyślała. Przez okno wpadły promienie styczniowego słońca i resztki pozłoty zalśniły tak, że w Jadzi odżyła nadzieja na spieniężenie dziwnego spadku. Nie jest to wprawdzie srebro rodowe, ale może wypolerować i w antykwariacie w wałbrzyskim rynku by wzięli? Nie przerywała córce i reagowała po swojemu, przewracała oczami ze zgrozą na ucieczkę żydowskiej rodziny z Krakowa, szeptała, Matko Boska, na śmierć matki Eulalii Barron, Aliny Meisels, i samobójstwo jej ojca, Feliksa, w mętnych wodach japońskiego portu. Japonia? Matko Boska, taki świat drogi od domu! Kręciła głową na wieść o tym, że małżeństwo Eulalii i Leo Barrona nie przetrwało, bo przecież wydawał się takim miłym mężczyzną i tyle razem przeszli, a gdy padło imię Władzi Dziurskiej, w oczach Jadzi pojawił się niepewny błysk rozpoznania. Nigdy nie była mocna w rodzinnych genealogiach ani nie lubiła grzebać się w przeszłości, jak to nazywała, ale pamiętała, że jej babka Jadwiga z Zalesia, zabita podczas wojny żona młynarza, była z domu Dziurska i pochodziła z Częstochowy. Czy ta Władzia mogła być z nią spokrewniona? Jadzia próbowała policzyć lata na potwierdzenie lub odrzucenie tego podejrzenia, ale zniechęciła się, bo jak zwykle przy liczeniu, nie wychodziło jej nic pewnego. Znajome nazwisko przybliżyło jej jednak samą Eulalię Barron; poprzez Władzię Dziurską, tę albo i nie tę, Jadzia poczuła, że staruszka z Nowego Jorku jest jej jakoś bliska. Przetrawi to uczucie bliskości, dodając do swojego wyobrażenia Eulalii Barron parę mocniejszych akcentów, tak że stanie się podobna do jej matki, Zofii, takiej jaka by była, gdyby kochała Jadzię bardziej. Wkrótce Jadzia będzie nazywała nigdy niewidzianą Eulalię Barron ciocią i opowie Krysi Śledź spotkanej na bazarku Manhattan kolejną podkoloryzowaną historię o spadku, jaki ciocia Eulalia z Ameryki zostawiła Dominice, że i na życie jej starcza bez problemu, i na książeczce ma trochę odłożone. Opowieść cioci Żydówki, Eulalii Barron, trochę do niej podobnej w braku wielkich zdolności i talentów, zbliżyła też Jadzię do Ignacego Goldbauma, jej prawdziwego ojca. Eulalia Barron stała się ogniwem łączącym z tym onieśmielającym Jadzię człowiekiem, amerykańskim profesorem, którego jej matka podczas wojny przechowała na strychu w zaleskim domu i z którym przed siedmiu laty w tym domu spłonęła. To ich wszystkich tak wybili, popalili, z własnych domów wypędzili do jakichś Japonii, Kurakaów, pomyślała w przypływie współczucia, w którym było coś jeszcze, bo Jadzia Chmura nagle zrozumiała, dlaczego taki gniew ją ogarnął, gdy Leokadia Wawrzyniak nazwała Dominikę Żydowicą. To uczucie porównywalne do dreszczu doznawanego przy dźwiękach *Czarnej Madonny* było poczuciem więzi. Coś w niej obraziła Leokadia Wawrzyniak, nie tylko jej dziecko, lecz coś, do czego Jadzia, mieszaniec z Piaskowej Góry, córka Zofii Maślak i Ignacego Goldbauma, nagle poczuła przynależność. Wkrótce zacznie się zastanawiać, co i jak ma odpisać na przysyłane jej przez dzieci Ignacego kartki i fotografie. Czy wypada zdjęcie swoje wysłać? W domu czy na dworze? Ubrać ma się raczej odświętnie czy na kole domu? Żeby nie wyszło na ten przykład, że się specjalnie wysztafirowała i wyfiokowała! Upłynie jednak trochę czasu, zanim Jadzia zdobędzie się na to, by starannie wybrane i wypisane pocztówki rzeczywiście wysłać do Ameryki, a teraz, gdy tak siedzi przy stole z córką i patrzy na lśniący w styczniowym słońcu nocnik Napoleona, jej głowę zaprzątają inne ważne sprawy. Jadzia wzdycha, aż mi się zimno, córcia, zrobiło od tych historii, i postanawia zabrać się do obiadu, który niezależnie od dziejowych zamętów i nagłych spadków z Ameryki, musi składać się z dwóch dań z deserem i nastąpić o tej samej porze. Już ma założyć fartuch i zakrólować w swojej kuchni, ale coś jeszcze nie daje jej spokoju. A może ja bym, mówi do Dominiki, ten nocnik Napoleona wydezynfekowała jednak domestosem?

## X

Przyjadę, mówi Dominika do Małgosi, z którą żegna się na Piaskowej Górze w trzaskający mrozem styczniowy dzień; okrężną drogą, ale przyjadę do ciebie do Londynu. Kilka miesięcy i kilka tysięcy mil morskich to niewiele w życiu Dominiki Chmury; pojadę najpierw spotkać się z Sarą, i dam jej nocnik Napoleona, mówi do przyjaciółki. Myślę, że powinien należeć do niej, w końcu ustaliłyśmy w naszej opowieści, że jest praprawnuczką Napoleona i Hotentockiej Wenus. Spotkam się jeszcze z Ivem, bo przyleci do Nowego Jorku na konkurs cukierniczy, i już nic nie będzie mnie tam trzymać. A czy ciebie coś gdzieś kiedyś zatrzyma, Włóczykiju? pyta Małgosia. Nie, mamo Muminka, mówi Dominika i uśmiecha się, ale czasem chcę gdzieś zostać na trochę. Może będę więc chciała zostać na trochę w Londynie, tak, czuję, że będę chciała, nigdy nie lekceważ przeczuć, jak mówiła pani Eulalia Barron. Przyjadę tam za dwa, trzy miesiące, nie później, to już postanowione; bardzo się cieszę, że poznam twoją Jill.

Od wyjazdu Dominiki czuję się, jakby mnie kto zjadł i wyrzygał, cytowała Jadzia powiedzonko Haliny w rozmowie z Krysią Śledź, chociaż za życia teściowej uważała je za wyjątkowo wulgarne i obrzydliwe. Za każdym razem, gdy je powtarza, twarz Haliny, tak dobrze znana twarz zgryźliwej jaszczurki, pochylona z wyrazem dezaprobaty nad jakimś Jadzinym wyczynem kulinarnym, powstaje z martwych. Jakby mnie kto zjadł i wyrzygał normalnie, wzdycha więc Jadzia Chmura, ledwo przyjechała ta powsinoga, zakręciła się, namąciła i już leci, nie usiedzi, owsiki ma w tyłku, czy co. Miejsca sobie całkiem znaleźć nie mogę i zgaga mnie taka pali; jakby mnie kto zjadł i wyrzygał, Matko Boska. Wody z ogórków, Jadzia, się napij, radziła jak zawsze Krysia Śledź, w telewizji jakieś duperele reklamują, ale mnie woda z ogórków na wszystko, Jadzia, pomaga, czy zgaga, czy niestrawność, domowe sposoby najlepsze, w aptekach sama chemia. Jednak tęsknota nie dała się uleczyć wodą z ogórków i wbrew radom sąsiadki Jadzia Chmura łykała całe garści kolorowych witamin i ziołowych preparatów, które kusiły ją reklamami obiecującymi spokój ducha, dobre trawienie i gładką cerę; wrzucała je do gardła i odchylała głowę gestem tak dramatycznym, jakby popełniała samobójstwo w niemym kinie, a potem odbijało jej się szałwią, rumiankiem i rybią wątrobą. Bała się nudy, pustki następujących po sobie dni, ale przynajmniej na początku nic na to nie wskazywało, by Jadzia miała się nudzić, i nawet o codziennej porcji seriali zapomniała z tej niespodziewanej ekscytacji. Kilka dni po wyjeździe Dominiki zadzwoniła do niej z Niemiec starsza córka Grażynki, Aniela Wolf, właścicielka cukierni Calypso z Gelnhausen. Jadzia ledwie ją pamiętała, ale gdy usłyszała głos, wróciło do niej wspomnienie pulchnej dziewczynki, która zawsze miała buzię umazaną jakimiś słodyczami. Aniela powiedziała jej, że Grażynka nie wróciła po pogrzebie Haliny do Niemiec, czy Jadzia coś wie? Zostawiła list, który jej mąż, tata Hans, znalazł dopiero niedawno, bo pod nieobecność żony nie wchodził do małżeńskiej sypialni i spał na kanapie. Smutno mu było samemu w takim wielkim łóżku z baldachimem. Matko Boska, zdziwiła się Jadzia na te niemieckie obyczaje. Pisała Grażynka w tym liście pod poduszką Hansa schowanym, że ich kocha i żeby jej nie szukać, bo odchodzi. Kocha i odchodzi? zdziwienie Jadzi rosło w rytmie ziołowych beknięć po przedawkowanym skrzypie na paznokcie i włosy. Bo żeby tak kochać i odejść? Tego nie robi się w normalnym życiu. W normalnym życiu zostaje się z mężem mimo braku miłości, jak uczyniła jej sąsiadka, Lepka, bo ani on, ani ona nie mieli dokąd się wyprowadzić; po co więc się rozwodzić, skoro nie można się rozejść. Jakby tylko czekała, westchnęła w słuchawkę Aniela, jakby tylko czekała ta moja szalona matka. Na co jakby czekała? Aż jej syn się ożeni, zaszlochała Aniela. Ożenił się nasz Daniel, choć jeszcze dzieciak, z Turczynką zniemczoną, Nazan ma na imię, piękna dziewczyna, hostessą była na targach maszyn rolniczych we Frankfurcie. Zamieszkali w Mehrholtz i wszystko zmienili, zamiast świń mają teraz ekologiczną hodowlę owiec, wytwórnię serów i tradycyjną przędzalnię wełny o nazwie New Age Wool; urodziło im się niedawno dziecko, chłopczyk, którego tata Hans uwielbia. Grażynka babcią, to Jadzi zupełnie nie mieściło się w głowie, koniec świata, jak babcią może zostać ktoś, kto nawet na matkę nigdy nie wyglądał? Zaraz potem Grażynka pojechała do Polski na pogrzeb Haliny; myśleli, że wróci za tydzień, góra dwa, bo powiedziała tylko, to do zobaczenia, kochani, wnuka wyściskała. A tu już ponad miesiąc, jak jej nie ma. Ani telefonu, ani nic, jakby pod ziemię się zapadła. Tata Hans najpierw Grażynki szukał, w radiu był, w telewizji, gdzie on nie był, detektywa wynajął, nawet jasnowidzowi zapłacił, a potem zamknął się w sobie i powiedział, że szukać nie będzie. Nie będzie? upewniła się Jadzia. Nie będzie, potwierdziła Aniela, dodał tylko, że w głębi duszy przeczuwał, że jego Grażynka odejdzie pewnego dnia i nie wróci z lasu. A potem właśnie zamknął się w sobie, całe gospodarstwo syn z synową prowadzą, a on tylko bawi się z wnukiem i opowiada mu o Grażynce całymi dniami. Matko Boska, ale jak z lasu? Jadzia nie była osobą, której nagłe zniknięcie mogło w ogóle przyjść do głowy, i aż się spociła z wrażenia na ten las, który pamiętała ze swojego pobytu w niemieckim domu Grażynki, ciemna ściana drzew za domem, jakoś złowroga. A tak, potwierdziła Aniela, do lasu Grażynka chodziła, najczęściej wieczorami, zawsze sama, i śmiali się z taty Hansa, że wypatruje jej tak, jakby miała nie wrócić, a to przecież tylko zwykły las, i do tego blisko. Gdy pojechała do Polski, w ogóle się nie martwili, tata Hans nakupował jej tymczasem prezentów, ubrań, butów, jak to on. Ale Grażynka z Polski nie wróciła. Prezentów nakupował, a ona nie wróciła, westchnęła Jadzia. I jeszcze, choć chłop, buty umiał żonie kupić, pewnie patyk mu zostawiła; gdyby Jadzi ktoś tak nakupował, to na pewno by nie zniknęła. Jeszcze powiedziała jej Aniela, że jasnowidz wziął sto marek, skupił się, oczy zamknął i gada, ale tak jakby z brzucha, że widzi jakiś dom opuszczony. Gdzie ten dom? jaki dom? dopytywał się Hans; jasnowidz oczy otworzył, wziął drugie sto marek, oczy zamknął, jęczał, sapał z godzinę, wziął jeszcze pięćdziesiąt i w końcu mówi, że za granicą i nie dom, ale pusta parcela z jakąś komórką czy chałupą, zaroślami łopianu. Matko Boska, westchnęła Jadzia. Czy Jadzia coś podejrzewa? Może jakieś znaki pamięta? Czy coś na zamiar zniknięcia bez wieści w Grażynki osobie wskazywało? Jadzia zadrżała, co za tajemnicza historia, co za romantyzm, jak bardzo chciałaby jakieś znaki pamiętać, być jedyną, która je okiem bystrym dostrzegła. Niestety, nic szczególnego nie pamiętała. Jedyne, co tłukło jej się po głowie, dotyczyło bardziej jej własnego losu niż Grażynki. Tobie, Jadzia, jeszcze noga się do tańca rwie, powiedziała jej Grażynka na stypie, nie łam się, Jadzia, jeszcze zatańczysz, tyłek na słoneczku wygrzejesz. Fuknęła na nią, bo tu stypa po teściowej, a ta o tańczeniu, tyłka grzaniu, gdzie jej tam do tańczenia, ale zapomnieć tych słów nie mogła. Gdyby lepiej słuchała, może coś jeszcze między słowami tego dziwnego proroctwa by usłyszała? Oczywiście będzie się zastanawiać, pomyśli, czy znaki jakieś były, jakby co, zaraz przekręci, obiecała Jadzia córce Grażynki. Gdy odłożyła słuchawkę, znowu przypomniała sobie Grażynkę na pogrzebie Haliny, wystrojoną jak Alexis z *Dynastii*, i poczuła znajomą mieszankę dezaprobaty, sympatii i zazdrości. Jadzia Chmura wiedziała, czego dotyczyła sympatia i dezaprobata, nie była jednak pewna, z czym wiązała się zazdrość kłująca ją jak ściernisko bose stopy. Być może chodziło nie tyle o cudownie zakonserwowaną młodość Grażynki czy dobrobyt, lecz o odwagę porzucenia wszystkiego, ot, tak sobie, jakby dom, samochody, sprzęty kuchenne, zasłony, narzuty, lambrekiny, komoda z pościelą, szuflady pełne jedwabnej bielizny do noszenia na co dzień, a także mąż ślubny i niepijący, żywy i zdrowy, nic nie były warte albo jakby istniało coś warte więcej, o czym Jadzia nie miała pojęcia, ale czego istnienie czasem przeczuwała.

Jadzia miała bezdyskusyjną przyjemność bycia osobą, która informację o zniknięciu Grażynki rozpuściła po

Piaskowej Górze, skąd plotkę wiatr szybko rozwieje po innych dzielnicach Wałbrzycha. Zaczęło się od balkonu, gdzie korzystając z marcowego słońca, Jadzia rozwieszała pranie; pranie rozwieszała też Krysia Śledź, której pomagała wnuczka, Pati, z patyczkiem od lizaka wystającym z ust. Rozpieszczana przez babcię dziewczynka była już tak gruba, że nie mogła sama zawiązać sobie butów. Krysia uważała jednak, że zanim gruby schudnie, chudego pięć razy szlag trafi, i śmiała się z młodej lekarki z przychodni na Piaskowej Górze, która zaleciła Pati dietę i basen. Ach, westchnęła Jadzia, co to się wyprawia na świecie, wyobraź sobie, Krysia, że Grażynka znikła. Znikła?! Grażynka? Znikła, z satysfakcją potwierdziła Jadzia i zrobiła dramatyczną pauzę. Do Niemiec z Wałbrzycha nie wróciła, znikła jak kamień w wodę. Dwa balkony niżej rozmowę usłyszała Lepka, która pranie miała już wywieszone, ale wyszła na papierosa. Lubiła tak stać, palić i patrzeć na południe, bo gdzieś tam była Jugosławia albo to, co po niej zostało, tam na wojnę nie wiadomo kogo z kim pojechał jej syn Zbyszek, od którego od dawna nie miała wieści. Na wojenkę jadę, mama, pożegnał się i znikł; wyczulona z tej racji na czasownik znikać we wszystkich formach, Lepka wyłowiła go błyskawicznie z rzeki dźwięków, które docierały do jej ucha. Że kto znik?! wychyliła się i krzyknęła w górę, gdzie pojawiły się głowy Jadzi i Krysi, wrzeszczące unisono w dół, Grażynka znikła! Grażynka znikła! dla pewności potwierdziła Pati i z powrotem włożyła lizaka do ust, jakby tylko chwilę była w stanie wytrzymać bez słodyczy. Wkrótce o zniknięciu Grażynki mówił cały Wałbrzych i wymyślano coraz bardziej fantastyczne historie na temat miejsca jej pobytu, bo co do jednego wszyscy pozostawali zgodni: Grażynka znikła z własnej woli i żyje. Żyje życiem, o jakim im się nie śniło! Wygrała w totolotka niemieckiego i kupiła sobie dom z basenem w Meksyku, gdzie mieszka z młodym Meksykaninem, w kapeluszu meksykańskim chodzi i nic oprócz niego na sobie nie ma, ta zdzira, tylko kapelusz i złote bransolety. Meksykanin jej drinki z parasolką podaje, a każdy drink tyle kosztuje, że na Piaskowej Górze rodzina by za to tydzień żyła i co dzień miała schaboszczaki. Ta Grażynka! W stroju bikini, w czarnych okularach. A tam w Meksyku, akurat, do Moskwy pojechała! a właściwie do Petersburga, tam teraz inaczej, niż kiedy był Leningrad, Ruscy, panie, mają dziś takich milionerów, że na ich jednego naszych dziesięciu trzeba złożyć, i jeszcze brakuje. Trzy razy w roku latają do Egiptu, do Tunezji. I Grażynka takiego milionera ruskiego poznała, zakochał się w niej Iwan na zabój, żonę, dzieci porzucił, pałac w Petersburgu jej postawił, jacht kupił nowiutki na lato. Konno po Petersburgu teraz Grażynka zaiwania, z kieliszkiem szampana w ręce, w futrze, a po rusku tak gada, jakby od lat tam żyła, zdrastwujcie tawariszcz i na zdarowie, pażałsta. Tym wieściom, bijąc się w pierś, zaprzeczał Lepki. Po zamknięciu kopalni, w której pracował, gdy część odprawy wydał na sprowadzony z Niemiec używany samochód, a pozostałą przepił z tęsknoty za pracą pod ziemią, na którą wcześniej tak narzekał, Lepka zdenerwowała się i zagnała go do roboty. Brakorobie, ofermo, niemoto, będziesz mi tu na dupie siedział, pierdział w stołek i wzdychał? Może jeszcze depresji jak Śledź dostaniesz? Rób coś, chłopie! Lombard załóż jak Kowalik albo sklep zwierzęcy jak syn Waciaka, tylko nie siedź tak, bo mnie zaraz normalnie trafi! Rusz się i rób coś, bo skończysz jak ci, co żebrzą pod Realem, dupo wołowa. Lepka, nie mogąc się doczekać inicjatywy ze strony małżonka, sama firmę zarejestrowała, wizytówki Handel Obwoźny Lepki Waldemar dała do wydrukowania i wysłała małżonka niemieckim samochodem w podróż po Polsce. Były górnik jeździł z bagażnikiem pełnym rajstop damskich z prywatnej wałbrzyskiej fabryczki i oferował w wiejskich i małomiejskich sklepikach. I w Kamieńsku, przysięgał teraz Lepki, dziurze takiej, że wiatr zawraca, widział Grażynkę, stała pod jakąś chałupą łopianami zarośniętą, a gdy go zobaczyła, uśmiechnęła się, całusa posłała i wsiadła do terenówki; gdy samochód ruszył, szal jej jedwabny przez okno zafurkotał, co to był za całus, co za szal, a terenówka jaka, mój Boże. Za kierownicą siedział jakiś figo fago w czarnych okularach, do prezydenta Kwaśniewskiego trochę podobny, ale na gębie mniej nalany i młodszy. Całusa, śmiała się Lepka, tobie by kto całusa wysyłał, ofermo, chyba własna mama, gdybyś jej wcześniej do grobu nie wpędził. Już ja ci te całusy kapciem ze łba wybiję. Ach, gdybym ja młodsza była, tobym cię tak w tą chudą dupę kopła! To wszystko powtórzyła Jadzia Dominice, gdy w końcu zadzwoniła z Londynu, i dodała, że co do niej, to uważa, że Grażynka pojechała do Ameryki operację plastyczną sobie zrobić, silikonowe implanty i lifting. Jadzia była świeżo po lekturze nowego numeru „Twojego Stylu", szarpnęła się i sobie kupiła, choć drogi; oglądała niepoddające się grawitacji piersi i gładkie twarze gwiazd o ustach jak pączki oponki; gwiazdy były nie tak wiele młodsze od niej, a w przypadku żony Janosika nawet chyba starsze, i zastanawiała się Jadzia, czy higieniczne są takie implanty i liftingi, czy nie grożą złapaniem jakiegoś choróbska. Dominika nie zdziwiła się zniknięciem i nie udzieliła jej się ekscytacja Jadzi, bo od początku wyczuwała w Grażynce kogoś podobnego sobie, kto musi pozostać w ruchu, by żyć. Jeszcze ją pewnie zobaczymy, powiedziała tak pewnym tonem, że wzbudziła w Jadzi mnóstwo podejrzeń.

Dominika dzwoniła do Jadzi z domu, w którym zamieszkała trzy tygodnie po przyjeździe do Londynu, za oknem rosło drzewo figowe o liściach jak żabie łapy, pachniało słodkimi bułeczkami, pieczonymi przez grecką gospodynię Apostoleę Ellinas, i jeśli nie przywiodłyby tu Dominiki inne okoliczności, przywiódłby zapach wanilii i cynamonu. Szukała pokoju, zataczając coraz szersze kręgi od centrum miasta, z dala od dobrych dzielnic, z dala od Hamstead Heath, gdzie mieszkały Małgosia i Jill. Spacerowała po okolicach szemranych, żyjących w rytmie niepewności, gdzie ludzie siedzieli na schodach domów i rozmawiali o ojczyznach, które porzucili, bo tak rozmawia dwieście milionów ludzi żyjących poza krajem swojego pochodzenia. Ktoś wrzeszczał na kogoś przez otwarte okno w angielskim, jakiego nie uczono w żadnej szkole, jakieś Polki kłóciły się na przystanku, bo jedna miała drugą zastąpić na nocce przy zmywaku, ale nie przyszła, co ty sobie, kurwa, myślisz, że u siebie w Zabrzu jesteś? Tu od razu Dominika Chmura czuła się swojsko. Po raz pierwszy zdała sobie sprawę tak wyraźnie, że też ma ojczyznę, za którą tęskni tym szczególnym rodzajem tęsknoty, która skłania do tego, by pamiętać, a nie wracać. Robiła zdjęcia domom, zwierzętom i ludziom, siadała na ławkach, schodach, piła kawę w przydrożnych kawiarniach o dziwnych nazwach i niezbyt czystych stolikach, fotografowała plamy, jakie na blatach zostawiały filiżanki. Kupowała słodycze indyjskie, tureckie, ormiańskie, greckie i jadła je z papierowych torebek, włócząc się szlakiem pokoi do wynajęcia w zagraconych mieszkaniach i tanich domach, których zapachem przesiąka się na lata. Małgosia prosiła, zostań u mnie, Jill naprawdę nie ma nic przeciwko temu, ona jest tylko trochę neurotyczna i ma problem z ojcem alkoholikiem, zostań, ale już po tygodniu Dominika szukała mieszkania. Nie przeszkadzała jej Jill, gotowa była nawet polubić tę małomówną i niepozorną kobietę, której nieustannie coś się rozlewało, tłukło albo przewracało i która po każdym nieszczęściu wyglądała na tak samo zdumioną, jakby przez trzydzieści kilka lat życia nie zauważyła, że jest nieporadna. Jill o ziemistej cerze, w szarych indyjskich sukniach, przypominała Dominice matkę Małgosi, która w brudnej podomce snuła się po domu na Szczawienku jak ponury duch. Lubiła jednak wspólne kolacje w londyńskim mieszkaniu Małgosi, gdy jadły przyrządzone przez Jill eksperymentalne potrawy, składające się głównie z zieleniny, muesli i pasztetu sojowego własnej roboty; lubiła patrzeć, jak Małgosia nalewa wina do lśniących kieliszków i wznosi toast za dziewczyny z Piaskowej Góry i okolic, a Jill żartuje, że niestety urodziła się w okolicach Notting Hill, gdzie tam Notting Hill w Londynie do Sandy Hill w Wałbrzychu. Dominika nie mogła zostać dłużej w tym przyjaznym miejscu, bo dla Małgosi było ono domem, i nawet jeśli Jill wkrótce miała zostać zastąpiona inną kruchą kobietą potrzebującą pomocy, istotą tego miejsca była trwałość.

Dominika zadomowienia nie odczuwała jeszcze nigdy i nie wiedziała nawet, czym jest tęsknota za nim, bo jej jedyny dom, ten na Piaskowej Górze, był przede wszystkim miejscem, z którego uciekała, w taki sposób, jak ucieka się z ojczyzny, ciągnąc ją za sobą jak kot puszkę przyczepioną do ogona. Jak miała wytłumaczyć Małgosi, że nie rozpakowuje do końca plecaka, bo nie dotarła do celu i nie wie, czy kiedykolwiek dotrze, że naprawdę nie potrzebuje tego pięknego fotela, mimo iż ma on cenę okazyjną i można go wziąć na korzystne raty, sama perspektywa posiadania czegoś na raty wydawała jej się tak absurdalna jak zakup działki na Księżycu. Potrzeba ruchu, przemieszczania się i świadomość, że w każdej chwili może ruszyć dalej, tego potrzebowała Dominika Chmura, i coraz bardziej rozumiała, że ta potrzeba jest tak samo jej częścią jak blizna na twarzy, wspomnienie wypadku i zapach spalonego mięsa. Zamierała więc w przerażeniu, gdy Małgosia mówiła, za rok moglibyśmy wybrać się do Tajlandii i Kambodży, albo gdy planowała, podczas najbliższych świąt zrobimy wielkie przyjęcie! Bo nie wiedziała i nie chciała wiedzieć, co i gdzie będzie robiła na święta, a tym bardziej za rok. Skąd ludzie wiedzą takie rzeczy? Dlaczego poświęcają im tyle uwagi? Wybiegnij myślą w przyszłość, mówiła Małgosia, jakby cytowała Jadzię, wysil się, powiedz, jak widzisz siebie za dziesięć lat, ale Dominika śmiała się, że ona woli biegać po parku i myśleć o przeszłości. Przyszłość, pani doktor, jest przereklamowana!

Małgosia zachwycała się zdjęciami Dominiki i pokazywała je znajomym, kobietom w modnych fryzurach i mężczyznom, o których Jadzia powiedziałaby, że pachną jak perfumeria, masz talent, mówili, pytali, gdzie się uczyła, dla kogo pracuje, a dwie osoby od razu wyraziły chęć kupienia kilku fotografii, bo akurat urządzały nowe mieszkania. Czy mogłaby więc zrobić je w dużym formacie i podpisać? Małgosia podsuwała Dominice informacje o akademiach sztuk pięknych, o fotograficznych kursach i konkursach, i prosiła, spróbuj, po prostu spróbuj, co ci szkodzi, uparta cholero, ale Dominika nie uważała, że ma talent; talent miała być może do matematyki, ale go utraciła. Teraz po prostu robiła zdjęcia, bo w momencie, gdy uwieczniła jakiś obraz, stawał się on przeszłością, a to przeszłość i sposoby jej istnienia w przyszłości były tym, co fascynowało Dominikę Chmurę. Nie była przesadnie skromna ani naiwna i wiedziała, że prace, które wychodzą spod jej ręki, nie są złe, ale nie czuła przywiązania do swoich zdjęć, bo interesował ją sam akt utrwalenia i jego powtarzalność. Rozdawała fotografie i rozkładała dookoła, zostawiając za sobą ślady w postaci portretów nieznajomych i przyjaciół, wizerunków domów i zwierząt, których historia stawała się jej częścią, tak jakby obrazy odciskały się na jej ciele. Małgosia podnosiła fotografię, na której Dominika miała właśnie zamiar postawić kieliszek albo użyć jej jako packi na muchę, czy ty zwariowałaś, chcesz zniszczyć portret chasyda rozmawiającego na drabinie przez telefon komórkowy! Mogę? Bierz, jest twój, wzruszała ramionami Dominika, możesz sobie go powiesić nad łóżkiem i rozmawiać z nim o panu Bogu. A to? pytała Małgosia, podnosząc zdjęcie dwóch dziewcząt w wyjściowych kreacjach obżerających się hamburgerami na londyńskim przystanku zalanym rtęciowym blaskiem przedświtu. Mogę? Bierz, jest twoje.

Dominika znalazła banalną pracę w barze, bo w Londynie żadna staruszka nie szukała, niestety, kobiety do czytania po polsku, i zaczęła serwować drinki z taką samą zgodą na to, co będzie dalej, z jaką wcześniej czytała Eulalii Barron *Odyseję*. Bar w Soho przyjmował klientelę tak snobistyczną, że obojętność Dominiki wobec zewnętrznego wyglądu była brana za wystudiowaną nonszalancję, a naturalna chudość za wynik wyjątkowo skutecznej diety, i już pierwszego wieczoru dwie dziewczyny zapytały ją, gdzie się strzyże. Powiedziała im, zgodnie z prawdą, że sama, elektryczną maszynką, co uznano za dobry żart i wkrótce zaczęła ją otaczać atmosfera pewnej tajemniczości; poszła plotka, że nowa barmanka nie jest tym, za kogo się podaje. Rumuńska księżniczka, córka żydowskiego milionera, który trafił za kratki z powodu giełdowego przekrętu, wydziedziczona spadkobierczyni greckiej fortuny, która naraziła się ojcu armatorowi, uciekając z marynarzem, były różne pomysły, a Dominika po prostu robiła drinki i w rzadkich chwilach bezczynności bawiła się pierścionkiem z iskrzącym się kamieniem, jedyną biżuterią, jaką kiedykolwiek nosiła. Dostawała duże napiwki, bo nie tylko szybko uczyła się imion, ale umiała wysłuchiwać historii pijanych klientów tak, jakby były jedyne w swoim rodzaju. Ci, którzy opowiadali jej alkoholowo-kokainowe brednie o tym, że ktoś kogoś opuścił, za plecami naopowiadał, że ktoś z kimś, podczas gdy tak naprawdę z kimś zupełnie innym, widzieli w jej oczach powiększone i prawdziwsze wersje swoich opowieści. Zwykle wpadali wtedy na pomysł, że Dominika kogoś im przypomina, i cieszyli się tym poręcznym wytłumaczeniem, zamawiając kolejkę wódki żurawinowej lub różowego szampana, którego smak Dominika szybko polubiła. Mnie to wystarcza, powtarzała Małgosi, która przekonywała ją, że powinna znaleźć inną pracę, jest kimś o wiele za dobrym do nalewania drinków rozwydrzonym dzieciom bogatych rodziców i telewizyjnym gwiazdkom ze sztucznymi cyckami; to tylko praca, mówiła Dominika, to tylko praca, pani doktor. Taka praca wystarczy, by wynająć pokój, za który płaci się co tydzień Greczynce Apostolei Ellinas, w domu, gdzie łazienkę dzieli się z innymi; to tylko łazienka, mówiła Dominika wzdychającej Małgosi, przestań wzdychać jak moja mama, to tylko łazienka z włosem w wannie, od tego się nie umiera.

Gdy Dominika zobaczyła Apostoleę Ellinas, pomyślała, że oto jej zmarłe babcie, Zofia i Halina, tak różne fizycznie i tak niepodobne wewnętrznie, otrzymały nowe życie w osobie tej Greczynki z londyńskiego Stoke Newington, która stanęła w progu z rękoma na biodrach i zmierzyła ją wzrokiem. Dominika nie znała miłości od pierwszego wejrzenia, a najbliższa temu uczuciu była chęć pozostania w jakimś miejscu od pierwszego wejrzenia, i poczuła ją bardzo wyraźnie, gdy zobaczyła Apostoleę Ellinas. Z ogłoszenia o pokój? Z ogłoszenia. Górna część ciała Apostolei należała do Haliny, bo miała ciemną, szczupłą twarz jaszczurki, przerzedzone włosy i wąskie opadające ramiona, ale dół był samą hojnością, tam Greczynka wyglądała jak Zofia. Jej duże piersi, które kiedyś musiały być piękne, zlewały się z obfitym brzuchem, miękkie płaszczyzny ciała otaczały ją aż do kolan, jakby pośrodku miała piłkę plażową, z której trochę zeszło powietrze. Nogi w rozklapanych kapciach były pokryte żylakami i dziwnie chude w stosunku do reszty; sięgała Dominice do ramienia i miała taki wyraz twarzy, jakby wystarczyła jedna kropla słodyczy lub goryczy, by od razu popadła w euforię lub rozpacz. Jesteś Greczynką? zapytała Apostolea Dominikę. Czy to źle, że nie? Źle nie, ale myślałam, że jesteś. Wyglądam na Greczynkę? Wyglądasz jak jedna z moich córek, gdy była dzieckiem. Dzieckiem? uśmiechnęła się Dominika, ale ja mam prawie trzydzieści lat. Trzydzieści? zdziwiła się Apostolea i zamilkła na chwilę. Miałam w twoim wieku siedmioro dzieci, powiedziała. Ja nie mam dzieci, oświadczyła Dominika, ani jednego. Jeszcze cię Bóg pobłogosławi, pocieszyła ją Apostolea, jak chcesz, mogę się o to pomodlić. Dziękuję, uprzejmie zgodziła się Dominika, ale proszę nie robić sobie kłopotu. Greczynka zaprosiła Dominikę do kuchni, gdzie pod ikoną płonęła oliwna lampka; ten zapach, Dominika znała ten zapach. Były inne, pytały o pokój, studentki z Australii i Niemka, do jutra mam zdecydować, która, westchnęła Apostolea i dodała, że nie lubi Niemców. Zdarzają się mili, Dominika wzięła w obronę sąsiadów Polski. To gdzie się podziewali za Hitlera? spytała retorycznie Greczynka i Dominika nic nie powiedziała, bo nie było dobrej odpowiedzi. To skąd ty jesteś? Z Polski, na to pytanie ciągle była jedna odpowiedź. Papież, westchnęła Greczynka, nie szkodzi. Nie szkodzi, że papież? upewniła się Dominika. Nie szkodzi, mam tu przyjaciółkę, panią Sabrę, jest Turczynką, nie szkodzi. Nie szkodzi? jeszcze raz upewniła się Dominika i wciągnęła w płuca zapach greckiej kuchni w londyńskim domu; Dimitri Angelopoulos, pomyślała, chłopiec z tornistrem wypełnionym rachatłukum, grecka kuchnia jego matki w domu na Szczawienku. Mogłaby tu zostać; mogłabym tu zostać, powiedziała, jeśli pani mnie wybierze. Pani Sabra jest Turczynką, ja jestem z Cypru, westchnęła Apostolea. Przychodzi tu, przynosi ciasto z migdałami, piec nie umie, skrzywiła się, Turcy o pieczeniu nie mają pojęcia, ale nie szkodzi, że jest Turczynką. Dominika pokiwała głową, jej też nie szkodziło. Apostolea wyjęła z piecyka blachę i poczęstowała Dominikę świeżo upieczoną bułeczką, dobre? pyszne! Na Cyprze były jeszcze lepsze, tu mąka nie taka. Przez chwilę siedziały w milczeniu. Jak mieszkałam na Cyprze, moja ciotka Eleni napiekła kiedyś takich bułeczek. Ciągle głodna byłam, zwinęłam z pięć i schowałam się w stłuczonej kadzi na wino w ogrodzie; ciotka wołała, Apostolea! Apostolea! a ja nic, cicho zjadałam bułeczki, jedną po drugiej. Przez szczelinę widziałam morze, jakie tam jest morze, jakie niebo, nigdzie takiego nie ma jak na Cyprze. Lanie potem dostałam, aż mi krew z nosa poszła, ale co zjadłam, to moje. Życie nie jest łatwe, sierotą byłam, a ty masz rodzinę? Mam mamę, mój tata nie żyje, dziadkowie i babcie też. Siostry, bracia? Miałam siostrę bliźniaczkę, ale umarła. Zjadły po drugiej bułeczce. Życie nie jest łatwe, westchnęła Apostolea, wynajmę ci ten pokój, jeśli chcesz. Dominika najpierw myślała, że stara Greczynka ulitowała się nad nią z powodu tych licznych śmierci, o których nie sposób było nie wspomnieć, odpowiadając na pytanie o rodzinę. Dopiero potem zrozumiała, że Apostolea Ellinas, niepiśmienna Cypryjka, w wieku lat piętnastu wydana za dalekiego kuzyna z Londynu, wdowa, matka jedenaściorga dzieci, z których ośmioro przeżyło, była osobą oswojoną ze śmiercią na tyle, że nie robiła już na niej wielkiego wrażenia. Apostolea popatrzyła na Dominikę, zupełnie jak moja Afroditi, powiedziała i podsunęła jej kolejną bułeczkę; sięgnęła do szafki po słoik miodu i uśmiechnęła się, jakby podobieństwo tej Polki do kogoś utraconego było najlepszą rekomendacją. Jesteś chuda, jedz miód, grecki najlepszy, chociaż takiego jak na Cyprze tu nie ma. Zrobię ci jutro dolmades, życie nie jest łatwe. Afroditi była ciągle na diecie, a ty? Ja nie, zgodnie z prawdą odpowiedziała Dominika, tylko nie lubię mięsa. Greckie polubisz, westchnęła Apostolea, z majerankiem i czosnkiem. Jak nie, zrobię ci ośmiornicę w occie. Chcesz? Nie jestem pewna, ale zaryzykuję.

Znalazłam mieszkanie! powiedziała Dominika przez telefon Sarze tego wieczoru, mam pokój z widokiem na ogród, rośnie w nim figowiec, ma liście jak żabie łapy. Musisz mnie tu odwiedzić i opowiedzieć o podróży do Afryki. Na coś się przydał nocnik Napoleona. Przydał, potwierdza Sara. Sara przyjęła nocnik Napoleona, który Dominika ofiarowała jej w prezencie, ale nalegała, by go sprzedały i podzieliły się zyskiem; siedziały wtedy w brooklyńskim domu babki Sary, La-Teeshy, i powietrze przesycone było melancholią, jakby ta scena już należała do przeszłości. La-Teesha gotowała słodkie ziemniaki; ten zapach, powiedziała Sara, kojarzy mi się z Hotentocką Wenus tak bardzo, jakbym już kiedyś go czuła, w innym życiu. Ich drogi rozchodziły się; Dominika wyjeżdżała do Londynu, Sara zaczęła studia w nowojorskiej New School i żartowała nie bez satysfakcji, że mimo podeszłego wieku, bo w końcu jest ładny kawałek po trzydziestce, chyba sobie poradzi i napisze pracę magisterską. Semestralny esej na temat Hotentockiej Wenus piękna czarnowłosa profesorka socjologii, uwielbiana przez Sarę, zarekomendowała do druku. Imię profesorki, Ann, pojawia się w co trzecim zdaniu Sary; Ann poleciła jej świetną książkę, Ann skontaktowała ją z profesorem, który dotarł do materiałów związanych z paryskim pobytem Wenus i jej spotkaniem ze słynnym uczonym rasistą Georges'em Leopoldem Cuvierem; Ann zna afroamerykańską pisarkę, która pracuje nad książką o Wenus; Ann poza tym umie śmiać się tak, że drżą szyby i spadają liście. Gdyby Dominika przytyła ze czterdzieści kilo, byłaby do Ann podobna, tym bardziej że rodzina Ann pochodzi z Polski; dlaczego mnie to nie dziwi? westchnęła Dominika. Sara mówi, że jej babka La-Teesha najpierw nie mogła pojąć, dlaczego w wieku, gdy ona była już babką, wnuczka wraca do szkoły. Na drugi dzień jednak o tym, że Sara poszła na studia, wiedziała już cała ulica na Bed-Stuy, a babka spacerowała specjalnie powoli i odpowiadała na pytania sąsiadów. Sara, jakby co, uspokajała swoje i cudze wątpliwości zawsze ostrożna La-Teesha, ma fach w ręku i zawsze może wrócić do pracy w szpitalu albo sobie dorobić na boku sprzątaniem. Zupełnie jak moja mama, śmieje się Dominika, powinny się poznać, La-Teesha z Bed-Stuy i Jadzia z Piaskowej Góry. Sara coraz mniej przypomina włóczęgę, którym była przez lata, jej włosy nadal są krótkie i żółte, ale ich wełnista powierzchnia błyszczy złotymi drobinkami, złote drobinki podkreślają jej kości policzkowe, szyję oplatają ciężkie korale z nefrytów. Zamiast sportowych butów i dżinsów ma skórzane japonki i czarną jedwabną spódnicę, która tańczy wokół jej niebywałych bioder, jej oczy są jak dwie cytrynowe landrynki, Dominika ssała takie w dziecińStwie, aż raniła się w język, a gdy przybrały doskonałą postać spłaszczonej kulki, wyjmowała z ust i oglądała pod słońce. Dominika wciąga w nozdrza zapach paczuli, który spowija Sarę; zawsze pozna ją po nim. Czy to koniec podróży Sary Jackson, czy ta kobieta o ciele budzącym takie emocje sama zaczęła czuć, co znaczy pożądanie? Dominika nie pyta Sary o to, ale ma wrażenie, że jej przyjaciółka dotarła w miejsce, które na jakiś czas, kto wie, jak długi, może stać się domem.

Dominika i Sara zaniosły nocnik Napoleona do wyceny dawnemu znajomemu Eulalii Barron z Metropolitan Museum i sprzedały w jednym z poleconych antykwariatów. Antykwariusz, podobny do chomika człowieczek w różowej koszuli z muszką, zgadzał się, że historia przedmiotu jest fascynująca, pochodzenie z łódzkiej manufaktury Dionizego Kołka pewne, ale niestety on płaci tylko za rzeczy materialne, a nie za opowieści, nawet najbardziej niezwykłe, nic z tego, nawet jeśli na poczekaniu opowiedzą mu jeszcze niezwyklejszą niż ta, którą właśnie usłyszał, nie ugnie się. Gdyby to chociaż był nocnik spod Austerlitz, ludzie lubią historie o wielkich zwycięstwach, albo spod Waterloo, wielkie klęski sprzedają się równie dobrze, ale Polska, polski nocnik, Kamieńsk? Kto słyszał o Kamieńsku, moje panie? Po delikatnej renowacji być może uda mu się sprzedać nocnik Napoleona jakiejś damie z Upper West Side, która użyje go jako stojaka na parasole i będzie mówiła gościom, ach, kupiłam sobie niedawno nocnik Napoleona, ja tak lubię antyki, że kiedy coś mi wpadnie w oko, to się wprost oprzeć nie mogę. Można go też użyć jako doniczki, podpowiedziała Dominika; jako stojaka na parasole albo doniczki, zgodził się antykwariusz, czemu nie, ale to niczego nie zmienia. Gdy kobiety wyszły, postawił naczynie na półce, zatarł ręce i pomyślał, że być może jego oryginalne przeznaczenie utrzyma w tajemnicy, rzadkie naczynie z początku XIX wieku, tak to opisze; kto wie, może jakaś ekscentryczka z West Village lub specjalista od wystroju wnętrz uznają nocnik Napoleona za idealny do serwowania dietetycznych sałatek z tofu, rukolą i odtłuszczonym sosem. Antykwariusz pomyślał, że zrobił niezły interes i gdy trafi się prawdziwy wielbiciel napoleoników, na przykład ten gadatliwy mądrala z Uniwersytetu Columbia, wymyśli coś odpowiedniego, nie pierwszy raz to zrobi; grunt to dobra historia. Podobny do chomika mężczyzna w różowej koszuli z muszką czule pogładził nowy nabytek i uśmiechnął się zadowolony.

Pani Eulalia Barron tego właśnie chciała, powiedziała Dominika, gdy szły z Sarą w dół Manhattanu Piątą Aleją, opowieść ma mieć dalszy ciąg, dlatego staruszka zostawiła mi nocnik Napoleona; zostawiła ci go, bo wiedziała, że zaraz go komuś oddasz albo zgubisz, skończyła za nią Sara. Ciekawa jestem, co będzie dalej? zastanawiała się Dominika, do kogo trafi? Pewnie nigdy się tego nie dowiemy. Ja w każdym razie swoją część przehulam, możemy nawet wypić zdrowie małego cesarza przyzwoitym winem, choć raczej na to nie zasłużył. Ja swoją część wydam na bilet do Johannesburga, zdecydowała Sara, czuję, że nadszedł czas. Kilkaset dolarów do podziału, jakie dostały od antykwariusza, nie wystarczyło na wiele, ale w dużym sklepie ze starzyzną na Dwudziestej Trzeciej Ulicy mogły tego dnia czuć się bogate. Dominika właśnie w takich miejscach kupowała ubrania i gdy zużyły się jej dżinsy, tam znajdowała drugą parę, przy okazji wybierała książkę z brakującymi stronami albo nadjedzony przez mole kapelusz za dwa dolary i brała go, bo wiedziała, że musi mu zrobić zdjęcie, zaraz, natychmiast, koniecznie na ławce na Tompkins Square, gdzie po sesji zostawał, czekając na następnego właściciela. Dominika, jeśli miała szczęście, mogła potem sfotografować bezdomnego, który zagląda do kapelusza, jakby spodziewał się wyciągnąć zeń królika albo girlandę sztucznych kwiatów, i po namyśle zakłada na głowę. Dominika nie jest oszczędna, pieniądze same w sobie są dla niej czymś pozbawionym uroku, nigdy nie myślała o ich gromadzeniu i posiadaniu, a liczy je tylko wtedy, gdy boi się, że nie starczy jej na czynsz i jedzenie; Jadzia tłumaczy jej na darmo, że trzeba mieć jakieś zaskórniaczki na czarną godzinę, że najlepiej ukryć je w domu, bo z bankami nigdy nie wiadomo. Sklepy z używanymi rzeczami kuszą Dominikę tym, że zgromadzone tam ubrania i przedmioty mają przeszłość, która wsiąkła w nie, wgryzła się jak kornik; dlatego zamknięta w obskurnej garderobie fotografuje poplamione wnętrza torebek, cielesne i intymne, postrzępione nogawki, przetarte kołnierzyki, paski z odciśniętymi śladami grubszych i chudszych talii, zwisające nitki po urwanym guziku, obcasy, które już się natańczyły; możliwość uchwycenia opowieści tych rzeczy, już niechcianych i zużytych, fascynuje Dominikę. Sara znalazła właśnie starą kurtkę ze skóry węża i Dominika spojrzała na nią łakomie, bo wyglądała tak, jakby historia sączyła się spod każdej odłażącej łuski. Przymierz, rzuciła ją Dominice. Pasuje! ucieszyła się Sara, kupię ci ją w prezencie, żebyś o mnie pamiętała w Londynie.

Dzikość serca! Ivo, który wszedł do sklepu, pyta, Sailor, to ty? Ivo! Ta kurtka wyraża moją indywidualność i wiarę w wolność jednostki, cytuje Sailora Dominika i biegnie do Iva; cytaty z filmów, z książek, z opowieści innych ludzi są takie przydatne od czasu, gdy na tyle dobrze opanowała angielski, by się nim swobodnie posługiwać. Mimo upływu lat, które Ivo spędził na podjadaniu czekolady, bitej śmietany i mascarpone, pozostał chudy i wiotki; mówi, że miałby szansę na tytuł najchudszego cukiernika, gdyby taki przyznawano. Długie ramiona i nogi Iva znajdują się w nieustannym ruchu; wygląda jak Michael Jackson z czasów *Thrillera*, gdy był w fazie przejściowej między czarnym mężczyzną a białą kobietą; podobieństwo podkreśla fakt, iż Ivo ma teraz ciemne włosy, na jego czole podryguje misternie skręcony loczek. Oprócz koloru włosów zmienił kolczyk w uchu, nosi już nie cyrkonię, tylko drewniany krążek. Co to ma być? pyta Sara i bierze w dwa palce płatek jego ucha. Plemienny kolczyk! oznajmia Ivo, gdy Dominika też wykrzywia się z udawanym obrzydzeniem; w Paryżu plemienna biżuteria w tym sezonie najmodniejsza, też powinnyście sobie kupić, bo należymy do tego samego plemienia. Stań tu, zrobię ci zdjęcie, muszę mieć zdjęcie twojego plemiennego ucha i tego wnętrza w perspektywie, prosi Dominika, a Sara wznosi oczy do nieba akurat w momencie, gdy znienacka wycelowany w nią zostaje obiektyw aparatu. Ona tak ciągle? pyta Ivo Sarę. Żadnej poprawy, przytakuje Sara, ale niekiedy uda jej się już pstryknąć całą twarz, nie tylko ucho, przedziałek w tyłku czy dziurki w nosie; ostatnio zrobiła zdjęcie mojej babci La-Teeshy. Brawo, błaznuje Ivo, może i ja zasłużę na porządny portret u Dominiki Chmury, mojej polskiej żonki, mistrzyni sztuki zdejmowania wizerunków. All right, Mr. DeMille, I'm ready for my close-up! Ivo przybiera pozę Normy Desmond, a Dominika ustawia aparat. A nie planujecie rozwodu? pyta Sara; nie, na razie nie są zainteresowani rozwodem, bo obojgu przydaje się białe małżeństwo. Problem w tym, że Dominika niekiedy zapomina, że ma amerykańskiego męża, i musi się potem tłumaczyć w różnych urzędach; nie zrozumiałam pytania, bardzo przepraszam. Iva bawi myśl, że ma żonę, i lubi opowiadać małżeńskie historie, choć nigdy nie doświadczył małżeńskiego życia, powtarza po prostu to, co słyszał w domu rodziców i nowych domach zamężnych już sióstr, tak jakby testował inny los i egzotyczny język; moja żona, mówi przygodnym znajomym w pociągu czy samolocie, ciągle mi powtarza, Ivo, przestań bałaganić, Ivo, naucz się obsługiwać pralkę, to naprawdę nic trudnego. Jest fotografką ta moja żona i zupełnie nie umie gotować!

Ambitne francuskie plany Iva ziściły się częściowo i opowiadając o tym, cytuje dowcip, który zna od Dominiki, że nie samochody, tylko rowery, i nie rozdają, ale kradną. Czekolateria w Paryżu prowadzona przez Amerykanina okazała się czymś, co nijak nie mieściło się we francuskim wyobrażeniu czekolaterii, która jak sama nazwa wskazuje, tłumaczyły mu różne osoby, jest francuska i niemożliwe, by jakiś Amerykanin, choćby uzdolniony, znał się na takich subtelnościach, jak czekolada, która tylko przez przypadek nie pochodzi z Francji, lecz z Meksyku. Bardziej przyjazny od Paryża okazał się Lyon, a od czekolaterii łatwiejsza do zrealizowania banalna kawiarnia, i Ivo od półtora roku prowadzi takie miejsce z francuskim wspólnikiem. Przychodzą amerykańscy turyści, studenci i mówią, że to coffee shop, jaki miły coffee shop, ubolewa Ivo; po to siedzę w Lyonie, gadam po francusku z tymi pożeraczami ślimaków i żab, by rodacy myśleli, że prowadzę bardzo miły coffee shop, ale od czegoś trzeba zacząć. Dzięki temu, iż wspólnik Iva jest ponoć stuprocentowym hetero, obarczonym wielodzietną rodziną i rodzinną skłonnością do ciągłego wrzasku, ich stosunki układają się poprawnie, bo nie ma obawy, że Ivo się zakocha. Wygląda jak Louis de Funès, nic z tego! Moja miłość to chłopcy i czekolada, mówi Ivo w sposób, który u kogoś innego byłby pretensjonalny i nie do zniesienia, ale u niego nie razi, bo Ivo po prostu mówi prawdę swojej słodkiej opowieści. Czekolada! Nadal interesuje go przede wszystkim czekolada i desery czekoladowe, ale ostatnio coraz więcej uwagi poświęca lodom, w lodach jest przyszłość. Konkurs, na którym Ivo był we Włoszech, wygrał po raz kolejny z rzędu Włoch imieniem Sergio, z San Giminiano, małego miasteczka w Toskanii. Przyrządzał sorbety z tamtejszego wina Vernaccia, sorbety z pomelo i szampana ten Sergio, pistacjowe fantazje wyczarowywał, które były beżowe, bo takie powinny być, a nie zielone, i smakowały jak wieczór na Sycylii. Ivo zachwycił się tą lodową orgią po włosku i na wakacje wybiera się do Toskanii. Może Sergio przyjmie go na krótką praktykę? Ileż musi być pięknych chłopców latem w Toskanii, studentów wędrujących z plecakami, z brudnymi nogami, w krótkich spodenkach pełnych kieszonek, z przewodnikami Lonely Planet; zatrzymują się na średniowiecznym rynku w San Giminiano i liżą lody, pachną czymś jednocześnie świeżym i lekko zabrudzonym, poklejonym. Jak się lodami zachlapią, to tak niezdarnie łapami wycierają, rozmazują, co za piękny widok. Co za piękny widok, moje drogie! Ivo marzy, że ma takiego chłopca w domu, wiecznie głodnego studenta, i przyrządza dla niego desery, najbardziej wyszukane deserowe nieba z czekolady, ziarno kakaowe w najlepszym gatunku sprowadzałby z Wenezueli albo Madagaskaru, dodawał wanilię z wyspy Reunion, śmietankę z Isigny. I już nie byłoby lonely planet, lecz planeta miłości! Okazuje się jednak, że w codziennym życiu Ivo nie ma tyle czasu, by chłopców, których znajduje, karmić deserami własnej roboty, bo prowadzenie kawiarni jest o wiele bardziej wyczerpujące, niż sobie wyobrażał, i nieważne, że bardziej przypomina ona coffee shop, nawet Starbucks, nie daj Boże, niż lokal w hotelu Ritz. Nie przyjechałyby do niego? proponuje Ivo Dominice i Sarze. Da im pracę, mogą na początek mieszkać razem, potem pomoże im coś znaleźć. Kapitalista z naszego Iva, śmieje się Sara, krwiopijca. W tatę się wdał, mówi Dominika, nasz John IV Smith, kto wie, czy nie żałuje sprzedaży fabryczki sprzętów łazienkowych. Mógłby produkować w Posejdonie klapy sedesowe w same bratki! Ivo chwyta Dominikę za szyję i udaje, że dusi ją w odwecie za te żarty, giń, Desdemono! Giń, żebym mógł ożenić się z Jagonem, kończy Sara. Żeń się, bigamisto, zgadza się Dominika, ale pod warunkiem, że ja zrobię wam zdjęcia ślubne. Rób, opublikujemy je w „New York Timesie" i „Vanity Fair", i Annie Leibovitz skręci z zazdrości. Dominika bez trudu uwalnia się z ramion Iva; czasem Ivo rozważa dziwną myśl, że Dominika wygląda trochę tak jak jego wymarzony chłopiec słodkolubny, którego jeszcze nie spotkał, chłopiec wysoki i wiotki, ale jednocześnie silny, męski i kobiecy, z delikatną białą blizną przecinającą policzek jak przyklejona nitka babiego lata; tak, Dominika przypomina takiego chłopca, na przykład teraz, gdy w przymierzalni nowojorskiego sklepu ze starzyzną stoi w kurtce ze skóry węża i spod ronda fedory patrzy na niego. Dominika widzi wzrok Iva i odbicie ich dwojga w lustrze, rozumie i uśmiecha się. Mogłaby pożyć gdzieś jako Dominik Chmura, czemu nie; wysoki, chudy mężczyzna w skórzanej kurtce Sailora i starym kapeluszu, na przykład kontrabasista. Mój bliźniak-mąż, myśli Dominika-Dominik; będzie za tym obrazem tęskniła.

Na drugi dzień Dominika poleciała do Londynu, a Ivo poznał Hiszpana, który pracuje na Wall Street, i zakochał się w nim na przekór sobie, bo Hiszpan w swoim garniturze, koszuli w prążki i z teczką ani trochę nie wyglądał na upaćkanego lodami chłopca, o jakim marzył. Gdy powiedział o tym Dominice przez telefon, ta zacytowała motto Apostolei Ellinas, życie nie jest łatwe, drogi Ivo, nie szkodzi.

Apostolea traktuje Dominikę jak odzyskaną cudem córkę, a w momentach, gdy uświadamia sobie oszustwo, do jakiego posuwa się jej serce, robi się zła. Martwe córki nie pojawiają się w drzwiach z plecakiem, co by pop powiedział na takie bluźnierstwa, Apostolea żegna się i całuje ikonę, ale to za mało. Złość wyładowuje w kuchni, gdzie, trzaskając garnkami, głośno płacze, a Dominika przypomina sobie greckie płaczki, o których czytała Eulalii Barron; w swoim pokoiku kołysze się na wzbierających falach rozpaczy, która szaleje piętro niżej. Apostolea od czasu do czasu musi popłakać, wrzeszczy wtedy po grecku i wyje, zalewa się łzami i wali pięściami, w co popadnie, zdarza się, że stłucze naczynia, a potem płacze jeszcze głośniej, być może z żalu nad zmarnowanym dobrem. Gdy burza mija, pochlipując i złorzecząc pod nosem, sprząta ślady destrukcji i zaraz potem zabiera się do przyrządzania czegoś smacznego; Dominika! Woła Apostolea, gdy danie jest gotowe do podania, a ona sama do opowiadania o Cyprze i swojej utraconej córce, Afroditi. Mogłabyś wynająć sobie normalne mieszkanie, przekonuje Dominikę Małgosia, zarabiasz, niedługo będziesz zarabiać lepiej ode mnie, potrzebujesz miejsca, pracowni. Mogłabyś nawet postarać się o kredyt, kupić dom, musisz mieć jakiś plan, Dominiko Chmuro. Małgosia tak długo zbierała porzucone przez Dominikę fotografie, aż uzbierała całą teczkę i od początku miała w tym swój plan, czekała tylko na odpowiednią okazję. Małgosia bez planu czułaby się jak bez swoich eleganckich okularów, półślepa i bezbronna, za pół roku zrobi więc kurs paralotniowy, za osiem miesięcy skończy doktorat, za pięć lat zdobędzie Mount Everest, w ciągu dwóch lat sprawi, że talent Dominiki zostanie doceniony i jej przyjaciółka przestanie robić drinki nakokainowanym utracjuszom, a zacznie żyć z fotografowania. Plany Małgosi na ogół zostają wprowadzone w życie i tylko plan na miłosne życie własne na razie nie do końca jej się udaje, bo po trzech latach, co było osiągnięciem rekordowym i uczczonym wielkim przyjęciem, Jill wyprowadziła się nagle do rosyjskiej tancerki baletowej, która w przeciwieństwie do Małgosi niczego nie planuje i żyje w totalnym bałaganie, popijając kawior dietetyczną colą. Z powodu tak nagłego wyrwania się Jill z planów na przyszłość Małgosia musi załatać dziurę, jaka powstała, ale na szczęście jak dotąd wszystkie jej partnerki były kobietami na tyle pozbawionymi właściwości, że wystarczyło je tylko trochę podkręcić, zapisać na jakiś kurs, odchudzić albo kupić im buty do wspinaczki, by dawały się wpasować w tory jej aktywnego życia. Z tobą bym zwariowała! mówi Małgosia Dominice, która na każdą próbę skłonienia jej do przedsięwzięcia czegokolwiek wzrusza ramionami. Tego nie dało się wytrzymać, Małgosia musiała sama wymyślić plan dla Dominiki i wyegzekwować jego wykonanie; ta kobieta na co dzień wycina guzy i odbiera dzieci, żadne wzruszanie ramionami jej nie powstrzyma.

Gdy wysłana przez nią fotografia Dominiki wygrała konkurs ogłoszony w ilustrowanym dodatku jednego z największych dzienników, Małgosia nie zdziwiła się, tylko pomyślała, że przed nią trudniejsza część, będzie musiała przyznać się przyjaciółce do swojej samowoli. Dziękuję ci, ale nie rób tego więcej, powiedziała Dominika, gdy siedziały w ogrodzie Apostolei, obiecaj, że nie będziesz mnie już ratować, obiecaj, że teraz zrobisz coś dla siebie. Nie jakiś głupi plan z zobaczeniem siedmiu cudów świata, ale coś, czego naprawdę chcesz. Ale pójdziesz tam? Odbierzesz nagrodę i pójdziesz na kurs? Będziesz szukać pracy jako fotografka? Znajdziesz sobie normalne mieszkanie? Spotkasz się z agentem? Odbiorę, pójdę, będę, ale nie chcę się stąd wyprowadzać, to mi wystarcza, odpowiada Dominika, lubię mieszkać u Apostolei. Nie czujesz, jak tu pachnie, skup się, powąchaj, mieszkam w domu, który pachnie cynamonem, w domu, w którym grecka płaczka przyrządza dla mnie baklawę, znasz wiele takich miejsc w Londynie? Mam w nosie własny dom, nie potrzebuję kredytu, domu ze sobą nie zabiorę. A dokąd go niby nie zabierzesz? niepokoi się Małgosia. A skąd ja mogę wiedzieć dokąd? Może do Francji robić z Ivem Jajeczka Króla Henryka z czekolady, może do Senegalu fotografować baobaby albo do Turcji odnaleźć dziewczynę imieniem Aysun, której plątały się rzęsy, opowiadałam ci o niej. Albo na poszukiwanie zaginionej w tajemniczych okolicznościach Grażynki Kalthöffer de domo Rozpuch się wybiorę, nie wiem. Nie rozumiem, jak możesz żyć bez planu, jak możesz nie odczuwać oddechu na plecach, lęku, że się nie zdąży zrobić tylu ważnych rzeczy, dziwi się Małgosia. Jakich ważnych rzeczy? pyta Dominika i zrezygnowana przyjaciółka macha ręką.

Życie nie jest łatwe, wzdycha stara Greczynka i stawia na kuchennym stole talerz ociekających syropem ciasteczek migdałowych. Rano była pani Sabra i przyniosła daktyle; Apostolea uprzedza Dominikę, że takich daktyli jak cypryjskie na pewno nie dostanie od pani Sabry, Turcy nie mają pojęcia o daktylach, ale pełną ich miskę przysuwa obok ciasteczek i sięga po owoce raz po raz, krzywiąc się, jakby zażywała lekarstwo. Georgi, jej syn nierób, znów był pożyczyć pieniądze, podobno oprócz ślubnych ma dziecko na boku, z jakąś Angielką, opowiada Dominice Apostolea. Dominika nie jest pewna, czy Apostoela jest z tego powodu nieszczęśliwa, czy jednak jurność syna sprawia jej trochę mrocznej satysfakcji i cieszy ją fakt posiadania jeszcze jednego dziecka w rodzinie. Jeszcze jeden ciemnowłosy, wielkooki chłopiec do kochania i karmienia pieczonymi kurczakami, tego nigdy dość. Gdy podrośnie, będzie przychodził do Apostolei i przebierał pod stołem nogami, czekając na koniec wizyty i jej kulminację, pięć funtów, które babka mu wciśnie do kieszeni. Moja biedna mama, myśli Dominika, jak ona lubiłaby mieć tak liczną rodzinę do narzekania i marudzenia, do karmienia i kochania, do wciskania pieniędzy w kieszeń. Dominice mylą się imiona i twarze wnuków Apostolei; sam Georgi, który mieszka najbliżej i ciągle zapożycza się u matki, ma czterech niemal identycznych synów o wielkich smutnych oczach z bizantyjskich ikon i ogromnym apetycie, nie licząc właśnie ujawnionego nieślubka. Apostolea chętnie opowiada jeszcze raz wszystkie historie, śmieszne i straszne, skarży się na Georgiego, który traci pieniądze na hazard, nocami je doner kebab, fuj, Turcy to robią, to w ogóle nie jest jedzenie; narzeka na dwie córki londyńskie żyjące z zasiłków, jedną rozwiedzioną, drugą z jakimiś kłopotami macicznymi, tylko o córce, która zginęła w katastrofie lotniczej, mówi rzadko, przy specjalnych okazjach, jakby tego bólu nie potrafiła jeszcze ubrać w codzienne słowa. Dominika wie tylko, że Afroditi była jedynym dzieckiem Apostolei, które skończyło studia. Wyszła za mąż za Greka, prawnika poznanego na uniwersytecie, i zginęła z nim w samolocie, który rozbił się na Cyprze. Polecieli tam w poszukiwaniu rodzinnych śladów, wujów, ciotek, domów i ogrodów, o których opowiadała matka Afroditi; innym dzieciom Apostolei nie przyszło to dotąd do głowy. Dominika od razu czuje do Afroditi sympatię i zastanawia się, jaką kobietą była ta młoda Greczynka, która tak jak ona lubiła grzebać się w przeszłości. Dzieckiem Afroditi zaopiekował się brat męża, dziennikarz z Berlina, mały Ted ma już pięć lat, śliczny i mądry chłopiec. Śliczny i mądry, mówi Apostolea i wzdycha, życie nie jest łatwe; ostatni raz widziała tego wnuka, tak ukochanego, bo naznaczonego utratą, już prawie trzy lata temu. Nie szkodzi, wzdycha jak w obliczu wszystkich innych spraw, na które nie ma wpływu. Może przyjadą do Londynu tej wiosny, bardzo by chciała, Dominika wtedy zrobi im zdjęcie. Zrobi? Zrobi. Apostolea idzie do swojego pokoju i przynosi na wieszaku sukienkę z lśniącego kobaltowo poliestru, którą ma zamiar włożyć na tę specjalną okazję, chociaż na co dzień ubiera się wyłącznie na czarno. Pojechała po nią na targ na Petticoat Lane z panią Sabrą. Pani Sabra kupiła sobie legginsy, Apostolea Ellinas przewraca oczami, w Turcji nie mają pojęcia o ubieraniu się, to rzecz pewna, albo czarny namiot, albo od razu legginsy. Ładna sukienka? Bardzo ładna. Dobrze wyjdzie na zdjęciu? Na pewno. Apostolea nie wie, co lubi syn Afroditi, ale pieczonym kurczakiem pewnie nie pogardzi, kto nie lubi pieczonych kurczaków. Na wszelki wypadek ma ich całą zamrażarkę, jak wówczas, gdy żył jej mąż, a wszystkie dzieci były w domu. Pokazywała już Dominice zapasy? Tak, ale chętnie zobaczę jeszcze raz, mówi Dominika i pochyla się nad zafoliowanymi korpusami ułożonymi w parującym zimnem wnętrzu. Piękne! Nawet Afroditi, wiecznie na diecie, nie odmówiła sobie kawałka piersi, tylko skórę zawsze ściągała, opowiada Apostolea, i Georgi zjadał te skóry na wyścigi z młodszym bratem, Kostasem. W jednym z dziesiątków albumów fotograficznych, jakie ma Apostolea, Dominika widziała zdjęcie Afroditi zrobione w dniu rozdania dyplomów; ubrana w togę i biret była piękna urodą kobiety, która pozostaje szczupła tylko dzięki żelaznej sile woli, jakby postanowiła pokazać, że jest w stanie nie tylko przerwać krąg nieukończonych liceów, zasiłków i wczesnych ciąż swojego rodzeństwa, lecz także dopasować się do tego imienia. Moja Afroditi, powiedziała Apostolea, i jak zawsze westchnęła, że życie nie jest łatwe. Dominika na zdjęciu młodej kobiety nie widziała podobieństwa do siebie, które dla Apostolei od początku było oczywiste, raczej do kogoś, kim mogłaby się stać, gdyby nie wypadek. Mogłaby teraz wykładać matematykę na jednym z uniwersytetów i mieć taką skupioną, poważną twarz kogoś, kto ma wyraźny cel, doktorat, profesura, kolejne książki. W jej głowie wszystko byłoby uporządkowane według klucza, jak niegdyś książki Eulalii Barron; być może odkryłaby już kolejną liczbę pierwszą, być może poznałaby zasadę decydującą o tym, że wszystkie liczby, których suma cyfr wynosiła siedem, wydawały jej się kiedyś seledynowe jak niebo zimą nad Wałbrzychem.

Dominika zrobiła to, o co prosiła Małgosia, i podobnie jak poprzednie zmiany w jej życiu po wypadku, tak i ta była raczej łagodnym przepływem niż rewolucją, poddała mu się po prostu. Bez żalu przestała pracować w barze i skupiła się na robieniu zdjęć; wiedziała, że są dobre, to wiedziała od początku, ale miała też pewność, że brakuje w nich czegoś, co dopiero może sprawić, że będą doskonałe. Sprzedawała je, bo z jakichś powodów ludzie chcieli je mieć, być może odnajdowali w fotografiach zniekształconych lustrzanych odbić, szczelin w murach i fragmentów ludzkich ciał własną tęsknotę, która dotąd nie miała kształtu. Podobały im się portrety, na których nigdy nie było widać całej twarzy, a czasem tylko kawałek ust i dwa palce albo bezbronne zagłębienie szyi i płatek ucha. Wygrana w konkursie dawała Dominice prawo do podjęcia rocznych studiów i stypendium; nie miała problemu z odnalezieniem się wśród innych studentów i studentek londyńskiej akademii, bo od dawna wyglądała jak jedna z nich, szczupła dziewczyna w dżinsach i starej skórzanej kurtce, z aparatem na szyi i teczką pełną prac przewieszoną przez ramię. Gdyby ją widziała magister Helena Demon, przekleństwo jej szkolnych lat, nie uwierzyłaby, że w jednej klasie może być tylu cudzoziemców, a wykładowcy nie dość, że jakoś radzą sobie z wymawianiem nazwisk, to jeszcze niektórzy sami są cudzoziemcami.

Dominika w dni wolne od zajęć jeździła po Londynie i robiła zdjęcia; potrafiła z takim zapamiętaniem śledzić jakiś szczegół, na przykład zmienny krajobraz zniekształconych twarzy i przedmiotów odbity w błyszczącym guziku na torebce jakiejś zakwefionej muzułmanki jadącej metrem, że jechała razem z nią przez pół miasta, by w końcu ocknąć się w zupełnie nieznanej okolicy i musieć udowadniać jakiemuś wkurzonemu Pakistańczykowi, że wcale nie śledzi jego siostry. Dopiero po nazwie stacji orientowała się, gdzie jest, ale w drodze powrotnej na Stoke Newington znów zdarzało jej się zaplątać, tak że dotarcie do domu zajmowało jej w końcu pół dnia. Bezbłędnie trafiała w miejsca, które są w każdym dużym mieście; wstydliwe szczeliny, ślepe uliczki, budki telefoniczne oblegane przez nielegalnych imigrantów krzyczących do swoich bliskich w językach, których nikt nie chce się uczyć; ławeczki obsiadłe przez zmęczone kobiety w brzydkich butach, mówiące coś szybko, nerwowo i patrzące tak, jak patrzą ci, którzy stracili wszystko albo nigdy nie mieli nic do stracenia; doner kebab ociekający tłuszczem dla urobionych na budowach i przy śmieciach, dla bezrobotnych; witryny sklepów cuchnących pleśnią i tanimi słodyczami, gdzie wiszą ogłoszenia dla tych z Bangladeszu, Polski, Senegalu, Rumunii, Pakistanu. Dominika ciążyła ku tym miejscom i w magmie tysiąca języków umiała wyławiać polskie zdania, które przechowywała w pamięci niczym piaskową górę słów, dla których potem szukała obrazu w swoich pracach; przypadkiem posłyszane fragmenty życia – moja Liluś ma tysiące zdjęć, nie będzie mi byle Arab, włóż na spód cebuli, to będzie się wydawać, że dużo – były zarodkami opowieści, których istotę chciała uchwycić w obiektywie aparatu.

Śmieciara, żartowała z niej Małgosia, zbierasz jakieś obrzynki rzeczywistości, trociny z normalnego życia, papierki od cukierków. Normalna się znalazła, krzywiła się Dominika, seryjna monogamistka z tendencją do amnezji. Tym razem to jest to, naśladowała przyjaciółkę, która do każdej kolejnej relacji miłosnej podchodziła ze świeżą nadzieją i entuzjazmem; tym razem to jest to i jeszcze nie miałam tak cudownego seksu. Małgosia, sama chętna do zwierzeń i roztrząsania szczegółów, wyciągała z małomównej Dominiki informacje o jej przelotnych londyńskich przygodach. Kim jest? Gdzie go spotkałaś? A jeśli zajdziesz w ciążę? Jest malarzem, uwielbia Luciena Freuda, ma na imię Pete, mieszka na poddaszu z okrągłym oknem w dachu, spotkałam go w National Gallery, dokładnie pod portretem Arnolfinich, a od tego, co robimy, nie zachodzi się w ciążę na szczęście, odpowiadała po namyśle Dominika. Dominiko Chmuro, powinnaś poczytać książki dziadka Luciena Freuda, Zygmunta, zobaczyłabyś, że jesteś zafiksowaną na fazie oralnej wariatką. Małgosiu Lipko, czytałam je wszystkie dla Eulalii Barron, która uwielbiała zwłaszcza interpretacje snów, i wiem, że życie, jak mówi moja gospodyni Apostolea, nie jest łatwe. Powiedz coś jeszcze o swoim malarzu, dlaczego ten właśnie Pete spod Arnolfinich? Jeśli nie miłość, to co? Dominika wzdycha wtedy tak, jak wzdycha jej matka Jadzia w obliczu konieczności podliczenia rachunku. Pete opowiedział mi piękną historię o swoim dziadku, fizyku, który na starość zrobił się fiksum-dyrdum i pracował nad maszyną do odczytywania i pomiaru ludzkiej aury, uważał, że dobrzy ludzie emanują błękit i fiolet, źli musztardowe odcienie żółci. Poza tym depiluje sobie tors, Pete, nie dziadek. Małgosia patrzyła na przyjaciółkę i myślała o różnicy między nimi; dla Małgosi takie spotkanie pod portretem Arnolfinich z jakąś żeńską odmianą malarza imieniem Pete oznaczałoby początek opowieści, która miałaby rozwinięcie w postaci wspólnego życia, niedzielnych wyjazdów za miasto, planowanych precyzyjnie wakacji, i zapewne miałaby też zakończenie jak wszystkie jej miłosne historie, podczas których wyciągała z problemów kobiety zatrważająco podobne do swojej wiecznie zapitej matki, by w końcu zostać raz jeszcze opuszczoną. Czego ty chcesz więcej, co ci nie pasuje w malarzu, który goli tors i lubi Luciena Freuda, wolałabyś, żeby był włochaty i czytał „Daily Mail"? Sęk w tym, że nie chcę od niego nic więcej. Więc może wiesz, czego się boisz? Może, krzywi się Dominika, bo za dużo tu już dla niej psychologii jak na jedną rozmowę. Może boję się, że spadnę z jakichś schodów, jak moja mama w ramiona taty, i zostanę gdzieś, zanim będę wiedziała, czy mi się tam naprawdę podoba. Za tydzień czy dwa nie było już mowy o malarzu, więc rozmawiały o Sabinie, studentce rumuńskiego pochodzenia, którą Małgosia poznała ostatnio i z którą zamierzała zamieszkać, a na lato pojadą do Rumunii, w góry, będą przez dwa tygodnie wędrować z namiotami po Transylwanii, już ma opracowany cały plan i marszrutę ściągniętą z internetu, zapisała właśnie Sabinę na kurs wspinaczkowy. A ty? co będziesz robić latem? Może cię to zaskoczy, ale nie mam planów turystycznych, śmieje się Dominika, ani marszruty z internetu. Na pewno będę robić zdjęcia i odwiedzę mamę. A właściwie mam plan, Apostolea nauczy mnie robić baklawę. Zrobię ci, gdy wrócisz z Rumunii, z Sabiną czy z transwestytą z Transylwanii. Ja przynajmniej próbuję ułożyć sobie życie, a ty? nie poddaje się Małgosia. Ułożyć to możesz sobie majtki w szufladzie, mówi Dominika i dodaje, że ma dość gadania, idzie na basen popływać.

Tej wiosny, gdy w Polsce zaczynały się deszcze stulecia, a Małgosia planowała trekking przez Transylwanię, londyńskie życie Dominiki płynęło w rytm wykładów, warsztatów i fotografowania; na zakończenie roku pracowała nad cyklem zdjęć z opuszczonych londyńskich cmentarzy. Ludzie, którzy będą je oglądać, zachwycą się światłem i nastrojem, nierealnym wymiarem postaci w tle, a Dominice chodziło głównie o studium rozkładu i uchwycenie różnicy między umieraniem kamienia, drewna i metalu. Układała właśnie na kuchennym stole wizerunki kalekich Chrystusików, spróchniałych krzyży i macew zarośniętych trawą, gdy do kuchni wpadła Apostolea. Przyjeżdżają! mój wnuczek Ted przyjeżdża z Berlina, stara Greczynka wtoczyła się ze swoim kraciastym wózkiem na zakupy i uściskała Dominikę; będą za tydzień, trzeba zacząć przygotowania, jest tyle do zrobienia. Dominika znała takie przygotowania i wiedziała, że wkrótce inna kobieta, jej matka, będzie z taką samą werwą przygotowywać za duże ilości jedzenia w oczekiwaniu na córkę. Gdy Dominika była młodsza, denerwowało ją marnotrawstwo, nadmiar i to, co w swej młodzieńczej naiwności brała za tracenie energii na rzeczy błahe. Teraz wiedziała, że na świecie żyją miliony kobiet, które tylko w ten sposób potrafią okazywać miłość, a żadnej prawdziwej miłości nie okazuje się, wyliczając racjonalnie, ile pierogów czy dolmades zje ten, kogo kochamy. Nabierała nawet dziwnej chęci, by potrawy, których przyrządzania uczyła ją Apostolea, zrobić kiedyś swojej matce, Jadzi.

W dzień wizyty stara Greczynka ubrała się w swoją kobaltową sukienkę i całe złoto, jakie nagromadziła przez lata swojego zamężnego życia; bransoletki otrzymywane w prezencie od męża po każdym porodzie, rocznicowe łańcuszki, pierścionki podobne do tych, które matka Dominiki chowa w bieliźniarce na czarną godzinę. Zdjęcie! Czy Dominika mogłaby zrobić je teraz, bo potem na pewno popłacze się ze wzruszenia i jak będzie wyglądała. Jedno w ogrodzie, pod figowcem, w delikatnym świetle popołudnia, koniecznie na nowym tapicerowanym krześle ze złoconymi podłokietnikami, bardzo eleganckim, drugie w kuchni, przy kąciku z ikonami i lampką oliwną; uśmiech, gotowe. Zaraz będą! Mój Boże, zapomniała o serku halumi, jak mogła zapomnieć?! Musi być serek halumi smażony na przystawkę, z pomidorami i świeżą bazylią, kto widział cypryjski posiłek bez serka halumi, Apostolea była bliska łez. Dominika powiedziała, że pójdzie i kupi, żaden problem, przy okazji od razu zrobi odbitki zdjęć, żeby Apostolea dała wnukowi. Dokup jeszcze granatów, na pewno zabraknie, czemu kupiła ich tak mało, gdzie miała głowę, bez granatów będzie katastrofa, nie kolacja, tylko niech Dominika nie kupuje w tym nowym tureckim sklepie, bo Turcy nie mają pojęcia o granatach; koniecznie w greckich delikatesach Arhodikon.

Popołudnie na Stoke Newington pachniało wiosną, Dominika szła i bawiła się w zabawę, którą pamiętała z dzieciństwa na Piaskowej Górze; Jadzia mówiła, że to zabawa w jeśli. Jeśli zdążymy dojść do ulicy przed zmianą świateł, jutro będzie ładna pogoda, jeśli ta pani w zielonym zatrzyma się przed wystawą, kupię ci loda, albo poważniej, jeśli uda nam się dojść do kościoła bez nadeptywania na linie między płytami chodnikowymi, pogoda będzie przez całe wakacje. A nawet – jeśli po drodze do babci Haliny spotkamy pana w okularach i dwie panie w białych butach, wszystko się nam uda. Można było oszukiwać, ale tylko troszkę, zamiast jednej z pań mógł być od biedy kobieco wyglądający chłopiec w białych tenisówkach; od biedy może być, oszukiwała Jadzia i teraz tak samo robi Dominika. Jeśli do greckich delikatesów Arhodikon spotkam panią ubraną na niebiesko i czarnego pana w czapce z daszkiem, niedługo stąd wyjadę; jest pani Sabra w niebieskim fartuchu, ma nawet niebieskie plastikowe klapki i niesie w foliowym worku niebieskawą rybę, idzie też czarny pan w czapce, ochroniarz z centrum handlowego. Dobrze, to było za łatwe, ale jeśli do zakładu fotograficznego spotkam parę bliźniaczek i panią z jamnikiem, na pewno stąd niedługo wyjadę w miejsce, w którym jeszcze nie byłam. Jest pani z jamnikiem, znam ją z widzenia, jest stewardesą; dzień dobry, kłania się Dominika. Nie ma bliźniaczek, żadnych bliźniaczek, czy znajdą się jakieś na Stoke Newington? Są! W ostatniej chwili, ale są! Z zakładu fotograficznego, do którego zmierza Dominika, wychodzą dwie muzułmanki w identycznych nikabach, czarnych strojach, które pozostawiają odsłonięte tylko oczy; od biedy mogą być, bo przecież nikt nie udowodni, że nie są bliźniaczkami. Dominika odprowadza je wzrokiem i słyszy, jak dwie angielskie nastolatki przechodzące obok żartują na temat kobiet-nietoperzy.

Dominika wróciła z odbitkami zdjęć, serkiem halumi i granatami; otworzyła drzwi swoim kluczem i poszła prosto do kuchni, by dać Apostolei zakupy. Mały chłopiec był pierwszą osobą, jaką zauważyła. Mały chłopiec, który lata temu przynosił jej w tornistrze rachatłukum, pokazywał w uśmiechu duże, bardzo białe zęby znad talerza z kośćmi kurczaka. Mój wnuczek Ted, przedstawiła go Apostolea, a to Dimitri, szwagier mojej Afroditi, dodała, i Dominika nie musiała odwracać się, by wiedzieć, kogo zobaczy za plecami.

Afroditi wyszła za brata Dimitriego Angelopoulosa, a po ich śmierci on zaopiekował się dzieckiem. Testament nie pozostawiał wątpliwości i do biednej Apostolei na szczęście nie dotarło w pełni, że tylko ten jeden człowiek z wielkiej rodziny wydał się rodzicom chłopca odpowiedni, by w razie czego zająć się ich synem. Gdy zginęli, Dimitri Angelopoulos był jeszcze studentem, zupełnie nieprzygotowanym na to, że nagle zostanie opiekunem rocznego chłopca, ale przyjął to tak, jak oczekiwałby jego brat, z cichą determinacją i bez pretensji do losu. Po wyjeździe z Wałbrzycha Dimitri trafił z rodziną do zachodniego Berlina, gdzie od dawna mieszkał brat jego ojca, właściciel dobrze prosperującej restauracji. Musiał przyzwyczaić się do życia w kolejnym kraju niebędącym jego ojczyzną, i poszło mu to łatwiej niż rodzicom, którzy coraz częściej mówili o powrocie na wyspę Karpathos; nie byli na niej od czasów młodości i piękniała w ich pamięci jak cypryjski ogród w opowieściach Apostolei Ellinas. W Berlinie, w przeciwieństwie do Wałbrzycha, były greckie sklepy, restauracje i można było kupić rachatłukum w kilku smakach, ale Maria Angelopoulos załamywała ręce po swojemu, że nie zrobi się syropu różanego z tutejszych róż, a rachatłukum smakuje tylko pod greckim słońcem, i to też nie byle jakim, ale tym, które świeci w jej rodzinnym Diafani tuż nad wierzchołkami gór w ostatnich minutach przed zmierzchem. Synku, napisałbyś kiedyś coś o tym, mówiła do Dimitriego, napisałbyś o Karpathos, bo zaczynała się starzeć i bać, że jej pamięć to za mało, by ocalić tyle piękna. Dimitri od czasów liceum wiedział, że będzie dziennikarzem, od osiemnastego roku życia publikował teksty, które jego dumny ojciec wycinał z gazet i w tajemnicy, żeby się dzieciakowi w głowie nie poprzewracało, chował do specjalnej teczki; gdy Dimitri w końcu poszedł na studia, właściwie już miał zawód. Georgi, najambitniejszy z rodzeństwa, skończył prawo w Londynie i ożenił się z trochę zarozumiałą, ale piękną Afroditi Ellinas, która od razu zaszła w ciążę. Gdy najmłodsze dziecko państwa Angelopoulos, Sofija, dostało się na uniwersytet, przyszła wiadomość o śmierci starej ciotki Fouli z Karpathos, z racji wieku i zawikłanego pokrewieństwa z Marią Angelopoulos zwanej w rodzinie ciociobabcią. Ciociobabcia Foula opiekowała się rodzinną siedzibą, dwoma starymi domami na skarpie; gdy Foula odeszła, państwo Angelopoulos zdecydowali, że wrócą do Diafani i zamieszkają w jednym z domów, tym, w którym Maria Angelopoulos przyszła na świat. Rok potem Georgi i Afroditi zostawili małego Teda z dziadkami na Karpathos, a sami polecieli na Cypr samolotem, który rozbił się o skaliste wybrzeże wyspy, zabijając wszystkich na pokładzie w gorącej kuli ognia i dymu.

Dimitri doceniał, że jego rodzice gotowi są zająć się chłopcem, ale to on czuł się jego głównym opiekunem i oprócz wakacji i niektórych świąt Ted przebywał z nim w Berlinie. Student z małym dzieckiem był rzadkim zjawiskiem i Dimitri przez pewien czas cieszył się nadzwyczajnym powodzeniem u kobiet; wzruszał je i rozmarzał widok młodziutkiego Greka z chłopcem, którego brały za jego syna. Zdarzało się, że Dimitri zabierał Teda na zajęcia, gdzie chłopiec spał albo cicho bawił się pod ławką, jakby rozumiał, że może być blisko człowieka, którego nazywał tatą, tylko jeśli nauczy się odpowiednio zachowywać. Kobiety, które miały nieprzepartą ochotę zaopiekować się tym młodym mężczyzną i jego słodkim dzieckiem o wielkich oczach, zostawały z Dimitrim i Tedem na chwilę, kilka naprawdę się starało, ale żadna nie zagrzała miejsca na dłużej. Wzruszający widok i perspektywa posiadania od razu rodziny w postaci mężczyzny i gotowego dziecka na co dzień oznaczały bowiem nocne wstawanie, bałagan, bolące gardziołko i liczne alergie, na które mały Ted wydawał się zapadać ze wzmożoną częstotliwością tylko wtedy, gdy upór którejś z kobiet przekroczył magiczne pół roku, a w ich domu zaczęły pojawiać się oznaki zadomowienia, depilator czy lakier do paznokci. Na tym etapie niektóre kobiety zaczynały poruszać takie tematy, jak przyszłość, stabilizacja, stały związek; wówczas Dimitri odpowiadał, że najpierw musi skończyć książkę, nad którą pracuje. Pisanie nie szło mu jednak najlepiej i skreślał nocą to, co napisał za dnia.

Było im dobrze we dwóch i Dimitri odkrył w sobie nie tylko pokłady opiekuńczości, ale też sporą dozę sybarytyzmu; gdy jego matka, Maria, znikła wraz z rutyną posiłków złożonych z wielu dań i celebrowanych do późna, nauczył się gotować i za nic nie dał się żadnej kobiecie przekonać do kotletów sojowych czy odtłuszczonego mleka. Z odziedziczoną po przodkach skłonnością do tycia walczył na siłowni; uprawiał jogging i biegał maratony, wracał złachany, głodny jak wilk, przyrządzał pieczone kotleciki jagnięce oraz kilka meze i zapraszał na nie siostrę Sofiję z niemieckim narzeczonym, przyjaciół i ewentualnie kolejną kobietę, która wykazywała chęć dołączenia do ich męskiej diady, kręcąc się gdzieś na orbicie. Dimitriemu podobały się wysportowane, szczupłe kobiety o ciemnych włosach i oczach, a lgnęły do niego miękkie ciepłe istoty o zaokrąglonych brzuchach i pełnych piersiach, które upierały się, by być blondynkami, nawet jeśli urodziły się kruczoczarne. Jego matkę, Marię, cieszyła powściągliwość syna w kwestii poważniejszych związków, bo po powrocie do rodzinnej wioski Diafani swatki zaczęły pokazywać jej kandydatki, po które co roku przyjeżdżają młodzi Grecy z Londynu, Berlina, Nowego Jorku, Montrealu. Maria Angelopoulos, która całe dorosłe życie spędziła poza swoją wyspą, po dwóch miesiącach czuła się tak, jakby nigdy nigdzie nie wyjeżdżała, a po tym poznaje się dom. Dimitri dostał pracę w „Die Zeit", gdzie szybko doceniono, że ten Grek, któremu zdarzało się jeszcze pomylić rodzajnik, ma talent; awansował i dostał od dużego wydawnictwa propozycję napisania książki o losach greckich imigrantów, które śledził w kilku opublikowanych już artykułach. To był temat, którego szukał! Mógłby wziąć urlop i pojechać z Tedem na Karpathos, tam powstałaby książka; coraz bardziej podobał mu się ten pomysł i cieszył się, że Ted pobędzie wśród Greków.

Na co dzień Dimitri był mocno stąpającym po ziemi, odpowiedzialnym mężczyzną, który wydawał się prostoduszny, a nawet poczciwy, i dopiero po fakcie ludzie, z którymi przeprowadzał wywiady, łapali się za głowę, uświadamiając sobie, że opowiedzieli temu człowiekowi rzeczy, o jakich nikomu nigdy nie opowiadali ani nie mieli zamiaru. Dimitri lubił swoje życie i życie w ogóle, nie miał skłonności do melancholii i tylko czasem, zwłaszcza gdy biegał, budziła się w nim tęsknota, którą czuł jako dziecko, gdy ojciec w Wałbrzychu czytał mu *Odyseję*, a on wyobrażał sobie dalekie lądy, morza i rozedrgane kropelki wody pod dziobem statku, syreny, zwłaszcza syreny o głosie słodkopłynnym, i potem nie mógł spać do rana. Wystarczyła jednak mocna kawa parzona po grecku, by Dimitri Angelopoulos po prostu otrząsnął się i zabrał do pracy. W wieku dwudziestu ośmiu lat zaczął remont domu w Diafani, sąsiadującym z domem rodziców i należącym do nich; przez całe wakacje robił zdjęcia, studiował stare plany, szukał lokalnych rzemieślników, bo uparł się, że w środku oprócz zdobyczy cywilizacyjnych, do których przywykł, będzie tradycyjna sypialnia na drewnianej antresoli, zwana tu sofą. Ukończył prace zgodnie z planem i gdy wypływał w morze, z miłością patrzył na dom, biały, pozbawiony ostrych kantów, zrośnięty ze skałą i wodą jak coś, co jest raczej dziełem natury niż człowieka. Dom, do którego chce się wracać.

Dominika nikomu oprócz Dimitriego nie opowiedziała dokładnie, co robiła od czasu, gdy opuściła Piaskową Górę; być może przez dwa tygodnie, które spędzili razem w Londynie, mówiła więcej niż przez ostatnie dziesięć lat. Z Sarą Dominika lubiła po prostu być, czuć jej troskliwą obecność i zapach paczuli, i słuchać o Czarnej Wenus, Ivo, mąż-bliźniak, opowiadał jej lukrowane historie swoich miłosnych i cukierniczych sukcesów, nigdy nie wracali do rozmowy w niebieskiej sypialni, a Małgosia, choć biegła w psychologicznych teoriach, nie miała jednak klucza do Dominiki. Dimitri zapytał, jak tu dotarłaś, Dominiko Chmuro? i to proste pytanie pozwoliło Dominice opowiedzieć lata, które widziała jako podróż bez celu, pełną dziwnych spotkań i przygód. Siedzieli w ogrodzie Apostolei, który budził się do życia po ponurej londyńskiej zimie, by przez kilka miesięcy nieudolnie udawać na zawsze utracony przez gospodynię ogród cypryjski, nad ich głowami kołysały się młode liście figowca. Nagle małomówna Dominika znalazła słowa, po których jak po moście ruszyła z Piaskowej Góry, z ramion matkującej Jadzi, w świat; Dimitri, zaczęła, bądź przygotowany, bo ta opowieść jest całkiem fiksum-dyrdum. Gdy po dwóch tygodniach Dimitri zapytał, czy Dominika pojedzie z nim na Karpathos, ani jemu, ani jej to pytanie nie wydawało się pochopne, bo Dimitri Angelopoulos był pierwszą osobą, której Dominika Chmura nie przypominała nikogo innego. Nie wiem, jak długo tam pobędę, uprzedziła go, a Dimitri odpowiedział, że w porządku, Dominika może być, jak długo zechce, jednak musi pamiętać, że zimą prom do portu Diafani przybija tylko raz w tygodniu.

## XI

Wyjdź do ludzi, mamo, tak jej powtarza Dominika, wyjdź do ludzi, a nie tylko kościół, supermarket, bazarek Manhattan, i Jadzia zgadza się, że coś w tym jest, że trzeba wyjść do ludzi. Ubierze się w ten angorowy bladoróżowy sweterek, delikatny jak pianka, który jej ostatnio Dominika przysłała, włosy sobie zrobi i wyjdzie. Gdy wyjdzie do ludzi, nie będzie sama i przestanie rozmyślać o tym, co złego może przytrafić się jej córce, albo o tym złym, co już się stało i jeszcze na dobre nie wyszło.

Wraz ze śmiercią Haliny Jadzia Chmura została pozbawiona satysfakcji z coniedzielnych spotkań, po których mogła sobie rozjątrzać do woli wszystkie kulinarne błędy teściowej i głupie komentarze do programów telewizyjnych. Jakże jej brakowało powodów do przewracania oczami i zaciskania ust, bo żaden obcy nie denerwował jej tak jak własna teściowa, z którą dane jej było spędzić więcej lat niż z przedwcześnie zmarłym mężem. Było mamusi tak się śpieszyć, mówiła do grobu teściowej albo do jej fotografii zrobionej przez Dominikę i oprawionej w ramkę, wszystko przez te papierochy, ale nie, trzeba było kopcić, nie można było higienicznego trybu życia prowadzić. Się mamusia doigrała. Do tego jeszcze Krysia Śledź, najbliższa koleżanka Jadzi, wyjechała do pracy do Enerefu, który nie był już Enerefem, lecz wielkimi zjednoczonymi Niemcami. Gdy upadły kopalnie i mężczyźni, którzy przez całe życie byli górnikami, przestali nimi być, na Piaskowej Górze zapanowała rozpacz, bo jeśli od kogoś, kto przez dwadzieścia lat był górnikiem, odjąć górnika, niewiele zostanie, ludzka skorupka, pałuba o twardych dłoniach i oczach obwiedzionych na czarno. Kilku zatruło się gazem, jeden skoczył z dachu Babela, dwóch się powiesiło, rozpitych nie policzysz. Inni woleli zostać w domu i trwać, bo na nic tak drastycznego, jak skakanie czy wieszanie się, nie mieli siły, nawet pić im się za bardzo nie chciało; siedzieli przed telewizorami w brudnym świetle pokoi stołowych, w których zaciągali story, by słońce nie odbijało się od ekranu. Ci, którzy kopalniane odprawy wydali na telewizory, patrzyli w nowe telewizory, ci, którzy wydali na samochody lub przepili, w stare, i nic się nie zmieniało, mijał dzień za dniem, tylko żony coraz głośniej trzaskały talerzami i traciły cierpliwość. Zdzisiu, nie siedź tak przed tym pudłem, bo tracę cierpliwość, prosiła Krysia Śledź, która akurat należała do żon przyjaźnie na ogół usposobionych do ślubnego.

Zdzisio patrzył na nią przez chwilę, wzdychał, ale nam narobili, gnoje, ale nam, gnoje, narobili, Krysia, i wracał do patrzenia w telewizor. Oglądanie telewizji nie cieszyło jednak byłych górników, tak jak nie cieszyło jeżdżenie samochodem, bo dobrze jest pojechać nad wodę w niedzielę, wypucować karoserię, napić się piwa, kiełbasę upiec nad ogniem i ponarzekać, że w poniedziałek znów do roboty, ale na cholerę gdzieś jeździć, gdy poniedziałek nie różni się od niedzieli. Inni woleli wychodzić z domów i zbijali się w grupki, których jedyną racją bytu był brak zajęcia i nadziei, a więc zatrzymywali się tam, gdzie dało się o coś oprzeć albo na czymś przysiąść, i trwając tak, spluwali od czasu do czasu. Dobrym miejscem do trwania była ściana supermarketu Real na Piaskowej Górze; można było oprzeć się o nią i powoli, łyk za łykiem, pić piwo, gdy było na piwo, a gdy było na więcej piw, szorując pośladkami i barkami o ścianę, zjeżdżało się w dół. Ci, którzy spadli najniżej, zostawali pod Realem na dłużej, szare zmięte kupki szmat, które co jakiś czas ochroniarz budził kopniakiem. Bywało, że ktoś, kto kiedyś był górnikiem i miał mundur galowy, teraz chodził po parkingu Reala w zasikanych gaciach i żebrał o parę złotych na wodę brzozową lub autovidol.

Żonom jeszcze trudniej niż brak pieniędzy było znieść ciągłą obecność dawnych żywicieli rodzin zredukowanych do pozbawionych zajęcia niemot; pani kochana, żaliły się jedna drugiej zdziwione, nie wiedziałam, że ten mój to taka niemota. Jak pracował, to go nigdy nie było, a teraz nagle jest, już nie wiem, co robić, nawet tyłka nie ruszy, jak mówię, żeby chociaż śmieci wyniósł. Pani by mojego niemotę zobaczyła, mówię, rusz się, Mirek, no ruszże dupę, a ten mi na to, że nie warto, że jego życie nie ma sensu. Gdybym ja też pomyślała, że nie warto, że nie ma sensu, i tak klapła se w fotelu, to z brudu i głodu byśmy pozdychali. Niemobilność bezrobotnych mężczyzn doprowadzała do szału krzątające się kobiety, które swojej pracy domowej nie mogły utracić, bo nigdy im za nią nie płacono. Depresja, mówili lekarze, ale niech ktoś zmusi byłego górnika, by poszedł do lekarza, bo mu smutno; jeśli szli, to wtedy, gdy czarny i kwaśny smutek przybierał postać jakiejś normalnej choroby, wrzodu żołądka czy narośli na języku. Siedzieli w poczekalniach przygarbieni, z rękoma na podołku, przy żonach napiętych jak struny. Ty niemoto! straciła cierpliwość Krysia Śledź, rusz dupę, śpiący królewiczu od siedmiu boleści, wymyśl coś, rób coś, depresji ci się zachciewa, kotletów z depresji ci nie usmażę! Poszła z mężem do rejonowej poradni zdrowia psychicznego, ale Zdzisio zauważył w kolejce do okienka kolegę sztygara i stchórzył w ostatniej chwili.

Kobiety ze starych dzielnic przy kopalniach, które Niemcy zbudowali na twardej ziemi rodzącej węgiel, gdy stuknąć w nią kijem, ruszały do biedaszybów i pomagały pracującym tam mężczyznom; w biedaszybach od czasu do czasu kogoś przysypywało, ale to przynajmniej była porządna praca. W tych prowizorycznych kopalniach mężczyźni odtwarzali życie i porządek normalnych kopalni i mówili swoim górniczym językiem; trzeba było schylić się, wczołgać pod ziemię i było się u siebie; czarne zatęchłe powietrze wydawało im się ożywcze. Kobiety z Piaskowej Góry miały większe ambicje niż grzebanie na czworakach pod ziemią czy sprzedawanie wygrzebanego węgla; w końcu spędziły młodość na nowoczesnym osiedlu, a to zobowiązywało, robiły kiedyś zakupy w sklepach na kartę G i wtedy od razu można było poznać, kto jest kto, bo wszystkie żony górników były tak samo ubrane. Pamiętały wizyty Edwarda Gierka w Wałbrzychu i nie mogły uwierzyć, że zostało im jedno wielkie gie i bezrobotni mężowie na karku. Gdy wrzaski nie pomagały i bezrobotni górnicy pozostawali w stanie uśpienia, kobiety zaczynały rozglądać się, główkować, szperać, kombinować; ktoś gdzieś komuś coś mówił, ktoś znał kogoś, kto kiedyś pracował z córką kuzynki czyjejś stryjenki, której córka wyszła za Niemca, kto to był? chyba ta czarna Beata z mięsnego, zdaje się, że ta przedszkolanka Aga ją zna; i już szły w ruch telefony, umawiano się na kawkę, podsuwano ciasto domowe, według nowego przepisu z „Poradnika Domowego", bardzo proszę, jest taka sprawa, będzie mi bardzo miło. Dziś pani mi pomoże, jutro ja pani, a tymczasem tu czekoladki, powidełka domowej roboty, mówmy sobie po imieniu, jestem Krysia, ja Agata, w skrócie Aga.

Okazało się, że teraz, gdy podróżuje się łatwiej, za zachodnią granicą rośnie popyt nie tylko na polskie żony, ale również kobiety przeznaczone do innych prac. Pozycja żony Niemca jest oczywiście najbardziej godna pozazdroszczenia, bo to jakby dostać etat, a nie zlecone, ale jak nie ma dobrej pracy, bierze się, co jest. Nie każda ma tyle szczęścia co Grażynka! Krysia Śledź chciała pracy jakiejkolwiek, bo jako osoba nieposiadająca wykształcenia była w stanie nauczyć się wielu nowych rzeczy bez ujmy na honorze. Gdy już jest się żoną, jak Krysia, lub gdy z powodu braku urody i nadmiaru lat na zamążpójście niemieckie nie ma się widoków, co w zasadzie też jej dotyczyło, pozostają inne zajęcia i ewentualnie nadzieja, że może jednak coś wypali, jakiś mały cud, który dotąd się nie zdarzył. Na początek mam sprzątanie, powiedziała Jadzi Krysia Śledź, a potem może coś wypali, albo wezne i tyłek stąd rusze, albo tu zdechne, bo jak mój Zdzisio depresji dostane. Jak chcesz, Jadzia, to się rozejrze i może ci też nagram jakąś robote; jak ty byś wysprzątała, domestosem polała, to Niemcaszkom kapcie by spadły z wrażenia.

Krysia Śledź nie była pierwszą żoną bezrobotnego, która z ich bloku ruszyła za chlebem. Sprzątaczki nieociągające się, pokojówki schludne i zdrowe, do pracy od świtu gotowe, kelnerki z pamięcią i piersiami, opiekunki czułe i czyste, w rękach silne, do zginania nawykłe i ogólnie elastyczne; te, które wynoszą nocniki, szorują naczynia, te, które zmieniają pampersy; z wprawą myjące okna do połysku, szorujące bez wytchnienia, piorące do czysta, prasujące do rana, froterujące na glanc, niepytające za wiele; zupki umiejące przecierać, pupy podcierać, gdy malec woła fertig! zbierające truskawki za grosze, młode z nogami gotowymi do rozłożenia, starsze doświadczone, najczęściej ciężko, niebojące się arbeiten na klęczkach, bo od tego są kolana; niewykwalifikowane, niewymagające, zdeterminowane, dobre, złe, mądre, głupie, Sprachkenntnisse nicht wichtig; autobusy pełne wałbrzyszanek ruszyły na zachód. Wracały opowieści jak gołębie wysłane z wiadomością przypiętą do nóżki; jedna pojechała niby do sprzątania, a okazało się, że burdel, nie hotel, jakąś pobili, paszport zabrali, cudem po rynnie uciekła, inna bijącemu oddała nożem w brzuch sześć razy i ją zamknęli;

zamkli ją, proszę panią, ale w tych ichnich więzieniach to jak w naszych hotelach; kolejna miała dziecka pilnować, a tańczy przy rurze, górnik tyle kiedyś w miesiąc nie zarobił, co ona zgarnia w jeden wieczór; a ta mała, ruda śmieszka, co koło szpitala mieszkała, koty karmiła, jak kamień w wodę, proszę panią, jak kamień w wodę.

To jade do tych Szkopów, Jadzia, westchnęła Krysia i uściskała sąsiadkę, pasa zacisne, byle co zjem i może troche przywioze, odłoże dla Pati, kuchnie se nową zrobie, daj pyska. Zdzisiowi całą zamrażarke kotletów namroziłam, bigos, pierogi. Ty miej na niego oko, Jadzia, żeby się do reszty nie zmarnował, no, daj pyska jeszcze raz na pożegnanie i trzymaj kciuki. Matko Boska, pomyślała Jadzia, patrząc przez okno, jak Krysia sunie w stronę przystanku z wielką walizą, wszyscy zawsze odchodzą, a ja zostaję w tym samym miejscu; jeśli teraz nie wyjdę do ludzi, to jak amen w pacierzu strzelę w kalendarz na tym bocianim gnieździe. Już całkiem nie ma do kogo pyska otworzyć. Jadzia jak wszystkie samotne osoby głodne słów próbowała na co dzień karmić się rozmowami sklepowymi i poddomowymi; każdą kosteczkę słowa wysysała do czysta, obierała z łykowatych ścięgien i żyłek, ale czuła, jak budzi się w niej potrzeba czegoś więcej, czegoś innego, co w jej sercu posiała latająca po świecie córka. To dziwne uczucie, jakby ją coś od środka podszczypywało, zwalała Jadzia na klimakter; nie dość, że się człowiek cały sypie, to jeszcze gorąc tak mi bucha, skarżyła się i podejrzewała, że to ta gorąc odpowiedzialna jest za dziwne myśli o życiu, w którym wszystko wyglądałoby inaczej, za nagłe skurcze tęsknoty za czymś nieznanym, straszliwe w swej rewolucyjnej treści podejrzenie, że coś innego może być w jej zasięgu. Miasta jakieś niebywałe, jedzenia nietutejsze, języki nieprzyjemne, bo niezrozumiałe, ale jednak kuszące, skoro przecież jej dziecko w nich mówi. Te zdjęcia, które jej Dominika przysyła! Na spodzie tylko krótkie notki, pan Janusz, Polak, cieć w szkole koło mojego domu, pani Sabra, Turczynka, znajoma mojej gospodyni, nieznajoma na ławce na przystanku, Londyn wschodni, zachodni, mosty, parki, psy, królowa. Z fotografii zrobionych przez córkę patrzą twarze i coś jest w nich takiego, że Jadzia zaczyna się zastanawiać, jakie są ich historie, co przeżyli, czy lubią konfitury truskawkowe, i nie może przestać. Taka pani Sabra na ten przykład, niby też starsza kobieta, jak Jadzia, a całkiem inna. Turczynka! Jadzi trochę namąciło się w głowie ostatnio, trzeba przyznać. Jakaś nieswoja jestem, myślała, patrząc w łazienkowe lustro, coś mi się w głowie namąciło ostatnio, potrząsała ondulacją i zażywała raphacholin.

Pierwsza Jadzi próba wyjścia do ludzi miała charakter religijny, bo na tym gruncie poruszała się pewnie, a kościół pozostawał miejscem, do którego szła odsapnąć; wiosną po wizycie Dominiki udała się więc na autobusową pielgrzymkę do Częstochowy organizowaną przez młodego księdza Michała. Pomodli się za swoich zmarłych, o opiekę nad Dominiką Czarną Madonnę poprosi, a będzie wolna chwila, to po mieście się przeleci, po sklepikach. Nawet jej się podobało na początku, zwłaszcza wspólne modlitwy do świętego Krzysztofa w drodze i śpiewanie, pola i wioski migające za oknami, ale gdy na pierwszym postoju pielgrzymi zaczęli ze sobą rozmawiać, Jadzia znów poczuła coś dziwnego. Podniosły nastrój prysł. Obok na parkingu zatrzymał się autobus pełen kolorowej młodzieży mówiącej w obcym języku, panie pielgrzymki mocniej zwarły się z torebkami trzymanymi na wysokości śledziony, panowie pielgrzymi stanęli w pozie koguciej. Kto wie, może taka grupa cudzoziemskiej młodzieży tylko czeka, by rzucić się na pielgrzymów i wyrwać im bułki z kiełbasą, które ksiądz Michał rozdaje z wielkiego kosza; w drugim ma pomidory, to też łakomy kąsek. Bo co też się porobiło przez tę żydokomunę, proszę panią, rzekł pielgrzym z wąsem do pielgrzymki przy kości i poczęstował ją czekoladką wedlowską; a wszędzie ich pełno, zgodziła się pielgrzymka, zerknęła na obcą młodzież i w zamian za czekoladkę zaproponowała pielgrzymowi jajo na twardo od wiejskiej kury, przekąsili, popili; w rządzie ich pełno, w gazetach, na uniwersytetach. Pani patrzy, ilu cudzoziemców, całe autobusy do nas zwożą, ten z wąsem głową w stronę hałasującej młodzieży wskazał dyskretnie; to nowy potop, proszę panią, szwedzki. Jadzi gwar młodych głosów sprawiał przyjemność, przypominali jej córkę, ale najprzyjemniejsze było to, że Jadzia rozpoznała język, portugalski. W tym języku liściastych szelestów śpiewa piosenkarka imieniem Amalia, której kasetę przywiozła jej w prezencie Dominika, tak pięknie śpiewa, aż płakać się chce, chociaż człowiek słów nie rozumie. Krzywiła się, że nie po polsku nie będzie słuchać, ale Dominika włączyła magnetofon, przyłożyła palec do ust i gdy popłynęły dźwięki fado, Jadzia, ciągle naburmuszona, poczuła nagle, jak ciepła fala uderza ją w piersi i brzuch. Klapnęła na kanapę, Matko Boska, westchnęła, w jej agrestowych oczach pojawiły się łzy; teraz jest nawet gotowa przyznać, że Amalia ładniej śpiewa od Seweryna Krajewskiego. Oni mówią po portugalsku! wyrwało jej się. Pielgrzymi popatrzyli na Jadzię jak na głupią i zignorowali jej językowe odkrycie. Ta przy kości od jaja na twardo westchnęła tylko, oj, nie wiem, nie wiem, proszę panią. Cudzoziemcy ziemię wykupują! włączyła się milcząca dotąd pielgrzymka z katarem siennym i kichnęła. Czyją ziemię? zapytała Jadzia, by naprawić gafę z portugalskim i jakoś się przyłączyć do ludzi, do których w końcu wyszła; jak czyją, czy pani niedzisiejsza? naszą ziemię wykupują! Aha, odrzekła Jadzia i jadła dalej swoją bułkę z kiełbasą, ale nie zrezygnowała. Przełknęła ostatni kęs i zapytała, to pani ziemię już wykupili? Kto? zdziwiła się ta z katarem siennym, co się o ziemię polską bała, i kichnęła. Ci obcy, podpowiedziała Jadzia. Ale ja żadnej ziemi nie miałam! wystraszyła się kobieta, z żadnymi obcymi niczym nie handlowałam! Kichnęła. Aha, powiedziała Jadzia, to czyją wykupili? pana? zwróciła się do tego z wąsem, którego wzrok od dłuższej chwili błądził po jej biuście. Moją to jakby nie, ale nigdy nic nie wiadomo, droga pani, wróg nie śpi, a kuzyna mojego na ten przykład już jedni jacyś pytali, czyby pola nie sprzedał pod osiedle strzeżone. Trzeba przeciw niewiernym się zbroić, nie oddam ziemi, skąd nasz ród, rozochocił się pielgrzym z wąsem. Niewiernym? W Polsce? Przecież tu sami wierzący, zdziwiła się Jadzia i jej agrestowe oczy były samą szczerością. W mojej bramie na ten przykład, jak ksiądz po kolędzie chodzi, to wszyscy przyjmują, jeszcze się nie zdarzyło, żeby nie. Oj, chyba znów coś chlapnęła, bo ten z wąsem, ta od ziemi wykupowanej, co własnej ziemi nie miała, i ta od jaja jak na Jadzię nie popatrzą sześciorgiem oczu. Pani to, kochana, trochę nas podpuszcza? zaśmiał się kokieteryjnie ten z wąsem, bo Jadzia mu się całkiem podobała. Ta z katarem siennym kichnęła. No chyba, że kocie wiary, co po domach chodzą, to ci niewierni, próbowała wybrnąć Jadzia, ale ich chyba nie za wiele? Jakie kocie wiary, proszę panią, kocie wiary to nie problem, z nimi sobie poradzimy. To kto, Matko Boska? chyba nie ci Hare Kriszna? Jak moja córka kiedyś poszła na spotkanie w Domu Spółdzielcy na Piaskowej Górze, to jakieś dziwne jedzenie gotowali i żeby nie jeść mięsa mówili. Nie Hare Kriszna! Problemem są muslimiści, ten z wąsami rzekł i wgryzł się w następnego pomidora, poszła krew. Ta z katarem siennym kichnęła. Muslimiści? Muslimiści, Niemcy i Żydzi, potwierdziła ta od jaja na twardo, i Ruskie, rzekła ta, co się o ziemię polską bała, choć swojej nie posiadała, i już miała kichnąć, ale powstrzymała się. Przecież nasz papież z nimi rozmawia, muslimista, Murzyn czy inny, jedzie i rozmawia, do każdego rękę wyciągnie, Jadzia zaczynała być zła, bardzo zła. Ten z wąsem i ta od ziemi wykupowanej popatrzyli na siebie w poczuciu rodzącego się sojuszu; oj, bo o to się rozchodzi, proszę panią, że za łagodny jest ten nasz papież, za łagodny, proszę panią. On do muslimistów, do Żydów, do Murzynów, a tu ziemię wykupują, tak jak Polacy to żaden lud się nie nacierpiał, proszę panią! Rozgrabią nas, proszę panią, powtórzyła ta, która własnej ziemi nie miała; kichnęła. A ta ciągle zarazki rozsiewa, zabuzowała Jadzia, politykuje i politykuje, a chusteczek nie używa? Na papieża mi tu będzie wygadywać, małpa zasmarkana. Dla Jadzi papież był samą świętością i nigdy nie obchodziło jej, czy jest jakiś za bardzo albo za mało; on był tym, który jest, jaśniał uśmiechem, Jadzię ten uśmiech koił jak raphacholin. Dominika kiedyś ją męczyła, ale powiedz, mamo, zastanów się, czy ty to popierasz, czy uważasz, że to w porządku, żeby zabraniać prezerwatyw w krajach, gdzie ludzie umierają na AIDS? Czy nie myślisz, że ważniejsze jest nakarmienie głodujących dzieci niż zaglądanie ludziom pod kołdrę? Fuj, mówiła córce, byś przestała, a co nasz papież ma z tym wspólnego? Jakichś głupot się naczytałaś za granicą i politykujesz; Dominika machała ręką, bo Jadzia nie chciała rozmawiać o soborach i encyklikach, tylko odpowiadać uśmiechem na delikatny uśmiech polskiego papieża, którego jedno zdjęcie nosiła w portfelu, drugie trzymała w ramce na meblościance między córką Dominiką a matką Zofią, a trzecie przykleiła do wewnętrznej ściany szafki kuchennej, tak że Jan Paweł II pojawiał się zawsze, gdy sięgała po mąkę czy puszkę mielonki. Ważniejsze od poglądów politycznych papieża było dla Jadzi Chmury to, że lubił kremówki, i gdy sama taką jadła, czuła rozpływającą się w niej słodycz, jakby uczestniczyła w życiu tej jasnej, pięknej postaci. Ci ludzie, do których wyszła, denerwowali ją swoją opinią o papieżu o wiele bardziej niż Dominika, bo nie po to na pielgrzymkę się wybrała, żeby politykowania wysłuchiwać. Politykowaniem Jadzia nazywała każde wyrażenie własnego zdania, które nie pasowało do jej poglądów lub mąciło jej w głowie, tak że wszystko kićkała; politykowanie budziło w niej wstręt i gdyby mogła, stanowczo by go zabroniła. Poczuła się podminowana, a wiedziała już, do czego jest zdolna, gdy ją ktoś porządnie podminuje; Leokadia Wawrzyniak naraziła jej się tak, że podminowana Jadzia wybuchła. Obciągnęła na piersiach angorowy sweterek, strzepnęła okruszki, nabrała powietrza, ale w tym momencie ksiądz Michał zarządził koniec postoju i obyło się bez rozlewu krwi. Jednak Jadzia nie odzyskała już dobrego humoru; usiadła sobie sama, jak najdalej od tamtej trójki, na drugim fotelu postawiła kraciastą torbę z prowiantem i obróciła się w stronę okna nie odezwała się do nikogo aż do Częstochowy.

Podczas mszy na Jasnej Górze mały myszowaty paulin ostrzegł pielgrzymów, by pilnowali toreb i portfeli, bo kieszonkowcy są wśród nas; torebeczki trzymamy z przodu, portfeliki za pazuchą, zagaił śpiewnie, kieszonkowcy są wśród nas. Jadzię jakoś to wszystko tak rozbiło, tak ją te torebeczki i portfeliki przeciążyły, że gdy w końcu dopchała się do kraty, uklękła pod Czarną Madonną, zamiast modlić się, dziękować i prosić o długą listę rzeczy, z którą tu przybyła, pomyślała, że należałoby tę piękną boginię przeprosić. Za tego z wąsem, za tę od jaja na twardo, za torebeczki i portfeliki, za kieszonkowców, za tego, kto ją właśnie niegrzecznie dźgał w plecy, by się pośpieszyła; Zdrowaś Mario, zaszeptała, jak Ty to wszystko wytrzymujesz, jak Ci przykro musi być, gdy na to wszystko patrzysz, bogini moja. Taka piękna jesteś i smutna, zdrowaś Mario, łaskiś pełna, w takim zaduchu wisisz, w bakteriach, błogosławionaś ty między niewiastami. Bardzo by się zdziwiła Jadzia Chmura, gdyby ktoś próbował ją przekonać, że głosi herezje, bo w kościele, do którego należy, bogiń żadnych nie ma i nie będzie. Jak nie ma? Jak nie ma? A widzi Czarną Madonnę? Widzi biżuterię, perły w darze złożone, te sto bab rozmodlonych widzi? Ślepy by zauważył, muslimista nawet czy Hare Kriszna by zauważył, że bogini! Mogłaby się zdenerwować Jadzia tak jak wówczas, gdy ubliżyła jej Leokadia Wawrzyniak, i przywalić intruzowi torebką, ale tymczasem tylko zmówiła modlitwę, a do długiej procesji zmarłych powierzonych opiece Czarnej Madonny dodała na końcu żydowską ciotkę, Eulalię Barron.

W czasie wolnym poszła Jadzia sama w kierunku miasta, ale jakoś nie chciało jej się chodzić po sklepach; zobaczyła park u stóp klasztoru i ruszyła do niego, usiądzie sobie, odsapnie, zje ostatni kawałek ciasta z rabarbarem. Po drodze był krzyż i niepozorna figurka Matki Boskiej z dzieciątkiem, nikt się przy nich nie zatrzymywał, bo kogóż taka lichota mogłaby zainteresować po przepychu Czarnej Madonny i jasnogórskiego skarbca. Jadzię litościwą nie od dziś ciągnęło do rzeczy drobnych, zaniedbanych, nad którymi mogłaby się ulitować po swojemu; podeszła, przyklękła, zdrowaś Mario, zaczęła. Coś było nie tak. Matka Boska wyglądała po matkobosku, ale dzieciątko? coś nie tak było z dzieciątkiem, i to bardzo. Jadzia okulary zdjęła, na szkła dmuchnęła, przetarła. Matko Boska, to dziewczynka! Matka Boska trzymała w objęciach jasnowłosą dziewczynkę, poza tym wszystko było jak zawsze. Ludzie przechodzili, nikt nie zwracał uwagi na Matkę Boską z córeczką i Jadzia córkorodna poczuła nagle taki przypływ siły, że mogłaby nie tylko jeszcze raz pogonić Leokadię Wawrzyniak, ale od nowa urodzić i wychować Dominikę, i jeszcze raz ją pokochać. W drodze powrotnej pielgrzymi rozmawiali o bogactwie skarbca, pokazywali sobie kupione pamiątki, wodę święconą w plastikowych buteleczkach w kształcie Maryi z odkręcaną główką, a Jadzia milczała, wzdychała i uśmiechała się z wyższością, bo to ona widziała w Częstochowie cud.

Po częstochowskiej przygodzie Jadzia ostygła w swym zapale wychodzenia do ludzi, zwłaszcza nie miała ochoty na kolejną pielgrzymkę, ale nie poddała się. Jedź, mamo, do Szczawna Zdroju, mówiła Dominika, zawsze gotowa sprawdzić w internecie, kiedy będzie jakiś koncert z walczykami, piknik folklorystyczny czy gościnny występ kabaretu z Wrocławia albo nawet z samej Warszawy. Skąd w tym komputerze tyle mądrości, skoro mniejszy od telewizora? dziwiła się Jadzia i sprawiało jej przyjemność zainteresowanie córki, która z Londynu planowała jej rozrywki. Jedź, mamo, potem zadzwonię i mi opowiesz, jak było; jak wpadnę do ciebie latem, razem się wybierzemy. Pojechała więc Jadzia raz i drugi siódemką do Szczawna Zdroju, nawet przemogła się i oderwała metki od kilku ubrań przysłanych przez Dominikę, by godnie prezentować się wśród turystów i kuracjuszy. Miała córka rację, to są miłe chwile. Jadzia kupuje sobie loda w wafelku, siada w parku zdrojowym, patrzy na spacerujące rodziny i rozjątrza swoje stare rany; wydłubuje nowe tam, gdzie ciało jest najdelikatniejsze i najbardziej miękkie; dlaczego na ten przykład inne mają wnuki, a ona nie? Dlaczego inne mają chłopów, jacy by nie byli, a ona od tylu lat jest wdową? Dlaczego taka Krysia Śledź ciągle ma matkę na wsi, a ona nikogo? Dlaczego Dominika jest tak daleko? Na każde mlaśnięcie lodowej słodyczy przypada jedna gorzka myśl Jadzi Chmury i równowaga zostaje zachowana, świeci słońce, śpiewają ptaki.

Gdy którejś ciepłej czerwcowej niedzieli przysiadł się do Jadzi starszy pan w jasnym garniturze, zapachniał wodą po goleniu, aż jej się w głowie zakręciło, już miała powiedzieć, nie zawieram znajomości na ulicy albo czekam na kogoś, jestem zajęta, proszę sobie nie wyobrażać. Ale wtedy mężczyzna zagaił, a sąsiadka elegancka jak zawsze, mówiłem, że dla sąsiadki tylko lilaróż lub lawendowy błękit, i Jadzia przypomniała sobie ten głos, który przed laty intrygował ją i drażnił. Jej dawny sąsiad, homoniewiadomo, aktor Jeremiasz Mucha! Poczerwieniała i zacukała się, bo co tu po latach powiedzieć sąsiadowi, który sąsiadem być przestał, i do tego zniknął w tak tragicznych okolicznościach, ale Jeremiasz Mucha miał więcej ogłady towarzyskiej. Słyszałem, że córka pani, śliczna panienka Dominika, za granicą przebywa? To była woda na młyn Jadzi, o córce może długo i szczegółowo, proszę bardzo; rozmowa potoczyła się tak wartko, że nawet nie zauważyła, kiedy dała się zaprosić na kawę do pobliskiej kawiarni, potem jeszcze zjedli po dwie gałki lodów i po gofrze z bitą śmietaną, a gdy Jadzia upaprała sobie żabot odświętnej bluzki, Jeremiasz zaoferował jej swoją chusteczkę. Pani Jadwigo, pozwoli pani, że chusteczkę zaoferuję, powiedział i Jadzi jak przez mgłę przypomniała się inna biała chusteczka, z dalekiej przeszłości, i Cudzoziemiec, który pod orzechem w zaleskim ogrodzie wytarł w nią dłonie ubrudzone wiśniami. Francja elegancja! Nie wiedziała Jadzia, czy wypada zapytać o mężczyznę, z którym Jeremiasz Mucha mieszkał na Piaskowej Górze; o żonę by zapytała, o męża, ale jak o takie homoniewiadomo? głowiła się, ale stary aktor sam jej powiedział. Ach, pani Jadwigo, życie nas nie oszczędzało, oboje się z jego okrucieństwem zetknęliśmy, czyż nie? Na to czyż nie Jadzi aż się łzy w oczach zakręciły i tylko po swojemu westchnęła z głębi piersi, ach, panie Jeremiaszu, gdyby pan wiedział. Po tym, jak Jeremiasz i jego Konrad, bo Konrad mu było na imię, dopiero teraz dowiedziała się Jadzia, zootechnik z wykształcenia, zostali pobici w mieszkaniu na Piaskowej Górze, nastał niestety kres ich miłości. Nastał niestety kres naszej miłości, powiedział Jeremiasz Mucha, już w szpitalu zostałem opuszczony, porzucony; i im więcej mówił o swoim cierpieniu, tym łatwiej się Jadzi słuchało, a fakt, iż to homoniewiadomo cierpiał, przestawał wysuwać się na plan pierwszy, bo cierpiał niewątpliwie po ludzku. Panie Jeremiaszu, mój Boże, to się pan nacierpiał! Konrad poznał w szpitalu górnika, Waldka, któremu pas transmisyjny urwał rękę, na szczęście lewą, i zakochał się chłopak, porwał go huragan miłości, Jeremiasz Mucha, choć porzucony, szczęścia im życzył, żalu nie ma; Matko Boska, westchnęła Jadzia, huragan miłości, panie Jeremiaszu, pan to ma serce ze złota. Konrad z górnikiem Waldkiem wyjechali w Bieszczady, za odszkodowanie górnika kupili chałupę i ziemię, gospodarstwo agroturystyczne prowadzą z sukcesem, a kochają się nadal jak na początku. Taka miłość, pani Jadwigo, taka miłość! Tymczasem on, cóż, targany melancholią na statek się zamustrował. Targany melancholią, jak ja pana rozumiem, panie Jeremiaszu, ucieszyła się Jadzia, ale żeby zaraz na statek? Na szwedzki prom wycieczkowy! Występował w wieczornym programie muzycznym i nie powie, cieszył się nawet pewnym powodzeniem, zwłaszcza u starszych dam, chociaż był taki jeden steward, co za mężczyzna, pani Jadwigo, co za mężczyzna rasowy, ale to może innym razem. Potem, gdy rozpacz osłabła i przygasł żar bolesnych wspomnień, na dwa lata do Szczawna Zdroju Jeremiasz przyjechał i śpiewał kuracjuszom na dansingach; cała sala śpiewa z nami, uciekaj skoro świt, i tak dalej, zanucił, a Jadzia aż pokraśniała. Pan to zawsze miał głos, panie Jeremiaszu, nie to co te współczesne wyjce. A więc śpiewał, oprócz niego trzy osoby w zespole, i nie chwaląc się, powie, że umieli do tańca porwać kuracjuszy. Wtedy była tu Grażynka Rozpuch, w sanatorium zdrojowym w kuchni pracowała, pamięta ją pani, pani Jadwigo? Ta to tańczyła! Oj wiem, panie Jeremiaszu, nie bez zazdrości przyznała Jadzia. Zaprzyjaźnili się, przychodził do niej na kolacje, które z kuchni sanatorium wynosiła, bo czasy były biedne, pamięta pani, puste półki, pani Jadwigo; jak ona, ta Grażynka, potrafiła szynkę wynieść, trzy kurczęta pieczone i jeszcze słoik barszczyku, jakieś dwie drożdżówki po kieszeniach, a szła z tym wszystkim jak baletnica, lekko, na palcach. Potem w jej wynajętym pokoiku, w bajzlu wprost niewyobrażalnym, z dziećmi, zwierzętami, jakimiś wygłodniałymi opryszkami, zjadali to wszystko, siedząc na materacach, które zajmowały całą podłogę, i śpiewali, skakali; jak ta kobieta tańczyła, pani Jadwigo. Potem jeden Niemiec się w niej tak zakochał, że chodził jak pijany, ach, jak on, Jeremiasz, o takiej miłości marzył, całe życie marzył, żeby w nim ktoś tak choć raz, żeby ktoś specjalnie dla niego piosenki zamawiał miłosne. Ach, westchnęła Jadzia, panie Jeremiaszu, a kto nie marzył. Prosił go Niemiec, by Grażynce prezenty, kwiaty, perfumy w jego imieniu zanosił, i za każdym razem dostawał coś Jeremiasz za fatygę, a to Diora, a to Hugo Bossa, taką hojną rękę miał ten Hans, co w końcu sobie Grażynkę wychodził i zabrał do Niemiec. Mi takiego Diora, wtrąciła Jadzia, Dominika ostatnio pod choinkę kupiła, dobre rzeczywiście, zapach nie ucieka, jak się popsika na ubranie. Jeremiasz Mucha potem jeszcze dwa razy wyjeżdżał z Polski w celach zarobkowych, ale w końcu na dobre powrócił w rodzinne strony. Ma w Szczawnie Zdroju kawałek domu, zaraz po wojnie jego rodzina ściągnęła tu ze Wschodu i wtedy zajęli ten dom o wielkich ciemnych pokojach i skrzypiących parkietach. Jest pewne wydarzenie z tych lat tuż powojennych, które go do tej pory dręczy, a wiąże się z Grażynką właśnie. Może pani, pani Jadwigo, coś będzie wiedziała? Coś pamiętała? Tatuś mój, ciągnął Jeremiasz, miał zakład fotograficzny w Grodnie i w Szczawnie też zakład od razu otworzył, gdyśmy się przesiedlili. W ich rodzinie fotografów na pęczki, tylko on, Jeremiasz, się wyłamał. Ponoć gdzieś w centralnej Polsce przed wojną kuzyn ojca był fotografem, i do tego podobnym jakby bliźniak, nie kuzyn, Ludek mu było na imię, Ludek Borowic. Po przyjeździe do Polski rodzina Jeremiasza zmieniła nazwisko, ale to już inna historia, chociaż Jeremiasz do dziś zrozumieć nie może, dlaczego akurat Mucha, a nie przynajmniej Muszyński; Jeremiasz Muszyński brzmiałby o wiele lepiej w przypadku artysty sceny i estrady. Mały Jeremiasz pomagał ojcu w zakładzie, zanim chęć zostania aktorem i inne rzeczy nie poróżniły go z rodzicem na dobre. Mógł to być rok czterdziesty dziewiąty, może pięćdziesiąty; do zakładu przyszedł młody mężczyzna, właściwie chłopak jeszcze, przyjezdny, z plecakiem, w zniszczonym płaszczu przerobionym z wojskowego, jakich wtedy wiele się widywało na ulicach. Nazywał się Icek Kac albo jakoś tak. Pytał o młodą kobietę, Jeremiasz może przysiąc, że miała na imię Grażynka; są rzeczy, których człowiek nie zapomina. Ojca akurat nie było i przyjezdny poprosił Jeremiasza, by pokazał mu więcej zdjęć, nie tylko te w witrynie, bo kto wie, może wśród sfotografowanych będzie ona. Obejrzał wszystkie, nawet te nieudane w osobnym pudełku i z tych jedno Jeremiasz mu dał, prześwietlone zdjęcie z parku w Szczawnie Zdroju. Były na nim dwie postaci na tle wody, większa wyraźna i mniejsza jakby przecięta na pół strugą blasku; przybysza ta nieudana fotografia bardzo zainteresowała. Pani Jadwigo, on tak bardzo pragnął odnaleźć tę kobietę! Pani Jadwigo, to miłość być musiała taka jak mojego Konrada i Władka; ach, westchnęła Jadzia, panie Jeremiaszu. Chciał Grażynce coś oddać czy podarować ten Icek, nie Icek, Jeremiasz nie pamięta dokładnie, ale pewny jest imienia kobiety, tak, na sto procent, Grażynka, i wciąż widzi oczy mężczyzny, bo ani przedtem, ani potem nie widział smutniejszych, stare smutne oczy w młodej twarzy; Matko Boska, co za życie, westchnęła Jadzia. Ten Icek Kac, panie Jeremiaszu, coś mi to mówi, ale nie wiem co, pewnie mi się znowu coś pokićkało, Icek Kac, Icek Kac, Matko Boska, gdzie ja to słyszałam? I nie powiedział pan nic Grażynce, panie Jeremiaszu, nie powiedział pan, że jej szukał ten smutny Icek? Ano tak wyszło. Tyle razy się zbierał, w końcu nie powiedział, albo zapominał, albo coś wypadało, i czasem Jeremiasz Mucha myśli sobie, że nie miał powiedzieć, że to zapominanie i wypadanie miało jakiś sens, a potem Grażynka wyjechała ze swoim Niemcem i było za późno. Teraz do niego dotarła wieść, że Grażynka znikła. Znikła, już ponad dwa lata jej nie ma, przepadła bez śladu, potwierdziła Jadzia. A ona, oferma taka, ślepota, mimo że Grażynkę wtedy na pogrzebie teściowej spotkała, żadnych znaków nie dostrzegła, niestety. Tego chyba tak po człowieku nie widać, pani Jadwigo, proszę się nie obwiniać, pocieszył ją Jeremiasz Mucha; westchnęli oboje i posiedzieli chwilę w milczeniu.

To się porobiło, myślała Jadzia, siedzę na ławce w parku zdrojowym z homoniewiadomo, i do tego na lodach razem byliśmy. Dominika pęknie ze śmiechu! Jadzia Chmura poczuła dziwną satysfakcję, bo zdała sobie sprawę, że znów zrobiła coś, czego nikt się po niej nie spodziewał, jak wtedy, gdy przyłożyła Leokadii Wawrzyniak. Ja wam jeszcze pokażę, pomyślała Jadzia i może posunęłaby się dalej w tym nieśmiałym samozachwycie, ale poczuła, że nadmiar słodyczy trochę kręci ją w żołądku i znów musi zażyć raphacholin. Jeremiasz zaproponował, by Jadzia w przyszłym tygodniu wybrała się z jego znajomymi na spacer po Szczawnie Zdroju, nie ma co się krępować, jacy obcy, jak zna jego. Spodoba jej się, to bardzo miła grupa starszych ludzi z Uniwersytetu Trzeciego Wieku; organizują raz w miesiącu spacery po Wałbrzychu i okolicach, a on, nie chwaląc się, jest przewodnikiem, bo zna te strony jak własną kieszeń. Za tydzień będzie Szczawno, potem planują Biały Kamień, Sobięcin, Nowe Miasto, a latem wybiorą się dalej, aż do Zagórza, obejrzeć most wiszący i wielką tamę. Wszystko za darmo, tylko prowiant trzeba wziąć i buty, pani Jadwigo, wygodne, bo w tych eleganckich klapeczkach pani nie da rady.

Wiesz, córcia, jakoś trochę udało mi się wyjść do ludzi, powiedziała Jadzia Dominice przez telefon, z Jeremiaszem Muchą sobieśmy poplotkowali. On chyba dalej homoniewiadomo, ale trzeba przyznać, że eleganckki z niego człowiek, kulturalny, pani Jadwigo do mnie mówi. Za tydzień na spacer się wybieramy przy niedzieli, potem na frytki mnie zaprasza, oboje frytki lubimy z keczupikiem. Jak to jest, córcia, że jak już się trafi mężczyzna czysty, ubrany, do pogadania, to coś z nim musi być nie tak, westchnęła, a Dominika, niesklonna do zgadzania się z matką, tym razem roześmiała się i powiedziała, wiele kobiet tak uważa, masz rację, mamo. Jadzia i Jeremiasz Mucha! Dominika próbowała wyobrazić sobie swoją matkę w odświętnym komplecie w ulubionych lilaróżach, z torebką pod kolor butów, bo grunt, żeby buty były w kolorze torebki, i Jeremiasza Muchę, starego farbowanego lisa, który był kiepskim aktorem na scenie, bo cały talent poświęcił na granie życiowej roli najbardziej oczywistego homoniewiadomo w Wałbrzychu i okolicach. Jakby rzucał ludziom w twarz tę oczywistość i chował się za mahoniowymi włosami czesanymi na Połomskiego, za garniturem w prążki i kwiatem w butonierce, za obowiązkowymi butami na podwyższonej podeszwie. Takie buty, panno Dominiko, to tylko na obstalunek zrobić można u mistrza szewskiego na ulicy Ruskiej we Wrocławiu, powiedział kiedyś, gdy zauważył jej badawczy wzrok, i Dominika myślała, że umrze ze wstydu, bo nie chciała urazić sympatycznego aktora. Jeremiasz Mucha mówił jej, że wygląda jak Ada Sari, w czasach gdy inni porównywali ją do tyczki grochowej, wkurwionego Szopena po koncercie, deski do prasowania, kopy siana, w którą walnął piorun; a on, panienka wygląda jak Ada Sari. Dominika ucieszyła się z tej znajomości, bo czuła, że Jeremiasz Mucha należy do ludzi, którzy nie zbliżają się do nikogo przypadkiem. Pomyślała, że podczas następnej wizyty musi koniecznie zrobić im zdjęcie, jej matka i Jeremiasz Mucha na ławce w Szczawnie, jedzący lody w gałkach.

Jadzia pojechała do Szczawna na umówione spotkanie, zjadła frytki, popiła colą i od tej pory jej przyjaźń z Jeremiaszem Muchą rozwijała się, a właściwie szybko osiągnęła poziom satysfakcjonujący obie strony i na nim pozostała, bo każde odnalazło w drugim to, czego mu brakowało. Stary aktor tak naprawdę tęsknił za rodziną i w jakimś innym życiu, lepszym i sprawiedliwiej urządzonym, mógłby mieć takie życie jak ta ciepła krągła kobieta, która siadała na ich ławeczce w Szczawnie, delikatnie podciągając spódnicę na wydatnej pupie, i godzinami opowiadała o córce. Mógłby być Jadzią, matką, wdową, a nie homoniewiadomo, synem zmarłych dawno rodziców, wnukiem niepamiętanych dziadków, kochankiem zapomnianym przez kochanków w domu pełnym ciężkich mebli i kurzu. Patrzył na twarz Jadzi pokrytą zbyt ciemnym dla jej cery pudrem, na jej drobne, szybko się poruszające usta, które w miarę mówienia zjadały pomadkę, na oczy jak agrest, i ogarniała go taka tęsknota, że miał ochotę Jadzię uściskać, a potem oprzeć głowę na jej bujnych piersiach i zapłakać. Jadzia z kolei znalazła w Jeremiaszu idealnego słuchacza i pierwszy raz w życiu odkryła, że potrafi opowiadać; bardziej czuła, niż rozumiała, że z jakiegoś tajemniczego powodu jest atrakcyjna dla starego aktora i że on jej naprawdę słucha, i że chwilami chyba jej zazdrości. Gdy mówiła coś Krysi Śledź, ta zawsze mogła ją przelicytować, mówiąc, a moja Iwona to to czy tamto, z Lepką nie warto było nawet zaczynać, interesował ją tylko zaginiony na wojnie w Jugosławii syn Zbyszek, i nawet zmarła teściowa nie była za życia wdzięczną słuchaczką, bo sprzeczały się już po drugim zdaniu każdej opowieści. Duch męża, Stefana, o którego wizytach Jadzia nikomu nie mówiła, podobnie jak za życia wolał patrzeć na telewizor niż rozmawiać z żoną i nagle ni stąd, ni zowąd pytał, że co, Dziunia, mówiłaś? No, Matko Boska, denerwowała się wtedy Jadzia, chociaż po śmierci mógłbyś się skupić. A Jeremiasz Mucha słuchał i gdy Jadzia zaplątała się, zadawał dokładnie takie pytania, jakie były potrzebne, by naprowadzić ją na zgubiony trop; podejmowała go szybko i pędziła dalej jak pies myśliwski, aż czasem brakowało jej tchu i musieli przerwać, by przekąsić gofra czy chociaż napić się wody zdrojowej. Jadzia nie miała dobrej pamięci i nieraz myliła fakty, daty, nazwiska, oj, chyba coś mi się pokićkało, panie Jeremiaszu, mówiła i smutniała w obawie, że ten miły homoniewiadomo pójdzie sobie znudzony, a ona znów zostanie sama. Ale Jeremiasz zbyt dużo zaznał w życiu samotności i odrzucenia, by z tak błahego powodu jak pokićkane fakty czy nazwiska rezygnować z tej niezwykłej przyjaciółki, która mu się trafiła na stare lata. Pani Jadwigo, mówił, nie ma mowy o żadnym pokićkaniu, stanęliśmy na przyjeździe Dominiki do Londynu, ach, Londyn, Londyn, co za piękne miasto, Tamiza, pałac Buckingham, Harrods. Ja nie byłam, smutniała znów Jadzia. Ja też nie, przyznawał Jeremiasz Mucha i Jadzia odzyskiwała animusz.

I Dominika zamieszkała w tym Londynie, panie Jeremiaszu, u Greczynki, proszę sobie wyobrazić. Zdjęcia przysłała i nie powiem, miło wygląda kobieta, czysto; w sobie i przy kości, ale twarz szczupła, jakby nie od kompletu. Apostolea się nazywa, dziwnie, Grecy już takie dziwne imiona sobie dają, co poradzić. Opowiada Jadzia, opowiadała Dominika, opowiadała Apostolea, że na Cyprze się urodziła, straciła rodziców i zajęła się nią rodzina ojca. Jak to sierota, lekko nie miała, do roboty ją od małego gonili i wie pan, panie Jeremiaszu, kiedy się bała czy smutno jej było, chowała się w takim wielkim glinianym dzbanie, w którym Grecy oliwę albo wino przechowują. Widział pan kiedy taki dzban? Ja też nie. Ponoć pęknięty był, leżał w ogrodzie, a ona tam siedziała i patrzyła na morze; panie Jeremiaszu, jak o tym myślę, to aż mnie coś za serce chwyta, bo ja też lekkiego dzieciństwa nie miałam. Apostolea co rusz woła Dominikę do kuchni i ją karmi, panie Jeremiaszu, chociaż wyżywienia w cenie pokoju nie ma; zdarzają się jeszcze porządni ludzie na tym świecie, trzeba przyznać. Jak Dominika przyjeżdża na Piaskową Górę, robi dla mnie potrawy, których nauczyła ją Apostolea, i mówi, jedz, mamo, jedz, spróbuj czegoś nowego, a ja ci poopowiadam o Londynie. Tak samo ją karmi Apostolea i opowiada, chociaż ledwo angielskiego się nauczyła, tak jak ja talentu do języków nie ma najwyraźniej. W sklepie się Apostolea dogada, ale jak kiedyś z jakiegoś urzędu zadzwonili, to Dominikę zawołała, żeby jej tłumaczyła z angielskiego na angielski. Dominika, o, ona to ma łeb do języków, panie Jeremiaszu, po ojcu nieboszczyku, szprecha, parlefransi i po angielsku jak Angielka, bo amerykański angielski to strasznie wulgarny, gdyby pan słyszał, ale ta Greczynka to tyle, co Kali kochać. Ale żeby życie opowiedzieć, wielu słów nie trzeba, panie Jeremiaszu, tyle co urodzić się, kochać, umrzeć, i szlus. Że filozofka ze mnie? Panie Jeremiaszu, pan jak coś powie. I mówi ta Greczynka do Dominiki, chuda jesteś, chodź, świeżo ugotowane, siadaj, jedz; no i podaje jej takie porcje jak dla chłopa z pola. Jedz, jedz, mówi tylko i jak Dominika przestaje jeść, Apostolea przestaje opowiadać, a Dominika lubi słuchać, więc je i, panie Jeremiaszu, pięć kilo już jej przybyło na tym greckim jedzeniu, i dobrze, chłop nie pies, na kości nie poleci. A dziwne rzeczy gotuje ta Apostolea, panie Jeremiaszu. Jakieś cukinie faszerowane, papryki, wszystko w oliwie z oliwek pływa, nawet da się zjeść. Próbował pan? Na statku? Pan to miał życie ciekawe, panie Jeremiaszu, podróże, egzotyka, a ja raz do Karpacza pojechałam i od razu złapałam salmonellę, a jak się kiedyś w Warsie flaczkami zatrułam, Matko Boska. Dominika Apostolei jedną z córek przypomina, Afroditi, to po naszemu Afrodyta, w katastrofie lotniczej z mężem zginęła, taka tragedia, panie Jeremiaszu, ja to do samolotu za żadne skarby świata nie wsiądę. Inne dzieci Apostolei rozjechały się po świecie, a dwoje jeszcze w maleńkości umarło. Opowiada Jadzia, opowiadała Dominika, opowiadała Apostolea, że jak miała piętnaście lat, wysłali ją z Cypru do Londynu, żeby kuzyna dalekiego poślubiła, starszego o ponad dwadzieścia lat. Na statek wsadzili z jedną walizką i kartką na szyi, w razie gdyby się zgubiła. Wyobraża pan sobie, panie Jeremiaszu, tak z kimś nieznajomym? Ze swoim czasem trudno, a co dopiero z nieznajomym. A Apostolea nawet zdjęcia nie widziała, kto by się tam przejmował, czy sierocie wybrany mąż się spodoba, czy nie. Podobno porządny był człowiek z niego, zobaczył, że to chuchro, dzieciak jeszcze, i chociaż ślub zaraz wzięli, obiecał, że do szesnastego roku życia nic z tych rzeczy. A potem przyszły dzieci, panie Jeremiaszu, jedenaścioro w sumie, siedmiu chłopców i cztery dziewczynki, żeby tyle dzieci mieć, panie Jeremiaszu, to ja nie wiem. Mąż Apostolei pracował na budowie, aż się własnej firmy remontowej dorobił, a Apostolea pracować nie musiała, poza tym cały czas była w ciąży. Ja tak sobie ostatnio pomyślałam, panie Jeremiaszu, mówi się, że kobieta, jak w domu siedzi, to nie pracuje, ale ten, co tak mówi, to chyba nie wie, ile w domu jest roboty. No, ale nie będę tu panu politykować. Gdzie to ja byłam? No więc coraz lepiej im się powodziło w tym Londynie, cieszyła się Apostolea, że na dobrego człowieka trafiła, bo zamrażarkę jej kupił już w dwa lata po ślubie i zawsze pełna była kurczaków, a w dzieciństwie na Cyprze takiego kurczaka to tylko na święta mogła skosztować, bieda tam była jak u nas w stanie wojennym. Muszę Dominikę zapytać, jak Grecy kurczaki jedzą, pieczone czy może w potrawce? I kiedy w końcu zamieszkali we własnym domu, opowiada Jadzia, opowiadała Dominika, opowiadała Apostolea, to pożar wybuchł i dwoje dzieci, dwoje dzieci malutkich, panie Jeremiaszu, najmłodszych, się spaliło, bo spały w kołyskach u góry. Apostolea tylko rękę miała poparzoną, a jej mąż połowę twarzy i głowę, wszystkie włosy mu się spaliły i łysy był, panie Jeremiaszu, już do śmierci. Do tego na tej poparzonej połowie twarzy zarost stracił i odtąd nosił tylko połowę wąsów. Apostolea pokazała Dominice groby tych dzieci, a tam, panie Jeremiaszu, zabawki, laleczki, czekoladki; aż się serce ściska, zwłaszcza jak się też grób dziecka ma. Najdziwniejsze jest, że Apostolea za Cyprem ciągle tęskni, powiada, jakie tam morze, jakie niebo, a ten ogród, w którym chowała się we dzbanie, to dla niej najpiękniejszy z ogrodów. Ja też kiedyś miałam ogród, panie Jeremiaszu, jakie tam georginie kwitły, prawie czarne i wielkie jak głowa dziecka. Opowiada Jadzia, opowiadała Dominika, że te z ośmiorga dzieci, co w Londynie zostały, przychodzą do Apostolei i śmieją się, mamo, a gdzie ty taką siostrę nam znalazłaś, dlaczego ją ukrywałaś, po grecku trzeba nauczyć ją mówić. Zaraz, jak to było, a, już wiem, kalimera, tak ładnie brzmi, kalimera, to dzień dobry, panie Jeremiaszu, po ichniemu, kalimera, prawda, że ładnie? Opowiada Jadzia, opowiadała Dominika, opowiadała Apostolea, że ma dwadzieścioro ośmioro wnuków, w tym ile dziewczynek, a ile chłopców, nie da się spamiętać, ale w ogóle, czy w ogóle, panie Jeremiaszu, sobie pan coś takiego wyobraża? Myśli pan, panie Jeremiaszu, że człowiek ma w sobie jakiś zapas miłości i musi ją dzielić, na każdego wnuka po jednej dwudziestej ósmej, czy jak wnuków przyrasta, to miłość też rośnie i jest jej coraz więcej? Aż mi z samego myślenia w gardle zaschło, panie Jeremiaszu; to może pozwoli pani, pani Jadwigo, że goferka zaproponuję z polewą i małą czarną w Zdrojowej?

Regularność spotkań w Szczawnie Zdroju sprawiała Jadzi przyjemność i samą siebie przekonywała, że gdzie ona miałaby tam czas zajmować się wnukami jak inne, kiedy tyle ma zajęć; przetwory, pisanie listów, porządkowanie przepisów, gromadzenie rzeczy typu pościel, ręczniki, ściereczki z promocji i pogawędki w Szczawnie z Jeremiaszem Muchą. Gdy spotykała pod Babelem znajome z wnukami tak bardzo przypominającymi swoich rodziców, których pamiętała jako dzieci chodzące z Dominiką do szkoły, Jadzia czuła mieszaninę zazdrości i niechęci, bo wprawdzie straciła szansę na ten zwykły i znany los, ale już poczuła smak czegoś innego.

Ach, gdzie ja bym tam miała czas, machała ręką, właśnie do Szczawna się wybieram, mówiła i wkrótce na Piaskowej Górze zaczęto podejrzewać, że Jadzia Chmura kogoś ma. Ona chyba ma kogoś, proszę panią, pierwsza na głos wyraziła podejrzenie Lepka; cieka do tego Szczawna co niedziela, a wyfiokowana jak nigdy, wypachniona. Na dole w drogerii widziałam, jak perfumę kupowała, psikała się, próbowała, nie wyglądało, żeby dla siebie samej tak się psikała. I jeszcze siaty pełne nie wiadomo czego, pewnie żarcie jakiemuś chłopu nosi, żeby się wkupić w łaski. Może wdowiec jaki z domem? Rozwodnik nieoskubany? Bo z żonatym toby się chyba nie puściła, chociaż, kto wie, dziś niczego nie można być pewnym. Lepka sprawnym okiem namierzyła, że Jadzia nosi w torbach jedzenie; Jadzia Chmura, podobnie jak Apostolea, znała tylko jeden język uczuć, i było to karmienie, miłość w postaci plastrów domowego pasztetu czy placka z jagodami, pokrojonego na zgrabne kwadraciki, nadawała się do rozdawania, w przeciwieństwie do tej bezkształtnej magmy, którą czuła w sercu. Jadzia była karmicielką, szafarką kanapek i pomidorków w podróży; jeśli wspominała męża, Stefana, to przede wszystkim dlatego, że jak nikt inny umiał być karmiony i nigdy nie miał dość, nie to co Dominika, Tadek-niejadek. Niekiedy Jadzia nosiła obiad do sąsiadów, gdzie po nagłym wyjeździe Krysi Śledź cały ustanowiony przez nią domowy porządek rozpadł się wraz ze zjedzeniem przez męża, córkę i wnuczkę pozostawionych dla nich zapasów. Zdzisio Śledź oczekiwał, że rolę matki przejmie córka, ale Iwona nie miała najmniejszego zamiaru stać nad garami; nie mam najmniejszego zamiaru stać nad garami, oświadczyła i zadzwoniła do KFC, bo mała Pati najbardziej lubiła frytki i hamburgery. Skoro tak, Zdzisio zaczął jeść frytki i hamburgery, wołał, Iwonka, a zamów obiad! jakby zamówienie trzech zestawów też przekraczało jego męskie możliwości. Nieraz sąsiad skarżył się Jadzi, że zgaga go po tych bułach z kotletem pali, beka mu się i żyć nie chce, zjadłby kartofelków ze sosikiem, więc zaniosła raz i drugi świeżej zupy, pierogów, gorących ziemniaków z koperkiem i gulaszem. W mieszkanku sąsiadów walały się zabawki, ubrania Iwony i Pati, papierki od słodyczy i puste opakowania po jedzeniu na wynos, a zbite kulki kurzu tańczyły po kątach i Jadzia poczuła, że w tym smutnym domu trzeba czegoś o wiele więcej, niż ona może dać, i impet dawania nakierowała na Jeremiasza Muchę.

Co dwa, trzy miesiące Jadzia dołączała do grupy emerytów, którą stary aktor oprowadzał po Wałbrzychu i okolicach, opowiadając swoim głosem odtwórcy trzeciorzędnych ról w dramatach Fredry o tajemnicach tych pięknych okolic. Na koniec zwykle robiono sobie piknik, podczas którego można było ponarzekać na bolące nogi, polityków i pogodę albo, przy lepszym nastroju, powspominać dawne czasy, gdy Wałbrzych na węglu stał, w telewizji się o nim mówiło, a jak górnicy ruszali w pochodzie pierwszomajowym, to aż ciarki przechodziły. Oj były to czasy! Jadzia piekła bułeczki drożdżowe z konfiturą różaną, piękne i okrągłe, tak wypieszczone, jakby każda była piersią, a nie bułeczką, i częstowała wszystkich, ale tak naprawdę karmiła Jeremiasza Muchę, bo odkryła w nim głód podobny do tego, który zabił jej męża, Stefana. Jadzia mówiła o Jeremiaszu Musze, to dobry człowiek, i nie można odmówić słuszności jej słowom, a fakt, kiedyś tak kłujący w oczy, iż do dobroci dołączone było homoniewiadomo, oswoiła w sposób prosty i skuteczny. Skoro Jeremiasza pociągają mężczyźni, a do tego zna się na kolorach, kąpie co dzień, mówi, ależ to po prostu prześliczne, i pachnie jak perfumeria, jest jak kobieta, a więc jest prawie-taki-sam jak ona, Jadzia. Kto by drobnymi różnicami się przejmował, zwłaszcza po sześćdziesiątce. Siadywali więc nadal na swojej ławeczce w parku zdrojowym, Jeremiasz Mucha pytał, i co tam nowego u panny Dominiki, a Jadzia nabierała powietrza i opowiadała.

Panie Jeremiaszu, ona zawsze fiksum-dyrdum była i fiu-bździu, czekam tylko, co tym razem wymyśli, co nabroi, nieraz to już myślałam, że strzelę w kalendarz przez te jej fiksumdyrdowanie. Przed wypadkiem, panie Jeremiaszu, nic, tylko matematyka, i nawet się martwiłam, bo to bardziej dla chłopców, gdzie tam dziewczyna do matematyki, to jak baba hydraulik czy chirurg na ten przykład. Ale był w szkole taki jeden mądrala i mówił, co za umysł, proszę panią, ona Nobla kiedyś dostanie. Po wypadku, panie Jeremiaszu, jej minęło, jakby przez dziurę w głowie, co ją miała, uleciała cała ta matematyka. I powiem panu, panie Jeremiaszu, że pomyślałam, a może to na dobre wyjdzie, może jakiś zawód porządny zdobędzie, bo te Noble patykiem po wodzie pisane, a taki technik dentystyczny na ten przykład robotę zawsze mieć będzie. Ale gdzie tam! Od męża Grażynki, co to pan go poznał, aparat fotograficzny dostała, ale jaki, że do ręki bałam się wziąść, bo ciężkie pudło, a przycisków różnych ile, nie wiadomo, co do włanczania, co do wyłanczania. Ja to, panie Jeremiaszu, do techniki nigdy głowy nie miałam, oj nie, komputery, aparaty, wideła nie wideła, to nie dla mnie, nawet jak się pilota do telewizora obsługuje, najpierw na kartce mi Dominika napisała. A ona jak zaczęła pstrykać tym aparatem, to przestać nie mogła, i żeby to normalne zdjęcia robiła jak na imieninach, komunii czy widoczki jakieś, kwiatki, to nie. Sam pan widział, bo co przyśle, to panu pokazuję. Panie Jeremiaszu, najpierw to były jakieś paprochy, śmieci, ściany popękane, Matko Boska, uszy osobno, paznokcie brudne, zmarszczki, włosy w nosie, czasem nie wiedziałam nawet co, przyglądam się wte i wewte, rów nie rów, a tu, Matko Boska, za przeproszeniem, przedziałek w czarnej dupie. A najgorsze, panie Jeremiaszu, że jakoś wzrok przyciągało. Sama nie wiem czemu. Potem cali ludzie się zaczęli powoli wyłaniać, ale jacy, panie Jeremiaszu, ja myślę, że jak zdjęcia robić, to ładnym, młodym, uśmiechniętym, a u niej gęby stare, pomarszczone, babka jakaś się szczerzy jednym zębem jak głupi do sera, chłop wielki, czarny leży pod murem w jednym bucie, karlica ubrana jak spod, za przeproszeniem, latarni. A jak własnej babce zrobiła zdjęcie tuż przed śmiercią, to ja nie wiem, panie Jeremiaszu, ale co spojrzę na tę fotografię, to się wzdrygam, bo jakby duszę starej Haliny Chmury sfotografowała. Tylko mi, panie Jeremiaszu, własnej matce, jeszcze normalnego zdjęcia nie zrobiła. Moje włosy robiła, oczy, każde z osobna, uszy, usta, panie Jeremiaszu, paznokcie, stopy nawet i pępek, ale całej jeszcze nigdy; nie wychodzisz mi, mamo, mówi. Że piękne są jej zdjęcia? No to chyba trzeba się znać, panie Jeremiaszu, na sztuce, czy coś. Dla mnie one są jak te filmy, co czasem puszczają nocą, takie ciężkie, psychologiczne, że człowiek nie odsapnie, nie zapomni się, tylko się jeszcze umęczy, umorduje, a potem wracają do głowy i znów się męczy. A po co ja to panu dziś opowiadam? Bo niech pan sobie wyobrazi, panie Jeremiaszu, przyjaciółka Dominiki, Małgosia, może pan pamięta, doktora Lipki ze Szczawienka córka, co w Londynie ginekologiem jest; ale o czym ja, aha, ta Małgosia zdjęcia Dominiki na jakiś konkurs ważny wysłała i wie pan co, wygrała Dominika. Jakaś kobieta, fotografka, co nawet zdjęcia królowej robiła i różnych aktorów, co to nazwisk nie pamiętam, pan sobie wyobrazi, była w jury i mówi, dawajcie tu tą Chmurę, a jak śmiesznie oni tam Chmura mówią po angielsku, panie Jeremiaszu, Kmara im zamiast Chmury wychodzi. No i dostała nagrodę, stypendium, jakiś kurs za darmo na uniwersytecie i gazeta jej zaproponowała pracę, od razu mi nazwa z głowy wyleciała, bo po angielsku, więc nie mówię, żeby nie pokićkać, ale to jakaś ważna gazeta, jak u nas Wyborcza. Za granicę ją z tej gazety wysyłają, za wszystko płacą i tylko zdjęcia ma robić, wyobraża pan sobie, panie Jeremiaszu? Za dwa miesiące Dominika przyjedzie, już się nie mogę doczekać, to potem panu dopiero poopowiadam, ale co ona tam pobędzie, wpadnie, namąci i wypadnie. Ciągle namawia mnie, mamo, przyjedź do mnie, mamo, proszę, przyjedź, ale ja jakoś, panie Jeremiaszu, nie bardzo jestem do podróżowania za granicę. Mówiłam panu, jak jeszcze za komuny do Karpacza pojechałam i salmonellę złapałam?

Jadzia wolała te posiedzenia na ławeczce w Szczawnie od wypraw krajoznawczych z grupą emerytów, bo jakoś nigdy nie wciągnęło jej wędrowanie dla samego wędrowania, i mimo iż bardzo starała się zapamiętać to, co opowiadał o różnych miejscach Jeremiasz Mucha, zapominała i kićkało jej się, kto zakopał skarb Hitlera i gdzie utopiła się księżniczka Daisy, o ile nie było odwrotnie. Jednak kiedy Jeremiasz Mucha zaplanował wycieczkę do Zagórza, wioski koło Wałbrzycha, Jadzia zdecydowała się jechać i poszła na Manhattan, by kupić sobie nowe wygodne buty. Kiedyś, trzydzieści parę lat temu, była w Zagórzu ze Stefanem, on nadskakujący i niezdarnie czuły, głodny, ona opuchnięta, w ciąży, która właśnie zaczynała jej ciążyć. Ona szukała cienia, Stefan podskakiwał na słońcu, wpadał do wody i rozbryzgiwał srebrzyste fontanny, chlapał, płynąc raz na brzuchu, raz na plecach, a potem otrzepywał się jak pies i rzucał na prowiant; Jadzia patrzyła na niego i powtarzała w myśli, mąż, żona, to mój mąż, jestem żoną, Jadzią Chmurą, to moje życie. Potem, w ciszy wczesnego popołudnia, które opadło na Zagórze jak słodka zasłona, leżeli oboje na kocu pośród tańczących słonecznych plamek i Jadzia nagle poczuła się dobrze, popatrzyła na śpiącego u jej boku chudego mężczyznę o włosach w kolorze ziemniaczanej skórki i pogłaskała go po głowie w nadziei, że ta świetlista chwila zapowiada coś dobrego. W smutnych latach, które przyszły potem, ten moment wyłowiony z czasu jak złota rybka przypominał jej się jako dowód ewidentnego oszustwa losu, który nie dotrzymał danej obietnicy. Dopiero niedawno, pomiędzy kolejnym telefonem od Dominiki a spotkaniem z Jeremiaszem Muchą na ławeczce w Szczawnie, Jadzia pomyślała, że może jednak nie do końca została nabita w butelkę, bo takie chwile to skarby, które jak ruskie złoto w bieliźniarce trzyma się na czarną godzinę.

Zaplanowana wycieczka do Zagórza długo nie dochodziła do skutku z powodu pogody. Żabami rzuca, leje dzień i noc, pieruny walą, lamentowała Jadzia do Dominiki; całe Szczawienko zalane, potopimy się tu jak szczury, owoce pogniją i jak ja przetwory porobię? Leje jak na twoją komunię, pamiętasz? tak ci kieckę zapaćkało, fryzurę rozpirzyło, że aż się popłakałam, ale teraz, teraz to jakby sto tamtych burz do kupy wziętych. Tego lata przez kilka tygodni ściany wody zwalały się na kotlinę wałbrzyską i spływały po zboczach gór, ziemia była tak namiękła, że zapadały się w nią stopy i grzęzły samochody; zdarzało się coraz częściej, że ktoś zostawił swojego fiata na podwórzu kamienicy, a rano patrzy, tylko dach wystaje z błota, a na dachu siedzi zmoknięty kot i drze się wniebogłosy albo śpi jakiś pijaczek. Na pastwiskach wokół miasta krowy stały po brzuchy w błocie i ledwo było je widać z przerośniętej, jadowicie zielonej trawy i tropikalnych kwiatów, a w podwałbrzyskich Dziećmorowicach strumyk, zamieniony w rwąca rzekę, podmył stary niemiecki cmentarz i ludzie żegnali się, widząc, jak przez wieś płyną trupy protestantów z rękoma skrzyżowanymi na piersiach jak nietoperze skrzydła, i prują na zachód. Podmyte płyty chodnikowe na Piaskowej Górze bryzgały błotem, gdy na nie stąpnęła nieostrożna gospodyni wracająca z Manhattanu, dzieci wpadały w kałuże tak głębokie, że groziły utonięciem, i wkrótce co ostrożniejsze matki nie wypuszczały pociech z domu bez dmuchanych rękawków do pływania. Rynny zatykały się i znienacka rzygały spienionymi potokami śmieci, liści i zdechłych gołębi, odpadał tynk z namiękłych ścian domów, a w mieszkaniach wyrastały nieznane gatunki grzybów i świeciły w ciemnościach. Którejś nocy podczas ulewy, która trwała bez przerwy od tygodnia, prawy róg Babela zapadł się na ponad metr, miękko jak w masło, i ludziom wszystkie kryształy pospadały z meblościanek, natłukło się, naniszczyło, a Lepkiej mało nie zabiła walizka z ozdobami choinkowymi, która zsunęła się z szafy. Starsze osoby chodziły ostrożnie, badając laskami grunt przed sobą, bo po chodnikach płynęły brudne strumienie o nieznanej głębokości, i nikt nie wychodził z domu bez foliowego płaszcza z kapturem, których produkcję rozpoczął od razu jakiś łebski następca wuja Kazimierza; w miarę jak lało, poszerzał asortyment, wcięte dla kobiet, męskie dla mężczyzn, różowe dla dziewczynek, a niebieskie dla chłopców, plus w promocji dla niskoskanalizowanych piesków. Widziana z lotu ptaka Piaskowa Góra wyglądała jak obca planeta zamieszkana przez stworzenia o połyskliwej skórze w pastelowych kolorach; Matko Boska, narzekała Jadzia, co sobie włosy nakręcę, zalakieruję, to mi się znów siano robi, i wyglądam jak baleron w tym foliowcu, co mnie podkusiło, żeby różowy kupić. W telewizji oglądała zalane Kłodzko i Wrocław, patrzyła na wodę przelewającą się przez zapory worków z piaskiem, stojące pod wodą wioski, pola i gniewnych albo zrozpaczonych ludzi, a w połowie ulubionego serialu nagle wyłączali prąd i Piaskowa Góra tonęła w ciemnościach; przez szpary w wielkiej płycie woda wsączała się do mieszkań. Grzyby rosły nie tylko na ścianach; dziwne fosforyzujące kapelusze wyrastały pod każdym drzewkiem, monstrualne huby wspinały się po pniach i próbowały pożywić się nawet na słupach telegraficznych i latarniach, opieńkopodobne chudziny na pajęczych nóżkach wykazywały upór i wytrzymałość, obrastając zasrane kwietniki pod domami, a na dachu Babela wyrosły grzybki halucynogenne i pierwszy narkoman, który tam wlazł, by się z tego deszczu i rozpaczy rzucić w dół, pomyślał, że już się rzucił i jest w raju. Gdy przyłożyło się ucho do ziemi, słychać było chlupot, bo woda przelewała się przez chodniki nieczynnych kopalń i szalała w czarnych dziurach szybów, wzbierała i burzyła się, porywała porzucone w ciemności górnicze maszyny, targała resztkami torowisk i niosła je ze sobą; było jej coraz więcej i gdzieniegdzie przez szpary w ziemi, w zakamarkach piwnic wytryskiwały czarne gejzery, pod Piaskową Górą rozlewało się podziemne morze czarne, w którym duchy polskich i niemieckich górników waliły w ściany, aż echo niosło.

Gdy w końcu przyszedł pierwszy, a potem drugi słoneczny dzień, ludzie obsiedli ławki, wybrali się na podtopione działki na Wzgórzu Gedymina, popędzili do parków, a grupa emerytów pod wodzą Jeremiasza Muchy ruszyła do Zagórza; teraz albo nigdy, pani Jadwigo, mobilizował ją stary aktor. Była ich tylko szóstka, innych zniechęciła możliwość kolejnej burzy zapowiadanej w telewizji, za to do pary byli, Jadzia i Jeremiasz, pani i pan Ćwiek, pani Ola, bibliotekarka, i Jerzy, inżynier z kopalni, który teraz miał budkę z bielizną damską na Manhattanie; inżynier zabrał suczkę Perełkę, państwo

Ćwiek pieska Areska, oba egzemplarze rasy kundel polski, i też wyszło do pary. Po wymianie licznych uprzejmości, kto z tyłu, kto z przodu, upchali się do skody inżyniera, spokojna głowa, panie inżynierze, powiedział pan Ćwiek, jakeśmy malucha mieli, to nas dwoje, dzieciska i babcia się wepchli i na wesele aż pod Lublin śmy pojechali, nie, mamuśka? klepnął w udo panią Ćwiek; a jak, tatusiek, zgodziła się małżonka, i ruszyli. Zagórze, malutka miejscowość u stóp góry Chojna, była atrakcją turystyczną z powodu zamku Grodno wzniesionego na rzeczonej górze, jeziora i ogromnej kamiennej zapory poniemieckiej. Kiedyś działał tu ośrodek wczasów pracowniczych, ale teraz porzucone domki kempingowe popadały w ruinę, a te najbliżej wody wykupywali na własność okoliczni prominenci; szło nowe, jeden domek elegancko plastikowym sidingiem obity, inny zdobny w taras z tralkami. W okolicy Zagórza pojawiały się pierwsze gospodarstwa agroturystyczne oferujące pokoje, kuchnię domową, a wyciągnięte ze strychów i komórek drewniane wozy przerobione na kwietniki czy same koła od wozu zawieszone na ścianach miały dodawać uroku i symbolizować prostotę wiejskiego życia. Gęste mieszane lasy schodziły aż do lustra wody i przeglądały się w nim tak, że wydawało się, jakby ryby pływały ponad wierzchołkami drzew. Brzegi spięte były wiszącym mostem, który zakołysał się pod stopami emerytów, i panie przesadnie okazywały lęk, a panowie przesadnie manifestowali odwagę i męskie poczucie humoru; rzędem, najpierw inżynier, potem pan Ćwiek weterynarz, Jeremiasz Mucha pomiędzy panami i paniami, w końcu panie, i tak przeszli na drugą stronę wody.

Rozłożyli folię na mokrym jeszcze piasku, na to kocyki, usiedli; świeciło słońce i dzień wydawał się prawie tak piękny jak tamten, który Jadzia pamiętała sprzed lat, było kurczę pieczone, ogóreczki małosolne, kanapki i placek z wiśniami, po piwku, dla kierowcy pół. Jadzia wdała się z Modestą Ćwiek, krawcową, w pogawędkę o modzie; tyłki na wierzchu, pani Modesto, żadnego wstydu, subtelności; racja, pani Jadziu, pani powiem, za komuny to dziewczyny z byle czego umiały się ubrać, pieluszki pofarbowały, męskie podkoszulki na lewo wywróciły, tu, mówiły, pani Modziu, pani mi falbanę przyszyje, tu gumkę wciągnie, przymarszczy, i wyglądały, pani Jadziu, wyglądały. Lepiej niż z katalogu mody „Otto"! Panowie poruszyli kwestię inżynierii mostu wiszącego, którego byle nie rozhuśtywać, niejedno przetrzyma, psy zaprzyjaźniły się i powąchały, a bibliotekarka czytała książkę Olgi Tokarczuki wzdychała, bo zaczynał jej się podobać inżynier Jerzy; ach, z takim panem w domu górskim życie wieść sobie ciekawe, raz dzienne, raz nocne. Szum lasu, miła rozmowa, pluski skaczących ryb, jak miło, pomyślała Jadzia. I Jeremiaszowi placek najwyraźniej smakuje; jak się w niedzielę w Szczawnie spotkają, musi mu opowiedzieć, że Dominika tego Greka wałbrzyskiego, Dimitriego, co się z nim w szkole przyjaźniła, znów spotkała, co za niezwykły przypadek, i na jakąś wyspę z nim wyjeżdża. Wie pan, panie Jeremiaszu, ten Grek potem listy do niej pisał, pan sobie wyobrazi, opowie mu Jadzia, i co za historia, panie Jeremiaszu, co za historia, wszystkie ze skrzynki Józek Sztygar zwędził. Znaczki odklejał i sprzedawał, pod światło patrzył, czy w środku nie ma pieniędzy, i chował do szuflady nieotwarte. Jak umarł w zeszłym miesiącu, jego żona mi przyniosła, mówi, bardzo przepraszam, pani patrzy, pani Chmuro, jak to pijanica zachomikował. Nie mówiłam Dominice, niespodziankę jej tymi listami zrobię, rozmyślała Jadzia i wachlowała się gazetą; ale o czym ja, aha, jak ta wyspa się nazywa, co na nią jadą, Matko Boska, tak pamiętałam, tak pamiętałam, żeby móc powtórzyć, i znów mi się pokićkało, coś od ciasta karpatka, uch, duchota. Duchota, na głos powiedziała Modesta Ćwiek; Jadzia zdjęła apaszkę, pan inżynier powachlował się gazetą; duchota, zgodził się i dodał, że wzrasta wilgotność powietrza.

A co te ryby tak skaczą i skaczą, zapytał nagle pan Ćwiek, weterynarz. A nie powinny? zaniepokoiła się Jadzia; ano nie bardzo, odparł pan Ćwiek, żeby tak skakać, to nie bardzo. Popatrzyli na jezioro, nad którego powierzchnią co chwilę pojawiał się srebrzysty błysk, drobne fale coraz szybciej uderzały o brzeg, szum lasu zamilkł i w powietrzu coś zawisło. Coś wisi w powietrzu, cichutko powiedziała Jadzia, jakby bała się, że jak głośniej powie, co wisi, spadnie. Zawył Aresik, zapiszczała cienko Perełka; coś wisi w powietrzu, pani Jadwigo, Jeremiasz Mucha rzekł i wtedy rąbnęło! Jak rąbło, Matko Boska, przeżegnała się Modesta Ćwiek, inżynier zaczął coś o wyładowaniach elektrycznych, ale zagłuszył go następny piorun, błyskawica wyskoczyła skądś i wbiła się nieopodal, aż zadrżała ziemia. Niebo stało się czarne, jakby ktoś nalał w nie atramentu, woda sczerniała, bo niebo nakłute następną błyskawicą pękło i wylało się do niej smolistym potokiem ulewy. Do samochodu! dowództwo objął inżynier Jerzy, i przebiegli grzbietem zapory, w którą waliły fale wody, w dół ścieżką, gdzie z drugiej strony tamy zaparkowali skodę. To nie był deszcz, to jakby świat odwrócił się do góry nogami i strząsał morza i oceany, już po kolana brodzili, pieskiem płynęły psy, nie umiem pływać, jęknęła Jadzia. A kto umi? Modesta Ćwiek zasapała, bibliotekarkę Olę ścięła z nóg fala wody, która nie wiadomo, czy spadła z nieba, czy spłynęła z gór; inżynier Jerzy ustawił ją do pionu męsko. Jacyś inni ludzie biegli, potykając się i wrzeszcząc, że potop, że tama puści, uciekajmy, zahuczało, jakby coś wielkiego chciało ruszyć z miejsca; ratuj się, kto może! Dopadli samochodu, stał do połowy kół w wodzie, inżynier odpalił, ruszyli; ruszyliśmy, ucieszyła się Jadzia, po stu metrach parsknęło, zgasło; stoimy, zauważyła Modesta Ćwiek. Za nimi tama w gęstniejącej ciemności jak czarna fala tsunami, rąbnęło, zadrżała, przebrała się miarka; Matko Boska, żeby nie pękła, przeżegnała się Jadzia. Nie pęknie, uspokoił ją inżynier, to solidna niemiecka robota, taka tama, pani Jadziu, to postoi do końca świata; wtedy woda ze szczeliny wytrysnęła z sykiem, poszło. I nie poszło bokiem, samochód zatrząsł się jak na wybojach, płyniemy! krzyknęła żona Ćwiek z mężem Ćwiekiem unisono, powoli skoda inżyniera zaczęła unosić się na falach jak arka. Zakręciło ich w koło, co wrzasku było, potopimy się! Matko Boska! odkręciło, płyną, ludzie z dachów do nich machają, zabierzcie nas, zabierzcie, ale wszyscy się nie pomieszczą, lajf is brutal, mówi inżynier po angielsku, and full of zasadzkas. Płyną przez wioski i lasy, ponad polami, miasteczka mijają podwodne, tylko szyby górnicze wystają nad powierzchnię jak szkielety przedpotopowych zwierząt; potop, prawdziwy potop, wzdycha Jadzia i sama sobie się dziwi, że nie czuje strachu. A to mamy przygodę, pani Jadwigo, rejs mamy najprawdziwszy, będzie pani mogła córce opowiadać a opowiadać, Jeremiasz Mucha też nadrabia miną, chociaż ziemi nie widać na zalanym deszczem horyzoncie. Ja, poważną nutę bierze inżynier Jerzy, chciałbym wiedzieć, kto za to zapłaci; ach, panie inżynierze, rozmarza się bibliotekarka, pieniądze szczęścia nie dają.

Nagle jakichś troje, młodych, chudych, do drzwi skody podpływa, państwo samochodem, w okna stukają, zabierzcie nas, proszą, jesteśmy studentami. Inżynier okno odkręcił, widzi, że chudziny, płotki, drobiazg taki, dużo miejsca nie zajmą, ano wchodźcie; jedno Jeremiasz wciągnął za kołnierz, drugie inżynier za włosy, trzecie wgramoliło się samo. Patrzą, pierwsze i drugie to dziewczyny i każda zza pazuchy po kocie mokrym wyjmuje, dachowce najzwyklejsze, pręgowany i ryży, parskają, kichają. Na wycieczkę się wybrali, w jakiejś chałupie w Zagórzu kocięta zobaczyli, takie chude, głodne, do wzięcia były, zlitowały się dziewczyny i wzięły parkę, powiedziało trzecie, i okazało się chłopakiem. Podziać gdzie się to trzecie nie miało, i wylądowało na kolanach u Jeremiasza Muchy; też kotka wziąć chciałem, powiedziało, ale stancji dopiero szukam, bo w Wałbrzychu na filii Politechniki Wrocławskiej inżynierię studiować będę od października. Stancji? z wiktem i opierunkiem? zainteresował się stary aktor, nie zważając na to, że skoda, ponad miarę obciążona, coraz bardziej nabiera wody, i dyskretnie poprawił fryzurę. A stancja w Szczawnie Zdroju szanownego pana by interesowała, bo myślałem właśnie, by podnająć pokoik od ogrodu z osobnym wejściem? Arka Noego, zaśmiała się bibliotekarka i coś by może więcej powiedziała, bo była oczytana, ale skodę pchnęła z tyłu kolejna fala i kobieta wyrżnęła głową w okno. Inżynier ramieniem ją otoczył i jedną ręką jak rajdowiec skodę przez fale prowadzi. Jak rajdowiec pan prowadzi, panie inżynierze, no naprawdę, bibliotekarka Ola zyskała w tej podróży guza i nadzieję. Niestety woda podchodziła im już pod kolana.

Jak ginąć, to z fantazją! Zaśpiewajmy, zaproponował pan Ćwiek, weterynarz, jak ginąć, to z pieśnią na ustach, pan nutę poda, bo pan artysta, zwrócił się do Jeremiasza, i zaśpiewali, hej, sokoły, niech żyje nam górniczy stan, szła dzieweczka do laseczka, deszcze niespokojne, co było wyjątkowo na miejscu, i na koniec, jeszcze Polska nie zginęła, bo im się wyczerpały pomysły, a to każdy znał, przynajmniej pierwszą zwrotkę. Dał nam przykład Bonaparte, darli się na dziewięć gardeł, nie licząc zwierząt, jak zwyciężać mamy, aż tu nagle zachrzęściło, zaszurało, szarpnęło i osiedli na jakimś lądzie. Ziemia! Ląd nie ląd, ziemia nie ziemia, w każdym razie nie toną i kawałek gruntu widać, a właściwie asfaltu, pierwszym odważnym okazał się Aresik, wyszedł, powąchał, siknął, za nim Perełka wyszła, siknęła, potem nastroszone koty i reszta. Gdzie my jesteśmy? Nic nie widać, poczekajmy, aż się przetrze! Usiedli na kawałku ziemi, skupili się i przytulili, żeby było cieplej. Względem tej stancji, to najlepiej przyjść i obejrzeć na własne oczy, kontynuował Jeremiasz Mucha, a student chuchał w zmarznięte dłonie; pokoik osobny, ale łazieneczka, kuchnia wspólne. Ulewa słabła i z jednej strony nieba ukazała się nagle smuga seledynowego światła jak pęknięcie w materiale; światło, panie Jeremiaszu, światło! przytomnie zauważyła Jadzia. Więcej światła! krzyknął inżynier, bo mu się to z czymś książkowo kojarzyło, a chciał zaimponować bibliotekarce; ach, panie inżynierze. Jak pięknie! wzruszył się student i stary aktor popatrzył na niego nie mniej wzruszony; pięknie, a zobaczyłby pan, jakie w Szczawnie są słońca wschody i zachody, uczta duchowa dla takiego jak pan estety. W półmroku gęstej mgły zaczęły pojawiać się jakieś kształty na horyzoncie, domy nie domy, góry nie góry; przez seledynową szczelinę przedarł się blask słońca, jakby wylała się lawa, ludzie i zwierzęta patrzyli. Matko Boska, Piaskowa Góra! Jadzi w końcu udało się dostrzec coś konkretnego. Piaskowa Góra jak w pysk, potwierdził pan Ćwiek, ojczyzna nasza, ziemia! Piaskowa Góra! Piaskowa Góra! Powódź zaniosła ich na Wzgórze Gedymina i osiedli tam, gdzie długo przed upadkiem komunizmu zaczęto budować drogę i nie ukończono za demokracji. Asfalt, na którym utknęła skoda, urywał się na szczycie wzgórza jak pas startowy. Ze Wzgórza Gedymina Piaskową Górę widać było jak na dłoni i jeśli skądś wyglądała ładnie, jak na makiecie osiedla sprzed trzydziestu lat, to stąd. Miasto na wzgórzu, dumnie wieżami w niebo strzelające, jak w jakiejś Toskanii; nagłe słońce, wyszorowane do czysta, osypało się na nie. Pięknie, westchnęła Jadzia.

Woda cofała się z Piaskowej Góry i zabierała ze sobą tony śmieci z piwnic, niosła stare zabawki, zbutwiałe wersalki, wystane kiedyś w nocnych kolejkach do meblowego, zepsute narty, niezjedzone przetwory, urządzenia do pędzenia bimbru, szklane banie pełne wina z porzeczek i wiśni, zniszczone buty kupione jeszcze na talony, nieprzeczytane książki, niepotrzebne roczniki gazet, znaczki z napisem przodownik pracy, nieużywane sprzęty kuchenne, stare zlewy schowane na zaś, niedziałające grzejniki, popękane doniczki, spleśniałe ziemniaki i cebule; oczyszczała place zabaw i kwietniki, zapyziałe komory zsypowe, zaplute chodniki. Płynęły też żywe stworzenia, cudem uratowane jak oni, kundle, dachowce, mieszańce, jakaś wielka czerwona papuga w klatce wstawionej do miski wrzeszcząca merde!, tchórzofretka, dwie kury, cała ławica karpi, babinka w chustce z obrazem Matki Boskiej Częstochowskiej przy piersi jak z tarczą i obok młódka z magnetowidem w objęciach. Na drzwiach kościoła wyrwanych przez powódź dryfowała grupa rozbitków, w których Jadzia rozpoznała znajomych z pielgrzymki do Częstochowy, ahoj! krzyknął do nich pan z wąsem, przeżegnał się, zaintonował, nie rzucim ziemi, skąd nasz ród, i wraz ze swoimi klęczącymi towarzyszkami zniknął w oddali. Głębiej spod ziemi, na której zbudowano Piaskową Górę, na fali czarnej jak węgiel wypływały książki pisane gotykiem, wyblakłe landszafty, płonący znicz Walhalli, całe serwisy z napisem Bavaria, zdjęcia Herty, Jürgena i Gertrud, skrzynie pełne niemieckiej amunicji, niemieckie czołgi i myśliwce. Kościotrupy w mundurach SS płynęły kraulem za nimi w szyku bojowym, jeden zabulgotał, heil Hitler, nim porwała go woda; w toczącym się po falach czarnym samochodzie z tamtych czasów, lśniącym jak nowy, siedział jakiś mężczyzna z wąsikiem. Może mi się to wszystko śni, pomyślała Jadzia i nagle ją olśniło.

Wie pan, panie Jeremiaszu, to może nie najlepsza chwila, ale mnie z tego szoku tak jakoś olśniło i przypomniałam sobie o tym Icku Kacu, co pan mówił, że szukał

Grażynki po wojnie. Moja Dominika w Nowym Jorku pracowała u takiej jednej żydowskiej ciotki naszej, Eulalii Barron, co już nie żyje, mówiłam panu, książki jej czytała, co ona jej się naczytała. Mądra kobieta była, panie Jeremiasz, a ile ona przeżyła, ta ciotka Eulalia. I teraz, panie Jeremiaszu, żebym tylko nie pokićkała, ta Eulalia, co z Krakowa, pan sobie wyobrazi, przez Japonię przed hitlerowcami w wojnę uciekała, znała jednego Icka Kaca. Pewna jestem teraz, że przysiąc się mogę, Icek Kac mu było, nie inaczej. W jakimś muzeum się spotykali w Nowym Jorku, wspominali, bo oboje lubili w przeszłości się grzebać, jak moja Dominika, i jak to było, aha, ten Icek Kac ciotce Eulalii zostawił w spadku nocnik Napoleona, zanim się zabił. Bo zabił się, panie Jeremiaszu, ze smutku podobno i beznadziei. A Eulalia Barron ten nocnik od Icka zostawiła Dominice i szczerze mówiąc, myślałam, że coś więcej wart będzie, panie Jeremiaszu. Mówiłam Dominice, daj, odszoruję, wypoleruję, do antykwariatu zaniesiemy, ale nie, do Ameryki ze sobą go wywiozła. Ale o czym ja, aha, już wiem, Icek Kac. Panie Jeremiaszu, myśli pan, że ten Icek Kac od nocnika Napoleona to ten sam Icek Kac, co wtedy pana o Grażynkę pytał?

## XII

W Diafani na wyspie Karpathos jest taka pora dnia, za którą przez trzydzieści lat tęskniła Maria Angelopoulos; słońce zatrzymuje się wówczas tuż nad szczytami gór, jakby się o nie zaczepiło, pęka i rozlewa się płynnym złotem. Kaskady światła spływają z nagich wierzchołków tonących w chmurach, przez sosnowe lasy, pachnące tak, że kręci się w głowie, przez kolczaste zarośla, wiosną zakwitające na żółto i fiołkowo; pod nogami znieruchomiałych kóz, dalej w dół, ścieżkami, które od wieków wydeptywały zwierzęta i ludzie, przez ogródki, w których arbuzy dojrzewają tak wielkie, że w skorupce ukryłoby się dziecko, docierają do małego portu. Miękka fala uderza w ściany starych białych domów, wlewa się przez otwierane właśnie okiennice do wnętrz tonących w mroku, spływa po białych schodach, białych jak kości, jak stopy Matki Boskiej w niedzielę, jak prześcieradła suszące się na wietrze; dalej złote światło słońca schodzi ku wodzie, po jej powierzchni miękko rozpływa się i nie tonie.

To pora, gdy w Diafani kąpią się stare kobiety; powoli wchodzą do wody i zanurzają się do wysokości piersi, tylko niektóre mają kostiumy kąpielowe, inne wchodzą w morze w koszulach i długich bawełnianych pantalonach, tak jak robiły to ich matki i babki. Stają blisko siebie i rozmawiają, plotkują i swatają, ich dłonie poruszają się tuż pod powierzchnią wody jak ryby, śmiech niesie się daleko, odbija od wybrzeży bezludnej wysepki Sarii, gdzie żyją tylko pszczoły i foki, i czasem odpoczywają syreny, jak opowiada stary kapitan Manolis, gdy wypije za dużo wina. Kobiety w morzu mówią o córkach, bo tu, w dwóch wioskach odciętych od świata, portowym Diafani i Olymbos zawieszonym na górskiej przełęczy, panuje matriarchat i córki dziedziczą po matkach. Piękny dom, wzdychają nieraz mężczyźni w kafenionie, taki piękny dom tuż przy morzu odziedziczyła moja starsza siostra. Karpatki są niewysokie i ciemnowłose, mocno zbudowane, mają zrośnięte gęste brwi i wąsik jak Frida Kahlo; potrafią nosić na głowie ciężary jak kobiety z Afryki, do której stąd jest bliżej niż do Europy, mężczyźni nie wyręczają ich przy cięższych pracach. W języku starym jak świat, którym mówią kobiety zanurzone w morzu, językoznawcy z Aten i Salonik rozpoznają dorycki dialekt, przechowany świetnie jak najsłodszy miód w glinianym dzbanie z wysepki Sarii, gdzie w czasach bizantyjskich produkowano słynną w całym Śródziemnomorzu ceramikę. Kto by się tu przejmował językoznawcami; Foula opowiada właśnie, że jej wnuczka Popi lubi sikać na stojąco jak chłopak, a inne kobiety śmieją się, śmiech rozlewa się po ozłoconej słońcem wodzie, odbijają się w niej chmury, horyzont jest błękitny i czysty; nie ona pierwsza, ta twoja Popi. Nie takie rzeczy potrafiłyśmy, jak byłyśmy młode!

Za parę dni odbędzie się święto Jana Chrzciciela, jedno z najważniejszych panigiri w roku, cała wioska z objuczonymi osiołkami pójdzie wtedy przez góry do wykutej w skale świątyni na cyplu Vrokunda. Kobiety ubiorą się w tradycyjne stroje, kwieciste ozdobne chusty z dzwoneczkami, haftowane gorsety, szerokie spódnice, buty czerwone na dole, z cholewką w kolorze przypieczonej skórki; pop poświęci chleby wielkie jak młyńskie koła, upieką parę koźląt i jagniąt, muzycy nastroją instrumenty, po północy zaczną się tańce i będą trwały do połowy następnego dnia. Starsze kobiety pomogą wystroić się i uczesać wypachnionym młodzieńcom, którzy latem przyjeżdżają na Karpathos z różnych stron świata, by spotkać swatane im na odległość dziewczyny. Niektórzy zabiorą stąd do Londynu, Nowego Jorku, na Florydę, do

Kanady żony; dzieci tych kobiet nieskorych do uśmiechania się bez powodu, surowych i silnych, z mlekiem wypiją tęsknotę za słońcem, które nigdzie nie świeci tak jak tu, i morzem, jakiego nigdzie indziej nie ma. To piękno budzi jednocześnie radość i melancholię, i gdy nad cyplem Vrokunda wstanie świt, śpiewający mężczyźni jeden po drugim zaczną płakać, rozszlochają się tańczące wokół stołu Karpatki. Będzie o czym mówić w wietrzne zimowe miesiące, zwłaszcza jeśli swatany córce kuzynki Fouli syn kuzyna Wasilisa, Adonis, zamiast z nią, wyjedzie z turystą, cudzoziemskim cukiernikiem podobnym do Michaela Jacksona. Na obchody święta trafi kilkoro turystów, zostaną zaproszeni do stołu, nakarmieni i napojeni, poza tym nikt nie będzie na nich zwracał uwagi, bo sam pomysł, że można by tańczyć i śpiewać dla turystów, wydaje się na cyplu Vrokunda nieprzyzwoity i śmieszny.

Kobiety w morzu mówią o obcych przybyłych w tym roku do Diafani, obgadują garstkę dziwaków, którzy ze wszystkich miejsc na ziemi wybrali właśnie tę wioskę zupełnie pozbawioną turystycznych rozrywek i odludną; niektórzy przyjeżdżają tutaj nawet od dwudziestu lat, uparciuchy, chociaż tu jak świat światem nikomu obcemu nie sprzedano jeszcze domu i nikt nie zamierza tego robić, co to, to nie. Jedna pisarka z Polski pyta o to co roku! Ale oprócz przybywających każdego lata obcych obcych, są też obcy swoi, nowy gatunek w Diafani; jeszcze nie wiadomo, jak postępować z całą tą zgrają, która ściągnęła tu w ślad za rodziną Angelopoulos. Nie tylko stara Foula, spokrewniona z ciociobabcią Foulą, zna drzewo genealogiczne Dimitriego Angelopoulosa i jego rodziny, bo tu wszyscy są spokrewnieni, a wiele kobiet nosi imię Foula. Tego lata jest tu Dimitri ze swoim Tedem, do których w Diafani już się przyzwyczajono; jest z nim też jego nowa towarzyszka, Dominika, która ciągle robi zdjęcia; dziś na przykład przez godzinę fotografowała pieczenie chleba we wspólnym piecu przy porcie, aż jej, mówi stara Eugenia, dałam bochenek, bo myślałam, że głodna, a zdjęciem się nie naje. Maria opowiada, jak nauczyła Dominikę łowić ośmiornice, miastowa dziewczyna, trochę za chuda, ale, trzeba przyznać, że pływa jak ryba i rozumie morze. Dwa tygodnie temu do Angelopoulosów przypłynęła promem z Rodos doktorka, tak, o niej przyjemnie się plotkuje. Wygląda i zachowuje się jak chłopak, ale trzeba przyznać, umiała nastawić złamaną rękę Wasilisa i grosza nie chciała, a przy okazji wyleczyła kota Fouli. Jakby się przyjrzeć, to nawet trochę wygląda na Karpatkę, mocna baba i nie szczerzy zębów bez powodu. Przydałaby im się taka doktorka, bo to chuchro na blond farbowane, co je z Aten przysłali, uciekło po trzech miesiącach. Kina nie ma, wszędzie daleko, naśladuje miastową lekarkę Eugenia, nikt tu za nią płakać nie będzie. Równie przyjemnie się plotkuje o czarnej kobiecie z żółtymi włosami, za której tyłkiem oglądają się wszyscy mężczyźni w kafenionie i doktorka z Londynu; kobiety stojące w morzu chichoczą. Tak, ta Sara to jest przynajmniej kawał baby. Dziś, mówi Foula, która wszystko widzi ze swojego domu w centrum wioski, o świcie razem poszły w góry w stronę zatoki Tristomo, czarna z doktorką, z plecakami. Kobiety stojące w morzu zastanawiają się, czy wrócą tą samą drogą, czy zrobią kółko przez Avlonę, i czy dadzą sobie radę, czy trzeba będzie ich szukać po nieoznakowanych ścieżkach wśród ostów jak tych pięciu przemądrzałych Francuzów w zeszłym roku. Poza tym już od miesiąca siedzi u Dimitriego i Dominiki młody mężczyzna o bladej cerze i czarnych włosach, który wieczorami chodzi po głównej ulicy, a dodajmy, że jest tylko jedna ulica, i częstuje wszystkich słodyczami własnej roboty. Torebki z poczęstunkiem rozdaje się tu, by pamiętać zmarłego, i na początku nikt nie wiedział, o co temu obcemu chodzi, umarł mu kto, czy co. Foula śmieje się, że widziała, jak gadał z Adonisem, synem kuzyna Wasilisa, który przyjechał na wakacje z San Francisco; jeden wart drugiego! W nowym domu Dimitriego tego lata mieszka jeszcze matka Dominiki, Jadzia, którą stare kobiety z Diafani są skłonne zaakceptować najszybciej, bo po pierwsze jest matką, do tego matką córki, po drugie ma w sobie coś, co sprawia, że czują pokrewieństwo tak bliskie, że wstyd byłoby się go wyprzeć, mimo iż nie rozumieją jej języka. Jadzia pewnie zaraz do nich dołączy w morzu, zawsze przychodzi później i na początku tak wstydziła się rozebrać, że wchodziła do wody owinięta ręcznikiem, a potem rzucała go na brzeg. A przecież całkiem, całkiem z niej baba, mówi Eugenia; nie tylko ty tak sądzisz, śmieje się Foula, kapitan Manolis chyba znalazł swoją syrenę.

Stary Manolis, zwany kapitanem Manolisem, dziadek bez rodziny, który mieszka w rozpadającym się domu koło kościoła, żyje z łowienia ryb i krewetek, coraz częściej rozmawia z Jadzią i nieraz widziano ich rano na przystani. Rozmawia to może nie najlepsze określenie; stary Manolis opowiada coś po grecku, czyszcząc sieci na swojej małej czerwonej łódce, i czasem tłumaczy Jadzi w mieszaninie greckiego, niemieckiego i angielskiego, taka łódka to varka; a Jadzia na brzegu powtarza, varka, varka, i odpowiada po polsku, o, Matko Boska, żeby taką łupinką, taką varką w morze wypływać, to trzeba mieć odwagę, panie Manolis. Jeszcze ryby łowić, panie Manolis, to ja rozumiem, ale te małe różowe robaczki, fuj, tego do ust bym nie wzięła. Matko Boska, ni to złapać, ni to nabić na widelec. Pan by lepiej o dom zadbał, ze dwa pokoiki odpicował, podnajął turystom, radzi Manolisowi praktyczna Jadzia, ogród panu wysechł, aż żal patrzeć. Ja, panie Manolis, kiedyś miałam piękny ogród, co to był za ogród, takiego nawet tu pan nie zobaczy. Manolis patrzy wtedy na szczupłe kostki Jadzi w skórzanych sandałach i kiwa głową. Jadzia zeszczuplała, a Dominika obcięła jej zniszczone tlenione kosmyki; okazało się, że mysie włosy, skazane przez tyle lat na życie podziemne, ściemniały i niewidoczne dotąd podobieństwo matki i córki zaczyna wychodzić na jaw. Gdy kapitan Manolis mówi, że nie ma już nikogo na świecie, umarli rodzice, syn, umarła żona, Jadzia, używając kilku słów niemieckich, angielskich i wielu dramatycznych gestów, odpowiada, że też nie ma już rodziców ani męża, ale jest w posiadaniu kilku sztuk krewnych w Ameryce; Manolis rozumie, że Jadzia pisze do nich listy i że może przyjadą w odwiedziny do Diafani. Ruth, David, Joshua, powtarza; tak, tak, cieszy się Jadzia, Ruth, David, Joshua. Gdy Manolis pyta, czy Jadzia przyjdzie rano na przystań, matka Dominiki kiwa głową, né, odpowiada po grecku, a kapitan Manolis powtarza uśmiechając się, né, né.

Jadzia Chmura odwija się z ręcznika, poprawia ramiączka kostiumu i zanurza się w morze; staje w wodzie niedaleko starych Greczynek i gdy Foula kiwa do niej głową, mówi kalispera! jak nauczyli ją Dominika i Dimitri, a stare kobiety z Diafani śmieją się i odpowiadają, kalispera! kalispera! kalispera! Słońce tańczy wokół kobiet zanurzonych w morzu, tańczą chmury odbite w wodzie, po falach niesie się kobiecy śmiech i z daleka można by pomyśleć, że to syreny, syreny o głosie słodkopłynnym, o których marzył Wacław Pająk z Kamieńska i tylu innych przed nim i po nim, bo one nie śpiewały ani o miłości, ani o władzy, tylko kusiły opowieściami i wprawiały w obłęd, pokazując, że wystarczy morze, chmura, dal i już się toczy, już płynie.

Dominika długo namawiała matkę, by w końcu przyjechała na Karpathos, może zostać, ile chce, a jeśli nie będzie jej się podobało, trudno, odtransportuje się ją z powrotem na Piaskową Górę. Dopiero wielka powódź sprawiła, że Jadzia nabrała odwagi, bo uratowana z potopu, zdała sobie sprawę, że już nie jest taka sama; jakoś nie ta sama jestem, wzdychała i były dni, gdy wyłanianie się czegoś nowego odczuwała jak przyjemność, ale były też takie, gdy piekła ją zgaga, buchał na nią gorąc i kręciło jej się w głowie. Któregoś razu skołowana Jadzia przewróciła się na drodze do łazienki i złamała nogę, co na parę tygodni unieruchomiło ją na znienawidzonym bocianim gnieździe, wtedy jedyny jej kontakt ze światem polegał na codziennych rozmowach telefonicznych z córką, sącząca jej w ucho kuszące opowieści o podróży, w którą muszą się udać, gdy zdejmą Jadzi gips. Gdy znów stała się mobilna, Jadzia chodziła o wiele wolniej, by oszczędzać wciąż bolącą nogę, i ze zdziwieniem patrzyła na zmiany, jakie zachodziły na Piaskowej Górze, którą w czasie jej unieruchomienia zaczęto przemalowywać na wesołe kolory; na rusztowaniach, którymi obudowano bloki, uwijali się robotnicy i tak chlapali farbami w papuzich kolorach, że przy okazji wielu przechodniów nabrało jaśniejszych barw. Ale to nie wszystko. Krysia Śledź ściągnęła do siebie do Niemiec starego Śledzia i Iwonę z Pati, bo udało jej się założyć firmę sprzątającą Polnische Putzhilfe i zatrudniała teraz dwadzieścia osób; ach, dostać tak zaproszenie od Śledziowej, dorobić se trochę, wzdychają kobiety. Lepka dowiedziała się o śmierci syna Zbyszka, ale w nią nie uwierzyła i nadal stała na balkonie, patrzyła na południe, a Lepki, to dopiero niespodzianka, podczas handlowych podróży samochodem poznał kobietę, właścicielkę kiosku z galanterią z Kamieńska, i porzucił ślubną małżonkę, którą by to załamało, gdyby nie była złamana większym nieszczęściem. Jeremiasz Mucha wynajął pokój studentowi wałbrzyskiej filii Politechniki, wyłowionemu z wody w Zagórzu, Oskarowi Ziębie, i okazało się, że chłopak jest muzykalny i może przygrywać swojemu gospodarzowi na keyboardzie do starych przebojów. Założyli zespół Zięba&Mucha, ludzie z podwałbrzyskich wiosek wynajmują ich na wesela, a dziennikarka z Warszawy przyjechała zrobić z nimi wywiad, w gazecie byli ze zdjęciami. Na Piaskowej Górze już nie mówią na nich homoniewiadomo, tylko gajowi, przyszły nowe czasy. Matko Boska, dziwiła się Jadzia, bo chodniki podmyte przez powódź zastąpiono elegancką kostką; plotka poszła, że ponoć Japończycy jakieś zakłady mają niedaleko pobudować, gdzie pracy będzie a pracy, i pogrążone w rozpaczy miasto odżyje. Dziwna tęsknota za czymś innym, za czymś hen, daleko, która obudziła się w Jadzi i rosła, przybrała w końcu konkretną postać; raz kozie śmierć, pojedzie na tę wyspę, której nazwę ciągle kićkała. Skoro Piaskowa Góra się zmienia, to co, ona, Jadzia Chmura, nie może?

Uparła się jednak, że nie poleci samolotem, co to, to nie, wszystko ma swoje granice, i Dominika powiedziała, w porządku, mamo, nie polecimy. Spakowały rzeczy potrzebne i całą masę niepotrzebnych, które za konieczne uważała Jadzia, bo przecież nie mogły zostawić na przykład tych dwóch kryształowych pater, idealnych na prezenty; polskie kryształy wszędzie docenią, a z pustą łapą jechać nie wypada, tego Jadzia była pewna i owinięte ręcznikami wpakowała do wielkiej walizki na kółkach. Poczekaj, poprosiła Dominika, zanim zatrzasnęły drzwi mieszkania na Piaskowej Górze i ruszyły w świat, i zrobiła Jadzi portret na tle meblościanki. Jadzia po raz pierwszy na zdjęciu zrobionym przez córkę była cała, i całkiem do siebie nowej, podróżnej i światowej, podobna. W drogę! To zupełne fiksum-dyrdum tak się na stare lata w świat wyrywać, wzdychała co rusz z udawaną zgrozą starsza pani Chmura, ale wyglądała na dość zadowoloną z siebie, jej agrestowe oczy świeciły młodzieńczym blaskiem, choć z przejęcia ciągle miała kłopoty żołądkowe. Dominika kupiła jej sportową kurtkę i Jadzia z uwagą przeczytała powoli, no-rth-face, język sobie można połamać, ale miła kurteczka, leciutka. Jechały samochodem, pociągiem i autokarem, płynęły promem, który Jadzię przeraził rozwartą gardzielą połykającą z hukiem ciężarówki, jak toto po wodzie pływa takie wielkie i ciężkie? Podczas rejsu z Pireusu na Karpathos, po jakichś dwudziestu godzinach kołysania w wielkim błękicie między morzem i niebem, Jadzia Chmura przestała się bać, że utoną, zgubią się i zostaną okradzione przez podejrzanie, jej zdaniem, wyglądającą grupę greckich Romów. Wciągnęła w płuca powietrze przesycone zapachem słońca i wody, poluzowała uścisk na torebce wtulonej w brzuch, przetarła zasolone okulary i spojrzała za burtę w kierunku horyzontu, na którym majaczył szary zarys brzegu; ty wiesz, córcia, powiedziała matka Chmura, to całkiem nieźle wygląda i chyba tu mają dobry klimat.

I nadal tak myśli, gdy stoi po piersi w wodzie i patrzy, jak jej córka z nożem przypiętym do łydki nurkuje i znika pod powierzchnią morza, płetwy mignęły srebrzyście jak rybi ogon, i już jej nie było; Dominika uparła się, że może zjeść morskie stworzenie tylko wtedy, gdy je sama upoluje. Kiedyś Jadzia umierałaby z niepokoju, teraz poczuła tylko lekkie szarpnięcie w okolicy pępka. Miesiące lata spędzone w tym dziwnym domu, wbrew obawom, że będzie inaczej, uspokoiły Jadzię, wyciszył się nawet jej impet matkowania i karmienia, tym bardziej że w tej kuchni królowali mężczyźni, Dimitri i Ivo, a kobiety zaglądały tam tylko po to, by coś przekąsić. Pierwsze trudne tygodnie strawiła Jadzia Chmura na próbach zrozumienia, jakie relacje łączą mieszkańców domu na skarpie, było to tak wyczerpujące, że na nic więcej nie miała energii. Dominika i Dimitri, to w miarę oczywiste, ale czy on ma poważne zamiary wobec Jadzinej córki? zadeklarował się już czy, nie daj Boże, będą tak zawsze na kocią łapę? A mały Ted, czy Dominika nie mogłaby go traktować bardziej po matczynemu zamiast tarzać się z nim po plaży jak pomylona starsza siostra? Jedynie

Sara w tym towarzystwie wie, jak postępować z dzieckiem, i widać, że jednak porządna z niej dziewczyna, za mężczyznami oczami nie świeci; albo się z małym bawi, albo znika gdzieś na całe dni z Małgosią. Ach, gdyby tak ten chudzielec Ivo się przemógł i spiknął z Małgosią, to wtedy jeszcze tylko Sarze trzeba by kogoś znaleźć odpowiedniego, kombinowała Jadzia i wzdychała, bo po szklaneczce ouzo przychodziły jej do głowy kombinacje tak niebywałe, że wszystko jej się kićkało; nalewa sobie wtedy jeszcze odrobinkę i greckim zwyczajem rozcieńcza wodą.

Gdzie to moje dziecko? Jadzia rozejrzała się po ciemniejącym morzu, wiatr przynosił znad Avlony coraz więcej chmur. Jest! Dominika, parskając, wynurza się z wody, zdejmuje maskę do nurkowania i staje koło matki; upolowałam ośmiornicę, mówi, chłopcy zrobią dziś z niej kolację, ośmiornicę w occie. Fuj, Jadzia nie jest przekonana, w occie to można grzybki, a nie jakieś morskie paskudztwa. Córka uśmiecha się i przysuwa do niej, nie martw się, mamo, dla ciebie Dimitri zrobi sałatkę. Jeszcze nie dziś, ale już niedługo będzie musiała powiedzieć Jadzi i Dimitriemu, że jesienią wyrusza w podróż i nie wie, kiedy znów odwiedzi Diafani na wyspie Karpathos. Czasem pragnienie podróży słabnie, ale potem przychodzi noc, gdy Dominika nie może zasnąć i by nie przeszkadzać śpiącym, wychodzi z domu; siada na skarpie i patrzy na morze, czuje wtedy, że tego pragnienia nie da się oszukać. Uderza ją nagle odór spalonego mięsa, widzi popioły zaleskiego domu swojej babki Zofii, puste wypalone miejsce, na którym będzie musiała coś zbudować. Gdy słyszy cotygodniowe buczenie promu, który zawija do portu Diafani, Dominika wie, że jest gotowa do dalszej drogi; ginący na horyzoncie statek, który odpływa bez niej, napełnia ją tęsknotą. Powie to wszystko swojej rodzinie, ale jeszcze nie teraz, niech ta chwila trwa. Matka Chmura i córka Chmura patrzą, jak na wieczorny połów wypływają z portu łódki, te małe nazywają się varka, mówi Jadzia, racja, varka, uśmiecha się Dominika; słońce znika za górami, wydłużają się cienie. Dominika oddycha głęboko i w powietrzu przesyconym morzem czuje obok Jadzię zasoloną i ciepłą; oto jedna z chwil, których wspomnienie zabierze ze sobą w drogę. A wiesz, córcia, ta ośmiornica mnie chyba tak oświeciła czy co, wzdycha Jadzia, co ja mam za głowę dziurawą. Przed wyjazdem dzwonił do mnie wuj Kazimierz, zapomniałam ci powiedzieć; z Japonii wrócił, wysłali go tam w sprawach jakichś politycznych, bo teraz jest konsultantem do spraw specjalnych przy prezydencie w Wałbrzychu czy coś podobnego, i mówił, że wyobraź sobie, tylko żebym nie pokićkała, Grażynkę naszą widział w Tokio, z jakimś Japończykiem, za gejszę przebraną. Ta Grażynka, śmieje się Dominika, gejsza Grażynka, można się było tego po niej spodziewać.

Słoneczne złoto ciemnieje, po wodzie niesie się szept, może to wracają na falach głosy kobiet, może syreni śpiew, już tylko brzeżek złotej tarczy wystaje ponad szczyty gór, które otaczają to malutkie miejsce na Ziemi, gdzie Dominika Chmura z Piaskowej Góry bierze swoją matkę pod wodą za rękę i mówi, chodź, zachodzi słońce.

Jest tak spokojnie, tak spokojnie.

## ...i koniec

Andrew Mopsinsky, absolwent polonistyki i doktorant na jednym z nowojorskich uniwersytetów, kolekcjonuje pamiątki napoleońskie. Młody człowiek bardzo żałuje, że nie dano mu pięknego imienia Napoleon, które nosili jego dziadek i ojciec, choć ten drugi, praktyczny biznesmen, używa skróconej wersji Nap. Andrew nic nie fascynuje tak bardzo jak opowieści o francuskim wodzu i żałuje również, że nie zdążył poznać Antoniego Mopsińskiego, swojego pradziadka, który ponoć posiadał jakąś cenną napoleońską pamiątkę. Andrew dobrze pamięta, kiedy wszystko się zaczęło. Gdy był mały, rodzice zmuszali go do odwiedzin w domu dwóch niezamężnych ciotek, sióstr jego ojca, Lilii Rose i Violet Rose.

Kobiety mieszkały na parterze zaniedbanego domu na Brooklynie i wydawały mu się bardzo stare, jak wszystkie osoby powyżej trzydziestego roku życia. Na początku Andrew nie lubił tam chodzić, bo przytłaczał go zapach, coś jak wata cukrowa i cięte kwiaty, słodka wilgoć podszyta rozkładem. W rodzinie Andrew zawsze mówiono o ciotkach, używając ich obu imion, mimo iż na co dzień jego rodzice, zapracowani ludzie prowadzący dużą firmę cateringową, używali skrótów i nawet na niego dla wygody mówili po prostu A, jego młodsza siostra, Barbara, była B, a pies Cedrik C. O ciotkach jednak zawsze, Lilia Rose to, Violet Rose tamto, i mały Andrew czasem miał wrażenie, że jest ich więcej niż dwie, ciotka Lilia, ciotka Fiołek i dwie Róże. Gdy miał kilka lat, jęczał, maamo, taato, czemu znów muszę tam iść, ciotki są takie nuudne, są staare, każą mi pić mleko z maasłem, ale ojciec, Nap Mopsinsky, czochrał mu niesforne włosy w kolorze zgniłego siana, wsadzał w samochód i wiózł na Brooklyn. Aż przyszedł dzień, gdy przyjechał go odebrać, a Andrew był rozczarowany, że musi już wracać do domu, i ociągał się z ubieraniem, wymieniając z ciotkami porozumiewawcze spojrzenia.

Ciotki zaczęły mu opowiadać, gdy miał siedem lat. Skończyło się pojenie mlekiem z masłem, jakby uznały, że ma już odpowiedni podkład, niczym wytrawny polski pijak, który przed libacją karmi się bigosem i tłustym barszczykiem, by zbyt szybko się nie upić. Usiądź sobie, podsuwały mu bujany fotel o skrzypiących płozach i zaczynały. Jak one pięknie opowiadały! Był w opowieściach Lilii Rose i Violet Rose polski dwór, bogaty jak pałac, z podjazdem, na którym swobodnie mijały się cztery powozy, każdy w sześć koni zaprzężony, hej, wiśta wio! Miasteczko było, nazywało się Kamieńsk, tak pięknych miasteczek nie ma w całej Ameryce, a w Kamieńsku cukiernik, Mateusz Suliga, robił najlepsze na świecie napoleonki, z kremem tak puszystym, jakby nie krem to był, ale obłok ze śmietanki i cukru, i najważniejsze – Napoleon. Ciotka Lilia Rose opowiadała, że zatrzymał się we dworze, żeby tam zatrzymał tylko, z prababką Mopsińską romans miał, i niech się przy elegancji i urodzie prababki Mopsińskiej chowa Pani Walewska. Ciotka Violet Rose wchodziła jej w słowo, że nie we dworze, tylko w sąsiadującej z nią chałupie, i nie z prababką, ale z jej dwiema kuzynkami. Dwiema? upewniał się Andrew, podekscytowany tym nadmiarem romansowości i kobiecości; dwiema, potwierdzała Violet Rose i różano płonęły jej policzki, a pobladła Lilia Rose dodawała pokonana w tej rozgrywce, to już jak wolicie, niech będzie z kuzynkami. Andrew Mopsinsky nie ma wątpliwości, że to zaczęło się wtedy, w dziwnie pachnącym domu koło brooklyńskiego Prospect Park; on siedział na bujanym fotelu, Lilia Rose i Violet Rose opowiadały, a im szybciej mówiły, tym szybciej on się bujał, skrzypiały płozy fotela, Napoleon zajeżdżał saniami, spod płóz strzelały iskry.

Andrew Mopsinsky opublikował niedawno esej pod tytułem *Nocnik Napoleona* w prestiżowym piśmie akademickim, w numerze poświęconym najnowszym technikom narracyjnym. Właściwie Andrew Mopsinsky marzy o napisaniu powieści, ale tymczasem historię swoich ciotek streścił w obszernym przypisie, gdzie opowiada też, jak w nowojorskim antykwariacie kupił przedmiot, co do którego antykwariusz przysięgał, że jest najautentyczniejszym nocnikiem Napoleona spod Austerlitz. To perła kolekcji napoleoników zgromadzonych przez Andrew Mopsinsky'ego, prawnuka Fabrykanta. Andrew właśnie wybiera się po raz drugi do Polski, bo ksiądz z Kamieńska, z którym koresponduje od czasu pierwszej wizyty, wpadł ponoć na nowy trop dotyczący Napoleonówki. Najstarsza mieszkanka miasteczka, Marianna Gwóźdź, która właśnie zmarła, zostawiła mu w spadku pamiętnik, który pisała przez całe życie; dziewięćdziesiąt sześć zeszytów zapisanych maczkiem. Ileż tam jest ciekawych opowieści!

# Od autorki

W tworzeniu postaci Eulalii Barron wykorzystałam kilka motywów z biograficznych opowieści profesora Feliksa Grossa (1906–2006), którego mądrości i dobroci, pamiętając jego historię, składam hołd.

W książce wykorzystano fragmenty *Odysei* Homera w przekładzie Lucjana Siemieńskiego.

Redaktor serii: Dariusz Sośnicki
Redakcja: Dariusz Sośnicki
Korekta: Magdalena Stajewska, Marianna Sokołowska
Redakcja techniczna: Anna Gajewska

Projekt okładki i stron tytułowych: Sylwia Grządzka i Jacek Szewczyk
Fotografia wykorzystana na I stronie okładki: © Zena Holloway/ Photographer's Choice/Getty Images/Flash Press Media
Fotografia wykorzystana na I wyklejce: Wikipedia Commons, repozytorium wolnych zasobów (www.commons.wikimedia.org/wiki/File:Baartman.jpg)
Fotografie wykorzystane we wnętrzu książki, na II wyklejce i na IV stronie okładki pochodzą z archiwum autorki.

Wydawnictwo W.A.B.
02-386 Warszawa, ul. Usypiskowa 5
tel./fax (22) 646 01 74, 646 01 75, 646 05 10, 646 05 11
wab@wab.com.pl
www.wab.com.pl

Skład i łamanie: Komputerowe Usługi Poligraficzne
Piaseczno, Żółkiewskiego 7a
Druk i oprawa: Drukarnia Wydawnicza
im. W.L. Anczyca S.A., Kraków

ISBN 978-83-7414-737-8

Jadzię litościwą nie od dziś ciągnęło do r
czy drobnych, zaniedbanych, nad któr
mogłaby się ulitować po swojemu: po
szła, przykląkła, zdrowaś Mario, zacz
Coś było nie tak. Matka Boska wyglad
po matkobosku, ale dzieciątko? coś
tak było z dzieciątkiem, i to bardzo. Jad
okulary zdjęła, na szkła dmuchnęła. p
tarła. Matko Boska, to dziewczynka! M
ka Boska trzymała w objęciach jasnow
dziewczynkę, poza tym wszystko b
jak zawsze. Ludzie przechodzili, nikt
zwracał uwagi na Matkę Boską z córec
i Jadzia córkorodna poczuła nagle t
przypływ siły, że mogłaby nie tylko jesz
raz pogonić Leokadię Wawrzyniak, ale
nowa urodzić i wychować Dominikę. I je
cze raz ją pokoch